de Bibliotheek
Breda
Prinsenbeek

D0636256

De spiegelwereld van Willie Sutton

Van J.R. Moehringer verscheen ook bij De Geus

Tender bar

J.R. Moehringer

De spiegelwereld van Willie Sutton

Uit het Engels vertaald door
Anneke Bok en Nan Lenders

DE GEUS

Tweede druk

De vertaalsters ontvingen voor deze vertaling een werkbeurs van het Nederlands Letterenfonds

Oorspronkelijke titel *Sutton*, verschenen bij Hyperion

ISBN 978 90 445 2540 3
NUR 302

Voor Roger en Sloan Barnett,
met liefde en dankbaarheid

Noot van de auteur

Nadat Willie Sutton alles bij elkaar zijn halve leven in de gevangenis had doorgebracht, kwam hij op Kerstavond 1969 definitief vrij. Door zijn plotselinge vrijlating uit de Attica-gevangenis ontstond er een ware mediahype. Kranten, tijdschriften, televisienetwerken, praatprogramma's – iedereen wilde een interview met de meest ongrijpbare en succesvolle bankrover uit de Amerikaanse geschiedenis.

Sutton gaf er slechts één. Hij bracht de hele volgende dag door met een dagbladverslaggever en een fotograaf, die met hem door New York reden en de plaatsen bezochten waar zijn spraakmakendste overvallen hadden plaatsgevonden, en andere plekken die een belangrijke rol hadden gespeeld in zijn opmerkelijke leven. Het resultaat was vreemd genoeg een nogal oppervlakkig artikel dat verscheidene fouten – of leugens – bevatte en maar weinig onthullingen.

Helaas zijn zowel Sutton als de verslaggever en de fotograaf inmiddels overleden, dus wat er zich die Kerst tussen hen heeft afgespeeld, en wat Sutton gedurende de voorafgaande achtenzestig jaar is overkomen, kunnen we slechts vermoeden.

Dit boek is mijn vermoeden. Maar het is tevens mijn wens.

Drie is finaal: wat ik driemaal gezegd heb, is waar.

LEWIS CARROLL, *De jacht op de slaai*

DEEL EEN

Zo was in den beginne de gehele wereld een Amerika …
want zoiets als geld was nergens bekend.

JOHN LOCKE, *Over het Staatsbestuur*

Een

Hij zit te schrijven als ze hem komen halen.

Hij zit aan zijn ijzeren bureautje over een schrijfblok gebogen in zichzelf te praten, en tegen haar ... als altijd tegen haar. Daarom merkt hij niet dat ze bij zijn deur staan. Tot ze hun wapenstok langs de tralies halen.

Hij kijkt op en duwt zijn grote, gehavende bril omhoog, waarvan de brug al diverse keren met plakband is gerepareerd. Twee bewakers, zij aan zij – de linker dik, week en bleek, alsof hij uit reuzel bestaat, de rechter lang en broodmager, met een moedervlek op zijn rechterwang.

Bewaker Links hijst zijn riem op. Opstaan, Sutton. Je moet op kantoor komen.

Sutton gaat staan.

Bewaker Rechts wijst met zijn wapenstok. Wat krijgen we nou? Zit je te janken, Sutton?

Nee, meneer.

Niet liegen, Sutton. Ik zie toch dat je zit te janken.

Sutton voelt aan zijn wang. Zijn vingers worden nat. Dat had ik niet in de gaten, meneer.

Bewaker Rechts zwaait met zijn wapenstok naar het schrijfblok. Wat is dat?

Niets, meneer.

Hij vroeg je wat het is, zegt Bewaker Links.

Sutton voelt zijn slechte been knikken. Hij klemt zijn kiezen op elkaar tegen de pijn. Mijn roman, meneer.

Ze kijken zijn met boeken volgestouwde cel rond. Hij volgt hun blik. Nooit goed als de bewakers je cel rondkijken. Ze vinden altijd wel iets als ze daar zin in hebben. Ze kijken afkeurend naar de boeken die in rijen op de grond staan, de boeken op de ijzeren kast, de boeken op de wasbak. De cel van Sutton is de enige in Attica die vol staat met boeken van Dante, Plato, Shakespeare en Freud. Nee, zijn Freud hebben ze hem afgepakt. Het is gevangenen niet toegestaan om psychologieboeken te hebben. De directeur denkt dat ze elkaar dan zullen proberen te hypnotiseren.

Bewaker Rechts lacht schamper. Hij stoot Bewaker Links aan: Hou je vast. Je roman? Waar gaat-ie over?

Gewoon ... u weet wel. Over het leven, meneer.

Jij weet als ouwe bajesklant toch niks over het leven?

Sutton haalt zijn schouders op. Dat is zo, meneer. Maar geldt dat niet voor iedereen?

Het gerucht verspreidt zich. Tegen de middag zijn er al een stuk of tien verslaggevers van de schrijvende pers die bij elkaar drommen bij de hoofdingang, met hun voeten stampen en in hun handen blazen. Een van hen zegt dat hij net heeft gehoord dat er sneeuw op komst is. Een dik pak sneeuw. Wel twintig centimeter.

Iedereen kreunt.

Veel te koud voor sneeuw, zegt de veteraan in de groep, een ouwe rot van het persbureau met bretels en zwarte orthopedische schoenen. Hij zit al bij UPI sinds het Scopes-proces. Hij rochelt een fluim op de bevroren grond en kijkt chagrijnig omhoog naar de wolken en vervolgens naar de grote wachttoren, die volgens sommigen veel weg heeft van het nieuwe kasteel van Sneeuwwitje in Disneyland.

Te koud om hier te staan, zegt de verslaggever van *New York Post*. Hij mompelt iets minachtends over de gevangenisdirecteur, die tot drie keer toe heeft geweigerd de media de gevangenis binnen te laten. De verslaggevers hadden op dit moment lekker achter een warme kop koffie kunnen zitten. Ze hadden de telefoons kunnen gebruiken en op de valreep nog plannen kunnen maken voor de Kerst. In plaats daarvan moet de directeur zo nodig iets bewijzen. Waarom, vragen ze zich allemaal af, waarom?

Omdat de directeur een lul is, zegt de verslaggever van *Time*, daarom.

De verslaggever van *Look* houdt zijn duim en wijsvinger drie centimeter uit elkaar. Ook al geef je een bureaucraat maar zo veel macht, je moet op je hoede blijven. Je ogen openhouden.

Niet alleen bureaucraten, zegt de verslaggever van *The New York Times*. Alle bazen worden uiteindelijk fascisten. Dat zit in de aard van het beestje.

De verslaggevers wisselen gruwelverhalen uit over hun bazen, hun redacteuren, de ellendige onbenullen die hen met deze kloteopdracht hebben opgezadeld. Er is een gloednieuwe journalistieke term, pas afgelopen jaar overgenomen uit de oorlog in Azië, waarmee dit soort opdrachten vaak wordt aangeduid, opdrachten waarbij je met een hele horde collega's staat te wachten, meestal buiten, overgeleverd aan de elementen, terwijl je donders goed weet dat het niks zal opleveren wat de moeite waard is, in elk geval niks wat de rest van de horde niet ook zal krijgen. De term luidt *clusterfuck*, een opeenhoping van ellende, een nutteloze teringzooi. Elke verslaggever raakt van tijd tot tijd weleens verstrikt in zo'n clusterfuck, dat hoort bij het werk, maar op Kerstavond? Voor de poort van de Attica-gevangenis? Niet fijn, zegt de verslaggever van *Village Voice*. Niet fijn.

De vijandigheid van de verslaggevers is vooral gericht op de baas der bazen, gouverneur Nelson Rockefeller. Die met zijn Buddy Hollybril en zijn chronische besluiteloosheid. Gouverneur Hamlet, zegt de verslaggever van UPI, met een kregele blik op de muren. Gaat hij het nou nog doen of niet?

Hij roept naar het kasteel van Sneeuwwitje: Hé, man, schiet eens een beetje op! Kakken of van de pot komen, Nelson!

De verslaggevers knikken, mopperen en knikken. Net als de gevangenen aan de andere kant van deze tien meter hoge muur beginnen ze ongedurig te worden. De gevangenen willen eruit, de verslaggevers willen erin, en beide groepen geven de schuld aan het Systeem. Koud, moe, boos, uitgestoten door de maatschappij, staan beide groepen op het punt om te muiten. En geen van beide zien ze de prachtige maan die opkomt boven de gevangenis.

Het is een volle maan.

De bewakers lopen met Sutton van zijn cel in Blok D door een traliedeur en dan door een tunnel naar de centrale bewakerspost van Attica – die door de gevangenen Times Square wordt genoemd – vanwaar je bij alle cellenblokken en kantoren kunt komen. Vanaf Times Square brengen de bewakers Sutton naar het kantoor van de onderdirecteur. Het is de tweede keer deze maand dat Sutton bij hem moet komen. Vorige week om te horen dat zijn verzoek om voorwaardelijke vrijlating was afgewezen – een vernietigende slag. Sutton en zijn advocaten hadden er alle vertrouwen in gehad. Ze hadden de steun van vooraanstaande rechters weten te verkrijgen, hadden zwakke plekken ontdekt in zijn veroordelingen en brieven verzameld van dokters die verklaarden dat Sutton niet lang meer te leven had. Maar de driekoppige paroolcommissie had gewoon nee gezegd.

De onderdirecteur zit aan zijn bureau. Hij neemt niet de moeite om op te kijken. Hallo, Willie.

Hallo, meneer.

Het ziet ernaar uit dat we toestemming hebben tot lancering.

Wat, meneer?

De onderdirecteur wuift met zijn hand over de paperassen die op zijn bureau verspreid liggen. Dit zijn je ontslagpapieren. Je wordt vrijgelaten.

Sutton knippert met zijn ogen en wrijft over zijn been. Vríjgelaten? Door wie, meneer?

De onderdirecteur kijkt zuchtend op. Door de directeur. Of door Rockefeller. Of door allebei. De hogere machten hebben nog niet besloten hoe ze dit willen verkopen. De gouverneur weet als voormalig bankier niet of hij er zijn naam onder wil zetten. En de directeur wil de paroolcommissie niet tegen zich in het harnas jagen. Maar hoe dan ook, het ziet ernaar uit dat ze je laten gaan.

Laten gaan, meneer? Waarom, meneer?

Jezus, alsof ik dat weet. Alsof mij dat wat kan schelen.

Wanneer, meneer?

Vanavond. Als de telefoon ophoudt met rinkelen en de verslaggevers eindelijk ophouden met dat gezeik dat ik mijn gevangenis door hen in een recreatiezaaltje moet laten veranderen. Als ik die kloteformulieren ingevuld krijg.

Sutton kijkt verbijsterd naar de onderdirecteur. Dan naar de bewakers. Is dit een grap? Ze kijken serieus.

De onderdirecteur richt zijn aandacht weer op de paperassen. Het ga je goed, Willie.

De bewakers nemen Sutton mee naar de gevangeniskleermaker. Elke man die wordt vrijgelaten uit een gevangenis in de staat New York krijgt een vrijlatingspak, een traditie die al minstens een eeuw teruggaat. De laatste keer dat Sutton de maat werd genomen voor een vrijlatingspak was Calvin Coolidge nog president.

Sutton gaat voor de driedelige spiegel van de kleermaker staan. Hij schrikt. Hij heeft in de afgelopen jaren niet vaak voor een spiegel gestaan en kan zijn ogen niet geloven. Dat is zijn ronde gezicht, dat is zijn gladgekamde, grijze haar, dat is zijn gehate neus – te groot, te breed, met neusgaten van verschillende grootte – en dat is dezelfde grote rode bult op zijn ooglid die vermeld wordt in elk politierapport en in elk FBI-signalement sinds kort na de Eerste Wereldoorlog. Maar dat is hij niet, dat bestaat niet. Sutton is er altijd prat op gegaan dat hij een zekere flair had, zelfs met handboeien om. Hij is er altijd in geslaagd om iets van zijn cachet te behouden, er goedverzorgd uit te zien, zelfs in grijze bajeskleren. Nu, op achtenzestigjarige leeftijd, ziet hij in de spiegel van de kleermaker dat al zijn flair, al zijn cachet en charme verdwenen zijn. Hij is een koppoter met wallen onder de ogen. Hij ziet eruit als Felix de Kat. Zelfs het dunne snorretje waar hij altijd zo trots op was, ziet eruit als de snorharen van een tekenfilmkat.

De kleermaker komt naast Sutton staan, met een groen meetlint om zijn nek. Een oude Italiaan uit de Bronx, met twee voortanden ter grootte van een vingerhoed, die onder het praten een handvol knopen en munten in zijn broekzak laat rammelen.

Dus ze laten je gaan, Willie.

't Ziet ernaar uit.

Hoelang ben je hier geweest?

Zeventien jaar.

En hoelang is het geleden dat je een nieuw pak had?

O. Twintig jaar. Vroeger, toen ik nog goed bij kas was, liet ik al mijn pakken op maat maken. Met zijden overhemden. Bij D'Andrea Brothers.

Hij herinnert zich het adres nog: Fifth Avenue 587. En het telefoonnummer. Murray Hill 5-5332.

Tuurlijk, zegt Kleermaker, D'Andrea, prachtige dingen maakten ze daar. Ik heb nog steeds een smoking van ze. Ga maar op het bankje staan.

Sutton stapt erop en kreunt. Een pak, zegt hij. Jezus, ik dacht dat het volgende dat me werd aangemeten wel een doodskleed zou zijn.

Die maak ik niet, zegt Kleermaker. Geen mens die dan ziet wat je maakt.

Sutton kijkt fronsend omlaag naar de drie Kleermakers in de spiegel. Vind je het niet genoeg om goed werk te leveren? Moet het ook nog gezien worden?

Kleermaker strekt zijn meetlint over Suttons schouders, langs zijn arm omlaag. Ik moet de eerste kunstenaar nog tegenkomen, zegt hij, die niet geprezen wil worden.

Sutton knikt. Dat had ik net zo met mijn bankovervallen.

Kleermaker kijkt naar het drieluik met weerspiegelde Suttons en knipoogt naar de middelste. Hij strekt het meetlint omlaag langs Suttons slechte been. Binnenbeenlengte vijfenzeventig, stelt hij vast. Jasje maat achtenveertig, kort.

Ik was een normale maat vijftig toen ik hier kwam. Ik zou ze een proces moeten aandoen.

Kleermaker lacht zachtjes en hoest. Wat voor kleur wil je, Willie?

Als het maar geen grijs is.

Zwart dus. Ik ben blij dat ze je laten gaan, Willie. Je hebt je schuld voldaan.

Vergeef ons onze schuld, zegt Willie, zoals ook wij aan anderen hun schuld vergeven.

Kleermaker slaat een kruis.

Komt dat uit je roman? vraagt Bewaker Rechts.

Sutton en Kleermaker kijken elkaar aan.

Kleermaker maakt een pistool van duim en wijsvinger en richt het op Sutton. Vrolijk kerstfeest, Willie.

Insgelijks, vriend.

Sutton richt zijn zogenaamde pistool op Kleermaker en spant de haan. Pang.

De verslaggevers praten over seks, geld en actualiteiten. Altamont, dat bizarre concert waarbij die vier knetterstonede hippies aan hun eind kwamen – wie zijn schuld was dat? Mick Jagger? De Hells Angels? Dan roddelen ze over hun succesvollere collega's, te beginnen met Norman Mailer. Mailer heeft zich niet alleen kandidaat gesteld voor het burgemeesterschap van New York, hij heeft net een miljoen dollar gekregen om een boek over de maanlanding te schrijven. Mailer – die vent schrijft geschiedenis als fictie, fictie als geschiedenis, alsof hij overal hoogstpersoonlijk bij is geweest. Doet alles volgens zijn eigen regels terwijl zijn aan regels gebonden collega's naar Attica worden gestuurd om te vernikkelen. Mailer kan doodvallen, vinden ze allemaal.

En de maan kan doodvallen.

Ze blazen in hun handen, zetten hun kraag op en sluiten weddenschappen af op de vraag of de directeur ooit publiekelijk ontmaskerd zal worden als travestiet. En ze wedden ook om wat er het eerst zal gebeuren – dat Sutton vrijkomt of dat Sutton de pijp uit gaat. De verslaggever van *New York Post* zegt dat hij heeft gehoord dat Sutton niet alleen op de hemelpoort staat te kloppen, maar dat hij er ook aanbelt en zijn voeten veegt op de deurmat met WELKOM erop. De verslaggever van *Newsday* zegt dat de slagader in Suttons been zo verstopt is dat het niet meer te verhelpen valt – gehoord van een dokter die squasht met de zwager van de verslaggever. De verslaggever van *Look* zegt dat hij van een bevriende politieman in de Bronx heeft gehoord dat Sutton nog steeds op allerlei plaatsen in de stad buitgemaakt geld heeft verstopt. De gevangenisautoriteiten gaan Sutton vrijlaten en dan zal de politie hem volgen naar het geld.

Ook een manier om de financiële crisis op te lossen, zegt de verslaggever van *Albany Times Union*.

De verslaggevers wisselen wetenswaardigheden uit over Sutton, laten feiten en verhalen rondgaan als hartversterkertjes waarmee ze de koude avond moeten zien door te komen. Wat ze niet hebben gelezen of op tv hebben gezien, hebben ze van hun ouders en grootouders en overgrootouders gehoord. Sutton is de eerste bankrover in de geschiedenis die bij meerdere generaties bekend is, de eerste die ooit een langdurige carrière heeft opgebouwd, van maar liefst vier decennia. Op zijn hoogtepunt was Sutton het gezicht van de Amerikaanse misdaad, een van het handjevol mannen die de sprong maakten van publieke vijand tot volksheld. Hij was slimmer dan George Kelly Barnes ('Machine Gun Kelly'), minder gestoord dan Charles Arthur ('Pretty Boy Floyd'), innemender dan Jack Moran ('Legs Diamond'), vredelievender dan Arthur Flegenheimer ('Dutch Schultz') en romantischer dan Bonnie en Clyde, en Sutton beschouwde het overvallen van banken als hoge kunst en ging te werk met de onstuitbare geestdrift van een kunstenaar. Hij geloofde in onderzoek, planning, hard werken. En toch was hij ook creatief, een vernieuwer, en net als de grootste kunstenaars bleek hij nauwelijks kapot te krijgen. Hij ontsnapte uit drie zwaarbeveiligde gevangenissen en wist jarenlang uit handen te blijven van de politie en de FBI. Hij was een kruising tussen Henry Ford en John Dillinger, met een zweem van Houdini, Picasso en Raspoetin. De verslaggevers weten alles over de stijlvolle kleding van Sutton, zijn ondeugende lach, zijn liefde voor goede boeken, de kwajongensachtige blik in zijn helderblauwe ogen, zo blauw dat de FBI ze in signalementen ooit omschreef als 'azuurblauw'. Het komt maar zelden voor dat een bankovervaller de FBI tot dergelijke lyrische beschrijvingen beweegt.

Wat de verslaggevers niet weten, maar wat zij en de meeste Amerikanen altijd graag hebben willen weten, is of Sutton, die altijd bekend had gestaan om zijn geweldloosheid, iets te maken had met de brute onderwereldmoord op Arnold Schuster. Schuster, een fris ogende vierentwintigjarige uit Brooklyn, honkballiefhebber en voormalige kustwacht, stapte op een middag in de verkeerde metro, waar hij oog in oog kwam te staan met Sutton, op dat moment de meest gezochte man in Amerika. Drie weken later was Schuster dood, en zijn onopgeloste moord is wellicht de intrigerendste cold case in de geschiedenis van New York. Het is in elk geval het intrigerendste deel van de Suttonlegende.

De bewakers brengen Sutton terug naar het kantoor. Een klerk schrijft twee cheques voor hem uit. Een ter waarde van honderdzesenveertig dollar, na aftrek van de belasting het loon voor zeventien jaar gevangeniswerk. En een ter waarde van veertig dollar, de prijs van een buskaartje naar Manhattan. Elke vrijgelaten gevangene krijgt geld voor de bus naar Manhattan. Sutton neemt de cheques aan – het gaat echt gebeuren. Zijn hart begint te bonken. Zijn been ook. Beide zwaar aangedaan, als de mannelijke en vrouwelijke solisten in een Italiaanse opera.

De bewakers brengen hem terug naar zijn cel. Je hebt een kwartier, laten ze hem weten en ze geven hem een boodschappentas.

Hij staat midden in de cel van tweeënhalf bij twee meter die de afgelopen zeventien jaar zijn onderkomen is geweest. Zou hij hier vannacht echt niet meer slapen? Zou hij in een zacht bed slapen met schone lakens en een echt kussen en zonder krankzinnige stakkers boven en onder hem die janken, vloeken en smeken van machteloosheid, woede en razernij? Het geluid van mannen in kooien – dat is met niets te vergelijken. Hij zet de boodschappentas op het bureautje en legt er voorzichtig het manuscript van zijn roman in. Dan de ringbanden van zijn lessen *creative writing*. Vervolgens de boeken van Dante, Shakespeare en Plato. Dan Kerouac. *De gevangenis is de plek waar je jezelf het recht toekent om te leven.* Een zin die in menig lange nacht Suttons redding is geweest. Dan volgt het citatenboek, waarin de beroemdste zin van de beroemdste bankrover van Amerika, Willie Sutton, alias Slick Willie ('Gladde Willie'), alias Willie the Actor ('Willie de Acteur'), is opgenomen.

Voorzichtig, liefdevol, pakt hij de Ezra Pound in. *Nu maak jij je los uit een kluwen mensen.* En dan de Tennyson. *Toe, kom nu de tuin in, Maud, ik sta hier alleen bij het hek.* Zachtjes prevelt hij de regels voor zich uit. Zijn ogen worden vochtig. Zoals gewoonlijk. Ten slotte pakt hij het schrijfblok waarin hij had zitten schrijven toen de bewakers hem kwamen halen. Niet zijn roman, die hij onlangs heeft voltooid, maar een zelfmoordbrief, waaraan hij een uur na de afwijzing van de paroolcommissie was begonnen. Dat zul je nou altijd zien, denkt hij. De dood staat voor je deur, hijst zijn broek op, wijst met zijn wapenstok naar je – en verleent je vervolgens gratie.

Als Sutton klaar is met inpakken, mag hij van de onderdirecteur een paar mensen bellen. Eerst draait hij het nummer van zijn advocate, Katherine. Ze is uitzinnig van blijdschap.

Het is ons gelúkt, Willie. Het is ons gelúkt!

Hóé is het ons gelukt, Katherine?

Ze zijn het beu geworden om nog langer de strijd met ons aan te gaan. Het is Kerstmis, Willie, en ze waren het gewoon beu. Het was makkelijker om het bijltje erbij neer te gooien.

Ik weet hoe ze zich gevoeld moeten hebben, Katherine.

En de kranten hebben natuurlijk ook geholpen, Willie. De kranten stonden aan jouw kant.

En dat is ook de reden waarom Katherine een deal heeft gesloten met een van de grootste kranten. Ze noemt de naam van de krant, maar Willie is veel te druk in zijn hoofd, de naam dringt niet tot hem door. Willie zal razendsnel met het privévliegtuig van de krant naar Manhattan worden gevlogen en in een hotel worden ondergebracht en in ruil daarvoor zal hij hun exclusief zijn verhaal vertellen.

Helaas houdt dat in dat je Eerste Kerstdag met een verslaggever zult moeten doorbrengen in plaats van met je familie, voegt Katherine eraan toe. Vind je dat goed?

Sutton denkt aan zijn familie. Hij heeft ze al jaren niet meer gesproken. Hij denkt aan verslaggevers, daar heeft hij nog nóóit mee gesproken. Hij heeft het niet op verslaggevers. Maar dit is niet het moment om deining te veroorzaken.

Ik vind het best, Katherine.

Ken je misschien iemand die je bij de gevangenis kan oppikken en naar het vliegveld kan rijden?

Ik vind wel iemand.

Hij hangt op en draait het nummer van Donald, die pas opneemt als de telefoon negen keer is overgegaan.

Donald? Met Willie.

Met wie?

Met Willie. Wat ben je aan het doen?

O. Hoi. Ik zit met een biertje naar *De vliegende non* te kijken.

Luister. Het ziet ernaar uit dat ze me vanavond gaan vrijlaten.

Wórd je vrijgelaten of ga jij jezelf vrijlaten?

Helemaal volgens de regels, Donald. Ze gaan de deur opendoen.

Vallen Pasen en Pinksteren op één dag?

Geen idee. Voorlopig is het eerst nog Kerstmis. Kun je me ophalen bij de hoofdingang?

Bij die toren van Sneeuwwitje?

Daar, ja.

Tuurlijk.

Sutton vraagt aan Donald of hij een paar dingen voor hem mee kan brengen.

Wat je maar wilt, zegt Donald. Zeg het maar.

Een televisiewagen uit Buffalo komt ronkend tot stilstand voor de hoofdingang. Er springt een televisieverslaggever uit, die druk met zijn microfoon in de weer is. Hij draagt een pak van tweehonderd dollar, een kasjmieren overjas, grijze leren handschoenen, zilveren manchetknopen. De dagbladverslaggevers stoten elkaar aan. Manchetknopen – krijg nou wat!

De televisieverslaggever wandelt naar de dagbladverslaggevers en wenst iedereen een vrolijk kerstfeest. Van hetzelfde, mompelen ze. Dan is het stil.

Stille Nacht, zegt de televisieverslaggever.

Niemand lacht.

De verslaggever van *Newsweek* vraagt de tv-verslaggever of hij vanochtend Pete Hamill heeft gelezen in *Post*. Hamills welsprekende verweerschrift voor Sutton, zijn pleidooi voor Suttons vrijlating, geschreven als een brief aan de gouverneur, zou weleens de reden kunnen zijn dat ze hier allemaal staan. Hamill drong er bij Rockefeller op aan om rechtvaardig te zijn. *Als Willie Sutton een directielid was geweest van General Electric of een voormalige directeur van het waterleidingbedrijf, in plaats van de zoon van een Ierse smid, zou hij nu op vrije voeten zijn.*

De tv-verslaggever verstijft. Hij weet dat die krantenjongens denken dat hij niet leest, niet kan lezen. Ja, zegt hij, ik vond dat Hamill de spijker op zijn kop sloeg. Vooral met die zin over de banken. *Er zijn tegenwoordig nogal wat mensen die, gezien de hoogte van de hypotheekrente, vinden dat het de banken zijn die óns beroven.* En dat stukje over de hereniging van Sutton met een verloren liefde, daar kreeg ik een brok van in mijn keel. *Wil-*

lie Sutton zou de gelegenheid moeten krijgen om nog eenmaal op een bankje in Prospect Park te zitten om naar de eenden te kijken, of om een hotdog te kopen bij Nathan's, of een oude vriendin te bellen om samen wat te gaan drinken.

Dat ontlokt een discussie. Verdient Sutton het eigenlijk wel om op vrije voeten te komen? Het is een schurk, zegt de verslaggever van *Newsday*, waarom wordt hij zo opgehemeld?

Omdat hij in delen van Brooklyn een god is, zegt de verslaggever van *Post*. Kijk alleen maar naar al die mensen die hiernaartoe zijn gekomen.

Er staan inmiddels ruim vijfentwintig verslaggevers en evenzoveel gewone burgers – misdaadfanaten, types die naar de politieradio luisteren, sensatiezoekers. Zonderlingen. Engerds.

Maar toch, zegt de verslaggever van *Newsday*, vraag ik me af ... waarom?

Omdat Sutton bánken beroofde, zegt de tv-verslaggever, en wie kan er in godsnaam iets aardigs zeggen over bánken? Ze zouden hem niet alleen moeten vrijlaten, ze zouden hem de sleutel van de stad moeten geven.

Wat ik niet snap, zegt de verslaggever van *Look*, is waarom Rockefeller, een voormalig bankier, een bankrover vrij zou laten.

Rockefeller heeft de stem van de Ieren nodig, zegt de verslaggever van *Times Union*. Je kunt als gouverneur van New York niet herkozen worden zonder de stem van de Ieren, en Sutton is als een soort stoofpotje van Michael Collins, een handjevol Kennedy's en de Ierse burgemeester van New York.

En toch is het een schurk, zegt de verslaggever van *Newsday*, die best weleens dronken zou kunnen zijn.

De tv-verslaggever lacht hem uit. Hij heeft de *Life* van vorige week onder zijn arm, met Charles Manson op de omslag. Hij houdt het tijdschrift omhoog: Manson kijkt hen dreigend aan.

Vergeleken bij deze gast en de Hells Angels en de soldaten die al die onschuldige mensen hebben afgeslacht in Mỹ Lai, is Willie Sutton een lieverdje, zegt de tv-verslaggever.

Ja, zegt de verslaggever van *Newsday*, hij is een echte pacifist. Hij is de Gandhi onder de gangsters.

Al die banken, zegt de tv-verslaggever, al die gevangenissen, en die man heeft nooit ook maar één schot gelost. Hij heeft nooit een vlieg kwaad gedaan.

En Arnold Schuster dan? bijt de verslaggever van *Newsday* de tv-verslaggever toe.

Ach, zegt de tv-verslaggever, Sutton had niets te maken met Schuster.

Wie zegt dat?

Ik zeg dat.

En wie mag jij dan wel zijn?

Ik zal je vertellen wie ik niet ben – ik ben niet de een of andere uitgebluste broodschrijver.

De verslaggever van *Times* komt tussenbeide. Jullie kunnen op Kerstavond niet op de vuist gaan over de vraag of iemand geweldloos is of niet.

Waarom niet?

Omdat ik er dan over moet schrijven.

Het gesprek komt weer op de gevangenisdirecteur. Beseft die eigenlijk wel dat het nu minstens vijftien graden onder nul is? O ja, reken maar dat hij dat weet. En hij geniet ervan. Het geeft hem een gevoel van macht. Iedereen geniet tegenwoordig van zijn macht. Mailer, Nixon, Manson, de Zodiac Killer, de politie – het is 1969, man, het Jaar van het Machtsgevoel. Waarschijnlijk zit de gevangenisdirecteur zich op dit moment kapot te lachen terwijl hij met een cognacje in de hand naar hen kijkt via zijn bewakingscamera's. Het is niet genoeg dat ze hier met zijn allen betrokken zijn bij deze clusterfuck nee, ze moeten ook nog allemaal zo nodig de dupe worden van die cryptofascistische macholul!

Als jullie zin hebben, kunnen jullie in mijn reportagewagen komen zitten, zegt de tv-verslaggever. Daar is het warm. En er is tv. *De vliegende non* is net begonnen.

Gekreun.

Sutton ligt op zijn brits te wachten. Om zeven uur verschijnt Bewaker Rechts aan zijn deur.

Sorry, Sutton. Het gaat niet door.

Meneer?

Bewaker Links duikt op achter Bewaker Rechts. We hebben net nieuwe orders gekregen van de onderdirecteur, die zegt dat het niet doorgaat.

Gaat het niet door – waarom niet?

Waarom niet wát?

Waarom niet, meneer?

Bewaker Rechts haalt zijn schouders op. Onenigheid tussen Rockefeller en de paroolcommissie. Ze kunnen het niet eens worden over wie er verantwoordelijk is, of wat er in het perscommuniqué moet komen te staan.

Dus ik word niet ...?

Nee.

Sutton kijkt naar de muren, de tralies. Naar zijn polsen. De paarse aders, dik en kronkelig. Hij had het moeten doen toen hij de kans had.

Bewaker Rechts begint te lachen. Bewaker Links ook. Grapje, Sutton. Opstaan.

Ze doen de deur open en brengen hem naar de kleermaker. Hij doet zijn gevangeniskloffie uit, trekt een kraakhelder, nieuw wit overhemd aan, een nieuwe blauwe stropdas, een nieuw zwart pak met twee knopen. Hij trekt zijn nieuwe zwarte sokken aan, laat zijn voeten in zijn nieuwe zwarte brogues glijden. Hij draait zich om naar de spiegel. Nú kan hij zijn oude flair zien.

Hij kijkt naar Kleermaker. Hoe zie ik eruit?

Kleermaker rammelt met zijn munten en knopen en steekt zijn duim op.

Sutton kijkt naar de bewakers. Niets.

Bewaker Rechts loopt in zijn eentje met Sutton over Times Square, dan langs het kantoor naar de hoofdingang. Jezus, wat is het koud. Sutton omklemt de tas met zijn bezittingen en negeert de krampende, brandende, vlammende pijn die omlaagtrekt in zijn been. Zijn slagader wordt opengehouden door een plastic buisje en hij heeft het gevoel dat het elk moment kan knakken als een rietje.

Je moet geopereerd worden, zei de dokter nadat hij het buisje er twee jaar geleden in had gezet.

Als ik wacht met die operatie, raak ik dan mijn been kwijt, dokter?

Nee, Willie, dan raak je je been niet kwijt – dan ga je dood.

Maar Sutton had ermee gewacht. Hij wilde zich niet overleveren aan de een of andere gevangenisdokter. Hij zou niet eens zijn portemonnee toevertrouwen aan een gevangenisdokter. Nu lijkt het erop dat hij de juiste beslissing heeft genomen. Misschien kan hij wel geopereerd worden in een echt ziekenhuis en de ingreep bekostigen van de opbrengst van zijn roman. Als hij tenminste nog tijd heeft. Als hij tenminste deze avond overleeft, dit moment. Morgen.

Bewaker Rechts voert Sutton om de metaaldetector heen, om een tafel waar de bezoekers zich moeten aanmelden, naar de zwarte ijzeren deur. Bewaker Rechts doet hem van het slot. Sutton doet een stap naar voren. Hij kijkt om naar Bewaker Rechts, die hem de afgelopen zeventien jaar heeft gekleineerd en geslagen. Bewaker Rechts heeft de brieven van Sutton gecensureerd, heeft hem zijn boeken afgenomen, hem zeep en pennen en toiletpapier geweigerd, hem in het gezicht geslagen als hij vergat zijn zinnen af te sluiten met 'meneer'. Bewaker Rechts zet zich schrap – dit is het moment waarop gevangenen dikwijls hun hart willen luchten. Maar Sutton glimlacht alsof er binnen in hem iets opengaat als een bloem. Vrolijk kerstfeest, knul.

Argwaan en verbazing bij Bewaker Rechts, die nog één tel wacht. Twee tellen. Dan: Ja. Vrolijk kerstfeest, Willie. Het ga je goed.

Het is bijna acht uur.

Bewaker Rechts duwt de deur open en Willie Sutton loopt naar buiten.

Een fotograaf van *Life* roept: Daar is-ie! Een horde verslaggevers rent op hem af. De zonderlingen en engerds dringen op. Televisiecamera's richten zich op Suttons gezicht. Lichten, feller dan de zoeklichten van de gevangenis, schijnen in zijn azuurblauwe ogen.

Hoe voelt het om vrij te zijn, Willie?

Denk je dat je ooit nog een bank gaat beroven, Willie?

Wat heb je te zeggen tegen de familie van Arnold Schuster?

Sutton wijst naar de volle maan. Kijk, zegt hij.

De horde verslaggevers, de groep burgers en een aartscrimineel kijken omhoog naar de avondhemel. Het is voor het eerst in zeventien jaar dat Sutton oog in oog staat met de maan – het beneemt hem de adem.

Kijk, zegt hij weer. Kijk nou toch die prachtige heldere avond die God voor Willie heeft gemaakt.

Dan ziet Sutton verderop, achter het gedrang van de verslaggevers, een man met peenhaar en hardnekkige oranje sproeten, die tegen een rode Pontiac GTO uit 1967 geleund staat. Sutton zwaait; Donald komt op hem afrennen. Ze schudden elkaar de hand. Donald duwt een paar verslaggevers aan de kant en neemt Sutton mee naar de GTO. Wanneer Sutton zich op de passagiersstoel heeft geïnstalleerd, slaat Donald het portier dicht en duwt nog een verslaggever opzij, gewoon voor de lol. Hij rent om de auto heen, springt achter het stuur en trapt het gaspedaal in. Daar gaan ze, en ze werpen een stuifregen van modder en sneeuw en strooizout op. De verslaggever van *Newsday* zit helemaal onder. Zijn gezicht, zijn borst, zijn hemd, zijn overjas. Hij kijkt omlaag naar zijn kleren en dan naar zijn collega's.

Wat ik al zei: het is een schurk.

Sutton zwijgt. Donald laat hem zwijgen. Donald weet er alles van. Donald is negen maanden geleden uit Attica ontslagen. Ze staren allebei naar de ijzige weg en de bevroren bossen en Sutton probeert zijn gedachten op een rijtje te krijgen. Na een paar kilometer vraagt hij aan Donald of hij heeft gevonden wat hij hem aan de telefoon heeft gevraagd.

Ja, Willie.

Leeft ze nog?

Weet ik niet. Maar ik heb haar laatst bekende adres gevonden.

Donald geeft hem een witte envelop. Sutton houdt hem vast als een miskelk. Zijn gedachten gaan terug. Terug naar Brooklyn. Terug naar Coney Island. Terug naar 1919. Nog niet, houdt hij zichzelf voor, nog niet. Hij zet zijn gedachten stil, iets waar hij in de loop van de jaren goed in is geworden. Te goed, volgens een van de gevangenispsychiaters.

Hij schuift de envelop in de binnenzak van zijn nieuwe pak. Twintig jaar geleden dat hij een binnenzak heeft gehad. Het is altijd zijn lievelingszak geweest, de zak waarin hij de goeie spullen bewaarde. Verlovingsringen, geëmailleerde sigarettenkokers, leren portefeuilles van Abercrombie. Pistolen.

Donald vraagt wie ze is en waarom Sutton haar adres nodig heeft.

Dat kan ik je beter niet vertellen, Donald.

Wij hebben geen geheimen voor elkaar, Willie.

We hebben alleen maar geheimen voor elkaar, Donald.

Ja. Dat klopt, Willie.

Sutton kijkt naar Donald en herinnert zich waarvoor Donald in de gevangenis heeft gezeten. Een maand nadat Donald zijn werk op een vissersboot was kwijtgeraakt, twee weken nadat Donalds vrouw hem had verlaten, zei een man in een café tegen Donald dat hij er afgepeigerd uitzag. Donald, die dacht dat de man hem beledigde, gaf hem een dreun en de man beging de fout om terug te slaan. Donald, voormalig worstelaar, nam de man in een wurggreep en brak zijn nek.

Sutton zet de radio aan. Hij is op zoek naar nieuwsberichten, maar vindt niets. Hij laat hem op een muziekzender staan. De muziek is grillig, levendig – anders.

Wat is dit, Donald?

De Beatles.

Dus dit zijn nou de Beatles.

Kilometerslang zwijgen ze. Ze luisteren naar Lennon. De tekst doet Sutton aan Ezra Pound denken. Hij geeft een klopje op de boodschappentas op zijn schoot.

Donald schakelt terug en kijkt Willie aan. Heeft de naam in de envelop iets te maken met ... je weet wel?

Sutton kijkt Donald aan. Met wie?

Je weet wel. Met Schuster?

Nee. Natuurlijk niet. Jezus, Donald, hoe kom je daar nou bij?

Ik weet het niet. Gewoon een gevoel.

Nee, Donald. Nee.

Sutton steekt een hand in zijn binnenzak. Hij denkt na. Nou, zegt hij, misschien ook wel, via een omweg. Alle wegen leiden uiteindelijk naar Schuster, niet, Donald?

Donald knikt. Rijdt. Je ziet er goed uit, Willie Boy.

Ze zeggen dat ik op sterven na dood ben.

Gelul. Jij gaat nooit dood.

Nee. Tuurlijk niet.

Je zou niet eens dood kúnnen, al zou je het willen.

Hm. Je hebt geen idee hoe waar dat is.

Donald steekt twee sigaretten op en geeft er een aan Sutton. Zin om wat te gaan drinken? Zou dat nog lukken voordat je vlucht vertrekt?

Wat een interessant idee. Een bel Jameson zou er wel in gaan, zoals mijn Daddo altijd zei.

Donald neemt een afslag en parkeert bij een mistroostig wegrestaurant. De bar is versierd met hulst en kerstverlichting. Sutton heeft geen kerstverlichting meer gezien sinds zijn geliefde Dodgers in Brooklyn waren. Hij heeft geen andere verlichting gezien dan de oogverblindend felle tl-buizen in de gevangenis en het kale peertje van zestig watt in zijn cel.

Kijk, Donald. Kérstverlichting. Je weet pas dat je in de hel bent geweest als een sliert gekleurde lampjes langs een armetierige bar er nog mooier uitziet dan een kermis.

Donald maakt een hoofdbeweging in de richting van het meisje achter de bar, een jonge blondine in een strakke paisleybloes en een minirokje. Over mooi gesproken, zegt Donald.

Sutton staart naar het meisje. Toen ik werd opgesloten, hadden ze nog geen minirokjes, zegt hij zachtjes, eerbiedig.

Je komt terug in een andere wereld, Willie.

Donald bestelt een biertje. Sutton vraagt om een Jameson. De eerste slok is hemels. De tweede lekkerder dan seks. De derde een combinatie van beide. Sutton slaat de rest in één keer achterover, lacht, geeft een klap op de bar en bestelt nog een borrel.

Op de tv boven de bar is het journaal.

Ons belangrijkste nieuws vanavond. Willie 'de Acteur' Sutton, de meest succesvolle bankrover in de geschiedenis van Amerika, is vrijgelaten uit de Attica-gevangenis. Totaal onverwacht heeft gouverneur Nelson Rockefeller ...

Sutton staart naar de houtnerf van de bar en denkt: Nelson Rockefeller, zoon van John D. Rockefeller jr., kleinzoon van John D. Rockefeller sr., goede vriend van ... Nog niet, houdt hij zichzelf voor.

Hij steekt zijn hand in zijn binnenzak en betast de envelop.

Dan verschijnt Suttons gezicht op het scherm. Zijn gezicht zoals het vroeger was. Een oude politiefoto. Niemand aan de bar herkent hem. Sutton kijkt even met een ironisch lachje en een knipoog naar Donald. Ze kennen me niet. Ik kan me de laatste keer niet herinneren, Donald, dat ik in een ruimte vol mensen zat die me niet kennen. Voelt goed.

Donald bestelt nog een rondje. En nog een.

Ik hoop dat jij geld op zak hebt, zegt Sutton. Ik heb alleen twee cheques van gouverneur Rockefeller.

Die waarschijnlijk niet eens gedekt zijn, zegt Donald met dubbele tong.

Hé, Donald, zal ik je een truc laten zien?

Altijd leuk.

Sutton loopt hinkend langs de bar. Hij komt hinkend terug. Tadá.

Donald knippert met de ogen. Ik snap het geloof ik niet.

Ik ben van hier naar daar gelopen zonder dat een bewaker me lastigviel. Zonder dat ik werd lastiggevallen door een medegevangene. Drie meter – dat is een halve meter meer dan de lengte van die klotecel van me, Donald. En ik hoefde tegen niemand 'meneer' te zeggen, niet toen ik ging en niet toen ik terugkwam. Heb je ooit zoiets geweldigs gezien?

Donald moet lachen.

Ach, Donald, dat ik nou toch vrij ben. Echt vrij. Dat valt niet te beschrijven aan iemand die nooit in de bak heeft gezeten.

Iedereen zou een tijd moeten zitten, zegt Donald, een boer onderdrukkend, zodat iedereen het kan snappen.

Tijd. Willie kijkt naar de klok boven de bar. Godsamme, Donald, we moesten maar eens gaan.

In kennelijke staat rijdt Donald over spekgladde landweggetjes. Tot tweemaal toe slippen ze de berm in. De derde keer raken ze bijna een sneeuwbank.

Wil het rijden nog wel lukken, Donald?

Kut, nee, Willie, wat dacht je?

Sutton grijpt zich vast aan het dashboard. Hij staart naar de lichtjes van Buffalo in de verte. Hij herinnert zich dat hier speedboten aankwamen met gesmokkelde drank uit Canada. In de jaren twintig, zegt Sutton, was dit hele gebied in de greep van Poolse bendes.

Donald snuift. Poolse gangsters ... wat deden die dan, mensen onder schot houden en ze hun eigen portemonnee geven?

Ze zouden je tong uit je mond hebben gesneden als ze je dat hadden horen zeggen. Vergeleken met de Polen waren wij Ieren maar koorknapen. En de Poolse smerissen waren het wreedst van allemaal.

Ik ben geschokt, zegt Donald met zwaar aangezet sarcasme.

Wist je dat president Grover Cleveland hier scherprechter is geweest?

Echt?

Het was zijn taak om de strop om iemand zijn nek te knopen en hem door het valluik te laten zakken.

Werk is werk, zegt Donald.

Ze noemden hem de Beul van Buffalo. En vervolgens kwam zijn gezicht op het briefje van duizend dollar.

Ik hoor al dat je je nog steeds in de Amerikaanse geschiedenis verdiept, Willie.

Ze komen aan bij het privévliegveld. Daar worden ze opgewacht door een jongeman met een hoekig hoofd en een diep kuiltje in zijn vierkante kin. De verslaggever, neemt hij aan. Hij schudt Sutton de hand en stelt zich voor, maar Sutton is nog beschonkener dan Donald en de naam ontgaat hem.

Aangenaam kennis te maken, knul.

Insgelijks, meneer Sutton.

Verslaggever heeft dik bruin haar, diepzwarte ogen en een stralende tandpastaglimlach. Op allebei zijn gladde wangen gloeit een rood blosje, misschien van de kou, maar waarschijnlijk van pure gezondheid. Nog benijdenswaardiger is de neus van Verslaggever. Smal en kaarsrecht.

Het is maar een heel korte vlucht, zegt hij tegen Sutton. Kunnen we?

Sutton kijkt naar de laaghangende bewolking, naar het vliegtuig. Hij kijkt naar Verslaggever. Dan naar Donald.

Meneer Sutton?

Nou, knul. Om je de waarheid te zeggen wordt dit de eerste keer dat ik ga vliegen.

O. O! Tja. Het is echt volkomen veilig. Maar als u liever morgenochtend wilt vertrekken …

Nee. Hoe sneller ik in New York ben, hoe beter. De mazzel, Donald.

Vrolijk kerstfeest, Willie.

Er zijn vier stoelen in het vliegtuig. Twee voorin en twee achterin. Verslaggever installeert Sutton achterin, doet hem zijn gordel om en gaat dan zelf voorin naast de piloot zitten. Er dwarrelen een paar sneeuwvlokken omlaag als ze over de startbaan taxiën. Dan staan ze weer stil en praat de piloot in de radio en de radio praat krakend terug met getallen en codes, en ineens herinnert Sutton zich de eerste keer dat hij in een auto reed. Die gestolen was. Nou ja, gekocht met gestolen geld. Geld dat Sutton had gestolen. Hij was bijna achttien en in die nieuwe auto rijden voelde als vliegen. Nu, vijftig jaar later, gaat hij *door de lucht* vliegen. Hij voelt een pijnlijke druk opkomen in zijn hartstreek. Dit is niet veilig. Hij leest dagelijks in de krant over weer een vliegtuig dat in brokstukken verspreid ligt op een bergtop, in een veld of een meer. Met de zwaartekracht valt niet te spotten. De zwaartekracht is een van de weinige wetten die hij nooit heeft overtreden. Hij zou nu liever in Donalds GTO zitten, slingerend over landweggetjes. Misschien kan hij Donald betalen om hem naar New York te rijden. Misschien moet hij de bus nemen. Verdomme, hij gaat wel lopen. Maar eerst moet hij uit dit vliegtuig zien te komen. Hij rukt aan zijn veiligheidsgordel.

De motor giert oorverdovend en het vliegtuig steigert als een paard en raast verder over de startbaan. Sutton denkt aan de astronauten. Hij denkt aan Lindbergh. Hij denkt aan de kale man in de rode lange onderbroek die zich op Coney Island uit een kanon liet schieten. Hij sluit zijn ogen, doet een schietgebedje en omklemt krampachtig zijn boodschappentas. Als hij zijn ogen weer opent, lacht de volle maan hem door het raampje stralend toe.

Binnen veertig minuten zien ze de lichtjes van Manhattan. Dan het Vrijheidsbeeld, dat stralend groen en goudkleurig in de haven staat. Sutton drukt zijn gezicht tegen het raampje. De eenarmige godin. Ze zwaait naar hem, wenkt hem. Roept hem naar huis.

Het vliegtuig helt over en duikt omlaag naar LaGuardia. De landing verloopt soepel. Terwijl ze vaart minderen en over de landingsbaan taxiën, draait Verslaggever zich om naar Sutton. Alles in orde, meneer Sutton?

Zullen we nog eens?

Verslaggever lacht.

Ze lopen zij aan zij over het natte, nevelige tarmac naar een gereedstaande auto. Sutton denkt aan Bogart en Claude Raines. Ze hebben weleens gezegd dat hij een beetje op Bogart lijkt. Verslaggever is aan het praten. Meneer Sutton? Hoorde u wat ik zei? Ik neem aan dat uw advocate u alles heeft uitgelegd over morgen?

Ja, knul.

Verslaggever kijkt op zijn horloge. Eigenlijk moet ik vandaag zeggen. Het is al één uur.

O, echt? zegt Sutton. De tijd heeft alle betekenis verloren. Niet dat hij die ooit heeft gehad.

U bent ervan op de hoogte dat uw advocate ermee heeft ingestemd dat wij de exclusieve rechten krijgen van uw verhaal? En u bent ervan op de hoogte dat wij graag de plekken willen bezoeken waar u vroeger nogal eens kwam, de plaatsen, eh, delict?

Waar slapen we vannacht?

In het Plaza.

Wakker worden in Attica, naar bed gaan in het Plaza. Jezus, Amerika ten voeten uit.

En, meneer Sutton, als we eenmaal zijn ingecheckt mag u alles bestellen wat u maar wilt bij de roomservice, maar ik moet u dringend verzoeken om het hotel niet te verlaten.

Sutton kijkt naar Verslaggever. De knul is nog geen vijfentwintig, schat Sutton, maar hij kleedt zich als een ouwe lul. Trenchcoat met bontkraag, donkerbruin pak, kasjmieren sjaal, bruine brogues. Hij kleedt zich verdomme als een bankier, denkt Sutton.

Mijn redacteuren, meneer Sutton. Ze staan erop dat wij de eerste dag het alleenrecht op u hebben. Dat houdt in dat niemand u mag citeren of een foto van u mag maken. Dus we moeten ervoor zorgen dat niemand weet waar u bent.

Ik ben met andere woorden dus jouw gevangene, knul.

Verslaggever lacht zenuwachtig. O nee, zo zou ik het niet willen noemen.

Je houdt me in verzekerde bewaring.

Eén dagje maar, meneer Sutton.

Twee

De suite vult zich met daglicht.

Sutton zit in een oorfauteuil en kijkt hoe de andere oorfauteuil en het kingsizebed zichtbaar worden. Hij heeft niet geslapen. Het is vijf uur geleden dat hij en Verslaggever zijn aangekomen in het hotel en hij is een paar keer weggedoezeld in deze stoel, maar meer ook niet. Hij steekt een sigaret op, de laatste uit het pakje. Goed dat hij nog twee pakjes heeft besteld bij de roomservice. Goed dat ze zijn merk hadden. Hij rookt niets anders dan Chesterfield. In de kist in zijn cel had hij altijd, áltijd een voorraad Chesterfield gehad. Hij spoelt de rook weg met de ijskoude champagne die hij ook heeft besteld. Hij steekt de sigaret in zijn mond en houdt de witte envelop tegen het daglicht. Hij heeft hem nog steeds niet opengemaakt. Dat mag hij pas van zichzelf als hij er klaar voor is, als het juiste moment daar is, ook al betekent dat misschien dat hij dood zal zijn voordat hij eraan toekomt.

Zijn lichaam doet alles wat het volgens de dokter zou gaan doen wanneer het einde nadert. Het knellende gevoel in zijn onderrug. De tenen en benen die gevoelloos worden. Etalagebenen, noemde de dokter het. In het begin zul je moeite krijgen met lopen, Willie. Later houdt álles er gewoon mee op.

Hoe bedoel je, Dok?

Nou, Willie, dan houdt alles gewoon op.

Dus vandaag gaat hij dood. Binnen een paar uur, misschien al voor de middag, zeker voordat de duisternis invalt. Hij weet het net zoals hij vroeger dingen wist, zoals hij wist of een man deugde of een verrader was. Hij is de dood al honderd keer te slim af geweest, maar niet vandaag. Hij heeft de dood binnengenood met die zelfmoordbrief. Als je de dood eenmaal binnenlaat, gaat hij niet altijd weer weg.

Hij draait de envelop langzaam om, schudt hem als een lucifer die hij probeert uit te krijgen. Hij ziet het ene A-vijfje of het ringbandblaadje erin, beschreven met Donalds hanepoten. Hij ziet de naam Bess, of meent die te zien. Het zou niet voor het eerst zijn dat hij Bess heeft gezien hoewel ze er niet was. Heeft ze al gehoord over zijn vrijlating? Hij haalt zich Bess voor de geest. Ze staat vóór hem. Het is gemakkelijker haar voor de geest te halen in een suite in het Plaza dan in een cel in Attica. Ach, Bess, fluistert hij. Ik kan niet doodgaan voordat ik je heb gezien, mijn hartelief. Dat kan ik niet.

Hij schrikt op wanneer er zacht wordt aangeklopt. Hij steekt de witte envelop in zijn borstzak en loopt strompelend naar de deur.

Verslaggever. Er zit een keurige scheiding in zijn natte donkerbruine haar en zijn frisgewassen gezicht is roze en wit. Vanaf zijn hals heeft hij de kleur van Napolitaans ijs. Hij heeft een ander tweedelig bankierspak aan en dezelfde trenchcoat met de bontkraag. In de ene hand draagt hij een grote aktetas, zoals advocaten wel hebben, in de andere een kartonnen doos met eten en koffie.

Morgen, meneer Sutton.

Vrolijk kerstfeest, knul.

Was u aan het bellen?

Nee.

Ik dacht dat ik stemmen hoorde.

Nee, hoor.

Verslaggever glimlacht. Zijn tandpastaglimlach nog stralender dan gisteravond. Goed, zegt hij. Sutton kan zich nog steeds Verslaggevers naam niet herinneren of voor wie hij werkt, en hij vindt het ook raar om er nu nog naar te vragen. Het kan hem ook niet schelen. Sutton is nooit goed geweest in namen: het is al lastig genoeg om zijn eigen namen en aliassen bij te houden, laat staan die van alle anderen.

Hij doet een stap opzij. Verslaggever loopt naar het bureau bij het raam en zet de doos met eten en koffie neer.

Ik heb melk en suiker meegebracht, ik wist niet hoe u uw koffie drinkt.

Sutton doet de deur dicht en loopt achter Verslaggever aan de suite in. Gaan we niet naar het restaurant beneden, knul?

Sorry, meneer Sutton, het restaurant is veel te publiek. U bent vanochtend een heel beroemd man.

Ik ben mijn hele leven al beroemd, knul.

Maar vandaag, meneer Sutton, bent u de allerberoemdste man van New York. Producers, regisseurs, scenarioschrijvers, ghostwriters, uitgevers, ze liggen allemaal op de loer bij mijn krant. Het is uitgelekt dat wij u hebben. Merv Griffin heeft vanochtend twee keer naar de stadsredactie gebeld. Johnny Carsons mensen hebben vier berichten achtergelaten op mijn telefoon thuis. We kunnen niet riskeren dat iemand in het Plaza u ziet. Ik zie al voor me dat een kelner *Times* belt en zegt: Voor vijftig dollar vertel ik waar Willie Sutton zit te ontbijten. Mijn redacteur zou me levend villen.

Nu weet Sutton in elk geval dat Verslaggever niet voor *Times* werkt.

Verslaggever klikt zijn aktetas open en haalt er een stapel kranten uit. Hij houdt er een omhoog. Op de voorpagina staat Suttons gezicht. Daarboven een krantenkop van het formaat Mens-zet-voet-op-de-maan: KERSTMAN LAAT WILLIE SUTTON VRIJ.

Sutton pakt de krant, houdt hem op armslengte en fronst zijn wenkbrauwen. De Kerstman, zegt hij. Jezus, ik heb nooit begrepen waarom die vent zo'n goeie pers krijgt. Die dikke geveltoerist. Is inbraak soms niet tegen de wet als je een roodfluwelen pak aanhebt?

Hij wacht op bijval van Verslaggever. Verslaggever haalt zijn schouders op. Ik ben joods, meneer Sutton.

O.

Verslaggever zit erop te vlassen dat Sutton zegt: Noem me

maar Willie, hoor, knul. Sutton hoort het aan zijn stem. Het ligt op het puntje van Suttons tong, maar hij kan het niet. Hij geniet van de eerbied. Het voelt goed. Sutton kan zich de laatste keer niet herinneren dat iemand hem meneer Sutton noemde, afgezien van een rechter. Hij gaat terug naar de oorfauteuil. Verslaggever gaat met zijn kartonnen bekertje koffie in de andere oorfauteuil zitten, haalt het plastic dekseltje eraf en neemt een slok. Nu buigt hij zich gretig naar voren. En, meneer Sutton, zegt hij, hoe voelt het om beroemd te zijn?

Wat ik al zei, knul. Ik ben mijn hele leven al beroemd.

Nou, eerder berucht misschien.

Dat lijkt me een marginaal verschil.

Wat ik bedoel, is dat u een levende legénde bent.

Kom nou, knul.

U bent een icoon.

Ach, welnee.

O jawel, meneer Sutton. Daarom zijn mijn redacteuren zo op dit verhaal gebrand. Tijdens het voorpaginaoverleg gisteren zei de hoofdredacteur dat u bent uitgegroeid tot een soort mythische figuur.

Sutton zet grote ogen op. Tjonge, jullie journalisten houden wel erg van mythen, hè?

Hoe bedoelt u?

Mythen verkopen, dat is wat jullie doen. De voorpagina, de sportpagina, de financiële pagina's ... allemaal mythen.

Nou, ik geloof niet dat ...

Vroeger trapte ik daar ook in. Toen ik een kind was. Ik nam alles voor zoete koek aan. En niet alleen wat ik in de krant las – strips, Horatio Alger, de Bijbel, de hele Amerikaanse droom – daarmee is het allemaal begonnen dat ik niets meer van de wereld begreep. Die stomme mythen.

Volgens mij heb ik nog niet genoeg koffie op.

Neem wat champagne.

Nee, dank u. Meneer Sutton, ik wil alleen maar zeggen dat

Amerika waardering heeft voor een bankrover.

Serieus? Dan heeft Amerika een rare manier om dat te laten merken. Ik heb de helft van mijn leven achter de tralies doorgebracht.

Neem dat beroemde zinnetje van u. Dat zinnetje is niet voor niets onderdeel van de cultuur geworden.

Sutton drukt zijn sigaret uit en blaast twee rookpluimen uit door zijn neusgaten. Omdat de neusgaten van ongelijke grootte zijn, zijn ook de rookpluimen van ongelijke grootte. Dat heeft Sutton altijd dwarsgezeten.

Welk zinnetje bedoel je, knul?

Dat weet u best.

Sutton zet een pokerface op. Hij kan het niet laten om deze knul te stangen.

Dat herinnert u zich vast nog wel, meneer Sutton. Toen u werd gevraagd waarom u banken beroofde. Dat u zei: Daar was het geld.

Klopt, klopt. Ik weet het weer. Alleen heb ik dat nooit gezegd.

Het gezicht van Verslaggever betrekt.

Een van je collega's heeft dat zinnetje bedacht, knul. En mijn naam eraan gekoppeld.

Nee toch zeker?

Zoals ik al zei. Mythen. Als verslaggevers me niet slechter afschilderen dan ik ben, maken ze me wel beter dan ik ben, dat gaat mijn hele leven al zo.

Tjonge. Ik zou me haast gaan schamen voor mijn vak.

Niet nodig. Wij boeten allemaal voor de zonden van onze collega's.

Nou, meneer Sutton, u kunt gerust zijn, ik zal u vandaag geen woorden in de mond leggen.

Sutton houdt zijn hoofd schuin. Hoe oud ben je, knul?

Ik word in februari drieëntwintig.

Jong.

Ja, best wel, betrekkelijk jong.

Als Willie zo populair is als jij zegt, hoe komt het dan dat je bazen zo'n jonkie als jij sturen om met me door de stad te gaan toeren?

Eh.

Ben je met deze opdracht opgezadeld omdat je joods bent? Had niemand anders op de stadsredactie zin om met Kerst te werken?

Verslaggever zucht. Ik zal er niet omheen draaien, meneer Sutton. Dat zou best weleens kunnen.

Sutton neemt Verslaggever lang en aandachtig op. Hij heeft deze knul verkeerd ingeschat. Hij is geen padvinder, hij is een verkenner Eerste Klas. En een misdienaar. Of wat het joodse equivalent daarvan ook mag zijn.

Verslaggever kijkt op zijn horloge. Over de opdracht gesproken, meneer Sutton. We moesten misschien maar eens aan de slag gaan.

Sutton gaat staan en voelt in zijn borstzak. Hij haalt de witte envelop tevoorschijn en stopt hem terug. Dan haalt hij een toeristenplattegrond van New York tevoorschijn, die had hij door de receptie laten meesturen met de Chesterfields en de champagne. Hij heeft hem gemarkeerd met rode cijfers die zijn verbonden door rode lijnen en pijlen. Hij geeft hem aan Verslaggever.

Wat is dit, meneer Sutton?

Je zei dat je een rondleiding wilde langs de belangrijke plekken uit mijn leven. Dat zijn ze. Ik heb ze in kaart gebracht.

Al deze plaatsen?

Ja. En ze zijn genummerd. In chronologische volgorde.

Dus dit zijn de locaties van al uw misdaden?

En van andere belangrijke gebeurtenissen. Alle plekken die cruciaal zijn geweest in mijn leven.

Verslaggever beweegt zijn vinger van nummer naar nummer. Plekken die cruciaal waren, zegt hij. Ik snap het.

Is er een probleem?

Nee, nee. Het is alleen … Het lijkt erop dat we een paar keer hetzelfde stuk afleggen. Misschien is er een directere route.

We moeten het in chronologische volgorde doen. Anders wordt het verhaal niet duidelijk.

Voor wie?

Voor jou. Voor mij. Voor wie dan ook. Ik kan je niet over Bess vertellen voordat ik je over Eddie heb verteld. Ik kan je niet over mevrouw Adams vertellen voordat ik je over Bess heb verteld.

Over wie?

Dat bedoel ik dus.

Tuurlijk. Nee. Maar, meneer Sutton, ik weet niet of we hier allemaal tijd voor hebben.

Het is dit allemaal of helemaal niets.

Verslaggever lacht, maar het klinkt als een snik. De kwestie is, meneer Sutton, uw advocate. Die heeft een deal gesloten met mijn krant.

Dat was haar deal. Dit is Willies deal.

Verslaggever neemt een slok koffie. Sutton ziet hoe Verslaggever diep wegduikt in zijn trenchcoat met de bontkraag om na te denken over zijn volgende zet. In grote kleurkrijtletters tekenen zich gedachten af op het roze-met-witte gezicht.

Geen paniek, knul. We hoeven niet bij elke plek uit de auto te stappen om te gaan picknicken. Er zijn plekken bij waar we gewoon langzaam langs kunnen rijden. Zodat Willie ze kan bekijken. Kan zien hoe het er allemaal bij staat.

Maar mijn redacteuren, meneer Sutton. Mijn redacteuren bepalen de regels en …

Sutton bromt. Niet voor mij. Hoor eens, knul, dit is niet onderhandelbaar. Als je niet warmloopt voor mijn plattegrond, geen probleem, dan gaan we gewoon ieder onze eigen weg. Ik blijf met alle plezier hier in deze mooie kamer, lees een boek en bestel een clubsandwich.

U moet hier vóór twaalf uur uitchecken.

Ik heb in drie zwaarbeveiligde gevangenissen voortijdig uitgecheckt, dus ik denk dat het me wel zal lukken om wat láter dan toegestaan te vertrekken uit een hotel.

Maar ...

Misschien moest ik maar een paar telefoontjes plegen. Staat *Times* in het telefoonboek?

Verslaggever neemt nog een slok van zijn koffie en verschiet van kleur alsof het pure whiskey is. Meneer Sutton, het is gewoon dat dit, die plattegrond van u, een langer verhaal oplevert dan we gepland hadden.

Waarom wacht je het verhaal niet af voordat je dat zegt?

En een ander punt: kunnen we bepaalde plaatsen niet eerst gaan bezoeken? Zoals de plek waar Arnold Schuster werd vermoord.

Ja, ja, en als je me eenmaal op de plek hebt waar Schuster werd vermoord, heb je me niet meer nodig, en kan ik mijn rit naar alle andere plaatsen op mijn buik schrijven. Ik weet hoe jullie journalisten te werk gaan.

Meneer Sutton, dat zou ik nooit doen, u kunt me vertrouwen.

Jou vertrouwen? Knul, laat me niet lachen. Mijn been doet pijn als ik lach. Schuster komt als laatste aan bod, punt uit. Akkoord of niet?

Maar meneer Sutton ...

Akkoord of niet, knul.

Suttons stem is ineens een octaaf lager. Met een kartelrand. De verandering verbaast Verslaggever en hij legt een vinger tegen het kuiltje in zijn kin en drukt er een paar keer op, alsof het een noodknop is.

Sutton is onwrikbaar. Hij neemt bewust een ontspannen houding aan, maar probeert tevens uit te stralen dat hij de zaak volledig onder controle heeft. Dat had hij ook altijd gedaan met bankdirecteuren. Vooral met degenen die beweerden dat ze zich de cijfercombinatie van de kluis niet konden herinneren.

Knul, je lijkt me slim, voor een groentje, dus laten we onze kaarten op tafel leggen. We weten allebei dat jij alleen uit bent op een verhaal. Het is natuurlijk een belangrijk verhaal voor je, voor je carrière, je krant, wat dan ook, maar het is toch niet meer dan een verhaal. Volgende week ben je met een volgend verhaal bezig en volgende maand zul je je Willie niet eens meer herinneren. Waar ik op uit ben is míjn verhaal, het enige verhaal dat voor mij telt. Moet je je voorstellen. Ik ben vrij. Vríj – voor het eerst in zeventien jaar. Ik wil terug, mijn verhaal nog eens nalopen, kijken waar het allemaal scheefging, en dat moet ik op mijn manier doen, de enige manier waarop ik dingen kan doen. En ik moet het nú doen, knul, want ik weet niet hoeveel tijd ik nog heb. Mijn been, dat finaal naar de gallemiezen is, zegt me: niet veel tijd. Je kunt mijn chauffeur zijn of niet. Het is aan jou. Maar je moet beslissen. Nu.

Ik word niet uw chauffeur.

Best. Even goeie vrienden.

We hebben een afspraak met een fotograaf. Die rijdt.

O?

Hij staat vast beneden al op ons te wachten.

Dus je bent akkoord?

U laat me geen keus, meneer Sutton.

Zeg het.

Wat moet ik zeggen?

Zeg dat je akkoord bent.

Waarom?

Vroeger, voordat ik een klus met iemand ging doen, wilde ik hem altijd horen zeggen dat hij akkoord was. Zodat er later geen misverstanden over zouden zijn.

Verslaggever neemt een grote slok koffie. Meneer Sutton, is dit echt ...

Zeg het.

Ik ben akkoord, ik ben akkoord.

Sutton stapt zacht vloekend in de lift. Waarom is hij de hele nacht opgebleven? Waarom heeft hij zo veel whiskey gedronken met Donald? En al die champagne vanochtend? En wat mankeert deze lift in jezusnaam? Hij voelde zich toch al onvast ter been, maar deze plotselinge vrije val naar de lobby, als een ruimtecapsule die terugstort op aarde, bezorgt hem duizelingen. Vroeger waren liften nog te harden, aangenaam traag. Net als mensen.

De lift landt met een ping en een plof. De deuren gaan ratelend open.

Verslaggever, aan wie de gepijnigde uitdrukking op Suttons gezicht ontgaat, kijkt links en rechts om zich ervan te vergewissen dat er geen andere verslaggevers op de loer liggen achter de palmbomen in de lobby. Hij pakt Sutton bij de elleboog en leidt hem langs de receptie, langs de portier en door de draaideur. Daar, pal voor het Plaza, staat een roodbruine Dodge Polara uit 1968. De uitlaatgassen stromen als kraanwater uit de uitlaat.

Is dit jouw auto, knul?

Nee, het is een van de radiowagens van de krant.

Ziet eruit als een politie-auto.

Het is inderdaad een omgebouwde politie-auto.

Verslaggever opent het portier aan de passagierskant. Hij en Sutton kijken naar binnen. Er zit een grote man achter het stuur. Hij is van Verslaggevers leeftijd, begin twintig, maar hij draagt een geitenleren jasje met franje, zodat hij eruitziet als een vijfjarige die cowboytje speelt. Nee, met zijn schouderlange haar en Chinese druipsnor ziet hij eruit als een volwassen man die doet alsof hij een jochie van vijf is dat cowboytje speelt. Onder het geitenleren jasje draagt hij een skitrui en om zijn nek een gebreide sjaal met rood-wit-blauwe strepen, een combinatie die de kennelijk beoogde westernlook tenietdoet. Hij glimlacht. Lelijke tanden. Mooie glimlach, maar lelijke tanden. Precies het tegenovergestelde van de tanden van Verslaggever. En ze zijn even groot als lelijk. Zijn ogen zijn ook groot, en knalrood, als een kersenzuurtje. Sutton zou op dit moment een moord doen voor een kersenzuurtje.

Meneer Sutton, zegt Verslaggever. Ik wil u voorstellen aan de beste fotograaf die we op de krant hebben. De allerbeste.

Verslaggever noemt de naam van de fotograaf, maar Sutton vangt hem niet op. Vrolijk kerstfeest, zegt Sutton, die zich vooroverbuigt in de auto en Fotograaf een hand geeft.

Jij ook, man.

Sutton wurmt zich op de achterbank, die vol ligt met spullen. Een stoffen tas. Een leren cameratas. Een roze doos van een bakkerij. Een stapel kranten en tijdschriften, waaronder *Life* van de vorige week. Manson staart Sutton aan. Sutton slaat Manson om.

Misschien wilt u liever voorin zitten, zegt Verslaggever.

Nee, hoor, zegt Sutton. Ik zit altijd achterin.

Wat u wilt, zegt Verslaggever. Ik vind het prima hier op de bijrijdersplek.

Sutton schudt het hoofd. Bijrijder, burgers gebruiken die term zo zorgeloos. Hoe vaak heeft hij niet met bijrijders gereden, mannen met een pistool in de hand. Daar was niets zorgeloos aan.

Met zijn ogen tot spleetjes geknepen kijkt Fotograaf in de achteruitkijkspiegel naar Sutton. Hé, Willie, makker, ik moet even kwijt dat het te gek is om je te ontmoeten, man. Ik bedoel, Willie de Acteur, godsamme, het is alsof je Dillinger ontmoet.

Nou, zegt Sutton, Dillinger vermoordde mensen, dus ...

Of Jesse James.

Die ook.

Of Al Capone.

Er lijkt zich een patroon af te tekenen, mompelt Sutton.

Ik heb om deze opdracht gevráágd, zegt Fotograaf.

Is het heus, knul?

Ook al was het Kerst. Ik zei tegen mijn vrouw: Liefje, het is Willie de Acteur. Deze man vecht al tientallen jaren tegen het Systeem.

Nou, het Systeem, daar weet ik niks van.

Je vocht tegen de wet, man.

Oké.

Je was een antiheld nog voordat ze het woord hadden bedacht.

Antiheld?

Reken maar, man. En dit is het tijdperk van de antiheld. Ik hoef jou niet te vertellen, Willie, dat de mensen het zat zijn. Het zijn moeilijke tijden. De prijzen rijzen de pan uit, de belastingen zijn torenhoog, miljoenen mensen hebben honger, zijn kwaad. Onrecht. Ongelijkheid. De strijd tegen de armoede is een lachertje, de oorlog in Vietnam is onwettig, het sociale beleid is een schertsvertoning.

Er is niets nieuws onder de zon, zegt Sutton.

Ja en nee, zegt Fotograaf. Dezelfde ellende, alleen pikken de mensen het niet meer. De mensen gaan de straat op, man. In Chicago, Newark, Detroit. Het is al heel lang geleden dat we zo'n onrust onder de bevolking hebben gezien. Dus natuurlijk lopen mensen weg met iedereen die het opneemt tegen de macht en wint. Dat ben jij, Willie. Heb je vandaag de voorpagina's gezien, man?

Verslaggever fluistert tegen Fotograaf: Dat werkt niet bij hem, dat heb ik al geprobeerd.

Maar Fotograaf laat zich niet uit het veld slaan.

Gisteravond nog, zegt Fotograaf, zat ik mijn vrouw alles over je te vertellen ...

Weet jij álles over Willie?

Nou en of. En weet je wat ze zei? Ze zei: Die gast klinkt als een echte Robin Hood.

Nou, Robin Hood wás echt, maar hoe dan ook. Zo te horen is ze aardig.

O, ik ben een gelukkig man, Willie. Mijn vrouw is onderwijzeres in de Bronx. Studeert voor masseuse. Ze heeft mijn leven veranderd. Me echt een stuk bewuster gemaakt. De juiste vrouw kan dat, weet je.

Bewuster gemaakt?

Ja. Ze weet alles over drukpunten in het lichaam. Ze heeft ervoor gezorgd dat ik een stuk opener ben geworden. Artistiek gezien. Emotioneel. Seksueel.

Fotograaf begint te giechelen. Sutton kijkt naar de rode ogen, omlijst door de achteruitkijkspiegel – Fotograaf is stoned. Verslaggever zit ook naar hem te kijken en denkt duidelijk hetzelfde.

Drukpunten, zegt Sutton.

Ja. Ze leert dezelfde technieken die ze bij Kennedy hebben toegepast, voor zijn rug. Ik heb een slechte rug – dat krijg je in dit vak nu eenmaal – dus elke avond werkt ze aan de knopen in mijn spieren. Haar handen kunnen toveren. Ik ben nogal geobsedeerd door haar, voor het geval je dat nog niet gemerkt had. Haar handen. Haar haar. Haar gezicht. Haar kont. God, haar kont. Maar dat zou ik niet moeten zeggen. Ze is feministe. Ze leert me om niet zo naar vrouwen te kijken.

Mag je van haar niet naar andere vrouwen kijken? vraagt Sutton.

Nee, niet zó naar ze kijken.

O.

Verslaggever schraapt zijn keel. Luid. Goed, zegt hij. Hij trekt het portier dicht en spreidt Suttons plattegrond uit over het dashboard van de Polara. Meneer Sutton is zo vriendelijk geweest om op een plattegrond aan te geven welke plaatsen hij ons wil laten zien. Hij staat erop dat we ze allemaal bezoeken. In chronologische volgorde.

Fotograaf ziet al de rode cijfers. Dertien, veert… écht?

Echt.

Fotograaf gaat zachter praten. Wanneer komen we bij je weet wel? Schuster?

Als laatste.

Fotograaf gaat nog zachter praten. Wat maak je me nou?

Het gaat zoals hij wil, fluistert Verslaggever, of helemaal niet.

Sutton buigt het hoofd, probeert ernstig te blijven kijken.

Fotograaf steekt zijn handen omhoog alsof Verslaggever hem berooft. Hé, man, dat is oké. Het is Willie de Acteur – hij is de baas, toch? Willie de Acteur laat zich door niemand de wet voorschrijven.

Verslaggever pakt de radio van het dashboard. Stadsredactie? Hallo, stadsredactie.

De radio tettert: Zijn jullie geknetter vertrokken ruis geknetter uit het Plaza?

Correct.

Fotograaf rijdt richting Fifth Avenue en dan toeren ze langzaam langs de voormalige locaties van twee banken die Sutton in 1931 heeft overvallen.

Het is rustig op de weg. Het is zeven uur in de ochtend van Eerste Kerstdag en het vriest tien graden, dus er is nauwelijks iemand op straat. Ze slaan 57th Street in. Sutton ziet drie jongemannen die druk over iets lopen te debatteren. Twee van hen dragen een spijkerjasje, de derde een lange leren jas. Ze hebben allemaal een lange woeste haardos.

Wanneer precies, vraagt Sutton, heeft iedereen de koppen bij elkaar gestoken en besloten niet meer naar de kapper te gaan?

Verslaggever en Fotograaf kijken elkaar lachend aan.

Sutton ziet een oude man in een vuilnisbak wroeten. Hij ziet een andere oude man achter een winkelwagentje vol met bezems. Hij ziet een vrouw – vrij jong, mooi – die een fikse ruzie heeft. Met een etalagepop achter een winkelruit.

Verslaggever draait zich om en kijkt naar de achterbank. Was het daklozenprobleem al zo groot voordat u naar de gevangenis ging, meneer Sutton?

Nee, want we noemden ze geen daklozen. We noemden ze bedelaars. Later zwervers. Ik kan het weten. In de jaren twintig was ik er een.

Zeg, Willie, zegt Fotograaf, als je honger hebt, man, ik heb donuts gekocht. In die doos naast je.

Sutton opent de roze doos. Een heel assortiment. Geglazuurde, met suiker, jam, chocola. Bedankt, knul.

Pak gerust. Ik heb genoeg gekocht voor ons allemaal.

Misschien straks.

Ik ben gek op donuts.

Dan zou je helemaal gek zijn geweest op Capone.

Hoezo dat?

Al Capone deelde tijdens de Depressie donuts uit aan de armen. Hij was de eerste gangster die nadacht over public relations.

Echt waar?

Dat was in elk geval de kritiek op hem, dat het allemaal voor de show was. Ik ben hem ooit tegengekomen in een nachtclub en heb hem ernaar gevraagd. Hij zei dat pr hem geen bal kon schelen. Hij zag alleen niet graag dat mensen hongerleden.

Sutton voelt een pijnscheut in zijn been. Die trekt omhoog naar zijn zij en belandt vlak achter zijn ogen. Hij laat zijn hoofd achterovervallen. Straks moet hij die jongens nog vragen of ze even willen stoppen bij een drogisterij. Of een ziekenhuis.

En, zegt Fotograaf. Willie, man, hoe voelt het om vrij te zijn?

Sutton tilt zijn hoofd op. Als een droom, zegt hij.

Dat zal best.

Fotograaf wacht af of Sutton erover gaat uitweiden. Dat doet Sutton niet.

En hoe heb je je eerste nacht in vrijheid doorgebracht?

Sutton zucht. Je weet wel. Met nadenken.

Fotograaf buldert van het lachen. Hij kijkt naar Verslaggever. Geen reactie. Dan terug naar Sutton in zijn spiegel. Nádenken?

Ja.

Nádenken?

Dat klopt.

Heb je in de gevangenis niet genoeg tijd gehad om na te denken?

Knul, in de bak is nadenken wel het laatste wat je moet doen.

Fotograaf steekt een sigaret op. Sutton ziet: Newport Menthol. Dat zat er dik in.

Willie, zegt Fotograaf, als ik zeventien jaar in de gevangenis had gezeten en ze lieten me vrij, dan was nádenken het laatste wat ik zou doen.

Daar twijfel ik geen moment aan.

Verslaggever begint te lachen, maar doet alsof hij hoest.

Fotograaf kijkt met samengeknepen ogen in de achteruitkijkspiegel naar Sutton en strijkt met twee vingers omlaag over de zijkanten van zijn Chinese druipsnor.

Sutton ziet verkeersborden waarop de tunnel staat aangegeven. Over een paar minuten zijn ze in Brooklyn. Jezus, terug in Brooklyn. Zijn hart gaat sneller kloppen. Ze komen langs een bioscoop. Ze kijken allemaal naar de markies. *TELL THEM WILLIE BOY IS HERE*. Verslaggever en Fotograaf schudden het hoofd.

Wat een toeval, zegt Fotograaf.

Van alle films die deze week in première gaan, zegt Verslaggever. Dat moet ik in mijn verhaal verwerken.

Sutton kijkt naar de markies totdat die uit het zicht verdwijnt. Wie speelt Willie Boy? vraagt hij.

Robert Blake, zegt Fotograaf. Ik heb de uitgaansagenda bekeken. Het is een western. Over een man die uit zelfverdediging de vader van zijn vriendin doodt en dan op de vlucht slaat. Er ontstaat een enorme klopjacht op hem, de grootste in de geschiedenis van het Westen, het is gebaseerd op een waargebeurd verhaal. Zeggen ze.

Gebaseerd op een waargebeurd verhaal, zegt Sutton fronsend. Die oude lariekoek.

Ze komen langs de hoek van Broadway en Battery Place.

De Heldenstraat, roept Verslaggever over zijn schouder. Het lijkt wel of we hier dit jaar om de week een tickertapeparade hebben. De Jets, natuurlijk. De Mets. De astronauten.

Is het niet veelzeggend, merkt Sutton op. Als iemand een held is, strooien ze snippers van de effectenbeurs over hem uit.

Fotograaf lacht. Dat zou ik ook gezegd kunnen hebben, Willie.

Sutton ziet nog wat tickertape in de goten liggen. Hij ziet weer een zwerver, deze in foetushouding. Zwervers die in de tickertape liggen, zegt hij. Dat moesten ze op een postzegel zetten.

Ik heb al die parades verslagen, zegt Fotograaf. Heb plenty foto's van Neil Armstrong. Toffe vent. Je zou denken dat een man die net op de maan heeft gelopen verwaand zou zijn. Maar dat is hij niet. Hij is echt ... eh ... je weet wel.

Hij staat met beide benen op de grond, zegt Sutton.

Ja.

Sutton wacht. Een, twee. Fotograaf geeft een klap op het stuur. Ik snap 'm, zegt hij. Da's een goeie.

Iedereen is vol lof over Armstrong en Aldrin, zegt Sutton. Maar de echte held bij die maanlanding was de derde man, Mike Collins, de Ier op de achterbank.

Om precies te zijn, zegt Verslaggever, Collins is in Rome geboren.

Fotograaf kijkt Sutton met open mond aan. Collins? Hij heeft niet eens voet op de maan gezet.

Precies. Collins was helemaal alleen in de ruimtecapsule. Terwijl zijn maten daar stenen aan het vergaren waren, zat Collins aan het stuur. Zesentwintig keer is hij rond de maan gecirkeld, solo. Kun je je dat voorstellen? Hij had totaal geen radiocontact. Kon niet met zijn maten praten. Kon niet met NASA praten. Hij was afgesneden van iedere levende ziel in het universum. Als hij in paniek was geraakt, als hij het verkloot had, als hij op de verkeerde knop had gedrukt, dan waren Armstrong en Aldrin daar nooit meer weggekomen. Of als zij iets verkeerd hadden gedaan, als hun maanvoertuig kapot was gegaan, als ze het ding niet meer aan de praat hadden kunnen krijgen, als ze niet hadden kunnen opstijgen om zich tweeënzeventig kilometer boven de maan weer bij Collins te voegen, had hij helemaal in zijn ééntje moeten terugkeren naar de aarde. Zijn maten moeten laten doodgaan omdat ze geleidelijk zonder zuurstof kwamen te zitten. Terwijl ze in de verte de aarde konden zien. Het was zo'n reële mogelijkheid dat Collins in zijn eentje terugkwam naar de aarde, dat Nixon een toespraak voor de natie schreef. Collins, dat is nog eens een koelbloedige chauffeur. Zo'n man wil je achter het stuur hebben van een Ford die met draaiende motor klaarstaat terwijl jij in een bank bent.

Verslaggever kijkt vragend achterom. Volgens mij hebt u hier veel over nagedacht, meneer Sutton.

In de bak las ik alles wat ik te pakken kon krijgen over de maanlanding. De bewakers lieten ons zelfs tv-kijken, midden op de dag. Een zeldzaam privilege. Ze zetten een televisie op Luchtplaats D. Het was de eerste keer dat ik zwarte en blanke kerels niet zag ruziemaken om de tv. Iedereen wilde naar de maanlanding kijken. Ik denk dat er hier in de buitenwereld menigeen rondliep die het de gewoonste zaak van de wereld vond. Maar in de bak konden we er niet genoeg van krijgen.

Waarom was dat?

Omdat de maanlanding de mensheid op haar best is en de gevangenis de mensheid op haar slechtst. En omdat de astronauten maar een zesde van de zwaartekracht hadden. In de bak heb je het gevoel dat de zwaartekracht zes keer zo groot is.

De autoruiten zijn beslagen. Sutton veegt de ruit rechts van hem schoon en kijkt naar de lucht. Hij denkt aan de astronauten die terugkeerden van de maan – vierhonderdduizend kilometer. Attica is minstens even ver weg. Hij steekt een Chesterfield op. Wat een gotspe, denkt hij, om je met astronauten te identificeren. Maar hij kan er niets aan doen. Misschien komt het door de indeling van een ruimtecapsule – twee voorin, een achterin, net als bij alle vluchtwagens waar hij ooit in heeft gereden. Ook al zou hij het nooit hardop zeggen, al hing je hem op aan zijn duimen, maar hij ziet zichzelf als een reiziger. Een held. Als hij dat niét was, waarom zouden deze knullen hem dan rondrijden door de Heldenstraat?

De Antiheldenstraat.

Wat zei u, meneer Sutton?

Jongens, wisten jullie dat Collins, na de terugkeer van de drie astronauten, een brief kreeg van de enige man die begreep hoe volstrekt alleen hij was geweest? Charles Lindbergh.

Echt waar?

Zoek het maar op.

Ze gaan de tunnel in, rijden langzaam onder de rivier door. Het wordt donker in de Polara, afgezien van het dashboard en Suttons opgloeiende sigaret. Sutton sluit zijn ogen. Deze rivier, zo vol herinneringen. En bewijsmateriaal. Geweren, messen, kostuums, nummerplaten van vluchtauto's. Hij hakte de nummerplaten altijd tot kleine vierkantjes ter grootte van een lucifermapje voordat hij ze in het water gooide. En voormalige handlangers – deze rivier was het laatste wat ze zagen. Of voelden. Hun botten drijven nu boven en onder deze Polara.

We zijn er, zegt Verslaggever.

Sutton opent zijn ogen. Was hij weggedommeld? Moet wel, zijn sigaret is uitgegaan. Hij kijkt door de beslagen raampjes. Een uitgestorven straathoek. Wezensvreemd, als de maan. Hier kan het niet zijn. Hij kijkt naar het straatnaambordje. Gold Street. Hier is het wel.

Hebt u hier een misdaad gepleegd, meneer Sutton?

Min of meer. Ik ben hier geboren.

Hij was niet geboren, zei Daddo altijd, hij was ontsnapt. Twee maanden te vroeg, de navelstreng als een strop om zijn nek, hij had moeten sterven. Maar op 30 juni 1901 slaagde William Francis Sutton jr. er op de een of andere manier in om naar buiten te komen. Nu komt hij naar buiten uit de Polara en stapt behoedzaam op de stoeprand. De Acteur is geland, zegt hij zacht voor zich heen. Hij loopt de straat in, trekkend met zijn slechte been. Verslaggever, die uit de Polara springt, slaat zijn aantekenboekje open en volgt hem. Meneer Sutton, is uw familie … eh … er nog?

Nee. Iedereen is tot stof vergaan. Wacht, dat is niet waar, ik heb een zus in Florida.

Sutton kijkt om zich heen. Hij draait om zijn as. Alles is veranderd. Zelfs het licht is anders. Wie zou gedacht hebben dat iets heel eenvoudigs, heel elementairs als het licht zo kon veranderen? Maar het Brooklyn van zestig jaar geleden, met zijn verhoogde spoorlijnen, zijn alomtegenwoordige waslijnen, was een wereld van dichte en constante schaduwen, en het licht was daarbij vergeleken altijd oogverblindend.

Nu niet meer.

In elk geval smaakt de lucht vertrouwd. Als een vod gedrenkt in rivierwater. De energie voelt ook hetzelfde. Misschien dat Sutton daarom nu de stemmen hoort. Er waren toen zo veel stemmen, die allemaal tegelijk spraken. Iedereen riep altijd naar je, schreeuwde tegen je, brulde naar je vanaf een brandtrap of een balkon – en ze klonken allemaal boos. Zoiets als een gesprek bestond niet. Het leven was één grote ruzie. Maar dat was beter dan de bulderende stilte bij Sutton thuis.

Verslaggever en Fotograaf staan voor Sutton, met een bezorgde blik op hun gezicht. Hij ziet dat ze tegen hem praten, maar hij kan ze niet verstaan. Ze worden overschreeuwd door de stemmen. Oude stemmen, luide stemmen, dode stemmen. Nu hoort hij de trolleytrams. Dag en nacht is dat onophoudelijke geratel wat Brooklyn Bróóklyn maakt. Laten we de ratelbak naar Coney Island nemen, zegt Eddie altijd. Eddie leeft natuurlijk allang niet meer en er is geen geratel, dus wat hoort Sutton dan? Hij legt een hand tegen zijn mond. Wat gebeurt er? Is het de champagne? Is het zijn been – een stolsel dat ratelend op weg is naar zijn hersens? Hoort hij daarom zijn broers die hem jennen, zijn moeder die van boven naar hem roept vanuit het raam?

Meneer Sutton, voelt u zich wel goed?

Sutton sluit zijn ogen, heft zijn gezicht naar de hemel.
Meneer Sutton?
Ik kom eraan, moeder.
Meneer Sutton?

Drie

Kippen, paarden, varkens, geiten, honden, allemaal lopen ze zomaar door Gold Street, wat meer een zandweg is dan een straat. De gemeente besprenkelt het zand af en toe met olie om het stof in bedwang te houden. Maar daardoor wordt het alleen een vettige zandweg.

De jongens uit de buurt vinden het prima dat de straat onverhard is. Gold Street is aan zijn naam gekomen doordat piraten er langgeleden hun schatten begroeven, en op zomerse dagen mogen de jongens graag naar dubloenen graven.

Daar. Een smal houten huis met twee verdiepingen, precies eender als alle andere huizen in Gold Street, afgezien van de licht overhellende schoorsteen. Daar woont Willie met Vader, Moeder, twee oudere broers, een oudere zus en zijn witharige opa, Daddo. Het huis is vrolijk geel geschilderd, maar dat is misleidend. Het is er geen vrolijke boel. Het is er altijd te heet, te koud, te klein. Er is geen stromend water en geen wc, en in de kleine kamertjes en smalle gangetjes heerst een diepe troosteloosheid sinds de dood van Willies kleine zusje Agnes. Meningitis. Of althans, dat denken zijn ouders. Ze weten het niet. Er is geen dokter of ziekenhuis aan te pas gekomen. Ziekenhuizen zijn voor Rockefellers.

Willie is zeven en zit in de keuken naar Moeder te kijken die, ziek van verdriet, achter de wastobbe staat. Ze is een kleine vrouw, breed in de heupen, met sprietig rood haar en vermoeide ogen, en ze staat een kledingstuk te boenen dat ooit wit is geweest, maar dat nooit meer zal worden. Ze gebruikt zeeppoeder dat Willie naar rijpe peren en vanille vindt ruiken.

De naam van het zeeppoeder, Fels, zie je overal – in kranten, op reclameborden en op plakkaten in de trolleytrams. Als de kinderen touwtjespringen, zingen ze de slagzin waarmee het product wordt aangeprezen in de maat mee. *Met Fels – verdwijnt algauw – dat verraderlijke – grauw!* Wat betekent dat je grauwe kraag en onderbroek je zonder Fels zullen verraden. Judaskleren ... die gedachte maakt kleine Willie doodsbang. En toch heeft dat niet-aflatende geboen van Moeder geen enkele zin. Een nobel streven, maar een verspilling van tijd, want zodra je naar buiten stapt, klatsj! De straten zijn een en al modder en stront, teer en roet, stof en olie.

En dode paarden. Ze vallen om van de hitte, sterven van de kou, zakken in elkaar door ziekte of verwaarlozing. Elke week ligt er wel weer eentje langs de weg. Als het paard van een zigeuner of een voddenboer is, blijft het dier liggen waar het ligt. Na een tijdje zwelt het op als een ballon, tot het ontploft. Een geluid als van een kanon. En dan stinkt het zo vreselijk dat de tranen je in de ogen springen en komen er vliegen en ratten op af. Soms stuurt de gemeentereinigingsdienst van New York een ploeg om op te ruimen. Maar even zo vaak doet de gemeente er niks aan. De gemeente behandelt dit stukje van Noord-Brooklyn, deze woestenij tussen de twee bruggen, als een afzonderlijke stad, een afzonderlijke natie, en dat is het ook. Sommigen noemen het Vinegar Hill. De meesten noemen het Irish Town.

Iedereen in Irish Town is Iers. Echt iedereen. De meesten zijn nieuwe Ieren. Op hun spijkerschoenen en schuine tweedpetten zit nog het aangekoekte stof uit Limerick, Dublin of Cork. Vader en Moeder zijn in Ierland geboren, net als Daddo, maar ze zijn allemaal al jaren geleden naar Irish Town gekomen, wat hun een zeker aanzien geeft in de buurt.

Wat hun ook aanzien geeft is Vaders werk. De meeste vaders in Irish Town hebben geen werk, en zij die het wel hebben, verdrinken op betaaldag hun hele loon, maar Vader is smid, een ambachtsman, en elke zaterdag legt hij plichtsgetrouw, trots, zijn wekelijkse twaalf dollar in het schort dat Moeder voor hem ophoudt. Twaalf dollar. Nooit meer, maar ook nooit minder.

Voor Willie is Vader een wonderbaarlijke verzameling van

wat hij allemaal nooit doet. Hij verzuimt nooit ook maar een dag werk, hij drinkt nooit een druppel drank, hij vloekt nooit, en als hij kwaad wordt, zal hij nooit zijn vrouw en kinderen slaan. Ook toont hij nooit enige genegenheid, nooit zegt hij iets. Nu en dan eens een woord. Meer niet. Zijn zwijgen, dat hem een bepaalde uitstraling verleent, lijkt samen te hangen met zijn werk. Als je elf uur lang op het hardste materiaal ter wereld hebt staan hameren, kloppen en beuken, wat valt er dan nog te zeggen?

Willie gaat vaak met Vader naar de werkplaats, een houten schuur op een groot terrein, waar het naar mest en vuur ruikt. Willie kijkt naar Vader, die, terwijl het zweet van zijn voorhoofd gutst, steeds weer met zijn reusachtige hamer op een stuk gloeiend oranje slaat. Bij elke slag, bij elke metaalachtige dreun, lijkt Vader ... niet zozeer gelukkig, maar helderder van geest. Willie voelt zich ook helderder. Andere vaders zijn dronken of trekken steun, maar niet die van hem. Vader is niet God, maar iets goddelijks heeft hij wel. Hij is Willies eerste held, zijn eerste mysterie, maar ook zijn eerste liefde.

Willie wil misschien ook wel smid worden als hij groot is. Hij leert dat je een stuk metaal *trekt* wanneer je het langer maakt en dat je het *opstuikt* wanneer je het korter maakt. Hij leert aan de blaasbalg te trekken om de vlammen in de haard te doen oplaaien. Vader steekt een hand op, wat betekent: rústig aan, niet te hard. Om de week brandt er weer een smidse tot de grond toe af. Dan kan de smid niet meer werken en staat het gezin op straat. Dat is hun angst, dat is wat zijn Vader doet doorgaan met hameren, Moeder met boenen. Je hoeft maar één keer pech te hebben – brand, ziekte, gewond raken, een run op de banken – en je moet op straat slapen.

Vader mag dan zelden praten, Daddo houdt nooit op. Daddo zit in een schommelstoel bij het raam in de woonkamer, het raam met de gordijnen gemaakt van aardappelzakken, en steekt zijn eeuwige monoloog af. Het kan hem niet schelen dat Willie de enige is die luistert. Of hij weet het niet. Een paar jaar voordat Willie werd geboren, werkte Daddo in een pakhuis waar hij een straal zuur in zijn ogen kreeg. De wereld werd donker. Het ergste was nog, zegt hij altijd, dat het hem zijn werk kostte. Het enige wat hij nu nog doet, het enige wat hij nog kán doen, is zitten en praten.

Meestal praat hij over politiek, dingen die Willie boven de pet gaan. Maar soms vertelt hij lollige verhalen waar zijn jongste kleinzoon om moet giechelen. Verhalen over meerminnen en heksen – en kleine mannetjes. Als je Daddo mag geloven, wemelde het daarvan in zijn geboorteland.

Wat doen de kleine mannetjes, Daddo?

Ze stelen, Willie Boy.

Wat stelen ze?

Schapen, varkens, goud, alles wat ze maar in hun vieze tengeltjes kunnen krijgen. Maar, ach, niemand die het de kereltjes kwalijk neemt. Het zijn echte ondeugden. Echte kleine vlegels.

Herinnert u zich de precieze plek nog waar u bent geboren, meneer Sutton?

Sutton wijst naar een geelbruin stenen gebouw, een wijkgebouw of iets dergelijks. Zeg maar dat Willie Boy hier is geweest.

Hebt u een gelukkige jeugd gehad?

Ja, hoor. Best wel.

Fotograaf neemt een close-upfoto van Sutton met de Brooklyn-Queens Expressway als achtergrond. De snelweg is aangelegd toen Sutton in de gevangenis zat. God, wat een misbaksel, zegt Sutton. Ik had niet gedacht dat ze Brooklyn nog lelijker konden maken, maar ik had het mis.

Te gek, zegt Fotograaf. Ja, man, dit is hem. Die komt morgen op de voorpagina.

Willies twee oudere broers verachten hem. Dat is nu eenmaal zo, een vaststaand gegeven, al zolang hij zich kan herinneren.

De zon komt op boven Williamsburg en gaat onder bij Fulton Ferry, en zijn broers zouden willen dat hij dood was.

Komt het doordat hij de jongste is? Komt het doordat hij William júnior is? Komt het doordat hij zo veel tijd doorbrengt bij Vader in de werkplaats? Willie weet het niet. Wat de reden ook is – rivaliteit, jaloezie, kwaadaardigheid – de broers spannen zo tegen hem samen, vormen zo'n voortdurende tweekoppige dreiging, dat Willie ze niet uit elkaar kan houden. Of de moeite niet neemt. Voor hem zijn ze gewoon Groot en Groter.

Willie, acht jaar oud, is op de stoep aan het bikkelen met zijn vriendjes. Zomaar uit het niets verschijnen Grote Broer en Grotere Broer en staan dreigend boven hem. Willie kijkt op. Allebei hebben ze een bekertje chocolademelk in de hand. De zon zit ingeklemd tussen hun reusachtige hoofden.

Wat een klein pokkeventje, zegt Grote Broer met een valse blik op Willie.

Zeg dat wel, zegt Grotere Broer gniffelend. Onderkruipsel.

Willies vriendjes rennen weg. Willie staart naar zijn bikkels en zijn rode balletje. Zijn broers doen een stap dichterbij, torenen boven hem uit als bomen. Bomen die haten.

Het is om je dood te schamen dat ik je broer ben, zegt Grotere Broer tegen Willie.

Zorg 'ns dat je wat spek op je botten krijgt, zegt Grote Broer. Wees eens niet zo'n mietje.

Oké, zegt Willie, dat zal ik doen.

De broers lachen. Waar zijn je vriendjes gebleven, Willie Boy?

Ze zijn bang voor jullie.

De broers gieten de chocolademelk over Willies hoofd en lopen weg. Ze zijn bang voor jullie, bauwen ze Willies piepstemmetje na.

Een andere keer steken ze de draak met Willies grote neus. Weer een andere keer met het rode knobbeltje op zijn ooglid. Ze zorgen er altijd voor dat ze hem op straat pesten, buiten het zicht van volwassenen. Ze zijn even doortrapt als harteloos.

Ze doen Willie aan de wolven in een van zijn sprookjesboeken denken.

Als Willie negen is, houden zijn broers hem staande op weg van school naar huis. Ze versperren hem de weg, de armen over elkaar geslagen. Door iets in hun gezicht, in hun lichaamstaal, weet Willie dat het ditmaal anders zal zijn. Hij weet dat hij zich altijd de hoge blauwe hemel zal herinneren, het paarse onkruid op het braakliggende landje links van hen, het patroon van de barsten in de stoep als Grote Broer hem tegen de grond slaat.

Willie ligt te kronkelen op de stoep en kijkt omhoog. Grote Broer grijnst naar Grotere Broer. Wat moeten we met hem aan?

Wat kunnen we doen, Broer? We zitten met hem opgescheept.

We hebben toch gezegd dat je je niet moet gedragen als een mietje, zegt Grote Broer tegen Willie.

Willie ligt op zijn rug en er wellen tranen op in zijn ogen. Dat doe ik niet.

Noem je ons leugenaars?

Nee.

Wil je niet dat we het je vertellen als je iets verkeerd doet?

Jawel.

Daar zijn grote broers toch voor?

Nee. Ik bedoel ja.

Nou dan.

Dat deed ik niet. Ik deed niet als een mietje. Echt niet. Eerlijk niet.

Hij zegt dat we leugenaars zijn, zegt Grote Broer tegen Grotere Broer.

Grijp hem.

Grotere broer springt boven op Willie, grijpt zijn armen beet.

Hé, zegt Willie. Kom op nou. Hou op.

Grote Broer sleurt Willie overeind. Hij zet een knie in Willies rug en dwingt hem rechtop te staan. Dan geeft Grotere Broer Willie een vuistslag op de mond. Oké, houdt Willie zichzelf voor, dat was erg, dat was afschuwelijk, maar gelukkig is het voorbij. Dan geeft Grotere Broer Willie een vuistslag op de neus.

Willie zakt in elkaar. Zijn neus is gebroken.

Hij drukt zich tegen de stoep, kijkt hoe zijn bloed zich vermengt met het zand en een bruine smurrie wordt. Als hij zeker weet dat zijn broers weg zijn, komt hij wankelend overeind. Wanneer hij naar huis strompelt, draait de stoep als een carrousel. Moeder staat aan de gootsteen, draait zich om en heft haar handen naar haar gezicht. Wat is er gebeurd?!

Niks, zegt hij. Een stel kinderen in het park.

Al bij zijn geboorte kende hij de heilige code van Irish Town. Nooit klikken.

Moeder leidt hem naar een stoel, drukt een warme doek tegen zijn mond, voelt aan zijn neus. Hij brult het uit. Ze legt hem op de bank en buigt zich over hem heen. Dat hemd ... die vlekken krijg ik er nooit meer uit! Hij ziet zijn broers achter haar staan, afwachtend, dreigend. Ze zijn er niet van onder de indruk dat hij niet heeft geklikt. Ze zijn razend. Hij heeft hun alweer een rechtvaardiging ontnomen om hem te haten.

De stoep draait als een carrousel. Sutton wankelt. Hij tast in zijn binnenzak naar de witte envelop. Zeg tegen Bess dat ik niet kon ...

Wat zegt u, meneer Sutton?

Zeg tegen Bess ...

Een bordes. Nog geen twee meter bij hem vandaan. Sutton strompelt ernaartoe. Zijn been gaat op slot. Hij realiseert zich te laat dat hij het niet gaat halen.

Willie, zegt Fotograaf, gaat het een beetje, man?

Sutton valt voorover.

Ach, jezus ... meneer Sutton!

Hoe hard ze hem aanpakken loopt zonder duidelijke reden sterk uiteen. Soms slaan de broers Willie alleen zijn boeken uit de handen en schelden hem uit. Andere keren stoppen ze hem ondersteboven in een vuilnisvat. Weer andere keren krabben en beuken ze erop los tot hij bloedt.

Ze doen alsof hij vergrijpen heeft gepleegd. Misdaden. Ze ensceneren zogenaamde processen. Een broer houdt Willie vast terwijl de ander toelicht wat hij heeft misdaan. Hij heeft geen respect betoond. Hij is zwak geweest. Hij heeft geprobeerd bij Vader in een goed blaadje te komen. Dan overleggen ze. Moeten we hem straffen? Moeten we hem laten gaan? Ze laten Willie zijn zaak bepleiten. Op een dag zegt Willie: Doe het nou maar gewoon. Het wachten is de ergste kwelling. Grote Broer haalt zijn schouders op, plant zijn voeten een stuk uit elkaar en draait zijn heupen om zo veel mogelijk kracht te kunnen zetten. Een rechtse directe, pal op Willies middenrif, een uithaal die klinkt als een verrassend luide plof. Willie voelt hoe de adem uit hem wordt geperst, als uit de balg in Vaders werkplaats, en zakt op zijn knieën.

Als Willie tien is, probeert hij terug te vechten. Een slecht idee. De aframmelingen lopen uit de hand. De broers werken Willie tegen de grond, schoppen met hun harde schoenen tegen zijn ribben, zijn nieren, in zijn kruis. Eén keer schoppen ze hem zo hard tegen zijn achterhoofd dat hij een week lang een bloedneus heeft. Een andere keer verdraaien ze zijn hoofd zo ver dat hij het bewustzijn verliest.

Zijn ouders weten het niet. Ze willen het niet weten. Vader kan na een twaalfurige werkdag aan niets anders dan zijn avondeten en zijn bed denken. Zelfs al zou hij het weten, dan nog zou hij er niets van zeggen. Zo zijn jongens nu eenmaal. Vroeger bewonderde Willie Vaders zwijgen. Nu verfoeit hij het. Hij vindt Vader geen held meer. Hij gaat nog een laatste keer naar Vaders werkplaats en ziet het allemaal met andere ogen. Bij elke gedachteloze zwaai van de hamer, bij elke metaalachtige dreun, zweert Willie dat hij nooit zal worden als Vader, al vreest hij dat hij op de een of andere onontkoombare manier altijd precies zal zijn zoals hij. Hij vermoedt dat hij zelf ook in staat is om eindeloos te zwijgen.

En Moeder? Die ziet alleen haar eigen verdriet. Drie jaar na de dood van Agnes draagt ze nog steeds zwarte kleren, zit ze nog steeds boven de bijbel te piekeren, er hardop uit voor te lezen en Jezus ter verantwoording te roepen. En anders zit ze gewoon met de bijbel opengeslagen op schoot in de ruimte te staren en voor zich uit te prevelen. Het is een huis vol verdriet, zwijgen en blindheid, en toch is het Willies enige toevluchtsoord, de enige plaats waar zijn broers hem niet te lijf gaan, omdat er getuigen zijn. Daarom blijft Willie aan de keukentafel zitten, waar hij zijn huiswerk maakt, en gebruikt hij de rest van het gezin als onwetende lijfwachten terwijl zijn broers door de kamers sluipen, hem in de gaten houden, afwachten.

Hun kans dient zich aan wanneer Vader naar zijn werk is, Moeder de man betaalt die met ijsblokken langs de deuren gaat en Oudere Zus huiswerk aan het maken is bij een vriendin. Grote Broer slaat als eerste toe. Hij pakt Willies schoolboek en scheurt er bladzijden uit. Grotere Broer propt de bladzijden in Willies mond. Hou op, probeert Willie te zeggen, hou alsjeblieft op. Maar zijn mond zit vol papier.

Drie meter verderop zit Daddo over hun hoofden heen te staren. Hé daar, wat gebeurt er?

Verslaggever vangt Sutton nog net op voordat hij tegen de grond smakt. Fotograaf haast zich naar Willies andere kant. Samen brengen ze Sutton naar het bordes.

Willie, zegt Fotograaf. Wat is er, man?

Meneer Sutton, u trilt helemaal, zegt Verslaggever.

Ze laten Sutton op het bordes zakken. Verslaggever trekt zijn trenchcoat uit en slaat hem om Suttons schouders.

Bedankt, knul. Bedankt.

Fotograaf biedt Sutton zijn gestreepte sjaal aan. Sutton schudt het hoofd, zet de bontkraag van Verslaggevers trenchcoat op. Hij blijft stilletjes zitten, probeert op adem te komen en zijn hoofd helder te krijgen. Verslaggever en Fotograaf torenen boven hem uit.

Na een paar minuten kijkt Sutton op naar Verslaggever. Heb jij nog broers of zussen?

Nee. Enig kind.

Sutton knikt, kijkt naar Fotograaf. Jij?

Drie oudere broers.

Werd je gepest?

Voortdurend, man. Ben ik hard van geworden.

Sutton staart in de verte.

En u, meneer Sutton?

Ik had een oudere zus en twee oudere broers.

Pestten die u?

Neu. Ik kon wel een stootje hebben.

Op de een of andere manier weet hij het er op school goed van af te brengen. Hij haalt alleen maar tienen en één negen. Hij wil zijn rapport aan niemand laten zien, maar van school moet er een handtekening van een ouder onder. Hij krimpt ineen als Moeder hem een knuffel geeft, als Vader ten overstaan van de hele familie trots naar hem knikt. Hij ziet zijn broers zieden, samenzweren. Hij weet wat er komen gaat.

Drie dagen later nemen ze hem te grazen als hij uit een snoepwinkel komt. Hij weet te ontsnappen en holt naar huis, maar er is niemand. Zijn broers zitten hem op de hielen, smijten de deur open, halen hem onderuit, houden hem in bedwang en slepen hem de gang op. Hij ziet wat ze van plan zijn. Nee, smeekt hij. Nee, nee, nee, dat niet.

Ze duwen hem de gangkast in. Het is er stikdonker. Nee, smeekt hij, alsjeblieft. Ze sluiten hem op. Ik krijg geen adem, zegt hij, laat me eruit! Hij rammelt smekend aan de klink. Hij bonkt op de deur tot zijn knokkels en nagelriemen bloeden. Niet dit, jullie mogen alles doen, maar niet dit. Hij krabt tot een van zijn nagels loslaat.

Hij huilt. Hij snakt naar adem. Hij begraaft zijn gezicht in de vuile jassen en sjaals die naar zijn familie ruiken, die de kenmerkende geur van Fels-kool-aardappels-wol van de Suttonclan dragen, en bidt dat hij mag doodgaan. Tien jaar oud en hij vraagt God hem op te nemen.

Uren later gaat de deur open. Moeder.

Jezus, Maria en Jozef, wat doe jij hier nou?

Meneer Sutton, denkt u dat we weer verder kunnen?

Ja. Ik denk het wel.

Verslaggever helpt Sutton overeind en brengt hem naar de Polara. Fotograaf loopt een paar passen achter hen. Sutton installeert zich op de achterbank en hijst zijn slechte been naar binnen. Verslaggever doet zachtjes het portier dicht. Fotograaf gaat achter het stuur zitten en kijkt in de achteruitkijkspiegel naar Sutton. Heb je geen zin in een donut, Willie?

God, nee, knul.

Ik lust er wel eentje. Kun je ze even aangeven?

Sutton reikt hem de roze doos aan.

Fotograaf kiest er een met bavarois en geeft de doos terug. Verslaggever stapt in en zet de verwarming aan. Het enige wat je hoort, is het geluid van de verwarming, de krakende radio en het smakken van Fotograaf.

Verslaggever slaat Suttons plattegrond open en buigt zich naar Fotograaf. Ze fluisteren. Boven het geluid van de verwarming en de radio uit kan Sutton ze niet verstaan, maar hij kan wel raden wat ze zeggen.

Wat moeten we nou met hem aan?

We hebben niet veel keus, man. We zitten met hem opgescheept.

Vier

Bij thuiskomst treft Willie zijn moeder aan in de huiskamer, waar ze Daddo uit de Bijbel voorleest. Zijn broers zijn niet thuis. Voorlopig zijn ze andermans probleem. Met een zucht van verlichting trekt Willie een stoel bij naast zijn moeder en legt zijn hoofd op haar schouder. De geur van zeeppoeder, Fels. Die geeft hem zowel een gevoel van geborgenheid als van verdriet.

Het is laat in het najaar van 1911.

Moeder bladert heen en weer tussen het Oude en het Nieuwe Testament, slaat driftig prevelend de verfomfaaide pagina's om, verlangt een antwoord. Het antwoord. Daddo grijpt elke onderbreking aan om met zijn stok op de grond te tikken en zijn licht te laten schijnen over de grenzeloze wijsheid van Jezus. Nu belandt ze bij Genesis, het verhaal over Jozef en zijn broers. Willies geest zweeft weg op het ritme van haar stem en het geruis van de juten gordijnen. *En zij zagen hem van verre. Maar voordat hij bij hen gekomen was, smeedden zij een aanslag tegen hem om hem te doden. Zij zeiden tot elkander: Zie, daar komt die aartsdromer aan. Nu dan, komt, laten wij hem doden en in een van de putten werpen, en laten wij dan zeggen: een wild dier heeft hem verslonden. Dan zullen wij zien, wat er van zijn dromen terechtkomt.*

Willie tilt zijn hoofd op van zijn moeders schouder.

Zodra Jozef bij zijn broeders gekomen was, trokken zij Jozef zijn kleed uit, het pronkgewaad, dat hij droeg. En zij namen hem en wierpen hem in de put; de put nu was leeg, er stond geen water in.

Willie slaat zijn handen voor zijn gezicht en begint hartverscheurend te snikken. Moeder stopt met lezen. Daddo houdt het hoofd schuin. De jongen wordt beroerd door de Heilige Geest, zegt hij.

Misschien wordt hij wel priester, zegt moeder.

De volgende dag haalt ze hem van Public School Nr. 5 en schrijft hem in bij de St. Ann's School.

Fotograaf werpt een snelle blik in de achteruitkijkspiegel en geeft gas. Werpt een nog snellere blik en geeft nog een dot gas. Verslaggever, die aantekeningen probeert te maken, kan zo niet schrijven. Hij zegt tegen Fotograaf: Waarom rij je alsof we op de hielen worden gezeten?

Omdat we op de hielen worden gezeten.

Door de achterruit ziet Verslaggever vlak achter hen een reportagewagen van de televisie. Verdomme, hoe hebben die ons nou gevonden?

We hebben ons nou niet bepaald onopvallend gedragen. Misschien heeft iemand gezien dat een niet nader te noemen bankrover midden op straat flauwviel ...

Fotograaf trapt het gaspedaal in en rijdt door rood. Hij geeft een ruk aan het stuur naar links om een dubbel geparkeerde vrachtwagen te ontwijken. Sutton, die op de achterbank als een sok in de droger heen en weer wordt geslingerd, proeft de champagne van die ochtend, de whiskey van de vorige avond. Hij beseft dat hij niets substantieels meer heeft gegeten sinds het middagmaal van gisteren in Attica – een stoofpot. Nu proeft hij die ook. Hij legt een hand tegen zijn maag, weet wat er komen gaat. Hij probeert een raampje omlaag te draaien. Het klemt. Of is vergrendeld. Een omgebouwde politie-auto. Hij kijkt om zich heen. Op de bank naast hem liggen de cameratas van Fotograaf en de stoffen draagtas. Hij maakt de cameratas open. Dure lenzen. Hij kijkt in de draagtas. Aantekenboekjes, paperbackuitgaven van De autobiografie van Malcolm X, The Armies of the Night *van Norman Mailer, een plastic zakje vol joints, en een portemonnee. Sutton raakt de portemonnee aan.*

Hij ziet de roze doos met donuts. Hij tilt het deksel op, voelt de inhoud van zijn maag samenkomen op het lanceerplatform. Hij sluit zijn ogen, slikt en weet de opkomende golf van misselijkheid geleidelijk te bezweren.

Fotograaf maakt een scherpe bocht naar rechts, recht op de stoeprand af. De Polara raakt in een slip. Piepende remmen, gierende banden – met een schok komen ze tot stilstand. De geur van verschroeide banden vult de auto. Verslaggever knielt op de voorbank om door de achterruit te kijken. Je hebt ze afgeschud, zegt hij tegen Fotograaf. Knap werk.

Misschien dat je toch wel iets opsteekt van die politieseries, zegt Fotograaf.

Ze blijven even stil zitten, alle drie zwaar ademend. Zelfs de Polara hijgt. Dan voegt Fotograaf zich weer in het verkeer. Wat was onze volgende stop ook alweer?

De hoek van Sands Street en Gold Street. Toch, meneer Sutton?

Sutton bromt wat.

Sands en Gold? Jezus, dat is op een steenworp afstand van waar we net waren.

Sorry. De plattegrond van meneer Sutton is nogal moeilijk te ontcijferen.

Ik had al aardig wat champagne op toen ik hem maakte, zegt Sutton.

De Polara rijdt door een diep gat in het wegdek. Suttons hoofd raakt het dak, zijn kont de achterbank.

Je hoeft niet meer te rijden als een gek, zegt Verslaggever.

Het ligt niet aan mij, zegt Fotograaf, het zijn die straten hier. En ik denk dat de Polara kaduuk is.

Willie is kaduuk, zegt Sutton schor.

De Polara rijdt weer door een gat in het wegdek.

Een zesde van de zwaartekracht, mompelt Sutton.

We zijn er bijna, meneer Sutton. Alles in orde?

Ik realiseer me net iets, knul.

Wat dan, meneer Sutton?

Ik zit achter in een politie-auto zonder handboeien. Ik denk dat ik deels daardoor zo van slag ben vanochtend. Daarom ben ik mezelf niet. Ik voel me … naakt.

Handboeien?

We noemden ze manchetten. Dan zeiden de buren bijvoorbeeld: Heb je gehoord dat ze die arme Eddie Wilson met manchetten aan hebben afgevoerd?

Sutton houdt zijn polsen omhoog en bekijkt ze van alle kanten. De paarse aders bobbelig en kronkelend. Fotograaf grijnst naar Sutton in de achteruitkijkspiegel. Als je handboeien wilt, man, dan zorgen we toch voor een stel handboeien.

Willie raakt op de St. Ann's School bevriend met twee klasgenoten. William 'Happy' Johnston en Edward 'Buster' Wilson. Zo worden ze in de krant meestal genoemd. Iedereen in Irish Town weet: Willie is de slimmerik, Happy is de knappe jongen en Eddie is de gevaarlijkste van het stel. Iedereen in Irish Town weet dat je met Eddie Wilson maar beter kunt uitkijken.

Vroeger was het zo'n lieve knul, zeggen de bewoners van Irish Town. Toen werden zijn oom en tante ziek. Longtering. Ze moesten intrekken bij Eddies familie – het was dát of het armenhuis. In een mum van tijd bezweek Eddies familie onder de doktersrekeningen. Het was kort na de beurspaniek van 1907, toen het land op een depressie afstevende. Irish Town ging met de pet rond en behoedde Eddies familieleden ervoor dat ze op straat kwamen te staan, maar bij Eddie was de schaamte groter dan de opluchting. Vervolgens raakte Eddies vader zijn betrekking als scheepsboorder kwijt. Weer ging de buurt met de pet rond, weer kreeg Eddie het schaamrood op de kaken. Ten slotte kreeg ook Eddies moeder longtering, en er was geen geld meer voor de dokter. Zij en Eddie hadden een erg hechte band, fluisterden de buren op haar begrafenis.

Eddie veranderde van de ene op de andere dag, daar was iedereen het over eens. Zijn koningsblauwe ogen stonden voortdurend op storm. Zijn wenkbrauwen hadden zich samengetrokken tot een permanente V. Hij was altijd verbolgen en stond meteen met zijn vuisten klaar. Toen er steeds meer Italianen Irish Town binnendrongen, besloot Eddie dat het zijn taak was om ze weg te krijgen. Hij deed niets anders dan kankeren op die klerelijers, die spaghettivreters. Er ging geen week voorbij of hij raakte wel betrokken bij de een of andere bloederige knokpartij.

De eerste keer dat ze elkaar ontmoeten, ziet Willie alleen Eddies moed, niet zijn verdriet. Iets in Eddie doet Willie aan een zwaard denken. Ook hij lijkt even betrouwbaar als dodelijk. En Eddie ziet Willie door dezelfde roze bril. Eddie gaat ervan uit dat Willies talloze blauwe plekken afkomstig zijn van knokpartijen, niet van zijn broers, en heeft diep respect voor hem. Willie, die wel een vriend kan gebruiken, laat Eddie in die waan.

Happy heeft Eddies respect nooit hoeven te verdienen. Ze zijn al hun hele leven lang bevriend. Ze zijn overburen van elkaar, hun vaders dikke maatjes. Daarom lacht Happy altijd om Eddies kwaaiigheid, want hij herinnert zich nog de Eddie van vroeger. In Willies ogen is het vragen om ruzie als je om Eddie lacht. Het doet Willie denken aan de leeuwentemmers van het straatcircus, die hun hoofd tussen die kwijlende roze kaken steken. Maar Eddie bekt Happy nooit af. Happy is altijd zo goedgemutst, zo knap om te zien, dat je moeilijk kwaad op hem kunt worden.

Sommige mensen zeggen dat Happy blij geboren is. Anderen zeggen dat hij blij is met zijn uiterlijk – onwaarschijnlijk knap. Zo knap dat het niet eerlijk is. De meesten zijn het erover eens dat zijn voortdurende vrolijkheid voor een deel is terug te voeren op het reservepotje waar de familie over beschikt. De Johnstons zijn niet rijk, maar ze behoren tot de weinigen in Irish Town die niet van de hand in de tand hoeven te leven. Happy's vader is jaren geleden aangereden door een trolleytram en de familie wist er een schadeloosstelling uit te slepen. Bovendien zijn ze zo slim geweest om hun meevallertje niet op de bank te zetten, want er zijn honderden banken failliet gegaan.

Daddo vraagt Willie naar zijn nieuwe vrienden. Hij heeft

Happy's stem gehoord op straat. Hij zegt dat Happy zo te horen een knappe jongen is.

Klopt, zegt Willie. Hij heeft zwart haar en zwarte ogen en de meisjes op school zijn allemaal gek op hem.

Daddo grinnikt. Mooi zo. Wat zou ik daar niet voor overhebben! En die jongen van Wilson?

Blond haar. Blauwe ogen. Hij staat altijd met zijn vuisten klaar. En hij steelt soms.

Kijk maar uit, Willie Boy. Dat klinkt alsof hij wat van de ouwe hellevorst in zich heeft.

Van wat?

Van de duivel.

Willie begrijpt niet wat Daddo bedoelt. Tot een oudere jongen verderop uit de straat, Billy Doyle, wordt opgepakt. Voor inbraak, winkeldiefstal, niks groots. Wat het groot maakt, wat het tot het gesprek van Irish Town maakt, is dat Billy de namen van zijn handlangers heeft verraden. De politie heeft de namen eruit geslagen bij Billy, maar dat is geen excuus. Niet in Irish Town.

Kort nadat Billy door de politie is vrijgelaten, zit hij op het trappetje voor zijn huis, met een gebroken kaak, zijn linkeroog paars en druipend van de pus – een verrotte pruim. Hij biedt een deerniswekkende aanblik, maar de hele dag lopen de mensen langs hem heen alsof hij niet bestaat. Zelfs moeders met kinderwagens geven hem de standaardbehandeling die verraders in Irish Town krijgen. Stilte.

Eddie, die is opgegroeid met Billy's broers en hem graag mag, slaat hem urenlang van enige afstand gade. Dan kan hij het niet meer aanzien. Hij steekt de straat over, loopt naar Billy toe en vraagt hoe het met hem gaat.

Niet zo best, Eddie.

Eddie buigt zich naar hem toe, slaat een arm om Billy's schouder en zegt dat hij de moed niet moet opgeven.

Billy kijkt glimlachend op.

Eddie spuugt hem in zijn oog.

Een paar weken later drinkt Billy Doyle jodium. Er vindt geen begrafenis plaats.

Sutton ziet een gezin over straat wandelen, gekleed voor de kerk. Vader, moeder, twee zoontjes. Vader en de zoontjes dragen identieke pakken. Vroeger, zegt Sutton met zwakke stem, was een judas het ergste wat je kon zijn.

Verslaggever kijkt achterom. Hebt u het toevallig over Arnold Schuster?

Nee.

Dat hele gedoe over verlinken, die hele gedragscode die je in Brooklyn hebt – waar komt dat vandaan?

Sutton klopt op zijn borst. Hiervandaan, knul. Uit het diepst van je hart. Toen ik tien was, vond de politie bij ons in de straat een man met een grote hooihaak in zijn borst. Hij was stuwadoor en hij had een akkefietje met een paar havenwerkers. Toen de smerissen hem naar het ziekenhuis brachten, vroegen ze wie het gedaan had. Hij zei dat ze zijn reet op konden. Dat waren zijn laatste woorden, kun je je dat voorstellen? Drie dagen later kwam de hele godganse buurt naar zijn begrafenis, ook de kerels die hem van kant hadden gemaakt. Er was sprake van een verzoekschrift aan de stad om een straat naar hem te vernoemen.

En dat allemaal omdat hij de namen niet had verraden van de kerels die hem hadden aangevallen?

Mensen hebben behoefte aan een hechte gemeenschap, zegt Sutton. We zijn een miljoen jaar geleden pas mens geworden toen we uit de bomen sprongen en verschillende gemeenschappen gingen vormen. Als je iemand uit jouw gemeenschap verraadt, zet je de deur open voor het einde van de wereld.

Maar de mensen die hem hebben vermoord behoorden toch tot zijn gemeenschap? Hebben zij hem dan niet verraden?

Verraad is honderd keer erger dan moord.

Het klinkt allemaal nogal … barbaars, zegt Verslaggever. Het klinkt alsof de mensen het leven moeilijker maken dan het is.

Niemand máákt iets, knul. Zo zitten mensen nu eenmaal in elkaar. Waarom kennen we tweeduizend jaar na dato wel de naam van Judas en niet die van de soldaat die Christus aan het kruis heeft genageld?

In 1913 gaan Willies broers het huis uit. De een krijgt werk bij een fabriek in West Virginia, de ander gaat in het leger. Bij wijze van afscheid geven ze Willie een genadeloze aframmeling vlak bij de St. Ann's School, maar Willie voelt het niet. De slagen ketsen af omdat hij weet dat ze over een paar dagen vertrokken zijn, dat ze geen deel van zijn wereld meer zullen uitmaken. *En de Here was met Jozef; Hij bewees hem genade en deed hem de genegenheid van de overste der gevangenis winnen.* Terwijl hij Grote Broer en Grotere Broer ziet wegslenteren, raapt Willie zijn pet op, likt het bloed van zijn lip en begint te lachen.

Op de hoek van Sands Street en Gold Street knielt Sutton op de kasseien. Hij ziet eruit alsof hij op het punt staat Fotograaf en Verslaggever ten huwelijk te vragen.

Meneer Sutton, wat bent u aan het doen?

St. Ann's, mijn lagere school, stond hier vroeger.

Door een windvlaag fladderen er een paar losse krantenpagina's langs Sutton. Hij geeft een paar klopjes op de kasseien. Dit zijn dezelfde kasseien waar ik als kind op liep, zegt hij op fluistertoon. Tijd – die je slinks van je jeugd berooft.

Wat? Wie berooft je van wat?

De tijd. Dat heeft de een of andere dooie dichter gezegd. Pater Flynn citeerde dat om de haverklap. Liet het ons van buiten leren. Hij stond waarschijnlijk precies daar, waar jullie tweeën nu staan, toen hij dat zinnetje zei, dat je reinste flauwekul is. De tijd is weliswaar een rover, maar hij is niet slinks. Hij is een misdadiger. En de jeugd is een oud dametje dat een wandeling door het park maakt met een portemonnee vol geld. Wil je voorkomen dat je bent zoals de jeugd? Wil je verhinderen dat de tijd je berooft? Hou alles dan vast alsof je leven ervan afhangt, jongens. Als de tijd iets van je probeert weg te grissen, moet je het nog steviger vasthouden. Niet loslaten. Dat is wat herinneringen zijn. Dat wat je niet loslaat. Tegen de tijd zeggen dat hij kan opsodemieteren.

Fotograaf steekt een Newport tussen zijn lippen. Eh ...? Willie?

Sutton kijkt op. Ja, knul?

Willie, hier kan ik niets mee, creatief gezien. Jij, op de plek waar je oude school heeft gestaan? Dat is veel te statisch, man.

Statisch.

Ja. En je jaagt ons de stuipen op het lijf.

Hoezo dat, knul?

Nou, om te beginnen praat je in jezelf. En je slaat wartaal uit. Vergeleken met jou deden de meeste knakkers die ik op Woodstock tegenkwam vrij normaal.

Sorry, knul. Herinneringen.

Verslaggever stapt naar voren. Meneer Sutton, kunt u ons misschien iets vertéllen over wat u zich herinnert? Iets met ons delen over uw jonge jaren? Uw jeugd?

Ik herinner me niet zo veel.

Maar u zegt net...

Oké, zegt Sutton. Laten we gaan. Stop nummer drie, Hudson Street.

Fotograaf helpt Sutton overeind. Willie, kun je ons in ieder geval vertellen wat het nut was van stop nummer twee?

De jeugd.

De jeugd?

Ja. De jeugd.

Hoe zit het dan met de jeugd, Willie?

Die vraagt er verdomme gewoon om.

Er zijn geen sportvelden in Irish Town. Geen speeltuinen, geen sportscholen, geen buurthuizen. Daarom verzamelen de jongens uit de buurt zich bij het slachthuis in Hudson Street. In hun korte broek en slip-over, hun kraagloze overhemd en versleten schoenen hangen ze rond bij de laadperrons, gappen hoeven en poten, en jouwen de dieren uit die hun dood tegemoet gaan.

Niemand van de jongens heeft zo veel respect voor het slachthuis als Eddie. Niemand anders dan Eddie bewondert de slagers. Als er ruilkaartjes van slagers bestonden, zou Eddie ze verzamelen. Hij juicht wanneer de slagers een varken de keel doorsnijden, lacht wanneer ze een koe in het oog steken of een schaap de kop afzagen. Hij kijkt vol adoratie toe wanneer ze met een mok het verse bloed bij hun voeten opscheppen en hem leegdrinken vanwege de voedingswaarde die het bevat.

Maar in 1914 ziet Eddie iets bij het slachthuis wat hem niet meer loslaat. Een zwarte, gecastreerde ram gaat de andere schapen voor over de schuine hellingbaan naar de deur des doods. Op het laatste moment doet het zwarte schaap gewiekst een stap opzij en stelt zichzelf in veiligheid.

Wat is er met dat schaap daar? vraagt Eddie.

Dat is het judasschaap, zegt een slager. Eigenlijk is het een geit die lijkt op een schaap.

Sutty, moet je dat rotschaap nou zien. Moet je kijken hoe hij zijn vrienden verlinkt.

Het is maar een schaap, Ed. Of een geit.

Eddie slaat met zijn vuist tegen zijn handpalm. Nee, nee, die judas weet wat hij doet.

Een paar avonden later worden Willie en Happy, die al in bed liggen, door Eddie opgetrommeld en meegenomen naar het slachthuis. Met een koevoet forceert hij het slot van de deur naar de laad- en losplaats en neemt hen mee naar de smerige hokken waar de rivierschepen het vee lossen. Ergens in een hoek vinden ze het zwarte judasschaap, dat op zijn zij ligt. De slaap der onschuldigen, zegt Eddie, en hij pakt een eind hout en slaat het schaap keihard op zijn kop. Het bloed spat alle kanten uit. Het spuit in Willies ogen en spettert tegen Happy's witte overhemd. Het schaap krabbelt overeind en probeert weg te lopen. Eddie gaat erachteraan. Hier komen, jij. Hij zwaait met het eind hout alsof het een honkbalknuppel is en slaat het schaap op zijn rug. Waar wou je naartoe? Hij geeft het schaap nog een dreun, en nog een. Als het schaap op de grond ligt, springt Eddie erbovenop en slaat een strop om de wollige nek. Happy houdt de schoppende poten in bedwang terwijl Eddie de strop langzaam aantrekt.

Sutty, pak dat eind hout en geef hem een hengst.

Nee.

Willie zou een weerloos dier nooit kwaad kunnen doen. Zelfs niet een dier dat andere dieren erin luist. Bovendien doet de aanblik van Eddie en Happy die het judasschaap tegen de grond gedrukt houden Willie aan zijn broers denken. *Ik zoek mijn broeders; vertel mij toch, waar zij weiden.* Willie houdt zich afzijdig, maar hij wendt zijn blik niet af. Dat kan hij niet. Hij ziet hoe Eddie en Happy het schaap folteren, ziet dat Eddie een mes trekt en het dier steekt en steekt tot het uitzinnige bèèè verandert in een meelijwekkend bè. Eddie en Happy zijn zijn beste vrienden, maar misschien kende hij ze tot nu toe niet echt. Misschien zal hij ze wel nooit echt kennen. Hij ziet ze lachen wanneer de gitzwarte ogen van het schaap wit, dan parelmoergrijs worden. Willie sluit zijn eigen ogen. Klikspaangrijs.

Sutton loopt op en neer door Hudson Street. Hij snuift de lucht op. Natte vacht, slachtafval, bloed. Ruiken jullie dat, jongens? Op de een of andere manier hadden we als kind geen last van die stank.

Ik ruik niks, zegt Fotograaf tegen Verslaggever.

Sutton wijst naar zijn voeten. Daddo zei dat Eddie de duivel in zich had – op deze plek kwam ik erachter wat dat betekende. Eddies eerste moord.

Nou komen we ergens, zegt Fotograaf, en hij duwt Verslaggever opzij en begint te fotograferen terwijl Sutton naar de grond wijst.

Verslaggever zet zijn aktetas neer, klikt hem open en haalt er een stapel dossiers uit.

Wat is dat? vraagt Sutton.

De dossiers van de krant over Willie Sutton. Of althans een deel ervan. Er is een hele archiefla aan u gewijd, meneer Sutton. U had het over uw grootvader. Ik kwam hem tegen in een van de dossiers. Was hij de acteur?

Nee, mijn vaders vader was de acteur. Vroeger in Ierland. Ze zeggen dat hij bijna alles van Shakespeare uit het hoofd kende. Daddo was de vader van mijn moeder.

Fotograaf blijft plaatjes schieten. Maar wie is hier dan vermoord, man?

Een schaap, zegt Sutton.

Fotograaf stopt, laat zijn camera zakken. Een wát?

Hier was vroeger een slachthuis. Daar kwam ik altijd met mijn beste vrienden, Eddie en Happy. Op een nacht hebben ze een schaap van kant gemaakt. Of een geit die net deed alsof-ie een schaap was.

Waarom?

Het verlinkte de andere schapen.

Fotograaf laat zijn camera op zijn heup rusten. Het schaap verlinkte de andere schapen, zegt hij tegen Verslaggever. Hoor je dat?

Meneer Sutton, u had het over Eddie. Bedoelt u Edward Buster Wilson? Met wie u in 1923 werd gearresteerd?

Ja.

Volgens dit knipsel hier zei de rechter dat jullie op de bandieten in het Wilde Westen leken.

Nee, dat zei de rechter over mij en een andere man. Maar het gold zeker ook voor Eddie en mij.

Verslaggever slaat een dossiermap open. Oké. Daar gaan we: Sutton en Wilson. Inbraak, gewapende overval.

Dat klopt wel zo'n beetje, zegt Sutton.

En Happy ... Zeg eens, meneer Sutton, is dat William Happy Johnston? Met wie u in 1919 werd gearresteerd?

Ja, die.

Inbraak. Diefstal.

Happy was een goede vent.

Ontvoering. Wacht ... ontvóéring?

Je had erbij moeten zijn, zegt Sutton. Je moest Happy kennen. Niet dat iemand Happy echt kende. Niet dat iemand óóit een ander kent.

Wie hebben Happy en u ontvoerd?

In chronologische volgorde, knul.

Vijf

Vader en Moeder zitten de hele nacht met een gaslamp tussen hen in op het huishoudboekje te broeden, terwijl Willie hen op de gang staat af te luisteren. Moeder vraagt: Wat moeten we nou? Vader zegt niets. Maar veelzeggend is de manier waaróp hij niets zegt.

Eerst waren het die nieuwerwetse fietsen overal, nu zijn het die vervloekte auto's. Nog niet zo lang geleden zei iedereen dat de auto niet meer was dan een modegril. Nu is men het erover eens dat hij zal blijven. De kranten staan vol met reclames voor de nieuwste, nog glimmender modellen. Overal komen er nieuwe wegen de stad binnen. De brandweer is al overgestapt op brandweerwagens zonder paarden. En dat betekent allemaal dat er slechte tijden zullen aanbreken voor smeden.

De zomer van 1914. Ondanks alle narigheid die hij thuis heeft, ondanks het feit dat hij de straten afschuimt met Eddie en Happy, slaagt Willie erin om zijn lagere school af te sluiten als de beste van de klas. Aan doorleren denkt echter niemand. De dag nadat hij van school is gekomen, krijgt hij zijn werkvergunning. Moeders droom dat Willie ooit priester zou kunnen worden, wordt opgeschort. Hij moet werk zien te vinden, zijn familie helpen het hoofd boven water te houden – en wel nú.

Maar niet alleen voor smeden zijn het slechte tijden. Amerika dreigt ten onder te gaan aan een depressie, de tweede al in Willies korte leven. Willie solliciteert bij de fabrieken langs de rivier, de kantoren in de stad, bij kruideniers, kledingwinkels en lunchbars. Hij is pienter, ziet er fatsoenlijk uit en veel mensen kennen en bewonderen Vader. Maar Willie heeft geen ervaring, geen vakkennis, en voor elke beschikbare betrekking moet hij het tegen duizenden anderen opnemen. Hij leest in de kranten dat massa's werklozen in Manhattan de straat op gaan om werk te eisen. In andere steden ook. In Chicago zijn de massa's zo onhandelbaar dat de politie het vuur erop opent.

Daddo vraagt Willie of hij hem de kranten wil voorlezen. Stakingen, rellen, onrust; na een half uur vraag Daddo hem te stoppen. Hij mompelt in de juten gordijnen: De hele klotewereld gaat ten onder.

Om geld uit te sparen verhuizen de Suttons van Irish Town naar een kleinere woning in de buurt van Prospect Park. Ze hebben maar zo weinig spullen dat de verhuizing slechts één tochtje met paard-en-wagen vergt. Dan ontslaat Vader zijn leerjongen. Ondanks de afnemende klandizie, de artritis in zijn rug en zijn pijnlijke schouders maakt Vader nu nog langere dagen, waardoor het met zijn rug en schouders nog slechter gaat. Moeder praat met Daddo over wat ze moeten doen als Vader op een ochtend zijn bed niet meer uit kan. Dan zullen ze op straat staan.

Vader vraagt Willie bij hem in de werkplaats te komen werken. Maar Grote Broer, die uit het leger is geschopt, helpt daar ook al. Ik geloof niet dat ik in de wieg ben gelegd om smid te worden, zegt Willie. Vader kijkt Willie indringend aan, niet boos, maar met een soort verbijstering. Alsof Willie een vreemde is. Willie zegt bijna: dat gevoel ken ik.

Na een dag van besteken, solliciteren en formulieren invullen die nooit gelezen zullen worden, vlucht Willie terug naar zijn oude buurt. Eddie en Happy kunnen ook geen werk vinden. De jongens zoeken in de East River afleiding van de opkomende zomerhitte en hun afnemende toekomstperspectief. Om een paar slagen te kunnen zwemmen moeten ze eerst binnenbanden, kroppen sla, sinaasappelschillen en matrassen wegduwen. Bovendien moeten ze vuilnisschouwen, sleepboten, schuiten en lijken ontwijken – de rivier eist wekelijks een nieuw slachtoffer. Maar dat kan de jongens niet schelen. Hoe slijmerig, naar vis stinkend of dodelijk ook, de rivier is heilig. De enige plek waar ze zich welkom voelen. In hun element.

De jongens dagen elkaar vaak uit om de blubberige bodem aan te raken. Meer dan eens zijn ze bijna verdronken bij zo'n poging. Het is een onzinnig spelletje, als parelduiken zonder de hoop een parel te vinden, maar alle drie zijn ze bang om toe te geven dat ze bang zijn. Dan doet Eddie er een schepje bovenop en stelt voor om het hardst naar de overkant te zwemmen. Als zeemeeuwen staan ze op de knoestige palen van een verlaten strekdam en kijken door de zomernevel naar de skyline.

Maar als we dan kramp krijgen? zegt Happy.

Als, als, zegt Eddie spottend.

De meerminnen zullen ons redden, mompelt Willie.

Meerminnen? vraagt Happy.

Mijn Daddo zegt dat er in elk water wel een of twee meerminnen zitten.

Onze enige kans om ooit eens van bil te gaan, zegt Eddie.

Voor jou misschien, zegt Happy.

Willie haalt de schouders op. Wat hebben we te verliezen?

Ons leven, mompelt Happy.

Dat zeg ik.

Ze duiken erin. Ze volgen de schaduw van de Brooklyn Bridge en bereiken de overkant in zesentwintig minuten. Eddie is de eerste, daarna Happy, dan Willie. Willie zou eerste zijn geweest, maar halverwege ging hij langzamer zwemmen en speelde even met het idee om het op te geven, zich voorgoed naar de bodem te laten zakken. Ze staan op de kade, druipend, hijgend, lachend van trots.

Dan volgt het probleem hoe ze terug moeten komen. Eddie wil zwemmen. Willie en Happy rollen met hun ogen. Wij gaan lopen, Ed.

Willies eerste keer op de Brooklyn Bridge. Die kabels, die gotische baksteenbogen – prachtig. Daddo zegt dat er mannen het leven hebben gelaten bij het bouwen van die brug. De bogen zijn hun grafsteen. Willie vindt dat ze niet voor niets zijn gestorven. Daddo zegt ook dat mensen de brug doodeng vonden toen hij openging. Hij was te groot, niemand dacht dat hij overeind zou blijven. Barnum moest er met een kudde olifanten overheen om te bewijzen dat hij veilig was. Diep in zijn hart is Willie nog steeds doodsbang. Niet voor de grootte, maar voor de hoogte. Hij moet niks hebben van hoogten. Niet dat hij bang is om te vallen, maar hij wordt misselijk als hij de wereld van boven ziet. Vooral Manhattan. De grote stad is al intimiderend genoeg vanaf de overkant van de rivier. Van hierboven is het hem te veel. Te magisch, te begeerlijk, te mythisch mooi, als de vrouwen in het tijdschrift *Photoplay*. Hij begeert het. Hij haat het. Hij wil het overwinnen, innemen, helemaal voor zichzelf houden. Hij zou het tot op de grond toe willen afbranden.

Door het vogelperspectief op Irish Town raakt hij nog meer van slag. Vanaf het hoogste punt van de brug lijkt het nog armoediger, nog meer een achterbuurt. Willie laat zijn blik over de schoorstenen gaan, over de richels, de smerige ramen en modderige straten. Zelfs als je er weggaat, ontsnap je er nooit echt aan.

We kunnen beter over de snelweg gaan, zegt Fotograaf.

Nee, zegt Verslaggever, we blijven in de stad.

Waarom?

Gebouwen, winkels, standbeelden – op straat is van alles te zien wat het geheugen van meneer Sutton zou kunnen opfrissen.

Terwijl Verslaggever en Fotograaf bakkeleien over de beste route naar 13th Street, hun volgende bestemming, doet Sutton even de ogen dicht. Hij voelt de auto met een schok tot stilstand komen. Hij opent de ogen. Een rood verkeerslicht.

Hij laat zijn hoofd naar rechts rollen. Bouwvallige winkels, allemaal nieuw voor hem, onbekend. Is dit echt Brooklyn? Het kon net zo goed Bangkok zijn. Waar vroeger een grillroom was, zit nu een platenwinkel. Waar vroeger een platenwinkel was, zit nu een kledingwinkel. Hoeveel nachten heeft Sutton in zijn cel in gedachten niet door het oude Brooklyn gelopen? Nu is het verdwenen, helemaal verdwenen. De oude buurten waren niet meer dan bordkartonnen filmdecors en papieren landschappen geweest die iemand achteloos heeft omgeschoffeld en afgevoerd. Maar één ding lijkt onveranderd. Geen van deze winkels lijkt op zoek naar personeel.

Wat zegt u, meneer Sutton?

Niks.

Sutton ziet een elektronicawinkel. Tientallen televisies in de etalage.

Wacht, stop.

Fotograaf kijkt naar links, naar rechts. We staan al stil, hoor. We staan bij een verkeerslicht, Willie.

Sutton opent het portier. De stoep is hier en daar bedekt met bevroren sneeuw. Met voorzichtige pasjes loopt hij op de elektronicawinkel af. Op elke tv is Willie Sutton. Gisteravond. Terwijl hij uit de Attica-gevangenis naar buiten komt. Maar hij is het ook weer niet. Het is Vader. En Moeder. Hij heeft zich nooit gerealiseerd hoeveel hij op zijn ouwelui is gaan lijken.

Sutton drukt zijn neus tegen het raam met zijn handen aan weerszijden van zijn hoofd. Op een paar schermen dicht bij het raam is president Nixon te zien. Een persconferentie van kortgeleden.

Verslaggever komt naast hem staan.

Is het je ooit opgevallen, knul, dat presidenten zich wel erg als gevangenisdirecteuren gedragen?

Niet echt, meneer Sutton.

Geloof me maar. Het is zo.

Hebt u ooit gestemd, meneer Sutton?

Elke keer dat ik een bank beroofde, bracht ik mijn stem uit.

Dat schrijft Verslaggever in zijn aantekenboekje.

Eén ding kan ik je wel vertellen, zegt Sutton. Ik zou dolgraag tegen die onbetrouwbare kop daar hebben gestemd. Vuile crimineel.

Verslaggever lacht. Ik ben geen fan van Nixon, meneer Sutton, maar crimineel?

Doet hij je niet aan iemand denken, knul?

Nee. Aan wie dan?

Die ogen. Kijk eens naar die ogen.

Verslaggever buigt zich dichter naar het raam toe, kijkt naar Nixon, dan naar Sutton. Dan weer naar Nixon. Nu u het zegt, zegt hij.

Ik zou ons geen van beiden voor een meter vertrouwen, zegt Sutton. Wist je dat Nixon, toen hij op Wall Street werkte, in hetzelfde appartementengebouw woonde als gouverneur Rockefeller?

Ik ben niet echt een fan van Rockefeller.

Welkom bij de club.

Persoonlijk zag ik wel wat in Romney. Daarna, toen die was afgehaakt, stond ik aan de kant van Reagan. Ik hoopte dat hij genomineerd zou worden.

Reagan? God sta ons bij.

Wat is er mis met Ronald Reagan?

Een acteur die de wereld moet leiden? Ben je wel goed bij je hoofd?

Als de rivier te koud is om erin te zwemmen gaan de jongens met hun hengels naar Red Hook. Ze kopen elk een met tomaat belegde, in vetvrij papier verpakte sandwich van twee cent, en gaan bij The Narrows op de rotsen zitten, waar ze hun lijn uitgooien in het slijmerige water. Ook al hebben ze geen werk, ze kunnen tenminste nog íéts van een bijdrage leveren als ze met een paar zeebaarzen thuiskomen.

Op een dag, als de vis niet wil bijten, loopt Eddie ongedurig heen en weer over de rotsen. Het is één grote oplichtersbende, zegt hij.

Wat is een grote oplichtersbende, Ed?

Álles, zegt Eddie.

Achter hem ploegt een sleepboot door het zilvergroene water en glijdt een schuit richting Manhattan. Een driemastschoener koerst naar Staten Island. De hemel is een chaotisch web van kabels en schoorstenen, torenspitsen en kantoortorens. Eddie bekijkt het allemaal met een vuile blik. Dan steekt hij zijn middelvinger op.

Eddie is altijd al boos geweest, maar de laatste tijd lijkt zijn boosheid nog heftiger, nog scherper. Willie denkt dat het zijn schuld is. Willie heeft Eddie meegenomen naar de bibliotheek en heeft hem overgehaald om een lidmaatschapskaart aan te schaffen. Nu heeft Eddie boeken die zijn donkerste vermoedens bevestigen. Jack London, Upton Sinclair, Peter Kropotkin, Karl Marx, allemaal vertellen ze Eddie dat hij niet paranoïde is, dat de wereld wel degelijk tegen hem is.

Wat een klotesysteem, zegt hij. Elke tien of vijftien jaar dondert het in elkaar. Het is helemaal geen systeem, dat is het probleem. Iedereen is godverdomme op zichzelf aangewezen. De depressie van 1893? Mijn ouweheer zag mensen midden op straat staan huilen. Ze zaten helemaal aan de grond. Totaal geruïneerd. Maar zijn de bankiers daarvoor opgepakt? Mooi niet, die zijn alleen maar rijker geworden. Ja, de regering beloofde wel dat het niet meer zou gebeuren. Nou, mooi dat het wél is gebeurd, toch, jongens? In 1907. En dat zal niet de laatste keer geweest zijn. En toen die banken omvielen, toen de markt ineenstortte, toen zijn die bankiers er toch weer ongestraft van afgekomen?

Willie en Happy knikken.

Ik zeg niet dat de man die McKinley neerschoot goed bij zijn hoofd was, ik zeg alleen dat ik begrijp wat hem ertoe gedreven heeft.

Straks word je zelf nog opgepakt voor zulke praatjes, Ed.

Eddie keilt een steen in het water. *Blop* – het geluid van een dikke man die naar adem hapt. We zitten in het verliezende team, jongens. We zijn Ieren *blop* en blut *blop* en dus zijn we dubbel genaaid. Precies zoals de rijken het willen. Je kunt niet aan de top zitten als er niemand *blop* onder je zit.

Hoe komt het dat jij de enige bent die ik over dat soort dingen hoor praten? vraagt Happy.

Ik ben niet de enige, Happy. Lees verdomme eens een boek, wil je?

Happy kijkt bedenkelijk. Als hij leest zal hij niet meer happy zijn.

De allerslechtsten van alle slechte rijken, vindt Eddie, zijn de Rockefellers. Hij speurt de horizon af alsof er daar misschien ergens een Rockefeller loopt die hij met een steen kan bekogelen. Hij is geobsedeerd door Ludlow. Vorig jaar heeft J.D. Rockefeller jr. daar een stelletje zware jongens naartoe gestuurd om een mijnstaking te breken en hebben die zware jongens daar vijfenzeventig onbewapende mannen, vrouwen en kinderen afgeslacht. Als iemand anders dat had gedaan, zegt Eddie vaak, zou hij op de elektrische stoel zijn gekomen.

Weet je wat ik wel zou willen doen? foetert Eddie terwijl hij een steen naar een zeemeeuw gooit. Ik zou het liefst nu meteen de stad in gaan en een bezoekje brengen aan dat herenhuis van die ouwe Rockefeller.

Wat zou je daar dan gaan doen, Ed?

Haha. Weet je nog, dat judasschaap?

Fotograaf rijdt om Grand Army Plaza heen en slaat dan rechts af naar 13th Street, waar hij de auto dubbel parkeert. Het is er niet meer, zegt Sutton, met zijn hand tegen het raampje. Verdomme, ik wist natuurlijk wel dat er dingen weg zouden zijn. Maar alles?

Wat is weg, Willie?

Het huis waar we in 1915 naartoe zijn verhuisd. Een van de buurhuizen staat er gelukkig nog wel. Dat daar, dat geeft je een indruk van hoe het onze eruitzag.

Hij wijst naar een bruinrood zandstenen gebouw van vijf verdiepingen dat onder de roet- en vogelstrontstrepen zit.

Daar heb ik mijn ouders voortijdig oud zien worden door hun geldzorgen. Daar zag ik hoe de rimpels in hun gezicht alsmaar dieper werden, hun haar alsmaar grijzer. Daar heb ik geleerd dat alles in het leven om geld draait. En om liefde. En het gebrek daaraan.

En om anders niks, meneer Sutton?

Iedereen die je iets anders vertelt, lult uit zijn nek. Geld. Liefde. Er bestaat geen probleem dat niet door het een of door het ander is veroorzaakt. En er bestaat geen probleem dat niet door het een of door het ander kan worden opgelost.

Dat houdt niet over, meneer Sutton.

Geld en Liefde, knul. Dat is het enige wat telt. Want dat zijn de enige twee dingen die ons de dood doen vergeten. Al is het maar voor een paar minuten.

Langs de stoep staan bomen. Ze knikken en buigen alsof ze zich Sutton herinneren. Alsof ze hem uitnodigen uit de auto te stappen. Mijn beste vrienden waren Eddie Wilson en Happy Johnston, zegt Sutton zachtjes.

Fotograaf trekt een los stukje franje van zijn geitenleren jas. Ja, dat zei je al.

Wat was Happy voor iemand? vraagt Verslaggever.

De meiden waren gek op hem.

Vandaar de naam, zegt Fotograaf, die de auto start en wegrijdt. Waarheen nu?

Remsen Street, zegt Verslaggever.

Happy had het zwartste haar dat je ooit hebt gezien, zegt Sutton. Alsof hij in kolen was ondergedompeld. Hij had net zo'n bilspleet in z'n kin als jij, knul. En ook net zo'n glimlach. Grote witte tanden. Als een filmster. Nog voordat er filmsterren bestonden.

En Eddie?

Een vreemd geval. Blond en een typisch Amerikaans uiterlijk, maar hij heeft zich nooit Amerikaan gevoeld. Hij had het gevoel dat Amerika niks van hem moest hebben. En hij had verdomme gelijk, Amerika moest ook niks van hem hebben. Amerika moest van geen van ons iets hebben en ik kan je vertellen dat je je verrekte ongewenst voelt als Amerika niks van je moet hebben. Ik hield van Eddie, maar hij was een onbehouwen klootzak. Je kon beter geen ruzie met hem krijgen. Ik dacht altijd dat hij wel beroepsbokser zou worden. Toen hij het slachthuis niet meer in mocht, hing hij veel in sportscholen rond. Toen lieten die hem ook niet meer binnen. Omdat hij gewoon doorging met vechten als de bel was gegaan. En God mocht je bijstaan als je hem op straat kwaad maakte, als je niet genoeg respect toonde. Hij gaf je een Ierse knipbeurt voordat je het in de gaten had.

Een Ierse wat?

Een klap tegen je achterhoofd met een in een krant gewikkelde loden pijp.

In de herfst van 1916 lijkt het lot hun gunstiger gezind. Eddie weet een baantje te bemachtigen bij de bouw van een van de kantoortorens die in de stad verrijzen en Happy's oom regelt voor Happy en Willie een baantje als loopjongen bij de Title Guaranty Bank.

Voor het nieuwe baantje zijn nieuwe kleren nodig. Willie en Happy vinden een herenmodezaak in Court Street die hun wel krediet wil geven. Ze kopen ieder twee pakken: twee ongetailleerde colberts, twee broeken, twee bijpassende vesten, twee zijden stropdassen, manchetknopen en slobkousen. Wanneer hij de eerste dag naar zijn werk loopt, blijft Willie voor een etalageruit staan. Hij herkent zichzelf niet. Hij vindt het fantastisch dat hij zichzelf niet herkent. Hij hoopt dat hij zichzelf nooit meer zal herkennen.

En wat nog mooier is, zijn collega's herkennen hem evenmin. Ze weten kennelijk niet dat hij Iers is. Ze zijn aardig en beleefd tegen hem.

De weken vliegen om. Maanden. Willie verliest zich in zijn werk. Hij vindt het hele bankwezen inspirerend. Na de krach van 1893, de beurspaniek van 1907, de kleinere beurspaniek van 1911 en de depressie van 1914 is New York aan de wederopbouw begonnen. Er verrijzen kantoortorens, er worden bruggen gespannen over de rivieren en tunnels aangelegd eronder, en het geld voor al die epische groei komt van de banken, wat inhoudt dat Willie betrokken is bij een groots streven. Hij maakt deel uit van de maatschappij, is opgenomen in haar missie, belast met haar opdracht – eindelijk. Hij slaapt dieper, wordt energieker wakker. Als hij 's ochtends zijn slobkousen aantrekt, voelt hij een duizelingwekkende opluchting om het feit dat Eddie het bij het verkeerde eind had. Het is niet één grote oplichtersbende.

Ze stoppen bij het neoromaanse gebouw in Remsen Street, waar vroeger Title Guaranty was gehuisvest. Sutton kijkt naar de gewelfde ramen op de tweede verdieping, waar hij vroeger met Happy en de andere loopjongens zat. Achter een van de ramen heeft iemand een pamflet opgehangen. NIXON/AGNEW. *Hier had ik mijn eerste betrekking, zegt Sutton. Een bankrover die zijn eerste betrekking had bij een bank – kun je het je voorstellen?*

Fotograaf neemt een foto van het gebouw. Hij beweegt de camera, draait aan de lens, deze kant op, die kant op. Sutton laat zijn blik van het gebouw naar Fotograaf gaan.

Jij houdt van je werk, zegt Sutton. Nietwaar, knul?

Fotograaf stopt en draait zich half om. Ja, zegt hij over zijn schouder. Klopt, Willy. Ik vind het echt helemaal te gek. Hoe weet je dat?

Ik zie het gewoon wanneer iemand van zijn werk houdt. In welk jaar ben je geboren, knul?

In 1943.

Hm. Een veelbewogen jaar voor mij. Ach, alle jaren waren veelbewogen. Waar ben je geboren?

Roslyn, Long Island.

Op de universiteit gezeten?

Ja.

Welke?

Ik heb op Princeton gezeten, zegt Fotograaf schaapachtig.

Je meent het! Goeie school. Ik heb daar ooit op een ochtend rondgelopen. Wat heb je gestudeerd?

Geschiedenis. Ik was van plan om professor te worden, academicus, maar in mijn tweede jaar begingen mijn ouders de dodelijke vergissing om me voor Kerstmis een camera cadeau te geven. Toen was het bekeken. Vanaf dat moment was ik alleen nog maar geïnteresseerd in foto's maken. Ik wilde de geschiedenis vástleggen in plaats van erover te lezen.

Daar zullen je ouwelui wel blij mee zijn geweest.

Nou! Mijn vader heeft drie maanden niet tegen me gesproken.

Wat vind je zo leuk aan foto's maken?

Jij zegt dat het in het leven alleen maar draait om Geld en Liefde. Ik zeg dat het allemaal draait om ervaringen.

Is dat zo?

En deze camera helpt me om allerlei verschillende soorten ervaringen op te doen. Met deze Leica kom ik door deuren die voor anderen gesloten blijven, langs politieafzettingen, over muren, prikkeldraad, barricades. Hij laat me de wereld zien, man. Helpt me getuige te zijn.

O ja, getuige zijn.

Bovendien, Willie, mag ik graag de waarheid vertellen. Woorden kunnen verdraaid worden, maar een foto liegt nooit.

Sutton lacht.

Wat is er zo grappig? vraagt Fotograaf.

Niks. Alleen is dat lariekoek, knul. Niets liegt meer dan een foto. Eigenlijk is elke foto een vuile leugen, omdat het een bevroren moment is, en tijd kun je niet bevriezen. Tot de grootste leugens die ik ooit ben tegengekomen behoorden foto's. En een paar daarvan waren foto's van mij.

Fotograaf kijkt recht voor zich uit met een lichtelijk gekrenkte uitdrukking op zijn gezicht. Willy, zegt hij, het enige wat ik weet is dat ik met deze camera bij het bloedbad in Hue ben geweest. Het Tet-offensief – dat zijn voor mij niet alleen maar woorden in een boek. Ik ben ermee naar Mexico City geweest om te zien hoe Tommie Smith en John Carlos hun vuist in de lucht staken. Ik ben ermee naar Memphis geweest om de chaos en de doofpotaffaire te zien nadat ze dominee King hadden doodgeschoten. Op geen enkele andere manier was ik in de gelegenheid geweest om al die dingen te zien. Deze camera laat me zíén, man.

Sutton kijkt naar Verslaggever. En jij, knul?

Ik?

Heb je altijd al verslaggever willen worden?

Ja.

Waarom?

Ik heb op een Talmoedschool in de Bronx gezeten – in welke andere baan zou ik de gelegenheid krijgen om een dag door te brengen met de grootste bankrover van Amerika?

Als FBI-agent.

Ik hou niet van vuurwapens.

Ik ook niet.

Ik moet toegeven, meneer Sutton, er zijn van die dagen dat ik niet van dit werk hou. Niemand leest meer.

Ik doe niet anders dan lezen.

U bent een uitzondering. De televisie zal ervoor zorgen dat lezers als ras uitsterven. Bovendien is een redactiekamer niet bepaald de leukste plek op aarde. Het is een soort slangenkuil. Politieke spelletjes, achterbaksheid, jaloezie.

Kijk, dat kun je nou van boeven niet zeggen, zegt Sutton. Broodnijd kennen ze niet. Als een boef over een andere boef leest dat die er met miljoenen vandoor is, is hij blij voor hem. Boeven steunen elkaar.

Behalve als ze elkaar vermoorden.

Dat klopt.

Vertel maar eens over de redacteuren, zegt Fotograaf tegen Verslaggever.

Wat is er dan met de redacteuren? vraagt Sutton.

Dat kunnen echte klootzakken zijn, mompelt Verslaggever met gebogen hoofd.

En jouw redacteur? vraagt Sutton terwijl hij een Chesterfield opsteekt. Hoezo is dat een klootzak?

Hij zegt dat ik een gezicht heb dat erom smeekt om belogen te worden.

Au. En wat zei hij toen hij je een dag met Willie op pad stuurde?

Fotograaf lacht, kijkt uit zijn raampje. Verslaggever kijkt aan de andere kant uit het raampje.

Toe maar, knul. Mij kun je het wel vertellen.

Mijn redacteur zei dat ik vandaag drie opdrachten had, meneer Sutton. U zover krijgen dat u iets vertelde over Arnold Schuster. Ervoor zorgen dat er geen andere verslaggever of fotograaf bij u in de buurt kwam. En u niet kwijtraken.

Sutton blaast een rookwolk uit over het hoofd van Verslaggever. Dan heb je het al verpest, knul.

Hoezo?

Je bent me al kwijtgeraakt. Ik ben terug in 1917.

Willie staat in de kluis. Die is groter dan zijn slaapkamer in 13th Street en is van de vloer tot het plafond gevuld met geld. Hij staart naar de pakketjes bankbiljetten, de cassettes met gouden munten, de rekjes met glimmend zilvergeld. Hij snuift – lekkerder dan een snoepwinkel. Hij heeft zich nooit gerealiseerd hoeveel hij van geld houdt. Hij kon het zich niet veroorloven zich dat te realiseren.

Hij laadt een kar vol met bankbiljetten en munten en rijdt de kar dan langzaam langs de loketten, waar hij de geldladen van de kasbedienden vult. Hij voelt zich almachtig, een koning Salomo uit Brooklyn die giften verdeelt uit zijn mijn. Voordat hij de kar terugbrengt, houdt hij even liefkozend een pakketje met briefjes van vijftig in zijn handen. Met zo'n pakketje zou hij een glimmende nieuwe auto kunnen kopen, een huis voor zijn ouders. Hij zou een hut kunnen boeken op de volgende lijnboot naar Frankrijk. Hij trekt een biljet van vijftig uit het pakketje en houdt het tegen het licht. Dat wilskrachtige portret van Ulysses Grant, die groene krullen in de hoeken, die zilverblauwe letters: *Te betalen aan toonder.* Wie wist er eigenlijk dat het vijftigje zo'n kunstwerk was? Ze zouden er eentje in een museum moeten hangen. Hij schuift het biljet voorzichtig terug in het pakketje en legt het pakketje terug op zijn plaats in het schap.

’s Avonds, na zijn werk, zit Willie op een bankje in het park en leest de boeken van Horatio Alger, verslindt ze, het ene na het andere. Ze zijn allemaal eender – de hoofdpersoon is een arme drommel die zich weet op te werken en rijk, geliefd en gerespecteerd wordt – maar dat is precies wat Willie er zo mooi aan vindt. De voorspelbaarheid van de plot, de onvermijdelijkheid van het stijgende aanzien van de hoofdpersoon, geeft hem een soort troost. Het is een herbevestiging van Willies geloof.

Soms begint de hoofdpersoon van Alger als loopjongen bij een bank.

Een pedofiel, zegt Sutton.

Fotograaf probeert radioverbinding te krijgen met de stadsredactie. Ja, zegt hij, klopt, we gaan nu op weg van Remsen Street naar Sands Street in de buurt van Navy Yard.

Een perverse smeerlap, zegt Sutton.

Fotograaf laat de radio zakken en kijkt Sutton aan. Zei je iets, Willie?

Sutton schuift naar voren en leunt over de voorbank. Horatio Alger.

Wat is daarmee?

Hij doorkruiste deze straten op zoek naar dakloze kinderen. Die had je toen overal, ze sliepen onder trappen en bruggen. Straatschoffies noemden ze die. Alger nam ze mee naar huis, interviewde ze voor zijn boeken en dan vergreep hij zich aan ze. En nu is hij synoniem met de Amerikaanse Droom. Moet je je voorstellen.

Malcolm X zegt dat de Amerikaanse Droom niet bestaat, Willie. Alleen een Amerikaanse nachtmerrie.

Nee, dat is niet waar. De Amerikaanse Droom bestaat wel. Je moet alleen zorgen dat je niet wakker wordt.

Na een half jaar werken bij Title Guaranty wordt Willie bij de directeur geroepen.

Sutton, je bent een voorbeeldig werknemer. Je bent vlijtig, je bent gewetensvol, je komt nooit te laat en bent nooit ziek. Iedereen hier bij de bank zegt dat je een keurige jongeman bent en daar kan ik het alleen maar mee eens zijn. Ga zo door, jongen, blijf deze koers volgen, en je kunt eropaan dat je het ver schopt.

Een maand later wordt Willie ontslagen. Happy ook. De directeur geeft met een rood gezicht de schuld aan de oorlog in Europa. De handel is ingezakt, de wereldeconomie staat op instorten – iedereen moet bezuinigen. Vooral banken. Willie bergt zijn colberts en bijpassende broeken en vesten, zijn stropdassen en manchetknopen en slobkousen op in een hoedendoos en zet de doos op een plank in Moeders kleerkast.

Hij koopt vijf kranten en een potlood en gaat in het park zitten. Op hetzelfde bankje waar hij vroeger de boeken van Alger las, kamt hij nu de personeelsadvertenties uit. Vervolgens loopt hij heel Brooklyn door, vult formulieren in, laat sollicitatiebrieven achter. Hij solliciteert naar baantjes als bankmedewerker, als klerk of als verkoper. Wanneer hij solliciteert naar een baantje als verkoper knijpt hij zijn neus dicht. Hij wordt misselijk bij de gedachte dat hij iemand iets moet aansmeren wat hij niet nodig heeft en wat hij zich niet kan veroorloven.

Aan het begin van de dag treft Willie Happy en Eddie vaak bij Pete's Awful Coffee. Eddie is ook ontslagen. De aannemers van de kantoortoren hadden geen geld meer. Eén grote oplichtersbende, mompelt Eddie in zijn koffiekop. Niemand aan de bar gaat ertegenin. Niemand die het durft.

Dan, aan het begin van het honkbalseizoen in 1917, ziet Willie op weg naar Eddie en Happy een eindje verderop een krantenjongen staan zwaaien met een extra editie. Dat ene woord, groot en zwart en glimmend als de penning op het hemd van de krantenjongen: OORLOG. Willie geeft de krantenjongen een penny en rent naar de koffiebar. Buiten adem spreidt hij de krant uit over de bar en zegt tegen Eddie en Happy dat dit hun grote kans is, dat ze dienst moeten nemen bij het leger. Ze zijn pas zestien, maar wat kan het schelen, misschien kunnen ze ergens valse geboortebewijzen op de kop tikken. Misschien kunnen ze naar Canada gaan en zich daar inschrijven. Het is oorlog, het is onplezierig, maar, jezus … het is tenminste iets.

Mij niet gezien, zegt Eddie, die zijn kopje van zich af duwt. Dat is de oorlog van Rockefeller. En zijn kontlikker, J.P. Morgan. Ik ga me niet laten neerknallen voor die industriebaronnen. Besef je dan niet dat we allang een oorlog aan het voeren zijn, Sutty? Wij tegen hen.

Je verbaast me, zegt Willie, echt waar, Ed. Ik dacht dat je de kans om een paar spaghettivreters af te schieten met beide handen zou aangrijpen. Tenzij je natuurlijk bang bent dat die spaghettivreters jóú afmaken.

Happy lacht. Eddie grijpt Willie bij zijn kraag en staat op het punt om uit te halen, maar schudt dan het hoofd en laat zich terugzakken op zijn kruk.

Sutty de Patriot, zegt Happy. Maak je maar geen zorgen, Sutty. Voel je je patriottisch? Er komen nog gelegenheden zat om je bijdrage te leveren. Mijn ouweheer zegt dat elke oorlog een periode van welvaart brengt. Rustig afwachten. Binnenkort leven we als God in Frankrijk.

Binnen een paar weken komt de voorspelling uit. New York is een en al bedrijvigheid en de jongens weten werk te bemachtigen in een fabriek die machinepistolen maakt. Ze verdienen vijfendertig dollar per week, bijna vier keer zoveel als Willie en Happy bij Title Guaranty verdienden. Willie kan zijn ouders kost en inwoning betalen en nog wat extra. Hij ziet hen het geld tellen en hertellen, ziet de spanning van de afgelopen paar jaar verdwijnen.

En nog steeds heeft hij geld over voor wat vertier. Om de avond gaat hij met Eddie en Happy naar Coney Island. Hoe heeft hij zo lang kunnen leven zonder die betoverde plek? De muziek, de lichtjes – het gelach. Het is op Coney Island dat Willy zich voor het eerst realiseert: niemand lacht ooit bij hem thuis.

Het lekkerste van alles is het eten. Hij is grootgebracht met verlepte kool en waterige stoofpotten, maar nu kan hij zich te goed doen aan het feestmaal van een sultan. Als hij uit de trolleytram stapt, ruikt hij het varken aan het spit, de gegrilde mosselen die drijven in de boter, de piepkuikens, de chateaubriands, de ingelegde walnoten, de diverse koude punches, en hij realiseert zich dat hij zestien jaar lang honger heeft gehad.

Geen delicatesse op Coney Island is zo exotisch, zo verslavend als de onlangs uitgevonden Nathan's Famous, ook wel hotdog genaamd. Overdekt met mosterd, gestoken in een omhulsel van zacht wit brood, doet hij Willie kreunen van genot. Happy kan er vijf op. Eddie zeven. Er is geen grens aan hoeveel Willie er op kan.

Als ze zich helemaal hebben volgepropt en alles hebben weggespoeld met een paar kroezen bier, wandelen de jongens over de Boardwalk en proberen de blik te vangen van mooie meisjes. Maar mooie meisjes zijn de enige delicatesse die ze niet kunnen krijgen. In 1917 en 1918 zijn de mooie meisjes op soldaten uit. Zelfs Happy kan niet concurreren met die stoere uniformen, die witte matrozenpetten.

Voordat ze de ratelbak naar huis nemen, wil Eddie altijd nog even langs de Verbazende Broedmachine, de nieuwe warmteoven voor baby's die halfbakken geboren worden. Eddie drukt graag zijn gezicht tegen de glazen deur om naar de zeven of acht pasgeborenen aan de andere kant te zwaaien. Kijk, Sutty, hoe verdomde klein ze zijn. Het lijken wel kleine hotdogs.

Eet er maar niet per ongeluk eentje op, zegt Happy.

Eddie roept door de glazen deur: Welkom op aarde, sukkeltjes. Het is één grote oplichtersbende.

Zes

Verspreid over de stad zijn er honderden, maar Happy zegt dat er maar twee de moeite waard zijn. Een onder de Brooklyn Bridge, het andere in Sands Street, net buiten de marinehaven. Happy geeft de voorkeur aan dat in Sands Street. De meisjes zijn er niet per se mooier, zegt hij. Alleen gewilliger. Ze draaien diensten van tien uur, werken drie klanten per uur af, en nog meer als de vloot in de haven ligt. Hij doet er verslag van met de bewondering en de verbazing van een kapitalist in hart en nieren die de nieuwe lopende band van Henry Ford beschrijft.

Omstreeks de tijd van de Slag om Passendale, de dienstplichtrellen in Oklahoma en de mijnstakingen in het westen, brengen de jongens voor het eerst samen een bezoek aan het huis in Sands Street. De keuken is de wachtkamer. Er zitten zes mannen rond de tafel en langs de muur, die de krant lezen, alsof ze bij de kapper zitten. De jongens pakken een krant en zetten stoelen bij de kachel. Ze blazen in hun handen. Het is een koude avond.

Willie houdt de andere mannen goed in de gaten. Telkens wanneer er een wordt geroepen, voltrekt zich dezelfde procedure. De man stommelt naar boven. Even later, door het plafond, zware voetstappen. Dan een vrouwenstem. Dan gedempt gelach. Dan piepende bedspiralen. Dan een luid gegrom, een hoog gilletje, een paar ogenblikken van uitgeputte stilte. Ten slotte een deur die dichtslaat, voetstappen die de trap afdalen, en dan komt de man door de keuken, met vuurrode wangen, een bloem in zijn knoopsgat. De bloem is gratis.

Als het hun beurt is, krijgt Willie bijna een beroerte. Boven, op de overloop, aarzelt hij. Misschien een andere keer, Happy, ik voel me niet zo goed. Mijn maag.

Vertel haar maar waar het pijn doet, Willie, dan geeft ze er een kusje op en gaat het over.

Happy duwt Willie in de richting van een lichtblauwe deur aan het eind van de gang. Willie klopt zachtjes aan.

Binnen.

Langzaam duwt hij de deur open.

Doe de deur dicht, liefje, het tocht op de overloop.

Hij doet wat hem gevraagd wordt. De kamer is schemerig, slechts verlicht door een kaarslantaarn. Op de rand van een bed met veel kantjes en strookjes zit een meisje in een babyroze negligé. Een gladde huid, lang dik haar. Mooie ogen met donkere wimpers. Maar ze mist haar rechterarm.

Kwijtgeraakt toen ik zes was, zegt ze als Willie ernaar vraagt. Ik ben onder de tram gekomen. Daarom noemen ze me Wingy.

Waarschijnlijk is dat ook de reden waarom ze in Sands Street zit. Voor een eenarmig meisje in Brooklyn zijn er niet veel andere manieren om aan de kost te komen.

Willie legt een munt van vijftig cent op de toilettafel. Wingy staat op en stapt uit het babyroze negligé. Glimlachend komt ze naar Willie toe en helpt hem bij het uitkleden. Ze weet dat het zijn eerste keer is. Hoe weet je dat, Wingy? Ik weet het gewoon, liefie. Willie slaat aan het rekenen – het moet haar honderdeerste keer zijn. Deze maand. Terwijl hij met zijn broek om zijn enkels staat, kust ze zijn kin, zijn lippen, zijn grote neus. Hij begint te huiveren als van de kou, hoewel hij weet dat het smoorheet is in de kamer. De ramen zijn potdicht en beslagen. Wingy leidt hem naar het bed. Ze gaat boven op hem liggen. Ze kust hem steviger, drukt zijn lippen met de hare van elkaar.

Hij krabbelt terug. De helft van haar ondertanden ontbreekt.

Die heeft de koopvaardij eruit geslagen, zegt ze. Nu niks meer vragen, engel, blijf nou maar lekker liggen en laat Wingy al het werk doen.

Wat gaat Wingy doen?

Niks meer vragen, zei ik.

Haar aanraking is verrassend zacht en vaardig, en Willie raakt al snel opgewonden. Ze laat haar dikke kastanjebruine haar over zijn borst en langs zijn gezicht strijken, als een waaier van veren. Hij vindt dat het lekker voelt en ruikt. Haar shampoo, Castile misschien, maskeert de andere, ingebakken geuren in de kamer. Mannenzweet, oud sperma – en Fels?

Hij had het al geroken toen hij daarnet binnenkwam, maar het was niet echt tot hem doorgedrongen. Nu dringt het door. Degene die Wingy's beddegoed wast, gebruikt hetzelfde wasmiddel als zijn moeder. Het is een veelgebruikt wasmiddel, en hij zou zich er niet over moeten verbazen, maar het verwart en verontrust Willie tijdens het hoogtepunt van zijn manwording.

Nog meer verwarring. Willie dacht dat Eddie kon vloeken, maar vergeleken bij Wingy lijkt Eddie een echte amateur. Waarom vloekt ze zo? Doet Willie het verkeerd? Maar hoe kan dat nou, want hij doet immers niets? Hij ligt tegen de matras gedrukt, is hulpeloos. Als er iemand zou moeten vloeken, is hij dat wel. Wingy's overvloedige schaamhaar is stug, bijna metalig, en het schuurt en schaaft de tere huid van Willies gloednieuwe penis. Erin en eruit, op en neer, Wingy doet haar best om Willie te behagen en Willie waardeert haar ijver, maar moet voortdurend denken aan de kloof tussen de werkelijkheid en zijn verwachtingen. Is dit wat de wereld draaiende houdt? Is dit waar iedereen zo'n drukte over maakt ... dít? Als er al enig plezier schuilt in de hele ervaring, is het de opluchting die hij voelt als het voorbij is.

Wingy drukt zich tegen hem aan en prijst zijn uithoudingsvermogen. Hij bedankt haar, voor alles, pakt zijn kleren en geeft haar tien cent fooi. De gratis bloem wacht hij niet af.

Fotograaf slaat Sands Street in. Er worden wegwerkzaamheden uitgevoerd. Hij zigzagt langzaam tussen de oranje pylonen en afzettingshekken door. Stop hier maar ergens, zegt Sutton.

Fotograaf zet de auto aan de kant en trekt de handrem aan. Tiende verdieping, zegt hij met nasale stem, damestassen, herensokken.

Wat is er op deze hoek gebeurd, meneer Sutton?

Hier heeft Willie zijn onschuld verloren. In een huis van slechte zeden. Zo werd een bordeel indertijd genoemd.

Was ze mooi? vraagt Fotograaf.

Ja. Dat was ze zeker. Hoewel ze maar één arm had. Ze noemden haar Wingy.

Welke arm?

Haar linker.

Waarom noemden ze haar dan niet Lefty?

Dat zou wreed zijn geweest.

Verslaggever en Fotograaf kijken elkaar aan, kijken weg.

Wilt u uitstappen, meneer Sutton?

Nee, hoor.

Willie, zegt Fotograaf, waarom zijn we hier eigenlijk?

Ik wilde Wingy een bezoekje brengen.

Een bezoekje brengen?

Ik voel haar, ik voel dat ze nu om ons lacht. Om jouw vragen. Ze hield niet van vragen.

De geest van een eenarmige prostituee? Fantastisch. Dat moet een leuk plaatje opleveren.

Oké, jongens, de volgende stop. We hebben gezien waar Willie zijn onschuld verloor. Laten we naar Red Hook gaan om te kijken waar Willie zijn hart verloor.

Bij de Wapenstilstand – november 1918 – groeit heel New York uit tot één groot Coney Island. Mensen stromen de straat op, dansen op auto's en kussen vreemden. Kantoren gaan dicht, cafés blijven de hele nacht open. Willie, Eddie en Happy voegen zich in de mensenmenigte, maar met gemengde gevoelens. De oorlog was het beste wat hun ooit is overkomen. Vrede betekent dat er geen vraag meer is naar machinepistolen. Geen vraag meer naar hen.

Weer de laan uit gestuurd gaan de jongens op baantjesjacht. Ze pluizen de personeelsadvertenties uit, vullen sollicitatieformulieren in en sjouwen bedrijven af. Maar de stad wordt overspoeld door soldaten die allemaal op zoek zijn naar werk. De kranten voorspellen een nieuwe depressie. De derde in Willies leven, maar deze lijkt de ernstigste. Alles wordt zo troosteloos, in zo'n rap tempo, dat de mensen zich hardop afvragen of het kapitalisme zijn langste tijd heeft gehad.

De jongens zitten op de rotsen van Red Hook te vissen, terwijl Eddie hardop voorleest uit een krant die hij uit een vuilnisbak heeft gehaald. Stakingen, rellen, onrust, en om de andere pagina de deprimerende karakterschets van de zoveelste jongen die niet meer thuis zal komen.

Een op de veertig die naar het buitenland zijn gegaan, leest Eddie voor, komt niet meer terug.

Christus, zegt Happy.

Ze hebben in elk geval iets met hun leven gedaan, zegt Willie.

Eddie staat op, loopt heen en weer. Hij keilt stenen over het water. Er is niets *blop* veranderd, zegt hij. We zijn *blop* weer terug *blop* waar we begonnen zijn.

Hij staakt zijn bezigheid en laat de steen die hij in zijn hand had op de grond vallen. Hij blijft stokstijf staan en staart in de verte. Willie en Happy draaien zich om en volgen zijn blik. Nu komen ook zij langzaam overeind en vergapen zich.

Happy rent naar het meisje toe, neemt zijn tweedpet af en buigt. Ze deinst terug, maar dat is toneelspel. Ze is niet geschrokken. Een cobra zou haar nog niet aan het schrikken maken, dat kun je zien. Bovendien is het Happy. Ze was haastig ergens naar op weg en liep stevig door, maar bij het zien van zo'n kanjer als Happy heeft ze alle tijd van de wereld.

Happy heeft het weer mooi voor mekaar, zegt Eddie. Hij gaat zitten, trekt zijn pet recht en controleert de hengels. Willie knikt en gaat naast hem zitten. Om de paar minuten kijken ze even weemoedig om naar hun vriend.

Happy komt met haar op hen af. Oké, lamzakken, kom 'ns overeind. Bess, dit is de hengelclub van Beard Street. Waarvan deze twee de voorzitter zijn, meneer Edward Wilson en meneer

William Sutton. Jongens, zeg eens gedag tegen Bess Endner.

Ze is asblond, zo wordt ze later beschreven in processen-verbaal, maar in het late najaarslicht zitten er allerlei geeltinten in haar haar. Boter, honing, citroen, amber, goud – ze heeft zelfs gouden spikkeltjes in haar helderblauwe ogen, alsof degene die haar schilderde nog wat geel overhad en niet wist wat hij ermee moest. Ze is klein en tenger, één meter vijfenzestig, maar heeft de elegante manier van lopen die langere meisjes eigen is. Vijftien jaar, schat Willie. Misschien zestien.

Ze heeft een spanen mand bij zich die ze in haar andere hand neemt om eerst Eddie, dan Willie te begroeten.

Wat zit er in die mand? vraagt Happy.

Ik ga mijn vader middageten brengen. Daarginds op zijn scheepswerf.

Dat is een behoorlijke werf, zegt Happy.

De grootste van Brooklyn. Opgericht door mijn opa. Hij kwam naar dit land in het ruim van een schip, en nu bouwt hij ze.

Willie staart haar aan. Hij heeft nog nooit zo veel zelfvertrouwen gezien. De volgende keer dat hij dat ziet, is het bij mannen met geweren. Eddie staart haar ook aan. Het lijkt haar niet van haar stuk te brengen. Ze kan zich waarschijnlijk de tijd niet heugen dat mensen haar niet aanstaarden.

Ze wijst op de hengels. Willen de vissen een beetje bijten?

Niet echt, zegt Eddie.

Waar vis je mee?

Kroonkurken, zegt Willie. Spijkerkoppen. Pruimtabak.

Nogal vies water, hè?

We geven de vissen een warme douche voordat we ze bakken, zegt Willie.

Ze lacht. Klinkt verrukkelijk. Maar over eten gesproken, ik kan maar beter gaan. Mijn vader wordt chagrijnig als hij honger heeft.

Met haar vingers zwaait ze gedag. Verbeeldt Willie het zich of houdt ze een fractie van een seconde zijn blik vast?

De jongens staan schouder aan schouder en kijken hoe ze door Beard Street loopt. Ze zeggen niets totdat ze het terrein van haar vaders scheepswerf op loopt. Dan zeggen ze nog steeds niets. Ze gaan op de rotsen liggen en keren hun gezicht naar de zon. Met gesloten ogen ziet Willie de gouden zonnevlekjes die onder zijn oogleden zweven. Ze doen hem denken aan de spikkeltjes in de blauwe ogen van Bess Endner. Hij zou nog meer kans hebben om de zon te kussen.

Er rent een kat of een rat voor de auto langs. Fotograaf wijkt uit. Krijg nou de ...! Een eindje verder weer een kat of een rat. Dus dit is Red Hook, zegt Fotograaf, valt hier te leven?

En te sterven, zegt Sutton. Vroeger was het helemaal niet raar om in een cafetaria de ene vent tegen de andere te horen fluisteren: Ik heb dat pakketje bezorgd in Red Hook. Pakketje betekende lijk.

Verslaggever wijst op een gat in de weg dat wel een maankrater lijkt. Kijk uit.

Fotograaf rijdt er dwars doorheen. De Polara begint te rammelen als een oude trolleytram.

De as is gebroken, zegt Sutton.

Die straten hier in Brooklyn, een en al gaten, zegt Fotograaf.

Brooklyn ís een gat, zegt Sutton. Altijd al geweest.

Verslaggever wijst op een straatnaambord. Hier is het – Beard Street.

Fotograaf slaat Beard Street in en parkeert de Polara zo dicht langs de stoeprand dat één wieldop erlangs schraapt. Sutton stapt uit en hinkt over de kasseien naar een verhoogde stoep met een ijzeren hekje langs het water. Hij pakt het hekje vast en neemt de houding aan van een dictator die een mensenmassa op een plein gaat toespreken. Dan draait hij zich om naar Verslaggever en Fotograaf, die bij de auto zijn gebleven. Hij roept hun toe: Hoeveel mensen zijn er op aarde, drie miljard? Vier? Weet je hoe groot de kans is dat je degene vindt die voor jou bestemd is? Nou – ik heb haar gevonden. Hier. Op deze plek.

Verslaggever en Fotograaf steken de straat over terwijl de een aantekeningen en de ander foto's maakt.

Jongens, je leeft pas echt, in de volste betekenis van het woord, als je verliefd bent. Daarom lijkt het of bijna iedereen die je tegenkomt dood is.

Hoe heette ze, meneer Sutton?

Bess.

Zeven

Zonder werk en bijna platzak brengen de jongens de avonden nog steeds op Coney Island door, maar ze slaan de attracties en de hotdogs over. Ze lopen alleen heen en weer over de Boardwalk en kijken naar de kerstverlichting. En naar de meisjes. Happy heeft een oude ukelele. Telkens wanneer er een mooi meisje voorbijloopt aan de arm van een soldaat, slaat hij opzettelijk een vals akkoord aan.

Dan, een wonder. Het mooiste meisje in de menigte is niet met een soldaat. Ze is met twee vriendinnen. En ze herkent Happy. En Eddie. Dan Willie. Als dat de hengelaars van Beard Street niet zijn, roept ze.

Ze rent op hen af en sleept haar twee vriendinnen mee. Ze stelt hen voor. De eerste heeft rood haar, lichtgroene, enigszins diepliggende ogen en dikke wenkbrauwen. Dubbeldik. Moet je díé meid zien, fluistert Eddie. Ze heeft zeker twee keer in de rij gestaan toen ze wenkbrauwen aan het uitdelen waren.

Maar Eerste Vriendin en Eddie ontdekken dat ze een aantal gemeenschappelijke vrienden hebben en vormen dus al snel een paartje.

Tweede Vriendin, met lang bruin haar en een mopsneusje, zegt niets, maakt geen oogcontact en lijkt hier helemaal niet te willen zijn. Noch ergens anders. Dat afstandelijke vindt Happy wel een uitdaging. Hij pakt haar bij de elleboog en knipoogt over zijn schouder naar Willie. Wat betekent: Bess is voor jou.

Ze heeft een blauwgroene hoed op, de rand zo ver omlaaggetrokken dat haar ogen erachter schuilgaan. Als Willie haar complimenteert met de hoed en met haar bijpassende blauwe jurk, heft ze langzaam haar gezicht naar hem op. Nu ziet hij de gouden spikkeltjes. Hij is volledig in de ban van die ogen, hij is als verlamd. Hij probeert weg te kijken, maar hij kan het niet. Hij kan het niet.

Ze zegt iets aardigs over Willies kleding. Godzijdank heeft hij zijn pakken van Title Guaranty niet verpand. Godzijdank heeft hij vanavond het zwarte aangetrokken.

Ze volgen hun vrienden over de Boardwalk. Willie vraagt Bess waar ze woont. In de buurt van Prospect Park, zegt ze. Ik ook, zegt hij. In President Street, zegt ze. O, zegt hij, nou, dan woon jij aan de mooie kant. Het grootste huis in de straat, zegt ze, dat kun je niet over het hoofd zien. Het grootste huis, zegt Willie, de grootste scheepswerf. Dat zegt me helemaal niks, zegt ze, het is niet míjn scheepswerf en het is niet míjn huis.

Ze praten over de oorlog. Bess leest er alles over. Elke avond zit ze met haar vader *Times* te spellen, en ze leest elk nummer van *Leslie's Illustrated.* Ze zegt dat het misdadig is dat de bankiers bezwaar maken tegen het plan van president Wilson om Duitsland een barmhartige vrede te gunnen. Misdadig.

Je hebt wel uitgesproken meningen, zegt Willie.

Vind je het geen schande dat ik die niet tot uitdrukking mag brengen in een stemhokje?

Ach, vrouwen krijgen heus binnenkort ook wel stemrecht.

Morgen zou niet snel genoeg zijn, meneer Sutton.

Natuurlijk. Daar heb je gelijk in.

Hij probeert het gesprek een andere wending te geven, weg van de politiek.

Hij begint over het zachte weer. Een ongewoon warme winter, vind je ook niet?

Zeg dat wel.

Hij vraagt of Bess haar echte naam is.

Eigenlijk heet ik Sarah Elizabeth Endner, maar mijn vriendinnen geven me allerlei bijnamen. Betsy, Bessie, Bizzy, Binnie. Ik geef de voorkeur aan Bess.

Dan hou ik het op Bess.

Ze zwijgen. Het geluid van hun schoenen op het hout klinkt

buitensporig luid. Willie denkt aan de onmogelijkheid om iemand te kennen, om iemand ooit écht te leren kennen.

Trouwens, eh, Bess. Wist je dat Coney Island zijn naam te danken heeft aan een Ier?

O?

Coney is Iers voor konijn. Ik denk dat je hier vroeger veel wilde konijnen had.

Ze kijkt om zich heen als om te zien of er soms nog ergens eentje zit.

Grote, zegt Willie.

Ze lacht flauwtjes.

Wilde, zegt hij.

Ze reageert niet.

Willie pijnigt zijn hersens in een poging zich te herinneren waar hij en Wingy over praten. Hij probeert zich te herinneren wat de mannelijke hoofdpersoon tegen de vrouwelijke hoofdpersoon zegt in de romans van Alger. Hij kan niet helder denken. Hij roept naar Eddie en Happy. Hé, jongens, wat zullen we eens gaan doen?

Zullen we in de Whip gaan? vraagt Eddie.

Dat vinden de meisjes een prima idee. Ze haasten zich allemaal naar het Luna Park. Gelukkig staat er geen lange rij. De jongens leggen botje bij botje en kopen zes kaartjes.

De Whip bestaat uit twaalf wagentjes op een ovale baan. Die worden aan kabels voortgetrokken, langzaam, lángzaam, tot ze opeens razendsnel door de krappe bochten vliegen. In elk wagentje passen twee personen. Eddie en Eerste Vriendin nemen er een, Happy en Tweede Vriendin een ander, zodat Willie en Bess overblijven. Terwijl ze in een wagentje klimmen, voelt Willie Bess' bovenarm langs de zijne strijken. Een korte aanraking, maar hij is er helemaal van ondersteboven wat dat met hem doet.

Gaat-ie hard? vraagt ze.

Misschien. Het is de beste attractie. Ben je bang?

O, nee. Ik vind het heerlijk als het hard gaat.

Het wagentje komt met een schok in beweging. Willie en Bess gaan dicht tegen elkaar aan zitten als het langzaam meer vaart begint te krijgen. Het spannendste hiervan is hoe langzaam het begint, zegt Bess. Ze houden zich stevig vast aan de randen, lachend, giechelend. Ze gilt als ze door de eerste bocht worden geslingerd. Willie gilt ook. Eddie en Eerste Vriendin, in het wagentje vóór hen, kijken gejaagd om, alsof Willie en Bess hen achternazitten. Eddie wijst met een vinger en schiet. Willie en Bess schieten terug. Eddie is geraakt. Hij sterft, want dat geeft hem een excuus om zijwaarts te vallen, over Eerste Vriendin heen.

Plotseling vertraagt het karretje, met horten en stoten, en komt tot stilstand. Bess kreunt. Kom, dan gaan we nog een keer, zegt ze.

Willie en de jongens hebben geen geld voor nog een ritje. Gelukkig ziet Willie dat er inmiddels een hele rij staat. Kijk, zegt hij.

Hè, verdorie, zegt ze.

De drie paartjes maken nog een wandeling over de Boardwalk.

Het begint donker te worden. De lichtjes van Coney Island flakkeren aan. Willie vertelt Bess dat er alles bij elkaar een kwart miljoen lichtjes zijn. Geen wonder dat Coney Island het eerste is wat je vanaf een schip ziet als je aan komt varen. Moet je je voorstellen: dit hier is het eerste glimpje dat immigranten van Amerika opvangen.

Het is ook het laatste wat je ziet als je wegvaart, zegt Bess.

Hoe weet je dat?

Omdat ik het gezien heb. Een paar keer al.

O.

Ze wijst naar de maan. Kijk. Is de maan niet prachtig vanavond?

Lijkt wel of ze bij het park hoort, zegt Willie, het lúnapark.

Bess zegt met de theatrale stem van een actrice: Nee maar, meneer Sutton – knap én intelligent?

Hij speelt het spelletje mee. Neemt u me niet kwalijk, juffrouw Endner, zoudt u dat nog eens willen herhalen?

Hebt u mij dan niet verstaan, meneer Sutton?

Integendeel, juffrouw Endner, ik kan haast niet geloven dat zo'n oogverblindende jongedame als u mij een compliment geeft, daarom wil ik het me goed inprenten.

Ze blijft staan. Ze kijkt naar Willie op met een glimlach waaruit spreekt: Misschien heeft hij wel meer te bieden dan je op het eerste gezicht zou denken. Na een langzame start weet hij haar op gang te krijgen. Net als de Whip.

De drie paartjes verzamelen zich bij de reling en luisteren naar de beukende golven, een geluid als de echo van de oorlog die over zee komt aandrijven. Het begint harder te waaien. De wind doet de lange jurken van de meisjes opbollen, de stropdassen van de jongens wapperen als vlaggen. Bess houdt met één hand haar hoed vast. Happy geeft zijn hoed aan Eddie en tokkelt op zijn ukelele.

I don't wanna play in your yard
I don't like you anymore
You'll be sorry when you see me
Sliding down our cellar door

Iedereen kent de tekst. Bess heeft een mooie stem, maar hij trilt omdat ze het koud heeft. Willie doet zijn jas uit en slaat hem om haar schouders.

You can't holler down our rain barrel
You can't climb our apple tree

Er komen mensen om hen heen staan die meezingen. Niemand kan dit liedje weerstaan.

I don't wanna play in your yard
If you won't be good to me

Bij de laatste noten laat Happy zijn aftandse ukelele klinken als een heel ukeleleorkest. Iedereen klapt en Bess knijpt in Willies biceps. Hij spant hem aan. Ze knijpt er harder in.

Hemeltje, zegt Eerste Vriendin met een blik op haar armbandhorloge, het is al laat.

Bess protesteert. Eerste en Tweede Vriendin houden voet bij stuk. De drie paartjes lopen achter de menigte aan naar de trolleytrams en de ondergrondse. Willie en Bess beginnen afscheid te nemen. Dan ontdekken ze dat ze alleen zijn. Willie kijkt om zich heen. In de schaduw van een badhuis staan Eddie en Eerste Vriendin in een omstrengeling. Achter de kraam van een waarzegger steelt Happy kusjes van Tweede Vriendin. Willie kijkt naar Bess. Haar ogen poelen van blauw en goud. Hij voelt de aarde omkantelen naar de maan. Hij buigt zich naar haar toe en beroert haar lippen met de zijne. Zijn huid tintelt, zijn bloed staat in vuur en vlam. Hij weet dat op dit moment, het moment dat hem in de schoot is komen vallen, zijn toekomst wordt herschreven. Dit is nooit de bedoeling geweest. Maar het gebeurt. Het gebéúrt.

Uiteindelijk staan de meisjes tegenover de jongens op straat. Bedankt voor deze heerlijke avond, zeggen ze. Leuk dat we jullie hebben leren kennen. Jullie ook. Vrolijk kerstfeest. Wel thuis. Dag.

Gelukkig Nieuwjaar.

Maar Bess zal Willie over een paar dagen terugzien. Ze hebben een afspraakje. De meisjes lopen weg; Eerste Vriendin en Tweede Vriendin ieder aan een kant van Bess. Willie kijkt hoe ze opgaan in de menigte. Op het laatste moment draait Bess zich om.

You can't holler down my rainbarrel, roept ze.

You can't climb my apple tree, roept Willie terug.

Zij zingt: *I don't wanna play in your yaaard.*
Hij denkt: *If you won't be good to me.*

Sutton kijkt naar zijn spiegelbeeld in het water. Realiseert zich dat het niet zijn spiegelbeeld is, maar een wolk. Wisten jullie dat Socrates heeft gezegd dat we houden van wat we ontberen? Of wat we menen te ontberen?

Socrates?

Als je denkt dat je dom bent, val je voor iemand met hersens. Als je je lelijk voelt, val je als een blok voor iemand die oogstrelend mooi is.

Hebt u Socrates gelezen?

Ik heb alles gelezen, knul. Ik had de bajes nooit overleefd zonder te lezen. Toen de FBI naar me op zoek was, hadden ze agenten op de uitkijk staan bij boekwinkels. Dat zou ergens in je dossiers moeten staan.

Maar Socrates? Echt?

Hij deugde, die gozer. En mán, wat had hij een pesthekel aan smerissen.

Smerissen. In het oude Griekenland.

Laat me raden. Hij maakte zichzelf liever van kant dan dat hij bekende, of niet soms?

Ze ontmoeten elkaar een paar avonden later om een ijsje te eten. In een ijssalon in de buurt van het park. Bess draagt een groene jurk met een heel nauwe rok en een grote hoed met een lange witte veer. Willie heeft zijn andere pak van Title Guaranty aan. Het grijze.

Tot zijn opluchting kletst ze er lustig op los, want zelf kan hij geen woord uitbrengen. Voor een afspraakje met een beroemde filmster als Theda Bara had hij niet nerveuzer kunnen zijn. Bovendien wil hij Bess leren kennen. Niets liever dan dat.

Ze vertelt hem alles over hun gezin. Volgens mij hebben ze me bij hen te vondeling gelegd, zegt ze, want ik lijk op niemand.

Pappa is een tiran. En stomvervelend. Mammie is een bemoeizuchtige ouwe troela. En mijn oudere zus is een onnozele hals.

Willie zegt bijna dat hij daar alles van afweet, van niet overweg kunnen met oudere broers en zussen, maar hij wil niet aan zijn broers denken. Niet vanavond. Hij eet zijn ijscoupe met warme karamel met voorzichtige, afgemeten hapjes en bestookt Bess met vragen.

Wat is je lievelingseten?

O, dat is makkelijk. IJs.

Het mijne ook. Wat is je lievelingsboek?

Nog makkelijker. *Woeste Hoogten.* Ik ben het eens met meneer Emerson – alle mensen hebben een zwak voor verliefde stelletjes. Er is niets waar we zo veel belangstelling voor hebben en zo veel genegenheid voor voelen als voor een Cathy en een Heathcliff.

O, ja. *Woeste Hoogten.* Dat is ook een van mijn lievelingsboeken.

Dat lieg je.

Ja.

Ik zal je mijn exemplaar lenen.

Heb je huisdieren?

Een terriër die Tennyson heet. Dat is mijn lievelingsdichter.

Wat is de plaats waar je het liefst bent op de hele wereld?

Dat zijn er drie: Parijs. Rome. Hamburg. En de jouwe?

Ik heb er geen.

Wat is dan de plek waar je het minst graag bent?

Thuis.

O jee.

Wat is je beste eigenschap?

Mijn geheugen. Als ik een gedicht één keer heb gelezen, ken ik het uit mijn hoofd. Heb jij een goed geheugen?

Ik zal deze dag nooit vergeten, denkt hij. Ik ben niet goed in namen, zegt hij.

De meeste zijn de moeite van het onthouden niet waard.

Wat is je grootste tekortkoming?

Ik kan niet stilzitten. En de jouwe?

Ik kom uit Irish Town.

Hij vertelt haar over het aflopende werk van Vader, over het grenzeloze verdriet van Moeder, over zijn eigen onvermogen om werk te vinden. Hij verrast haar, en zichzelf, door met zo'n oprechte stem zo veel te onthullen. Hij is in zijn hele leven nog nooit zo dicht bij een volledige bekentenis gekomen.

Hij brengt haar door het park naar huis. Op een donkere, afgezonderde plek leunt ze tegen een boom, pakt zijn stropdas beet en trekt hem naar zich toe. Hij legt een hand tegen de boom, de andere tegen haar wang. De ruwe hardheid van de schors, de roomachtige zachtheid van haar huid – ook dat zal hij nooit vergeten. Ze kussen elkaar.

Ze vertelt hem dat ze haar onschuld nog niet heeft verloren, voor het geval hij zich dat afvraagt.

Zoiets zou ik me nooit afvragen, fluistert hij.

Goh, heb je je dat niet eens afgevraagd? Dan ben ik vast niet zo aantrekkelijk als iedereen altijd zegt.

Ze port hem met een vinger in de ribben om hem duidelijk te maken dat dat een grapje was. Maar ze maakt geen grapje.

Op hun tweede afspraakje, op dezelfde afgezonderde plek, pakt ze Willies hand en stopt die in haar jurk. Ze legt zijn hand over haar borst, eronder. Door haar ribbenkast voelt hij haar jonge hart tikken als een nieuw horloge. Het zal nooit blijven stilstaan.

Hij trekt zijn hand weg, houdt zichzelf in toom, en haar. Nee, Bess. Nee.

Waarom niet?

Het is niet goed.

Wie bepaalt er wat goed is?

Daar heeft hij geen antwoord op. Maar hij houdt voet bij stuk.

Al hun afspraakjes eindigen in dezelfde impasse, en hun verkering wordt een soort farce. Na een uur of twee op Coney Island of in de ijssalon gaan ze lopen en staan ze algauw weer op een afgezonderde plek in het park. Bess maakt een knoopje open, of twee, en leidt Willies hand, of ze laat haar hand omlaaggaan en raakt hem aan tussen zijn benen. Willie houdt haar tegen en zegt dat het niet goed is. Ze doet alsof het haar verwart, maar Willie denkt dat ze zijn zelfbeheersing stilletjes bewondert. Dan wensen ze elkaar welterusten, allebei opgewonden, verward, verlangend.

Eddie en Happy zijn verbijsterd. Eddie denkt dat Willie zijn verstand heeft verloren, of zijn mannelijkheid. Happy vindt hem ondankbaar. Happy heeft Bess aan Willie gegeven – dat is het fabeltje waar ze allebei in geloven. Happy grapt tegen Willie dat hij Bess misschien wel terugneemt als ze toch maar aan hem verspild is.

Maar als iemand Bess aan hem heeft gegeven, denkt Willie, dan was het God. Bess Endner is zijn liefje door goddelijke genade, een andere verklaring kan hij niet bedenken en hij wil niet dat God hem ondankbaar vindt. Dus gedraagt hij zich zoals God het zou willen. Zoals een hoofdpersoon in een roman van Alger zich zou gedragen.

Hoewel het tegen zijn natuur indruist, hoewel zijn beste vrienden er versteld van staan, loont zijn standvastige ridderlijkheid de moeite. Na een paar weken verkering houdt Bess Willie staande bij hun lievelingsboom en vlijt haar gezicht tegen zijn borst. Nou, ik hoop dat je blij bent, Willie Sutton. Ik ben verliefd op je.

Meen je dat?

Ja.

Eerlijk?

Eerlijk, stapel. Je bent mijn hartelief.

Waarom, Bess?

Willie, wat een vraag.

Nee. Echt. Ik bedoel, ik ben een harde, maar ik ben geen Eddie. Ik zie er niet slecht uit, maar ik ben geen Happy. Waarom ik?

Goed, zegt ze. Ik zal het je vertellen, Willie. Ik hou van je omdat je naar me kijkt zoals elk meisje dénkt dat ze wil dat er naar haar gekeken wordt, al vermoed ik dat er maar weinig meisjes zijn die zo'n intense blik ook werkelijk zouden kunnen verdragen. Zo'n kritische blik. Je kijkt naar me alsof je me wilt verslinden, alsof je me wilt ontvoeren, me gevangen wilt houden op een onbewoond eiland, alsof je een beeldhouwwerk van me zou willen maken.

Willie lacht schuldbewust.

Je kijkt naar me alsof je me gelukkig wilt maken, alsof je onmogelijk gelukkig kunt zijn als ik het niet ben. Dat is opwindend. Dat is beangstigend. Dat is wat ik de rest van mijn leven wil. Het enige wat ik wil.

Meer niet?

Het leven is ingewikkeld, Willie, de liefde niet. Mijn vriendinnen sloven zich uit voor jongens met leuke kleren of voor jongens die goed kunnen dansen of uit een goede familie komen. Ze komen er nog wel achter. Er is maar één ding dat telt. Hoe kijkt een jongen naar je? Kun je in zijn ogen zien dat hij er áltijd zal zijn? Zo keek je naar me in de Whip. Met 'altijd' in je ogen. Zo kijk je nu naar me. Ik hoor mijn moeder en mijn zus praten; het enige waar ze van dromen, is van wat ik heb, hier onder deze boom. O, Willie. Ik hou gewoon van je, meer niet. O.

Al Bess' bekentenissen, al haar lieve woordjes, beginnen en eindigen met dat woord. Het is het voor- en naspel van elke liefkozing. O – zegt ze voordat ze hem kust. O – zegt ze erna. O – ze zegt het als ze hem de rug toedraait, alsof de aanblik van Willie gewoon te wonderbaarlijk is om te verdragen.

O, Willie. O.

Sutton laat de reling los. Oké, jongens, we gaan. Volgende stop.

U zag eruit alsof u héél ver weg was, meneer Sutton.

Nou, wel een heel eind, ja.

Waar dacht u aan?

Ik dacht eraan dat ik wel een borrel zou lusten. Willie is wel aan een Jameson toe.

O, meneer Sutton. Dat lijkt me niet zo'n goed idee.

Knul, heb je het nog steeds niet door? Niks van dit alles is een goed idee.

Acht

Willie heeft het huis van de familie Endner al dikwijls vanuit de verte gezien: glas-in-loodramen, rijkversierde balustrades, een ijzeren hek met scherpe punten, en werd er altijd door geïntimideerd. Begin 1919 gaat hij er – gekleed in zijn zwarte pak van Title Guaranty – voor het eerst naar binnen.

Terwijl een butler zijn jas aanneemt, staat Willie met zijn ogen te knipperen om aan het schemerduister te wennen. Als Coney Island de lichtste plek op aarde is, is chateau Endner de donkerste.

We verduisteren het huis voor mamma, fluistert Bess. Ze lijdt aan migraine.

Bess neemt Willie bij de hand en voert hem door een lange gang naar een bibliotheek, waar langs alle wanden enorme boekenkasten met glazen deuren staan. Willie werpt een blik op de titels: overwegend zeldzame bijbels en allerlei andere religieuze teksten. De vloer is bedekt met een reusachtig tapijt. Het komt uit China, fluistert Bess.

Meneer en mevrouw Endner staan zich aan de andere kant van het tapijt te warmen bij een open haard die groot genoeg is om een hert in te roosteren. Het knetteren en kraken van hout zijn de enige geluiden in de kamer, de vlammen het enige licht.

Mamma, pappa, dit is Willie.

Willie loopt naar hen toe. Het tapijt oversteken duurt langer dan de East River overzwemmen. Hij geeft hun een hand. Secondenlang wordt er niets gezegd. Naast Willie duikt een dienstmeisje op dat hem een glas sherry aanbiedt. Dank u, zegt hij met een stem die net zo kraakt als het houtvuur.

Een tweede dienstmeisje kondigt aan dat het avondeten wordt opgediend.

Willie en Bess volgen meneer en mevrouw Endner door weer

een andere lange gang naar een eetkamer met een hoog plafond. De donkerste kamer tot nu toe – slechts twee kandelaars. Willie overziet de eettafel. Die zou zijn halve huis in beslag nemen. Meneer Endner neemt plaats aan het hoofd van de tafel, mevrouw Endner aan het andere eind. Willie en Bess gaan in het midden zitten, tegenover elkaar. Een derde dienstmeisje zet een bord met gegrilde lamskoteletjes met muntgelei en gegratineerde aardappels voor Willie neer.

Mevrouw Endner gaat voor in het gebed. Amen, zegt Willie, iets te luid.

Meneer Endner raakt zijn eten niet aan. In plaats daarvan kauwt hij op zijn snor terwijl hij Willie aankijkt. Bess had Willie gewaarschuwd: haar vader speelt met zijn snor wanneer hij ontstemd is.

Waar werk je, Willie?

Nou, meneer, ik ben momenteel op zoek naar werk. Ik ben kortgeleden ontslagen bij een munitiefabriek. Daarvoor werkte ik bij Title Guaranty.

En hoe is dat verlopen?

Daar werd ik ook ontslagen.

Meneer Endner geeft een harde ruk aan de linkerkant van zijn snor.

Welk geloof praktiseer je, jongen?

Ik ben katholiek opgevoed, meneer.

Meneer Endner stopt de rechterkant van zijn snor in zijn neusgat. De Endners zijn doopsgezind, zegt hij. Wij mogen meneer John D. Rockefeller sr. tot onze vrienden rekenen – hij heeft hier aan tafel gegeten. Zijn zoon denkt erover een nieuwe doopsgezinde kerk te bouwen. Die wordt schitterend. Grootser dan alles wat ze in Europa hebben.

Het laatste wat Willie over de oude Rockefeller heeft gehoord: Eddie vertelde dat zijn vader zieke mensen in het Zuiden had opgelicht door ze slangenolie te verkopen. Wat ironisch is, zei Eddie, omdat Rockefeller Standard Oil heeft opgericht. Willie neemt een grote hap en knikt. Ja, meneer, ik geloof dat ik iets over die kerk heb gelezen.

Mevrouw Endner kijkt naar Willie, vervolgens naar Bess. William, zegt ze, waar komt je familie vandaan?

Uit Brooklyn, mevrouw.

Ja. Dat weten we. Maar je voorouders.

Willie kauwt langzaam, dralend, op zijn lamsvlees, wat de spanning die nu aan tafel heerst, verhoogt. Uit Ierland, mevrouw.

Willie hoort niets anders dan het bonken van zijn eigen hart en het ritselen van het geld op de bankrekeningen van Endner. Iedereen rond de tafel, zelfs de bedienden daar in de schaduw, lijkt dezelfde selectieve beelden van de Ierse geschiedenis voor zich te zien. Druïden die mensenoffers brengen op eiken altaren. Keltische krijgers die naakt de legioenen van Caesar tegemoet rennen. Tandeloze oude vrouwtjes die bommen gooien van achter de gouden troon van de paus.

De Endners zijn uit Duitsland afkomstig, zegt mevrouw Endner, die eruitziet alsof er een migraine op komst is die zijn weerga in de geschiedenis niet kent. Uit Hamburg, voegt ze eraan toe.

Willie schrikt van haar trotse toon. Je kunt kennelijk nog beter een mof zijn dan een Ier. Hij staart naar de aardappels op zijn bord en vraagt zich af of hij ze aan de kant moet schuiven om in elk geval af te rekenen met één cultureel cliché. Alleen de onverstoorbare, geruststellende blik van Bess weerhoudt hem ervan de kamer, het huis, Brooklyn te ontvluchten.

De volgende avond heeft Willie met Bess afgesproken in een ijssalon op Coney Island. Haar gezicht is bleek. Hij heeft haar nog nooit zonder een gezonde blos op haar wangen gezien. Hij weet wat er gaat komen, maar toch is het schrikken om de woorden te horen.

Willie Boy, mijn vader heeft me verboden je ooit nog te zien.

Ze kijkt naar haar schaaltje met ijs. Willie doet hetzelfde. Zijn zintuigen staan op scherp. Hij kan het ijs voelen smelten. Hij weet wat Bess wil dat hij zal zeggen, wat hij moet zeggen. En doen. Als hij opkijkt, wacht ze daarop.

Oké, Bess. Ik zal met hem gaan praten.

Ze stappen met z'n drieën weer in de Polara. Gebeurtenissen werden in gang gezet, mompelt Sutton.

Wat, meneer Sutton?

Bess en ik hadden een gesprek. In januari 1919. Alles is voortgevloeid uit dat gesprek, dat moment. Alles. Kijk eens terug op je leven om te zien of je het moment kunt aanwijzen waarop alles veranderde. Kun je dat niet? Dat betekent dat je je moment nog niet hebt gehad, en dan kun je je maar beter schrap zetten, want het komt een keer.

Waar heeft dat gesprek plaatsgevonden?

Op Coney Island. Mermaid Avenue. Ik had het op de plattegrond willen aangeven. Ik weet niet waarom ik dat niet heb gedaan. Misschien kon ik het niet aan. Is er iets pijnlijker dan herinneringen? En het is zelfgekozen lijden, we doen het onszelf aan. Ach, jezus, misschien kun je dat wel van alle pijn zeggen.

Maar u zei dat we onze herinneringen juist moeten koesteren. Dat herinneringen vasthouden onze manier is om tegen de tijd te zeggen dat hij kan opsodemieteren.

Heb ík dat gezegd?

Gekleed in zijn grijze pak van Title Guaranty klopt Willie aan bij het huis in President Street. Een dienstmeisje gaat hem voor naar een werkkamer die aan de hal grenst. Zoals afgesproken is Bess op stap met haar vriendinnen.

Op de vloer van de werkkamer ligt een heel berenvel, met een bek die op het punt staat de vloerplanken te verslinden en een ronde snuit, glanzend en zwart als een poolbal. Boven een gemetselde open haard hangt de kop van een grijze wolf, met ontblote tanden.

Willie staat voor een mahoniehouten bureau vol met scheepsmodellen, keurig opgestapelde kasboeken, en briefopeners waarmee je een man zou kunnen openrijten. Hij houdt zijn hoed vast bij de rand, doet een stap naar achteren en struikelt bijna over een poot van de beer. Hij vraagt zich af of hij moet gaan zitten. Hij wou dat hij kon roken. Door een deur aan de andere kant van het kantoor komt meneer Endner binnen. Willie, zegt hij.

Meneer Endner. Fijn dat u me wilde ontvangen.

Meneer Endner neemt plaats achter het bureau. Hij draagt een blauwserge pak met een grijs strikje en zijn ogen staan dof, alsof hij net wakker is geworden na een dutje. Hij gebaart naar een rechte stoel tegenover hem. Willie gaat zitten. Ze nemen elkaar op zoals boksers doen bij de bel voor de eerste ronde.

Steek maar van wal, Willie.

Nou, meneer. Ik kwam vragen of u uw beslissing alstublieft wilt heroverwegen. Als u me ook maar de kans zou willen geven, zou u, denk ik, inzien dat ik een goed en fatsoenlijk mens ben en dat ik heel veel om uw dochter geef. En ik denk dat ze ook om mij geeft.

Meneer Endner laat een vulpen ronddraaien op het vloeipapier dat voor hem op het bureau ligt. Hij verschuift een paar enveloppen, legt er een briefopener bovenop, pakt een zilveren dollar en tikt ermee op het mahoniehouten bureaublad. Wat is het waardevolste dat je bezit, Willie?

Willie denkt na. Dit moet een strikvraag zijn, want elk antwoord dat in hem opkomt klinkt verkeerd. Hij kijkt naar de zilveren dollar. Ik bezit niets waardevols, meneer.

Meneer Endner schommelt heen en weer in de bureaustoel, waardoor die gaat piepen. Kijk, daar hebben we al een deel van het probleem te pakken, denk je niet? Maar stel even dat het wel zo was. Stel dat je een diamant ter grootte van deze zilveren dollar bezat.

Ja, meneer.

Wat zou jij ermee doen?

Ermee doen, meneer?

Hoe zou je ermee omgaan? Zou je hem ruilen voor een glas limonade?

Nee, meneer.

Voor een ijsje van tien cent?

Nee, meneer.

Natuurlijk zou je dat niet doen. Zou je hem voor niets weggeven?

Nee, meneer.

Nou, dan begrijp je mijn positie. God zelf heeft Bess aan onze handen toevertrouwd en ze is kostbaarder dan een diamant. Het is onze taak om met de grootst mogelijke zorgvuldigheid te kiezen wie haar krijgt. Geen gemakkelijke taak. Mevrouw Endner en ik liggen er 's nachts wakker van. En Bess, hoeveel we ook van haar houden, maakt het ons niet eenvoudig. Ze is een eigenzinnig meisje, dat graag problemen opzoekt. Zoals je maar al te goed weet. Daarom is ze zo op je gesteld, vermoed ik.

Ze zegt dat ze van me houdt, meneer.

Dat zou ik cum grano salis nemen.

Maar, meneer.

Hoor eens, ik heb niet noodzakelijkerwijs iets tegen jou, Willie, maar laten we eerlijk zijn. Zelfs jij kunt diep in je hart onmogelijk denken dat je een geschikte partij voor Bess bent.

Willie krijgt het er ineens benauwd van. Hij trekt aan zijn kraag.

Meneer Endner, ik heb een paar flinke tegenslagen gehad, dat is waar. Ik ben twee keer mijn werk kwijtgeraakt. Ik heb, geloof ik, niet bepaald een vliegende start gemaakt in het leven. Maar toch. Ik ben ervan overtuigd dat mijn kansen zullen keren.

Hoe weet je dat, jongen? Hoe kun je daar zeker van zijn? Niemand van ons weet wat tegenslag is. Of waar die vandaan komt. Misschien is het iets tijdelijks, als een ziekte. Of blijvends, zoals een moedervlek. Misschien is het iets grilligs en willekeurigs, als de wind. Misschien is het een teken van Gods misnoegen. Hoe dan ook. Laten we zeggen dat je door pure pech zonder werk zit, straatarm bent, moet dat me geruststellen? Dit is een land voor fortuinlijke mensen. Wil ik dat mijn kleine meid verkering heeft met een notoire pechvogel?

Om terug te komen op wat u eerder zei, meneer. Ik weet dat Bess een diamant is, meneer. Dat hoeft niemand me te vertellen. Maar het lijkt alsof u zegt dat ze een vent verdient die zich diamanten kan veroorloven, maar zou zo'n vent niet geneigd zijn om een diamant gewoon voor lief te nemen? Zou een vent die tot voor een paar maanden nog nooit een diamant had gezien niet meer geneigd zijn om hem te koesteren? En, meneer, ik wou dat ik er meteen aan had gedacht toen u ernaar vroeg, maar ik ben erg zenuwachtig en het valt me nu ineens in dat, als ik een diamant had, ik niet lang zou hoeven nadenken over wat ik ermee zou doen. Ik zou hem meteen aan Bess geven.

Goed, Willie, ik begrijp hoe de zaken ervoor staan.

Dank u, meneer.

Wat is ervoor nodig?

Voor nodig?

Om je te laten verdwijnen?

Verdwijnen, ik? Wat?

Ik zal mijn advocaat vanmiddag een overeenkomst laten opstellen. Juridisch bindend. Onderteken die, stem ermee in om bij mijn dochter uit de buurt te blijven, dan schrijf ik een cheque voor je uit met meer nullen dan er op het scorebord staan wanneer Walter Johnson pitcht. Daar zul je heel goed van kunnen leven totdat je een andere betrekking hebt bemachtigd. Je zult er zelfs goed van kunnen leven als je jarenlang geen werk vindt.

Willie staat op en draait zijn hoed in zijn handen, één keer helemaal rond.

Meneer Endner, ik wil uw geld niet. U kunt een overeenkomst opstellen waarin staat dat ik er niets van aanneem, waarin staat dat ik er nooit een rooie cent van kan krijgen. Die overeenkomst zal ik ondertekenen.

Dus je hebt ethische principes?

Ja, meneer.

Je hebt karákter.

Jawel, meneer. Als u me zou leren kennen …

Dan zou je toch vast niets doen om de verstandhouding tussen een jong meisje en haar ouders te schaden. Je ethische principes, je karákter, zullen je ervan weerhouden om je te mengen in een familieaangelegenheid die privé is.

Willie knippert met zijn ogen.

Ik heb Bess verboden contact met je te hebben, Willie. Of je het nu eens bent met mijn beslissing of niet, als je mijn wensen niet respecteert, als je de regels van dit huishouden overtreedt, zul je mijn bangste vermoedens over jou bevestigen. Wil je me laten zien wie je werkelijk bent? Blijf dan weg.

Willie hoort de wolf en de beer gniffelen.

Goedendag, Willie. En veel succes.

Sutton: Jongens, wisten jullie dat toen de astronauten terug waren en in quarantaine zaten, iemand heeft ingebroken in het gebouw waar ze waren ondergebracht en het kluisje met hun maanstenen heeft gestolen?

Verslaggever: Dat heb ik in de krant gelezen, ja.

Sutton: De maan stelen. Dat is nog eens een kraak.

Verslaggever: Was er iets speciaals waardoor u daaraan moest denken, meneer Sutton?

Sutton: Nee.

Verslaggever: Meneer Sutton, uw handschrift is gewoon … ik bedoel, allemachtig. Hm. Voorzover ik het kan ontcijferen is onze volgende stop … halverwege Meadowlark's Ass?

Sutton: Meadowport Arch.

Verslaggever: O. Ja. Dat ligt meer voor de hand.

Bess zegt tegen haar ouders dat ze met vriendinnen heeft afgesproken, maar in plaats daarvan ontmoet ze Willie in Meadowport Arch. De aan de rand van Long Meadow gelegen boogpoort geeft toegang tot een dertig meter lange tunnel met een gewelfd plafond en wanden van geurig cederhout. Onze liefdestunnel, noemt Willie hem. Onze heidevelden, zegt Bess. Ze brengen er vele uren door met plannen maken en luisteren naar het weergalmen van die plannen.

Als er al een ander paar, of een wasbeer, onder de boogpoort is, wijken ze uit naar een andere boogpoort, die op Grand Army Plaza. Daar zitten ze dicht tegen elkaar aan tussen de standbeelden van Ulysses Grant, Abraham Lincoln – en Alexander Skene?

Wie is dat in vredesnaam? zegt Bess.

Willie leest de inscriptie. Hier staat: Alexander Skene was een gerenommeerd – vrouwenarts?

Daar moeten ze vreselijk om lachen.

Ze blijven maar doorpraten over hoe het leven eruit zou zien als ze het zelf voor het zeggen hadden, als ze alleen konden zijn, waar en wanneer ze maar wilden.

Van mij zou je hem erin mogen stoppen, zegt Bess.

Bess.

Echt waar, Willie. Als we alleen konden zijn, zou ik je laten doen wat je maar wilt.

Wat je maar wilt. Dat zinnetje blijft Willie dag en nacht door het hoofd spoken.

Als het regent of sneeuwt, treffen ze Eddie en Happy bij Finn McCool's, een onguur café met een foto van de berg Ben Bulben boven de bar. De barman weet dat ze minderjarig zijn, maar daar zit hij niet mee. Het is een oude man met een grijze vilthoed en kanariegele bretels, die van mening is dat je mag drinken als je kunt betalen. Hij is ook van mening dat het binnenshuis openen van een paraplu jarenlang ongeluk geeft. Telkens wanneer een klant een paraplu opent, draait de barman drie keer rond en spuugt dan op de grond om de vloek af te wenden.

Bess opent haar paraplu een paar keer op een avond alleen om hem dat te zien doen. Eddie en Happy bescheuren zich erom. Over honderd jaar, denkt Willie, zullen we ons allemaal nog herinneren hoe Bess in dat café haar paraplu liet ronddraaien en de barman tartte. En het lot.

Eind januari 1919 zitten Eddie en Happy aan de bar, terwijl Willie en Bess voor hen staan en zich beklagen over hun situatie. Happy grijnst. De Romeo en Julia van Brooklyn, zegt hij.

We zijn Romeo en Julia niet, zegt Bess. Willies familie is niet tegen mij.

Jouw familie is gewoon tegen hém, zegt Happy.

Hou toch op met dat geklets over Romeo en Julia, zegt Willie. Die gaan aan het eind dood.

Hun families hebben tenminste standbeelden voor ze opgericht, zegt Bess. Net als voor Alexander Skene.

Zij moet erom lachen. Willie niet.

Eddie houdt vol dat er oplossingen bestaan. Jullie tweeën moeten er gewoon vandoor gaan, zegt hij.

Bess' mond valt open. Ze kijkt Willie aan, blij, verwachtingsvol. Hij ziet twee keer zoveel gouden spikkels in haar blauwe ogen. Hij schudt het hoofd. Bess, liefje, waar zouden we naartoe moeten? Waar zouden we van leven?

Daar heeft ze geen antwoord op. Met tegenzin laat ze het onderwerp rusten.

Maar de volgende avond in Meadowport brengt ze het weer ter sprake. Ze heeft een idee, zegt ze. Haar vaders scheepswerf. Ze kunnen de brandkast openbreken. Dan kunnen ze er samen vandoor gaan waarheen ze maar willen, en zullen ze voor jaren genoeg geld hebben om van te leven.

Willie vraagt zich af of ze hem op de proef stelt. Misschien op voorstel van haar vader. *Kijk maar eens hoe hij reageert. Kijk maar of de jongen een zuiver hart heeft, of een Iers hart.* Willie zegt tegen Bess dat hij niet van plan is om diefstal te plegen. Ze zegt dat het geen diefstal is – dat geld is haar bruidsschat.

Hij kapt haar af. Geen sprake van, zegt hij.

Bess oppert het idee de volgende avond weer, en ook de avond daarna. Ze zegt dat ze geen keus hebben. Haar vader vermoedt dat ze elkaar nog steeds zien; hij dreigt ermee haar naar Duitsland te sturen om bij zijn familie te gaan wonen tot hun romance is overgewaaid. Die gedachte vervult Willie met afschuw, maar toch kan hij er niet mee instemmen om zo'n schaamteloze misdaad te plegen.

Maar waarom niet? vraagt ze.

Nee. Ik kan het gewoon niet. Nee.

Uiteindelijk, op 1 februari 1919, verliest Bess haar geduld. Nou! zegt ze. Als ik niet genoeg voor je beteken om mijn vader te trotseren ...

Je wilt niet dat ik je vader trotseer. Je wilt dat ik hem beróóf.

Ze trekt wit weg. Hij schuift iets bij haar vandaan. Verontschuldigt zich dan snel. Ze leunt tegen de wand van Meadowport. Kijk nou wat dit met ons doet, zegt ze. O, Willie.

Hij neemt haar in zijn armen. Ach, Bess. Ze legt haar hand tegen zijn wang en zijn lippen. Willie, ik weet niet wat ik zal doen als hij me wegstuurt. Zorg er alsjeblieft voor dat hij me niet bij je wegstuurt.

Later op de avond belegt Willie een topberaad. Aan een tafeltje bij McCool's legt hij de zaak aan Eddie en Happy voor.

Mij lijkt het een uitgemaakte zaak, zegt Happy.

Mij ook, zegt Eddie. Of je haalt die brandkast leeg of je raakt haar kwijt, man.

Ben je bereid haar kwijt te raken? vraagt Happy.

Dat overleef ik niet, Happy. Ik zweer je, dat overleef ik niet.

Haar vader heeft het over zichzelf afgeroepen, zegt Eddie. Hij had je ook welkom kunnen heten in de familie. Hij had je een baan kunnen geven. Wat kun je ook verwachten van een vriend van Rockefeller? Schijt aan hem, zou ik zeggen.

Willen jullie me helpen, jongens? Ik kan het niet in mijn eentje. Jullie krijgen een aandeel, genoeg om het de moeite waard te maken. We gaan maar een paar dagen de stad uit. Hoogstens een week.

Eddie zou graag helpen, maar hij heeft net werk voor een paar dagen in de week. Als scheepsboorder samen met zijn vader. Twintig dollar per week, zo'n loon is niet te versmaden. Dat begrijpt Willie. Hij kijkt Happy aan, die een grote slok bier neemt en scherp salueert: Je kunt op me rekenen, Willie.

We moeten snel toeslaan, zegt Willie.

Hoe snel?

Morgen. Dat is de dag voordat de lonen worden uitbetaald. Bess zegt dat de brandkast dan vol ligt met contant geld.

Sutton loopt Meadowport in, gevolgd door Verslaggever en Fotograaf. De cederhouten wanden zijn overdekt met graffiti. Fotograaf knipt zijn Zippo aan en houdt hem omhoog.

Sutton leest: Weg met de kit. Nixon = Stalin.

Macht aan het volk, fluistert Fotograaf.

Verslaggever leest: Sergio is een zak. Dood aan de tacovreters.

Wat een woede in de wereld, zegt Sutton.

En terecht, zegt Fotograaf. De woede van de onderdrukten.

Verslaggever leest: Aryell + Jose.

Sutton glimlacht. Dat klinkt als een leuk stel – denk je dat ze het gered hebben?

4 februari 1919. Middernacht. Bess sluipt het ouderlijk huis uit; ze heeft met Willie en Happy afgesproken in Meadowport. Willie heeft een geruite tas bij zich met een betonschaar uit zijn vaders werkplaats. Happy heeft een breekijzer bij zich. Ze houden een hansom aan en zeggen tegen de koetsier dat hij de zweep niet moet sparen.

Op de werf knipt Willie het hangslot van het hek door. Met het breekijzer forceert Happy de deur van het kantoor van meneer Endner. De brandkast is van hout. Een poosje staan ze er alle drie naar te kijken, dan kijken ze elkaar aan.

De brandkast versplintert na twee slagen met een brandbijl. Als de deur openzwaait, fluit Happy. Moet je nou eens kijken, Willie. Het lijkt wel de kluis bij Title Guaranty.

Zestien bundels contant geld. Elk verpakt in bruin papier. Op elk ervan staat $ 1000. Vier keer zoveel als Bess had gezegd dat het zou zijn. Ze stouwen het geld in de geruite tas, hollen Beard Street in en houden weer een hansom aan.

Op een keer, zegt Sutton, hadden Happy en ik hier afgesproken met Bess. Toen zijn we naar de scheepswerf van haar vader gegaan en hebben zijn brandkast leeggehaald.

Hoe groot was de buit?

Zestienduizend. Dat is tegenwoordig ook nog een aardig bedrag, maar toen verdiende de gemiddelde arbeider vijftien dollar per week. Dus je begrijpt. We waren rijk.

Wat hebben jullie toen gedaan?

Als de wiedeweerga naar Grand Central.

En toen?

Naar Poughkeepsie. De eerste keer dat ik de stad uit ging.

Waarom Poughkeepsie?

Daar ging de eerstvolgende trein naartoe.

De trein arriveert tegen de ochtend. Ze vragen een taxichauffeur om hen naar het beste hotel in de stad te brengen. Hij brengt hen naar Nelson House, een bakstenen fort.

Willie, die probeert de hand stil te houden waarmee hij de zware zwarte vulpen van het hotel vasthoudt, krabbelt in het register: meneer en mevrouw Joseph Lamb. Happy schrijft zich in als Leo Holland. De naam van zijn buurman in Irish Town. De openbare aanklager zal dit hotelregister Bewijsstuk A noemen.

Omdat Willie en Bess van plan zijn de volgende ochtend te trouwen, zegt Bess dat het geen zin meer heeft om te wachten. Ze doet de deur van hun suite op slot en maakt de bovenste twee knoopjes van haar jurk los. Dan de onderste twee. Willie vangt een glimp op van haar korset. Dat lijkt hem moeilijker open te krijgen dan de brandkast van haar vader. Zij maakt er een begin mee en trekt het ene zijden lintje na het andere los.

Hij gaat liggen. Hij kan haar niet langer weerstaan. Hij herinnert zichzelf eraan, sust zich ermee, dat het ook niet meer hoeft. Ze glipt de badkamer in. Hij telt terug vanaf honderd om zichzelf te kalmeren. Hij sluit zijn ogen, probeert te kalmeren.

Klaar of niet, roept ze.

Niet, denkt hij.

Ze komt naakt tevoorschijn, haar handpalmen tegen haar dijen, en wendt verlegenheid voor, ook al kent Bess geen greintje verlegenheid. Ze heeft macht, de onmetelijke macht van schoonheid en jeugd, en die wil ze gebruiken. Als geld dat in haar zak brandt. Willie staart naar haar welvingen en rondingen, haar roze en ivoren tinten, de rozenrode gloed langs haar sleutelbeenderen. Hij staart naar haar harde tepels, de romige rondingen van haar heupen, het gladde vlak van haar buik. Hij had al een kwelling van pijn en angst doorstaan door zijn liefde voor Bess, maar nu ziet hij dat wat er komen gaat een veel grotere beproeving zal zijn. Bess, haar macht, is als een huizenhoge golf. Willies bootje is klein.

Je staart, Willie Boy.

O ja?

Ze zijn zeker te klein.

Te klein?

Mijn borsten. Ik ben zo plat als een dubbeltje.

Nee. Je bent prachtig.

Ze komt naar het bed en zet een knie op de matras. Ze doet alsof ze aarzelt. Hij maakt zijn riem los, zij trekt zijn broek uit.

Ga je me nemen, Willie?

Als je het goedvindt.

Ik wil het niet hoeven goedvinden. Ik wil dat je me neemt.

Goed. Ik zal je nemen.

Gaat het pijn doen?

Dat zou kunnen, Bess.

Ik hoop dat het pijn doet.

Nee.

Ze zeggen dat je door de pijn weet dat je een vrouw bent.

Dan zal ik je pijn doen.

In de jaren die volgen, in cellen, in eenzame kamers, wanneer Willie deze nacht herbeleeft, moet hij moeite doen om zich te herinneren wat zijn gedachten waren. Hij moet zichzelf eraan herinneren dat er geen gedachten waren, alleen opwellingen, flitsende beelden en vloedgolven in zijn hart. Misschien is het daarom allemaal zo snel voorbij. De tijd is een bedenksel van het verstand en bij Bess is zijn verstand uitgeschakeld. Dat maakt deel uit van de vreugde. En van het gevaar.

In één beweging is het voorbij en ze vallen in een bodemloze slaap. Wanneer hij drie uur later wakker wordt, streelt Bess zijn haar. Ik dacht dat het allemaal maar een droom was, zegt hij. Ze glimlacht. Twee uur later wordt hij wakker en voelt dat Bess haar hoofd op zijn borst laat glijden. Hij slaakt een zucht. Ze kust zijn vingers. Wanneer hij een uur later wakker wordt, zit Happy op de rand van het bed. Happy, hoe laat is het?

Happy grijnst om de met bloed bevlekte lakens. Tijd om ervandoor te gaan.

Bess kijkt naar de lakens en slaat een hand voor haar mond. Die kunnen we zo niet laten liggen. Straks denken ze nog dat er een moord is gepleegd.

Ze halen het bed af en proppen de lakens in de geruite tas. Bloedgeld, grapt Happy.

Tijdens het ontbijt in de eetzaal van het hotel maken ze de balans op. Ongetwijfeld is inmiddels aan het licht gekomen wat er met de brandkast is gebeurd. De vader van Bess heeft ongetwijfeld de politie gebeld. Dus de jacht is geopend. Het is niet verstandig om met de trein te reizen en dat betekent dat ze een auto moeten kopen.

Kunnen we ons een auto veroorloven? vraagt Bess.

Willie en Happy beginnen te lachen. We kunnen ons er wel acht veroorloven, zegt Happy.

Aan de rand van de stad vinden ze een dealer. Francis Motors. Ze kiezen een gloednieuwe Nash uit, open dak, donkergroen, met glimmende nikkelen koplampen en een reservewiel in een hoes van wit leer. De verkoper begint vergenoegd te grinniken als Willie zegt dat hij hem neemt. De verkoper stopt met grinniken als Willie tweeduizend dollar neertelt op de motorkap.

Jongen, ik weet het niet, en ik wíl het ook niet weten.

Ze rijden naar het volgende stadje en gaan kleren kopen. Vier nieuwe pakken voor Willie en Happy, acht nieuwe jurken voor Bess. Ze komen langs een etalage met een driekwartjas van eekhoornbont. Bess drukt haar neus tegen het glas. Negenhonderd dollar, zegt ze, afgeprijsd van vijftienhonderd – ik zou er een móórd voor doen.

Verder dan diefstal ga ik niet, zegt Willie.

De jas is vaalgrijs, de kleur van regenwolken, van afwaswater, van de snor van meneer Endner. Maar Bess staat al in de winkel en begraaft haar gezicht in de donzige kraag.

Voor de ogen van de verbaasde winkelbediende telt Willie negenhonderd dollar neer op de toonbank. U hoeft 'm niet in te pakken, zegt Willie en hij neemt de kassabon aan, die de openbare aanklager Bewijsstuk B zal noemen. Ze trekt hem meteen aan.

Ze rijden in noordoostelijke richting, naar Massachusetts, waar de huwbare leeftijd lager is. Dat hebben ze in elk geval gehoord. De wegen zijn slecht. Het zijn geen wegen maar indianenpaden. De Nash krijgt een lekke band. Happy worstelt met de krik en het reservewiel. Bess worstelt met Willie. Hij pakt haar handen vast en zegt dat ze braaf moet zijn. Het is gedaan met braaf zijn, zegt ze.

Tegen de avond stoppen ze bij een hotelletje met vier kamers. Er rest nog een uur daglicht. Bess wil meteen naar de dichtstbijzijnde rechter. Happy zegt dat hij bekaf is van het verwisselen van het wiel.

Dan gaan we zonder jou, zegt Bess.

Happy is beledigd. Hoe kunnen jullie nou trouwen zonder getuige?

Willie geeft haar een knuffel. Morgenochtend, Bess. Dan kunnen we tenminste nog een fatsoenlijke trouwjurk voor je kopen.

O, Willie. Ja.

Daarna de Niagarawatervallen, denkt hij, en dan Canada, ver buiten het bereik van haar vader. Willie weet niet goed wat ze dan met Happy aan moeten.

Ze gaan allemaal vroeg naar bed. Morgen is de grote dag, zeggen ze boven aan de trap. Willie valt onmiddellijk in slaap. Uren later wordt hij wakker omdat Bess hem aanstoot. Willie Boy, ik kan niet slapen.

Nee. Ik ook niet.

Ze moet lachen. Hij graait over de vloer naar zijn pak, op zoek naar zijn sigaretten. Hij steekt er een op, gaat op zijn rug liggen en neemt een diepe trek. Bess pakt hem de sigaret af, neemt een trekje en geeft hem weer terug. Het is ijskoud in de kamer. Ze spreidt de eekhoornbontjas over hen uit als een extra deken en gaat op haar zij liggen, met haar gezicht naar hem toe. We zijn vogelvrij, zegt ze.

Ja, ik denk het wel.

Nooit gedacht dat ik vogelvrij zou zijn.

Ik had het zo ook niet gepland.

Ze prikt met een vinger in Willies ribben. Handen omhoog.

Bess.

Je hebt me gehoord.

Hij klemt de sigaret tussen zijn lippen en steekt zijn handen op.

Stop het geld in de zak, zegt ze.

Nou, je hebt het al aardig onder de knie.

Je geld of je leven?

Is dat de keus die ik heb?

Ja.

Mijn leven.

Ze steunt op een elleboog. Heb je ooit een misdaad gepleegd, Willie?

Hij zucht. Niet onlangs.

Wat heb je gedaan?

Eddie stal vroeger uit winkels, ging inbreken. Happy en ik stonden dan soms op de uitkijk.

Ze draait zijn borsthaar om haar vinger. Ben je weleens met iemand anders naar bed geweest, Willie Boy?

Hij blaast een rookkringeltje, dat haar gezicht omlijst. Nou, ach.

Wie? Wie was het, Willie?

Ach, niemand, Bess. Ze was gewoon … zomaar iemand.

Wie dan, Willie?

Als je het per se wilt weten. Een hoertje. In Sands Street.

Sánds Street?

Met Happy. Hij nam Eddie en mij mee ernaartoe.

Echt iets voor hem.

Het stelde niets voor.

Hoe was ze?

Hou er toch over op.

Vertel.

Ze kon niet aan jou tippen.

Hoe deed ze het?

Joh, laat nou toch.

Vertel.

Wat maakt het uit?

Hoe?

Bess.

Willie.

God, wat kun jij doordrammen. Je ouweheer zei al dat je koppig was.

Je hebt nog geen flauw idee. Hoe?

Zij boven, meestal. Zo, ben je nou tevreden?

Bess neemt de sigaret uit zijn hand en legt hem in de asbak op het nachtkastje. Ze klimt boven op hem, de eekhoornjas om haar schouders. Zij neemt hem, leidt hem. Hij houdt niet lang stand. Ze laat zich boven op hem vallen en drukt haar gezicht tegen zijn hals. Hij houdt haar stevig vast. Ze trilt, haar haar is vochtig van het zweet. Dit is waar de hele wereld op uit is, zegt hij. Mm, zegt ze. Dit is waarom iedereen alle anderen probeert te verslaan, Bess, waarom mensen liegen, bedriegen en moorden. Hiervoor, Bess. Dit is waar het in de wereld om draait. Dit, Bess. Dit.

Sutton duwt zijn bril omhoog en veegt vuil van de cederhouten wand. Ha, ik wist wel dat ze er nog steeds zouden staan.

Verslaggever komt dichterbij. Wat?

De initialen van Bess. Ik heb ze erin gekerfd. Daar.

Fotograaf komt dichterbij. Nou, ik zie niks, hoor.

Kijk, daar. S-E-E. Sarah Elizabeth Endner.

Fotograaf geeft zijn Zippo aan Verslaggever en haalt een zakmes tevoorschijn uit zijn achterzak. Hij krabt wat vuil van de wand. Daar staat niks, zegt hij.

Je bent blind, zegt Sutton.

Fotograaf knipt zijn mes dicht. Hij laat zijn camera flitsen om de wand te verlichten. Niets, zegt hij.

Je mag je ogen weleens laten nakijken, knul.

’s Ochtends maken ze een wandeling door de stad, deels in hun nieuwe kleren. Bess heeft er nog nooit zo prachtig uitgezien: zwarte clochehoed, zwartzijden rok, witte bloes met een jabot van chiffon. Ze draagt de jas van eekhoornbont als een tuniek. Ze kopen de kranten en lezen die op een bankje op het plein. De krantenkoppen zijn somber. De ene helft van het land is op zoek naar werk, de andere helft staakt. De agenten van Boston, hier niet ver vandaan, zijn woedend over hun loon. Ze dreigen met een werkonderbreking.

Willie slaat de krant dubbel en strijkt de pagina glad. Hier staat dat de gemiddelde agent duizend dollar per jaar verdient.

Happy klopt op de geruite tas. We zouden dertien smerissen kunnen betalen.

Bess wijst op een foto van Calvin Coolidge, de gouverneur van Massachusetts. Wat een zuurpruim, zegt ze.

Willie vindt in de kranten niet één regel over een diefstal in Brooklyn. Dat lijkt hem geen goed teken. Hoe kan het dat het niet in de kranten staat?

Ik twijfel er niet aan, zegt Bess, dat mijn vader er alles aan doet om het stil te houden.

Heeft hij dan zo veel invloed?

Ze fronst het voorhoofd. Ze kijken het plein rond, alsof Bess' vader achter een boom of een kanon uit de Burgeroorlog vandaan zou kunnen springen.

De rest van de ochtend gaan ze op zoek naar een trouwjurk. Bess vindt niets naar haar zin. Ze stampvoet. In Poughkeepsie was er veel meer keus, zegt ze.

Dan gaan we terug, zegt Willie. Wat mijn Bess wil, gebeurt.

Willie rijdt. Bess zit naast hem, Happy op het krappe achterbankje. Ze komen door ongerepte bossen waar 's nachts sneeuw is gevallen. De oeroude bomen zien eruit alsof ze met witte verf zijn bespat. En toch is de lucht zoel. Februaridooi, zegt de jonge bediende bij het Essostation waar ze gaan tanken.

Bess steekt een van Willies sigaretten op. De bediende kijkt alsof ze haar bloes heeft uitgetrokken. In 1919 roken vrouwen niet in het openbaar. Zeker niet in het binnenland van Massachusetts. Terwijl ze wegtuffen van het Essostation, doet Bess nog iets anders wat de bediende zal bijblijven. Ze gaat staan, buigt haar hoofd naar achteren en zwiept haar haar in het rond. Ze ziet eruit als het ornament op de motorkap, zegt Happy.

Záá-lig, die wind in mijn haar, roept ze.

Willie schreeuwt boven het geluid van de motor uit: Jouw haar in de wind is zalig.

Ze buigt zich naar voren om Willie te kussen. Ik word niet goed van jullie, zegt Happy. Ze buigt zich naar de achterbank en geeft Happy een kus.

Bess, zegt Willie, wil jij niet eens rijden?

Eindelijk, zegt ze.

Hij zet de auto stil langs de kant van de weg en Willie en zij verwisselen van plaats. Hij probeert haar de werking van de koppeling uit te leggen, maar ze zegt tot twee keer toe dat ze het allang doorheeft. Binnen de kortste keren kan ze vlot schakelen, maar ze houdt wel het stuur nog steeds te krampachtig vast. Ontspannen, Bess, zegt Happy, ontspannen. Als ze dat doet, groeit haar zelfvertrouwen en gaat ze steeds sneller en sneller rijden, tot ze bijna tegen een tegemoetkomende vrachtwagen vol boomstammen aan rijdt.

Ze stoppen om te lunchen bij een wegrestaurant. Gevulde eieren, tomatensoep, gegrilde boterhammen met kaas. Pecantaart als dessert. De rekening bedraagt drie dollar. Willie laat een fooi van vijf dollar achter. De openbare aanklager zal dat Bewijsstuk C noemen.

In Poughkeepsie kopen ze Bess' trouwjurk. Hij is afgezet met kant en heeft een lijfje van zijde en taf. Dan stappen ze het gerechtsgebouw binnen en informeren naar de plaatselijke huwelijkswetgeving. De beambte zegt dat de huwbare leeftijd in New York dezelfde is als in Massachusetts, veertien voor mannen, twaalf voor vrouwen. Dus is er geen reden om terug te rijden naar Massachusetts. Alleen is rechter Symonds er vandaag niet. Een ziektegeval in de familie. Morgenochtend is hij weer aanwezig. Ze gaan terug naar Nelson House en dineren er in de chique eetzaal. Bij twee flessen rode wijn praten ze over de drooglegging. Volgend jaar rond deze tijd zal alcohol bij de wet verboden zijn. Niet eerlijk, zegt Bess, net nu ik de smaak te pakken krijg. Maak je maar geen zorgen, zegt Willie, tegen die tijd zitten we in Canada en kun je elke avond zo veel drinken als je maar wilt.

Ze nemen hun koffie mee naar de lounge van het hotel. Happy heeft zin om op zijn ukelele te tokkelen, maar er zitten oudere mensen rond het vuur te lezen en te dammen. Hij amuseert Willie en Bess met grappen en anekdotes, waardoor ze zo hard moeten lachen dat Bess de hik krijgt. Wanneer de oude mensen eindelijk opstappen, stemt Happy zijn ukelele. *My dog has fleas*, zingt hij, *my dog has fleas*. Bess vraagt of hij haar lievelingsliedje wil spelen. Ze gaat met haar rug naar het vuur staan, en onder begeleiding van Happy brengt ze een serenade aan Willie.

You can't holler down our rainbarrel
You can't climb our apple tree
I don't wanna play in your yard
If you won't be good to me

Ze heeft een van haar andere nieuwe jurken aan, van grijsgroen tweed, en de lange rok zwiert als ze meebeweegt op de muziek. Willie krijgt er niet genoeg van om naar haar te kijken en naar haar te luisteren, maar ze troont hem mee om te dansen. Happy speelt snelle nummers en zij leert Willie de nieuwste pasjes, onder meer iets wat de Bunny Hug heet, een soort tango, die uit Parijs is overgewaaid. Willie draait met haar in het rond door de lounge terwijl zijn hoofd tolt, Happy tokkelt en de piccolo lacht. Ze vragen de piccolo of hij nog wat houtblokken op het vuur wil leggen. Ze bestellen hete grogs. En daarna nog meer hete grogs. Bess kan niet meer dansen. Ze kan niet meer op haar benen staan. O, o, zegt ze, iemand heeft te veel gro-og op. Happy stopt met spelen. Hij helpt Willie om Bess over de met tapijt beklede trap naar de suite te dragen. Ze ruikt naar rum met gesmolten boter en tweed en jeugd. Happy en Willie laten haar op het bed vallen. Happy moet lachen. Willie legt een vinger tegen zijn lippen en loodst hem naar de gang.

Nou, zegt Happy, tegen de deurpost geleund, wat dacht je ervan mij ook eens mijn gang te laten gaan?

Willie staart hem aan. Wát?
Je weet wel. Laat die oude Happy ook eens wat lol hebben.
Happy, ben je nou helemaal!
Ze zal het verschil niet eens merken.
Ik ga morgenochtend met haar trouwen.
Dat is morgen. Dit is vandaag.
Nee, Happy, dit is niet zomaar een … Ik hou van haar.
Natuurlijk hou je van haar. Iedereen houdt van haar. De piccolo houdt van haar. Jezus, kijk haar nou toch.
Happy …
Ik heb haar toch aan jou gegeven, Willie?
Ja. Klopt. Maar.
Happy kijkt Willie strak aan met iets wat het midden houdt tussen een grijns en een spotlach. Het is een blik die Willie nooit eerder op Happy's gezicht heeft gezien. Wie ben jij eigenlijk? fluistert Willie.
Ik ben de man die je geholpen heeft deze hele klus te klaren, dat ben ik.
Ja, maar …
We zijn toch als broers?
Ja. Tuurlijk.
We delen toch alles? De meisjes in Sands Street?
Dit is anders.
Happy stapt naar voren. Willie belet hem de toegang en zet zich schrap. Happy legt een hand tegen Willies borst en duwt hem hard de kamer in, dan loopt hij zwalkend door de gang naar zijn kamer.
Terwijl hij in bed ligt naast een slapende Bess, streelt Willie haar haar en neemt in gedachten telkens weer de aanvaring met Happy door. Bij het krieken van de dag wordt er aangeklopt. Dat is Happy die zijn excuses komt maken. Dan bedenkt Willie dat Happy nooit aanklopt. Het is de sheriff. Met twee privédetectives uit Brooklyn, die de hele nacht hebben doorgereden. Ze slaan Willie in de boeien. Ze slaan Bess in de boeien. In afzon-

derlijke auto's worden ze naar het gerechtsgebouw gereden waar ze wilden gaan trouwen.

Wanneer hij geboeid voor de rechter staat, hoort Willie een zijdeur openslaan. Twee agenten slepen Happy naar binnen, die er niet bang uitziet, er niet bezorgd uitziet. Hij moet naast Willie gaan staan.

Jongeman, zegt de rechter tegen Happy, doe jezelf een plezier. Haal die stomme grijns van je gezicht.

We werden binnen een week opgepakt, zegt Sutton.

Hoe?

We hadden een heel spoor van broodkruimels achtergelaten.

Wat hebben ze met jullie gedaan?

Ze zijn met ons teruggereden naar Brooklyn en hebben ons in de bajes van Raymond Street gegooid. De Bastille van Brooklyn, werd die indertijd genoemd.

Die is afgebroken. Nog niet zo lang geleden.

Mooi zo. Maar we gaan er toch even een kijkje nemen.

Fotograaf kreunt. Willie, waarom? Wat heeft dat voor zin als het gebouw er niet meer staat?

Sutton richt zich in zijn volle één meter vijfenzeventig op en kijkt Fotograaf strak aan. Weet je, knul, een paar jaar geleden heb ik een oude indiaan leren kennen. Hij zat een straf van twintig jaar uit omdat hij bommen had laten afgaan uit protest tegen de oorlog. Hij vertelde me dat een indiaan wanneer hij de weg kwijt is, verdrietig is of de dood voelt naderen, op zoek gaat naar zijn geboorteplek en daar gaat liggen. Indianen denken dat er een helende werking van uitgaat. Dat je er een cirkel mee sluit.

We zijn al naar de plek geweest waar je geboren bent.

Ieder van ons wordt op vele plaatsen geboren.

Heeft de oude indiaan dat gezegd?

Sutton kijkt Fotograaf strak aan. Ineens weet ik het, knul. Je doet me een beetje aan Happy denken.

Negen

Bess kust Willie. Hij voelt haar wimpers tegen zijn ooglid fladderen. Hij glimlacht. Hou op, Bess, ik slaap nog. Hij doet een oog open. Er kruipt een kakkerlak over zijn gezicht. Hij slaat hem weg en gaat rechtop zitten. Hij zit op de grond in een kleine cel. Het enige licht dat er is, valt naar binnen door een kijkgat, maar het is genoeg om te zien dat het op de grond wemelt van de kakkerlakken.

Naast de deur staat een beker water. Hij kruipt ernaartoe. Zijn keel is rauw en uitgedroogd, maar toch kan hij het water niet drinken. Het stinkt naar pis. De smerissen vertellen hem later ook dat ze erin hebben gepist.

De smerissen verschijnen één keer per uur voor het kijkgat om hem te sarren. Ze vragen naar zijn hoer. Ze vertellen hem wat ze graag met zijn hoer zouden doen. Ze zit in een cel verderop, zijn hoer. Heeft hij nog een boodschap voor zijn hoer?

Meneer Endner betaalt onmiddellijk de borgsom voor Bess. Willies familie kan zich de borgsom niet veroorloven en Happy's familie evenmin. Na een paar dagen brengen de smerissen Willie naar een bezoekersruimte. Moeder zit aan een bekraste houten tafel in de jurk die ze op zondag naar de kerk draagt. Ze heeft al jaren niet meer geslapen. Ze heeft weer een kind verloren. Eerst Agnes, nu Willie. Ze vraagt Willie wat hij ter verdediging heeft aan te voeren.

Niks, zegt hij. Helemaal niks.

Het is niet alleen jóúw naam in de krant. Het is ook onze naam. Ze hebben ons adrés erbij gezet. De buren, de pastoor, de slager, ze bekijken ons nu allemaal anders.

Willie slaat zijn ogen neer. Huilend verontschuldigt hij zich. Maar hij vraagt haar ook om hulp. Hij wil een krant, een tijdschrift, een boek, een blocnote en een potlood – iets. Hij wordt hier gek als hij niets anders te doen heeft dan kakkerlakken wegslaan en luisteren naar smerissen die vreselijke dingen zeggen over Bess.

Wil je iets te doen hebben? vraagt Moeder.

Ja.

Bid dan maar.

Ze staat op en loopt de deur uit.

Willie, Happy en Bess wordt inbraak en diefstal ten laste gelegd. Willie en Happy bovendien nog ontvoering. Ze krijgen een pro-deoadvocaat toegewezen, die naar wonderolie en leverpillen ruikt. En die stugge witte haartjes op het puntje van zijn roze neus heeft. De naam van de man ontgaat Willie. Het enige wat hij wil weten is of de man met Bess heeft gesproken.

Nee, zegt Advocaat. Maar ik heb met de advocaat van de familie gesproken en die zegt dat meneer Endner de jongedame achter slot en grendel houdt.

Advocaat geeft Willie een stapel kranten. Het verhaal staat op alle voorpagina's, al geeft elke krant er net even een andere draai aan. De ene bombardeert het tot het verhaal van twee schurken uit Irish Town met hun beeldschone handlangster. Een andere brengt het als het verhaal van twee schurken uit Irish Town die een erfgename ontvoeren. De enige constante in de artikelen is dat Willie en Happy schurken uit Irish Town zijn.

Het verhaal haalt ook de kranten in St. Louis, Chicago en San Francisco. Zelfs in Europa, via de telegraaf. Iedereen, waar dan ook, kan wel iets van zijn gading vinden in het verhaal. Misdaad, klassenverschil, geld, seks. Daarom wordt het proces, maanden later, een sensatie. Wanneer Willie en Happy de rechtszaal binnenlopen, zitten daar honderden luidruchtige toeschouwers te lachen en te eten. Het lijkt verdomme wel een wedstrijd van de Giants, zegt Happy.

Willie en Happy, allebei in een pak dat ze van het gestolen geld hebben gekocht, zitten aan weerszijden van Advocaat. Willie draait zich om en speurt de gezichten af op de tribune. Vader en Moeder en Happy's familie zitten allemaal met sombere gezichten op de eerste rij. Twee rijen daarachter, met wenkbrauwen die een diepe V vormen boven de kwaaie, koningsblauwe ogen, zit Eddie. Het liefst zou hij iemand, iedereen, een Ierse knipbeurt geven.

Het wordt ineens stil als meneer Endner binnenkomt. Ondersteund door een verpleegster loopt hij langzaam door het middenpad. Advocaat buigt zich naar Willie toe: Ik heb gehoord dat het helemaal niet goed met hem gaat.

Het gaat goed genoeg met hem om Willie dreigend aan te kijken. Willie probeert er berouwvol uit te zien. Het sorteert geen effect. Meneer Endner blijft dreigend kijken. Willie draait zich zuchtend weer om en telt de sterren op de Amerikaanse vlag. Dan merkt hij dat er achter hem beroering ontstaat. Hij draait zich om en ziet nog net een flits. Twee van de smerissen die Bess een hoer noemden, pakken meneer Endner beet vlak voordat hij zijn handen om Willies keel wil slaan.

Willie en Happy zullen niet in de getuigenbank plaatsnemen. Hun medegedaagde echter wel. In ruil voor haar medewerking hebben haar advocaten het op een akkoordje kunnen gooien. Ze komt de inmiddels stille rechtszaal binnen en loopt naar de getuigenbank. Ze draagt een grijze jurk met een blauwe kraag en blauwe manchetten en zwarte lakleren schoenen met witte neuzen, en ze houdt een blauw handtasje in beide handen geklemd, krampachtig, zoals ze het stuur van de Nash had vastgehouden. Ze heeft pijpekrullen in haar haar, die langs haar schouders strijken als ze zich naar voren buigt om haar in een glacéhandschoen gestoken hand op de bijbel te leggen.

Willie heeft haar niet meer gezien sinds de ochtend dat ze gearresteerd werden. Ja, meneer, dat waren de laatste woorden die hij haar had horen zeggen, toen de sheriff van Poughkeepsie zei: Ik zou eerst maar eens wat kleren aantrekken, jongedame. Niet één bezoekje, niet één brief of kaartje. Willie wil het liefst over de tafel springen, naar haar toe rennen en haar een uitbrander geven. Hij wil haar strelen en kussen. Hij wil schreeuwen: Je hebt mijn leven geruïneerd! Hij wil fluisteren: Jij bent mijn leven. Hij verwijt het haar dat hij nu zo in de nesten zit. Het berouwt hem dat hij niet met haar getrouwd is toen hij de kans had.

Zweert u de waarheid en niets dan de waarheid te spreken, zo waarlijk helpe u God almachtig?

Dat zweer ik.

Willie stelt zich voor dat ze een gelofte aflegt in een andere ruimte, bij een andere gelegenheid. Was het maar waar. Hij buigt het hoofd.

Met haperende stem, vriendelijk doch streng aangespoord door de officier van justitie, vertelt Bess haar verhaal. De mensen in de rechtszaal worden erdoor gegrepen, al is dit niet het verhaal waarvoor ze gekomen zijn. Het is geen obsceen verhaal, zoals Bess het vertelt, maar het ingetogen verhaal over een eerste liefde. Het is het oorspronkelijk menselijke verhaal, het enige verhaal. Met een kapitalistisch tintje. Rijk meisje, arme jongen. Ze willen trouwen, maar haar vader staat hun in de weg. Dus riskeren ze alles om samen te kunnen zijn. En toch doen ze niets onfatsoenlijks, edelachtbare. Die jongen is een volmaakte heer. Bovendien was het allemaal het idee van het meisje. Zíj forceert de brandkast. Zíj houdt het gestolen geld voortdurend bij zich. De jongen rijdt alleen maar.

En de vriend van de jongen, waarom moest die mee? vraagt de officier van justitie.

We dachten dat we een getuige moesten hebben, edelachtbare. We dachten dat dat wettelijk verplicht was.

Ze zweert dat ze er nooit meer aan zou beginnen als ze alles kon overdoen, echt waar. De liefde had haar geest vertroebeld. De liefde had haar ziek gemaakt. Uit liefde had ze iets gedaan waartoe ze zichzelf niet in staat had geacht.

Ze pauzeert even en vraagt om een glas water. Willie weet dat ze niet echt dorst heeft. Hij weet dat dit uitsluitend effectbejag is om medeleven op te wekken. Maar iemand die Bess niet kent, zou denken dat ze vergaat van de dorst. Daardoor vraagt Willie zich af of iets van dit alles, van haar, echt is. Daardoor gaat hij denken dat Bess misschien wel een echte misdadigster is en dat liefde misschien wel een misdaad is. Misschien zijn het niet alleen maar lieve woordjes wanneer geliefden zeggen: Je hebt mijn hart gestolen. Zo zeker als ze geld van haar vader hebben gestolen, heeft Bess Willies hart gestolen. En ze toont geen berouw. Niet het soort berouw dat Willie wil zien.

De rechter tuurt over zijn bril naar de verdediging. Advocaat betast de witte haartjes op zijn neus, legt een leverpil op zijn tong. Geen vragen, edelachtbare.

U mag gaan, jongedame.

Bess staat op. Ze kijkt naar haar vader. Dan naar Willie. De eerste keer die ochtend dat ze zijn kant op kijkt, de eerste keer in maanden dat ze elkaar in de ogen kijken. Hij probeert haar gezicht te doorgronden. Het lukt niet. Dan zweeft ze het middenpad door, de rechtszaal uit, de voorpagina's op. In Brooklyn, in San Francisco, in Londen zullen de mensen weldra lezen over dat Amerikaanse modepopje en haar charmante, onschuldige verhaal over eerste liefde en onbezonnen misdaad. Ze zal de voorpagina's delen met de bankiers en consorten die aan het sjacheren zijn over de oorlogsbuit. Vanwege haar roerende getuigenis echter zullen Willie en Happy nauwelijks in de kranten vermeld worden. Verslaggevers zullen Bess' verhaal over de ongelukkige geliefden veranderen in een verhaal waarin slechts één ster schittert.

Het doet er niet toe of de rechter Bess gelooft of niet. De rechter zelf doet er niet toe. Meneer Endner en zijn maatjes hebben de rechter onder het genot van een sigaar van tien dollar in diens kamer op de rechtbank allang verteld wat hij moet doen. Na een zinloze getuigenis van de sheriff van Poughkeepsie, wat geweifel over de bewijzen, de jas van eekhoornbont en de kwitanties, verklaart de rechter de jongens schuldig en veroordeelt hij hen tot drie jaar voorwaardelijk. Verder gelast hij Willie en Happy uit de buurt te blijven van Bess.

In 1919, een paar dagen voor Kerstmis, wordt William F. Sutton vrijgelaten uit de Raymond Street-gevangenis. Hij staat op de bovenste traptrede voor de gevangenis en kijkt naar de stad. Eindelijk vrij – nou en? De crisis wacht hem op. En dat is het enige wat hem opwacht. Zelfs onder de beste omstandigheden zou hij nog geen werk kunnen vinden. Met een strafblad kan hij het helemaal wel vergeten. En daar komt nog bij dat hij Bess kwijt is. Hij zou zich net zo goed kunnen omdraaien en vragen of hij in Raymond Street mag blijven.

De werkelijkheid is nog erger dan hij zich had voorgesteld. Hij mist Bess zo vreselijk dat hij nauwelijks functioneert. Hij wil dood. Vervolgens beraamt hij zijn dood. Hij schrijft afscheidsbrieven aan zijn familie, aan haar. Op het laatste moment, terwijl hij naar de rivier loopt, zegt hij tegen zichzelf: Als ik haar maar kon zien of kon spreken, al was het maar voor één minuut. Hij loopt naar het huis in President Street. De pot op met zijn voorwaardelijke straf. Hij staat op de stoep. Het glas in lood, de rijkversierde balustrades, het ijzeren hek. Hij bidt dat zij langs een raam zal lopen.

Alle ramen zijn donker.

Meneer Sutton? Bent u aan het huilen?

Nee.

De Polara staat geparkeerd voor de justitiële instelling van Kings County. Voorheen de Raymond Street-gevangenis.

Verslaggever draait zich om. Meneer Sutton, u bent aan het huilen.

Sutton voelt aan zijn wang. Ik wist niet dat ik aan het huilen was, meneer.

Meneer?

Knul.

Sutton zoekt naar een papieren zakdoekje. Hij opent de camera-

tas. Dure lenzen. Hij kijkt in de stoffen tas. Portefeuille. Zakje vol joints. Armies of the Night. Malcolm X. *Hij ziet dat Fotograaf het hoekje van pagina 155 heeft omgevouwen. En een passage heeft onderstreept.* Eenieder die beweert diep mee te voelen met andere mensen zou heel, heel lang moeten nadenken voordat hij ermee instemt om andere mensen achter de tralies te zetten – op te sluiten.

Hij gaat staan posten op Coney Island, vindt Bess' vriendinnen. Ze vertellen hem dat meneer Endner Bess naar het buitenland heeft gestuurd totdat het schandaal is overgewaaid.

Ze heeft vorige week de boot naar Hamburg genomen, zegt Eerste Vriendin.

Ze gaat bij de familie van meneer Endner wonen, voegt Tweede Vriendin eraan toe. Trouwens, hoe is het met Happy?

Willies ouders bieden geen troost, geen steun, en kennen geen genade. Als ze al spreken in zijn aanwezigheid is dat niet tegen hem, maar over hem. Ze zeggen dat hij hen te schande heeft gemaakt, hen heeft verraden. Ze gooien hem niet het huis uit, maar ze willen niets met hem te maken hebben.

Daddo zou het begrijpen, maar met Daddo gaat het bergafwaarts. De helft van de tijd denkt hij dat hij weer in Ierland is bij de heksen en de meerminnen. De kleine mannetjes hebben Daddo van zijn verstand beroofd.

Godzijdank dat Eddie er is. Hij werkt nog steeds op de scheepswerf en staat daar in zo'n hoog aanzien dat hij Willie en Happy een baantje kan bezorgen. Dat is een mooie meevaller, maar ook raar. De scheepswerf doet Willie aan Endner en Zonen denken, waardoor hij weer aan Bess moet denken, waardoor hij het liefst in tranen zou uitbarsten. Maar toch, hij heeft werk. Hij houdt zichzelf voor dat dit, dít, het enige is wat hij nodig heeft. Dit is het enige wat hij eigenlijk ooit echt heeft gewild.

Aan het begin van het nieuwe decennium staat hij op een

overdekt platform dat langs de zijkant van een vrachtschip hangt en hanteert een paarse vlam van drieduizend graden. Hij snijdt het vrachtschip in stukken, snijdt de stukken in kleinere stukken. Het werk is gevaarlijk, zwaar en vermoeiend en is dus een zegen. Aan het eind van elke dag kan hij niet anders dan slapen. Bovendien ervaart hij het in zijn huidige gemoedsgesteldheid als therapeutisch om te vernielen, de snijbrander te hanteren en dingen af te breken.

's Ochtends, voordat hij naar zijn werk gaat, ontmoet hij in het eettentje bij de scheepswerf vaak Eddie en Happy. Ze geven hem een klap op de rug en zeggen dat hij weer bijna de oude is. Hij weet wel beter. Hij weet dat iets in hem gebroken is, meer dan alleen zijn hart, en dat het lijkt op een gesloopt vrachtschip – het valt niet meer te repareren.

Hij verdient genoeg voor een gemeubileerde kamer. Zijn ouders nemen de moeite niet om te doen alsof het hun spijt hem te zien gaan. Moeder zegt: Het ga je goed, maar het klinkt als: Opgeruimd staat netjes. Vader staart hem aan, de ogen vol teleurstelling. Op zijn vrije dag wandelt Willie langs de rivier. Hij spaart zijn kleingeld om af en toe met Eddie en Happy naar een honkbalwedstrijd te gaan. Veel is het niet, maar het is genoeg. Niemand zal hem ooit horen klagen.

Dan wordt hij ontslagen. Eddie en Happy ook. Omdat ze nergens anders naartoe kunnen, spreken de jongens elke ochtend af in het eettentje. Ze praten over de depressie als over geteisem dat ze het liefst een pak rammel zouden willen geven. Eddie op zijn zeepkist: De oogsten mislukken, de prijzen kelderen, en de banken, als ze niet ten onder gaan, executeren alles wat ze maar te pakken krijgen. Banken, zegt hij tegen iedereen aan de bar. Pokkebanken.

Willie rantsoeneert zijn spaargeld. Hij heeft genoeg voor drie maanden, berekent hij, als hij één keer per dag eet en dan uitsluitend sardientjes en crackers. Het biedt enige troost dat zijn maten in hetzelfde schuitje zitten, tot daar verandering in komt. Eddie en Happy kunnen het ineens goed vinden met een paar succesvolle dranksmokkelaars en rijden nu allebei op een vrachtwagen met illegale drank. De drooglegging is inmiddels van kracht en al betekent het dat duizenden caféhouders en brouwers geen werk meer hebben, er ontstaan wel allerlei nieuwe baantjes, voor hen die het niet zo nauw nemen met de wet.

Eddie en Happy hebben een gedaanteverwisseling ondergaan. Ze hebben suites in het St. George Hotel, pakken bankbiljetten zo dik als een boterham. Ze proberen Willie zo ver te krijgen dat hij meedoet, maar nee. De kranten staan vol met verhalen over slechte jajem. Die wordt gemaakt met rattengif, balsemvloeistof, benzine. De afgelopen maand nog zijn er veertien mensen gestorven aan zo'n partij. Zij hebben nog geluk gehad. Anderen worden blind wakker. Na een avondje uit tasten jonge mannen en vrouwen naar de lamp op het nachtkastje en doen hem aan, maar de kamer blijft donker. Ik denk aan mijn Daddo, zegt Willie tegen Eddie en Happy. Ik wil er niet de oorzaak van zijn dat iemand zijn leven in duisternis moet slijten.

Eddie en Happy blijven hem bestoken en schelden hem de huid vol, maar toch begrijpen ze hem wel. Ze lenen hem geld, trakteren hem op maaltijden. Als ze met z'n drieën naar een Chinees restaurant gaan of naar een steakhouse bij de brug, laten ze Willie niet eens de rekening zien.

Bedankt, jongens, zegt Willie mistroostig. Ik sta bij jullie in het krijt.

Bij elke maaltijd dragen Eddie en Happy vrolijk gekleurde stropdassen, chique hoeden, puntige schoenen. Willie heeft een broek aan waarvan het zitvlak nodig moet worden versteld. Hij heeft de pakken die hij met Bess heeft gekocht verpand.

Sutton zit op de stoeprand tegenover de justitiële inrichting, tussen Verslaggever en Fotograaf in. Toen ik daaruit kwam, zegt hij, ben ik zo ongeveer verhongerd. Er was geen werk, jongens. Helemaal niks. Behalve drank smokkelen.

De drooglegging, zegt Fotograaf, die niet stil kan blijven zitten van pure ergernis. Big Brother die zich met het privéleven van mensen bemoeit. Toen was het de drank, tegenwoordig zijn het drugs – het is allemaal dezelfde fascistische ideologie.

Sutton grijnst. Je houdt er uitgesproken meningen opna, knul.

En weet je wat nog het ergste was van de drooglegging, Willie?

Sutton drukt zijn Chesterfield uit. Zeg het eens, knul.

De banken. Wie denk je dat al dat geld van die illegale handel witwaste? Banken hebben nooit gedeugd, maar tijdens de drooglegging spanden ze wel de kroon. De duivel die op de grootste hoop scheet. Heb ik gelijk of niet, Willie?

Sutton haalt zijn schouders op. Eén ding staat vast, knul, niets liep zoals het hoorde in die tijd. De regering verbood het drinken, maar de mensen dronken meer dan ooit. Vrouwen kregen stemrecht, maar maakten er nauwelijks gebruik van. De radio werd uitgevonden – opeens kon je horen hoe Dempsey drieduizend kilometer verderop iemand verrot sloeg – en ze beloofden dat die een eind zou maken aan eenzaamheid. Jezus, het maakte de mensen alleen maar eenzamer. Ze zaten in hun kamer naar dansmuziek en theaterstukken en gelach te luisteren en voelden zich eenzamer dan ooit. Niets ging volgens het boekje, niets pakte uit zoals het ons werd voorgespiegeld. In die tijd begonnen de mensen cynisch te worden.

Verslaggever gaat staan, kijkt op zijn horloge en op de plattegrond. Volgende stop Manhattan, meneer Sutton?

Sutton knikt. Ja. We zijn klaar met Brooklyn.

Behalve dan de kwestie-Schuster.

Mm hm.

Meneer Sutton. We hebben een afspraak gemaakt.

Een afspraak. Ja.

Lezers willen weten wat u te zeggen hebt over Schuster.

Het was een leuke knul die toevallig op het verkeerde moment op de verkeerde plaats was. Iets wat we over de meesten van ons kunnen zeggen. Wat valt er verder nog over te vertellen?

Enig idee wie hem heeft vermoord?

Sutton gaat staan en kijkt Verslaggever kwaad aan. Chronologische volgorde, knul.

Maar, meneer Sutton …

Is het je ooit opgevallen, knul, dat er maar één lettertje verschil zit tussen de woorden doodgaan en doorgaan?

Met nog maar twee dollar op zak loopt Willie het rekruteringscentrum op Times Square binnen. Een potige sergeant zegt dat hij moet gaan zitten, overhandigt hem een paar formulieren en vraagt hoe vaak hij zich kan optrekken.

Vaak, zegt Willie.

En opdrukken?

Achteruit, zegt Willie terwijl hij in zijn handen spuugt en zich op de knieën laat zakken.

De sergeant vraagt terloops of Willie een strafblad heeft. Willie, nog steeds op zijn knieën, kijkt weg, door de glazen deur, naar al de mensen die over Times Square lopen.

Sorry, zegt de sergeant terwijl hij de formulieren terugpakt. Uncle Sam wil ze alleen brandschoon.

Eddie en Happy zeggen dat hij wakker moet worden. Dat hij morgen om deze tijd zijn zakken vol poen kan hebben.

Wees eens niet altijd zo'n brave padvinder, zegt Eddie.

Heb je enig idee hoeveel wij verdienen? vraagt Happy.

Ik ga nog liever dood van de honger dan dat ik vergif verkoop, zegt Willie.

Zo te zien, zegt Happy, duurt dat nog een dag of twee.

Dan, mei 1921. Een onaangenaam warme dag. Willie ligt op zijn kamer op bed de sportpagina's te lezen. Hij loopt een maand achter met de huur. De deur vliegt open en hij wil al een knuppel pakken om de huisbaas af te weren, die al eerder is komen binnenvallen. Maar het is Eddie, buiten adem. Sutty, pak je hoed … Happy is net opgepakt.

Opgepakt? Vanwege die drankwagen?

Voor de drankwagen, ja. En voor mishandeling en beroving.

Wie heeft hij dan beroofd?

Niemand. De smerissen zeggen dat hij in een steeg een vent heeft overvallen, dat hij hem op zijn hoofd heeft geslagen en zijn portefeuille heeft gejat, maar dat is een vuile leugen.

In de taxi naar het politiebureau legt Eddie het uit. De smerissen zagen hun kans schoon. Ze hadden bedacht dat ze Happy mooi een oude zaak in de schoenen konden schuiven, en ze wisten dat hij voor krantenkoppen kon zorgen vanwege het Endnerproces.

Maar wat kunnen wij dan doen? vraagt Willie.

Soms, zegt Eddie, als je je gezicht laat zien op het bureau, dan weten de smerissen dat de gevangene vrienden heeft. Dat hij wel degelijk iemand is. Het weerhoudt ze ervan om iemand al te erg in elkaar te slaan.

Maar deze keer niet. De agenten slaan Happy bijna dood. Ze blijven hem slaan tot hij de overval bekent en nog eentje op de koop toe. Een paar weken later, in dezelfde rechtszaal waar Willie en Happy werden veroordeeld voor de ontvoering van Bess, stuurt een rechter Happy voor vijf jaar naar de gevangenis. Willie en Eddie zitten op de eerste rij. Happy zwaait kort naar hen wanneer hij in ketens de rechtszaal uit wordt geleid.

Eddie tikt Willie op de schouder. Kom, we gaan, Sutty.

Ja, zegt Willie, maar hij verroert zich niet. Hij staart naar de getuigenbank. Hij vindt het verschrikkelijk voor Happy en voelt zich deels verantwoordelijk, maar waar hij vooral aan moet denken is de grijze jurk met de blauwe kraag en de blauwe manchetten. En de bijpassende blauwe handtas. Ze omklemde hem als een stuur.

Ze rijden achthonderd meter en draaien de Brooklyn Bridge op. Sutton moet nog steeds niks hebben van het uitzicht dat je vanaf die brug hebt. Hij gaat precies in het midden van de achterbank zitten, vanwaar hij de rivier daar beneden niet kan zien en waar een groot deel van de skyline schuilgaat achter de hoofden van Verslaggever en

Fotograaf. Hij doet wat hij dikwijls doet als hij ergens is waar hij niet wil zijn. Hij zegt een gedicht op.

Ik stormde Bowery in terwijl de dageraad het Vrijheidsbeeld uitdeed – je weet wel, die toorts van haar.

Waar komt dat uit, meneer Sutton?

Hart Crane. De Brug.

Wat betekent het?

Geen idee.

Fotograaf zoekt Willie in de achteruitkijkspiegel. Kent u iets van de Beatniks?

Denk je soms dat ik een wandelende encyclopedie ben?

De Beatniks, dat is het helemaal, man. Ik heb ooit een foto gemaakt van Ginsberg toen hij aan het mediteren was.

De gevangenis is de plek waar je jezelf het recht toekent om te leven. Dat is Kerouac, is dat Beatnik genoeg voor je?

Fotograaf knikt. Kerouac is te gek, zegt hij.

Sutton leunt opzij, kijkt even snel naar de stad en leunt dan achterover. Kreunt. New York, zegt hij. Hoe vaak je er ook naar kijkt, je blijft je erover verbazen dat die stad absoluut niks van je moet hebben. Je absoluut niet nódig heeft. Het kan die stad geen bal schelen of je leeft of sterft, blijft of gaat. Maar die ... die onverschilligheid, zou je het kunnen noemen, denk ik, bepaalt zeker voor de helft wat de stad zo godvergeten mooi maakt.

Verslaggever draait zich om naar Sutton. Hij doet zijn mond open, dan weer dicht.

Sutton grinnikt. Heb je iets op je lever, knul? Kom op, laat maar horen.

Er moet me alleen van het hart, meneer Sutton, dat u totáál anders bent dan ik had verwacht.

Fotograaf proest van het lachen. Dat kun je wel zeggen, man.

Wat had je dan verwacht?

U lijkt gewoon geen ... bankrover. Sorry dat ik het zeg.

Geeft niks, zegt Sutton.

Ik had niet verwacht dat u zo, eh, romantisch zou zijn, meneer

Sutton. Ik bedoel, gedichten? Socrates? En zo nostalgisch, die tranen? Ik kan me eerlijk gezegd niet voorstellen dat u met een pistool in de hand banken berooft, een hele stad terroriseert.

Midden op de brug zitten ze ineens in de verkeersdrukte. Fotograaf zegt tegen Verslaggever: Misschien heb je gisteravond de verkeerde opgepikt in Buffalo. Heb je die grapjas op de achterbank gevraagd zich te identificeren?

Daar moeten ze allebei om lachen.

Sutton kijkt naar een wolk die over de brug trekt. Hij zet zijn bril op, dan weer af, speelt met het plakband dat hem bij elkaar houdt. Hij kijkt omlaag. Hij opent de stoffen tas van Fotograaf. Malcolm X, Armies, *zakje, portefeuille. Hij doet de cameratas open. Hij haalt er twee telelenzen uit. Lang, glad, zwart metaal – hij houdt er een in elke hand, voelt hoe zwaar ze zijn, drukt er dan een tegen het achterhoofd van Verslaggever, de andere tegen het achterhoofd van Fotograaf.*

OKÉ, STELLETJE KLOOTZAKKEN, DOE WAT IK ZEG EN ER GEBEURT JE NIKS. HANDEN OMHOOG!

Verslaggever steekt zijn handen omhoog. Fotograaf laat het stuur los alsof het gloeiend heet is. De Polara maakt een zwieper. Van de rijbaan naast hen klinkt getoeter.

Godallemachtig, zegt Verslaggever.

Doe het GELD *in de* TAS!

WELK *geld? vraagt Fotograaf.* WELKE *tas?*

Godallemachtig, zegt Verslaggever weer.

Sutton begint te lachen. Verslaggever en Fotograaf draaien zich om en zien de lenzen. Verslaggever slaat een hand voor zijn mond. Fotograaf grijpt het stuur beet.

Geestig, zegt Fotograaf. Hilarisch.

Meneer Sutton, was dat nou echt nodig?

Je zei dat je het je niet kon voorstellen, zegt Sutton terwijl hij de lenzen neerlegt. Nu kun je het je voorstellen.

Een paar uur na Happy's proces zegt Willie tegen Eddie dat hij alleen wil zijn. Hij loopt heel Brooklyn door, loopt door Prospect Park, loopt de hele avond tot hij geen voet meer kan verzetten en dan loopt hij nog een stuk. Terwijl de zon boven de rivier hangt, merkt hij ineens dat hij door Sands Street loopt.

Jezus, zegt Wingy terwijl ze haar slaapkamerdeur opendoet. Het laatste wat ik over je gehoord heb, was dat je vastgehouden werd.

Dat heb je verkeerd gehoord. Niemand houdt Willie vast.

Zal ik je dan eens lekker vasthouden. Wat dacht je van een uurtje?

Ik betaal wel voor de hele ochtend.

Patser.

Ach, het is Eddies geld.

Hoe dan ook, ik denk niet dat ik het een hele ochtend volhou, liefie.

Nee, dat hoeft ook niet. Ik moet gewoon iemand hebben om tegen te praten. Ik heb een vriendin nodig, Wingy.

Ze zet haar ene hand op haar heup en kijkt hem welwillend aan, het hoofd een beetje schuin. Kom maar binnen, Willie.

Ze gaan op haar bed liggen, Wingy steunend tegen het hoofdeind, Willie tegen het voeteneind.

Wingy, heb jij weleens gewild dat je gewoon opnieuw kon beginnen met je leven?

Jij met je vragen altijd. Eens even zien. Een keertje of dertig per dag.

Dat is mijn droom.

Dat is iedereen z'n droom, Willie.

Hoe weet je dat?

Mensen vertellen me hun dromen.

Hoe komt het dat niemand het ooit doet?

Het is nogal ingewikkeld. Als jij hebt uitgevogeld hoe je dat moet aanpakken, laat je het me maar weten.

Eddie zegt dat het één grote oplichtersbende is.

Eddie is een wijs man.

Ik had moeten luisteren.

Naar wie?

Naar hem. Naar iedereen. Behalve naar mezelf.

Je hebt er altijd al rare ideeën opna gehouden.

O?

Dat is zo. Weet je nog dat je bij die bank werkte? Je vertelde altijd hoe fantastisch het daar allemaal was en dat je op een dag de directeur van die bank zou worden. De directéúr maar liefst. Je was een dromer, Willie. Je leek wel zo'n Ierse aardappeleter die net van de boot was gestapt.

Ze gaat staan, wikkelt zich in een laken en steekt haar arm uit. Het laaaand van de vrij... heid, zegt ze met theatrale stem. Stuur al je arme sloebers en stakkers en stumperds maar naar mij toe.

Willie draait zich lachend op zijn zij. Ik heb altijd al eens binnen in haar naar boven willen klimmen, zegt hij.

Wingy moet lachen en komt naast hem liggen. De geur van Fels – nog steeds. Hij pakt haar arm en trekt die om zich heen. Ze vallen allebei lachend in slaap.

's Ochtends neemt hij de trolleytram naar 13th Street. Alleen zijn ouders wonen er nog. Zijn broers hebben de stad verlaten, zijn naar het westen getrokken. Oudere Zus is getrouwd, Daddo is overleden. Willie ziet zijn stok in de hoek, geeft de lege schommelstoel een duwtje. Het huis voelt raar zonder die oude kletsmajoor, zegt hij. Moeder zegt niets terug. Ze zit aan de keukentafel met een kop thee en weigert hem aan te kijken. Vader staat achter haar luidkeels te zwijgen. Ze hebben allebei over Happy gelezen in de krant. Ze nemen aan dat Willie er op de een of andere manier mee te maken had.

Dat gedoe met Happy, daar had ik niets mee te maken, zegt Willie.

Ze zeggen niets.

Jullie kennen me, zegt Willie. Jullie weten dat ik nooit iemand een klap op zijn hoofd zou geven en zijn portefeuille zou afpakken.

We kennen jou, zegt Moeder. We kénnen jou? We hebben geen idee wie je bent.

Vader knikt en klemt zijn kaken op elkaar.

Hoe vaak moet ik me nog verontschuldigen voor die Endnerzaak? vraagt Willie.

Je kunt je nooit genoeg verontschuldigen, zegt Moeder. En dat is precies het probleem.

Alsjeblieft, zegt Vader, als je ook maar iets om ons geeft, Willie Boy, laat ons dan met rust.

Hij loopt naar Meadowport, waar hij diep wegkruipt in de tunnel en terugdenkt aan de afgelopen drie jaar. Als het begint te schemeren, komt hij tevoorschijn, loopt over het grasveld, door het park, en staat algauw bij Eddie voor de deur in het St. George. Eddie doet de deur wijd open. Bandplooibroek, mouwloos wit onderhemd, witte bretels die langs zijn benen omlaaghangen. Hij is zich aan het opdrukken. Zijn armen zijn even dik als Willies benen. Waar ben je geweest, Sutty?

Overal en nergens. Je krijgt de groeten van Wingy.

Ze gaan naar het dak. Eddie heeft een halve liter illegaal gestookte drank in zijn kontzak. Hij neemt een slok en biedt Willie de fles aan. Willie schudt het hoofd, maar rookt wel gretig Eddies sigaretten. Hij heeft al een hele tijd niet gerookt in een poging te bezuinigen.

De zon is bijna onder. Ze kijken hoe de lichtjes aangaan in Manhattan en de auto's heen en weer rijden over de brug. Een oceaanstomer, verlicht als een miniatuur-Manhattan, vaart richting zee. Willie stelt zich de passagiers voor: heren die op het bovendek een luchtje scheppen, dames die benedendeks nippen van illegale hartversterkertjes. Aan de Brooklynkant van de brug welt stoom omhoog uit de Squibbfabriek, waar ze een medicijn tegen maagpijn maken. De lucht is doortrokken van de geur van levertraan en gebrande magnesia.

Willie kijkt naar Eddie: Ik moet steeds denken aan Happy's gezicht toen ze hem in de boeien afvoerden.

Ja. Ik ook.

Sing Sing. Jezus.

Het is oorlog, Sutty. Wij, zij. Hoe vaak moet ik het je nog vertellen?

Ze kijken hoe de bloedrode zon in de rivier glijdt. Elke dag gaat die pokkezon weer zo onder, zegt Eddie. In de fik en in de gloria.

Mm.

Hé, Sutty.

Ja.

Kijk me eens aan.

Huh.

Ik moet je iets vertellen.

Laat maar horen.

Je ziet eruit als een skelet.

Willie lacht. Ik heb eigenlijk wel honger, ja.

Als je een druif at, zou je die volgens mij zien zitten. We moeten nodig zorgen dat je wat binnenkrijgt, man. En snel.

Dat kan helaas niet. Ik heb geen rooie cent meer.

Ik trakteer.

Bij de clandestiene kroeg op de hoek bestelt Eddie wat te eten voor Willie. Gehaktbrood, oesters, aardappelpuree, gemengde salade en een stuk appeltaart met roomijs. Eddie had gelijk, het eten helpt. Willie voelt zich weer energiek. Dan komt de rekening. En hij is weer doodmoe. Hij is twintig jaar oud, heeft geen werk, geen uitzicht op werk en teert op zijn vriend.

Hij prikt in zijn taart. Ed, wat moet ik doen?

Trek bij mij in. Blijf zo lang je maar wilt. Je weet dat je als een broer voor me bent.

Bedankt, Ed. Maar op de lange termijn? Wat moeten wij allemáál beginnen?

Eddie leunt achterover. Ik heb misschien een oplossing. Voor ons allebei.

Eddie vertelt Willie dat hij de dranksmokkelaars voor gezien houdt. Happy's arrestatie heeft hem aan het denken gezet. De drooglegging is geen grap, de regering speelt geen spelletje. Als je al een risico neemt, kun je er beter zeker van zijn dat de beloning de moeite waard is.

En dat houdt in?

Een van de andere chauffeurs heeft me voorgesteld aan Horace Steadley. Een vent die beter bekend is als Doc. Een brandkastkraker uit Chicago, en niet de eerste de beste, een waar genie. Al heeft hij naam gemaakt met de glazenoogzwendel in Pittsburgh.

Met de wát?

De glazenoogzwendel. Een leep oplichterstrucje voor twee man. De eerste man gaat een warenhuis binnen, keurig in het pak, maar met een ooglapje voor, en die zegt dat hij zijn glazen oog is verloren. Zegt tegen de verkoper dat hij een beloning van duizend dollar uitlooft voor degene die het glazen oog komt terugbrengen. Hij laat zijn visitekaartje achter, chic, in goudreliëf en met zijn telefoonnummer erop. De volgende dag gaat de tweede man naar de verkoper toe met een glazen oog. Is iemand daar soms naar op zoek? Hij krijgt de verkoper zover dat die hem driehonderd dollar geeft. Waarom niet? De verkoper weet dat het oog drie keer zoveel waard is. Maar als de verkoper het nummer belt dat op het kaartje van de eerste man staat, is dat afgesloten. Doc beheerste die truc tot in de puntjes. Maar toen begon hij brandkasten te kraken in juwelierswinkels en dat beviel hem een stuk beter. Nu leidt hij een eersteklas kraakteam en hij heeft een paar man nodig. Die vent deugt, Sutty. Hij deugt echt. En hij weet van wanten, dus we kunnen iets van hem leren. En dan ons eigen team beginnen. Opklimmen naar het grotere werk.

Het grotere werk?

Banken, Sutty. Banken.

O, Ed. Ik weet het niet.

De kelner komt de tafel afruimen. Eddie bestelt twee koffie. Als de kelner wegloopt, sist hij: Wat weet je niet, Sutty?

Is het wel … in de háák, Ed? Ik bedoel, jezus. Hoe zit het met goed en kwaad?

De wereld is niet in de haak, Sutty. Ik weet niet waarom, ik weet niet wanneer het allemaal verkeerd is gegaan of dat het misschien altijd al zo geweest is, maar ik weet dat niks klopt, net zo zeker als ik weet dat jij jij bent en ik ik. Misschien kun je kwaad niet met kwaad vergelden. Maar kwaad met goed vergelden? Daar word je alleen maar arm en hongerig van. En niets is zo verkeerd als dat.

Een paar minuten lang zeggen ze geen van beiden iets. Eddie steekt een sigaret op en pakt zijn hoed. Kom nou maar even met hem kennismaken, zegt hij.

Even later laat Willie zich door Eddie in een taxi duwen.

Docs appartement is helemaal in Manhattan, vlak bij de theaterbuurt. Als ze bij Times Square aankomen, kijkt Willie uit het raampje. Mannen in smoking, vrouwen in avondjurk, die zich uit hun blinkende auto's naar cafés, clubs en theaters haasten. Hun gezichten drukken uit: Depressie? Hoezo depressie? Willie wou dat hij naar een toneelvoorstelling ging kijken. Hij is nog nooit naar een toneelstuk geweest. Een van de duizenden dingen die hij nog nooit heeft gedaan. Hij zou eerlijk moeten zijn tegen Eddie, tegen hem zeggen dat hij zijn tijd aan het verdoen is. Juwelen roven is niks voor hem. Hij weet niet wat wél iets voor hem is, maar dit niet.

Te laat. Ze staan voor het pand waar Doc woont, onder de luifel. De portier belt naar boven om hen aan te kondigen.

Sutton tuurt naar de toppen van de nieuwe wolkenkrabbers in het centrum. Oké, jongens, een quizvraag: Wat dreef Jack Dillinger ertoe om zijn eerste bank te beroven?

Geen flauw idee.

Een meisje had het met hem uitgemaakt.

Links bij het volgende verkeerslicht, zegt Verslaggever tegen Fotograaf. Dan rechtdoor tot 53rd Street.

Het is op de hoek, zegt Sutton.

Wat is er bij deze stop? vraagt Fotograaf.

Daar woonde Doc, zegt Sutton.

Doc?

Mijn eerste leermeester.

Happy, Doc – komt de rest van de zeven dwergen ook nog langs?

Twee zitten er hier al.

Haha.

Willie en Eddie staan in de houding, Willie trekt zijn stropdas recht, Eddie klopt wat roos van zijn schouders. De deur gaat open. Een butler in livrei neemt Eddies overjas en gleufhoed aan. Willie zegt dat hij de zijne bij zich houdt. Ze volgen de butler door een lange gang naar een verzonken woonkamer. Willie neemt stomverbaasd het meubilair op. Bijzettafeltjes, wandtafels, salontafels – het zijn allemaal brandkasten. Grote, kleine, metalen, houten brandkasten.

Vanuit een gang aan de andere kant van de woonkamer komt er een man binnen. Hij heeft een te groot hoofd, bedekt met dik golvend haar, en een mond vol scheve tanden, die hij probeert te verbergen achter een net zo dikke witte snor. Kom binnen, zegt hij met een bulderstem, kom binnen, jongens.

Doc, fluistert Eddie tegen Willie.

Doc zwaait met een bergkristallen glas vol whiskey. Wat drinken jullie, jongens?

Niets, zegt Willie.

Een dubbele van wat u daar hebt, zegt Eddie.

Doc schenkt Eddies drankje in aan een bar onder olieverfschilderijen van ruiters met zwarte hoeden die op snelle vossen jagen. Hij gebaart naar Willie en Eddie dat ze hem moeten volgen naar het midden van de woonkamer. De ramen bieden uitzicht op de theaters. Flapperende markiezen maken het vertrek lichter, donkerder, lichter, donkerder. Willie gaat zitten in een stoel met gebogen poten en zijden bekleding. Het voelt alsof hij op schoot zit bij een prachtige vrouw. Doc en Eddie gaan op de bank zitten. Wanneer Doc zich laat zakken, gromt en kreunt hij, alsof hij zich in een warm bad laat glijden.

Aangenaam eindelijk kennis met je te maken, zegt hij tegen Willie. Eddie hier zegt dat je de slimste knaap bent die Irish Town heeft voortgebracht.

Eddie zegt dat u de beste dief bent die Chicago heeft voortgebracht.

Stilte.

Dat is een vuile leugen, zegt Doc. Ik ben de beste die het hele land heeft voortgebracht.

Eddie glimlacht. Doc glimlacht. Een scheve glimlach die past bij de scheve tanden. Willie steekt een Chesterfield op en zoekt naar een asbak. Er staat er een op de brandkast naast zijn elleboog. U woont hier mooi. Wie heeft het ingericht, Wells Fargo?

En ze zijn allemaal nog functioneel ook, zegt Doc. Ik oefen erop, haal ze uit elkaar, zet ze weer in elkaar, klok mezelf. Ik ben als een bokser die in de sportschool woont. De beste boksers doen dat trouwens ook.

En al die schilderijen?

Ah. Die zijn afkomstig van mijn allereerste inbraak. Een landhuis in Oak Park. Ze geven de boel wat cachet, vind ik. Ze bezorgen me urenlang plezier. Soms zit ik hier de hele avond met een drankje de vos aan te moedigen.

Willie bekijkt Doc nog eens goed. Hij lijkt inderdaad te deugen. Maar waarom is hij zo uitgedost? Hij is gekleed als een directeur van Title Guaranty. Rokjas, gouden horlogeketting, geruit vlinderdasje. Plus … witte stoffen handschoenen? Met een opgetrokken wenkbrauw vraagt Willie naar de handschoenen. Doc steekt zijn handen uit en spreidt zijn vingers, alsof

Willie een vraag heeft gesteld waarop het antwoord nadrukkelijk luidt: Tien.

Willie, zeg hij, mijn vingers zijn mijn leven. Ik ben een brandkastkraker, en je zult mij niet zien doen alsof ik iets anders ben. Integendeel, ik ben trots op mijn kunst, die helemaal teruggaat tot de oude Egyptenaren. Wist je dat de farao's de eersten waren die een slot met pennen gebruikten? Ik neem aan dat ze de eerste mensen waren die kostbaarheden bezaten. Ach, de jeugd van tegenwoordig heeft niks met geschiedenis. Ze willen alleen een brandkast leeghalen, een brandkast opblazen, wat nitroglycerine in de spleten stoppen en boem. Het is luidruchtig, het is vulgair, en bovendien loop je een veel grotere kans om gesnapt te worden. Ik vind de oude manier nog steeds de beste. Stethoscoop, vingers, laat de tuimelaars maar spreken. Een brandkast is als een vrouw. Zij vertelt je hoe je haar open moet krijgen, mits je weet hoe je moet luisteren. Dus als er iets met deze vingers zou gebeuren, tja, dan beland ik op straat. Logisch dat ik goed voor ze zorg. Ik polijst mijn nagels. Vijl de randjes. Hou ze warm en goed ingepakt. Vandaar stoffen handschoenen. Ze zijn overigens van D'Andrea Brothers. Ken je hun spullen? Echt klasse, vind ik.

Willie heeft nog nooit iemand zo horen praten als Doc. Of hij is een genie, zoals Eddie zei, of hij is een en al gebakken lucht. Willie vreest het laatste. Het liefst zou hij opstaan en tegen Doc zeggen: Bedankt voor het aanbod, maar nee, bedankt, en dat wil hij juist doen als Doc zegt: Eddie vertelde dat je loopt te treuren over een mokkeltje.

Willie werpt Eddie een boze blik toe. Eddie haalt zijn schouders op.

Ik heb een paar rottige jaren achter de rug, zegt Willie. Laten we het daar maar bij houden.

Eddie zegt dat het een hopeloze zaak is. Dat dat mokkeltje de dochter is van een rijke man.

Noemt u haar alstublieft geen mokkeltje.

Eddie zegt dat ze het land uit is, uitgesloten dat je haar ooit nog vindt.

Willie herinnert zich een zin uit zijn lessen Latijn op de St. Ann's School. Waar leven is, zegt hij, is hoop.

Ja, ja.

Doc staart naar een van zijn brandkasten, in gedachten verzonken. Hij ziet eruit alsof hij zijn verstand in de brandkast heeft gelegd en de deur op slot heeft gedaan. Zijn ogen worden glazig, zijn onderlip verslapt. Dertig seconden. Veertig.

En dan is hij terug. Waar het om gaat, Willie, is dat ik voor mijn team mannen nodig heb die helder denken.

Willie komt uit zijn stoel omhoog en richt een vinger op Docs borst. Als ik in andermans tijd bezig ben, denk ik helder zat. In mijn eigen tijd is het mijn zaak waar ik aan denk.

De gedachte dat hij voor de zoveelste baan weer zal worden afgewezen, roept een heftige reactie bij hem op. Het idee deze fatterige brandkastkraker te moeten toevoegen aan de lijst van mensen die hem niet willen, die hem niet kunnen gebruiken, is onverteerbaar voor hem.

Eddie werpt Willie een boze blik toe. Rustig, jongen.

Maar Doc zit er onverstoorbaar bij. Willie, zegt hij kalm, ga zitten. Ik wilde je niet beledigen.

Willie laat zich weer in zijn stoel zakken. Doc neemt een grote slok whiskey en kijkt naar de fladderende markiezen buiten het raam. Licht, donker, licht, donker. Dan: Wat is je motief, knul?

Motief?

Waarom wil je voor me werken? Wil je net als Eddie iets leren? Doe je het voor de sensatie? Of wil je alleen maar geld?

Wil niet iedereen geld? Natuurlijk zou ik wel drie keer per dag een stevige maaltijd lusten. En mijn eigen woning willen hebben, eentje die groter is dan een wastobbe. Zonder me voor mijn huisbaas te hoeven verstoppen. En zonder deze stinkende kleren te hoeven dragen. Ik zou genoeg willen sparen om misschien eens iets van de wereld te zien.

Eddie leunt naar voren, dit is nieuw voor hem. Een reis?

Waarnaartoe? vraagt Doc.

Ik zou ooit weleens naar de haven willen gaan en op een van die grote lijnschepen willen stappen. Gewoon wegvaren.

Wie niet, zegt Doc.

Ik zie altijd die advertenties in de krant, zegt Willie. *De Aquitania vaart elke tweede woensdag om middernacht uit.* Dan voel ik altijd een tinteling. Steeds wanneer het de tweede woensdag van de maand is, kijk ik onwillekeurig op de klok.

Nog een speciale plaats in gedachten?

Europa, misschien. Ierland. Ik weet niet.

Eddie meesmuilt. Hamburg, mompelt hij.

Doc zet zijn glas op een brandkast en trekt zijn witte handschoenen uit. Hij beweegt zijn vingers en laat zijn knokkels kraken. Oké, zegt hij. Dat lijkt me duidelijk. Ik zie wie je bent, Willie, ik zie dat je deugt. Ik zag het al toen je binnenkwam. Ik moest alleen even je motor testen. Die is behoorlijk pittig. Dat is meestal een goed teken. Welkom aan boord.

Bedoelt u dat ik mag meedoen?

Je mag meedoen. Samen met Eddie. We doen uitsluitend klussen buiten New York. Boston, Philly, Washington. Soms wat verder naar het noorden. Op die manier raken de dienders van slag. Dienders zijn nou eenmaal luie donders. We hanteren altijd dezelfde werkwijze. We breken in de kleine uurtjes in bij een juwelierswinkel, kraken de brandkast, halen er de mooie spullen uit en vertrekken naar de trein. We liggen thuis al in bed voordat de eerste verkoper 's ochtends komt opdagen om alles terug te leggen in de vitrine. Onze volgende klus is in Philly. Een winkel die ik al maanden heb afgelegd. Ooit in Philly geweest?

Ik ben nog nooit ergens geweest. Behalve in Poughkeepsie.

Na deze klus zul je ook niet het gevoel hebben dat je in Philly bent geweest. Erin en eruit. Twee uurtjes. Hooguit.

En zo begint het.

DEEL TWEE

Het treurigste van de liefde, Joe, is dat niet alleen de liefde geen eeuwig leven heeft, maar dat zelfs het liefdesverdriet snel vergeten is.

WILLIAM FAULKNER, *Soldiers' Pay*

Tien

Alles eraan bevalt hem even goed. Eigenlijk vindt hij dat het niet hoort, maar het is nu eenmaal zo.

Hij houdt ervan aan te komen in een chic hotel, een van de beste suites te vragen, met een krant op de sprei te gaan liggen en rust te houden zoals een beroepsbokser voor een wedstrijd. Hij houdt ervan om de klok met een half oog in de gaten te houden, dan rustig zijn overjas aan te trekken en om twee uur 's nachts de deur uit te gaan om Doc en het team te treffen bij de achterdeur van de juwelierszaak. Willie houdt ervan om, wanneer Eddie met een breekijzer de deur heeft geforceerd, te kijken hoe Doc zorgvuldig zijn operahandschoenen uittrekt en zijn vingers om het draaischijfslot van de brandkast laat fladderen. Hij houdt van de eerste blik op de juwelen. Mensen zijn sowieso gek op diamanten, maar ze hebben geen idee hoe prachtig ze kunnen zijn. De obsederende schoonheid van gestolen diamanten in een zwartzijden buideltje om twee uur 's nachts – dat is alsof je de allereerste bent die de sterren aanschouwt.

Hij houdt zelfs van de voorbereiding en het onderzoek die bij een klus horen. De brandkast, als een intellectueel onderwerp, als een abstract concept, fascineert Willie. Alles in het leven is een brandkast, denkt hij. Zijn ouders, zijn broers, meneer Endner – had hij de combinatie maar geweten.

Het allermeest bevalt het hem dat hij werk heeft. Hoewel het meestal niet voelt als werk. Doc had gelijk. Het is een kunstvorm.

Binnen enkele weken ontpopt Willie zich tot een onmisbaar lid van Docs team. Hij verschijnt als eerste op de wekelijkse voorbereidingsbijeenkomsten en vertrekt als laatste. Hij stelt slimme vragen, begrijpt de antwoorden meteen en denkt soms aan dingen die Doc over het hoofd heeft gezien. Eddie en de andere twee mannen van het team raken snel verveeld. Willie niet. Hij kan de hele avond in een koffiehuis zitten, gebogen over plattegronden, blauwdrukken en brochures van brandkastfabrikanten. Laten we alles nog één keer doornemen, zegt Doc altijd, en Willie is de enige die niet protesteert.

Sutton: Het ziet er nog precies zo uit als toen Doc hier woonde.

Verslaggever: Welk huis is het?

Sutton: Dat daar, met die witte luifel en die magere portier. Doc gaf de portier met Kerst altijd een flinke fooi, om er zeker van te zijn dat hij naar boven zou bellen om Doc te waarschuwen als er ooit politie onderweg was. Wacht hier even.

Verslaggever: Wachten? Meneer Sutton, waar gaat u naar...?

Maar weg is hij al.

Willie koopt een glanzende, zwarte, nieuwe Ford met bordeauxrode stoelen, een gouden polshorloge, tien paar handgemaakte schoenen en een tiental maatpakken, allemaal donkerblauw of grijs flanel. Hij koopt een smoking en gaat om de avond naar een andere Broadwayshow. Hij huurt een zeskamerappartement aan Park Avenue voor drieduizend dollar per maand en vult een van de inloopkasten met zijdegevoerde overjassen en handbeschilderde stropdassen, pastelkleurige overhemden en kasjmieren sjaals. En twee stuks van alle denkbare soorten hoeden: platte en hoge strohoeden, gleufhoeden en panama's. Hij heeft nooit meer kleren bezeten dan er in één koffer pasten. Nu ziet zijn kast eruit als een chique herenmodezaak.

's Ochtends zit hij graag in zijn nieuwe leren stoel bij zijn nieuwe woonkamerraam om uit te kijken over de daken en schoorstenen, de waslijnen en telegraafdraden en de kantoortorens. Het is voor het eerst dat hij niet verteerd wordt door begeerte bij het zien van Manhattan vanuit de hoogte. Integendeel, het uitzicht geeft hem een zelfvoldaan gevoel. Al die mensen daar beneden, zo druk in de weer, duwend en dringend en zich uitslovend, alleen om te krijgen wat Willie al heeft. In overvloed. Hij steekt een sigaret op en blaast de rook tegen het raam. De sukkels.

Een paar maanden lang is hij gelukkig, of zo gelukkig als hij zonder Bess denkt te kunnen zijn. Hij beschouwt niets van wat hij heeft als vanzelfsprekend: het genot zich goed te kleden, lekker te eten en te slapen tussen zijden lakens die meer kosten dan de meeste mensen aan huur betalen. Hij heeft zich nog nooit zo sterk, zo energiek gevoeld, en hij geniet van het effect daarvan op andere mensen; de blikken die hem op straat worden toegeworpen, vrouwen die hem gegraveerde uitnodigingen doen toekomen in de vorm van een glimlach over de schouder, mannen die hem openlijk met angst en afgunst aangapen. Kelners springen in de houding, portiers buigen als knipmessen, sigarettenmeisjes buigen zich naar voren en gunnen hem een blik op hun decolleté alsof het zijn geboorterecht is. Maar toch, maar toch. Op een ochtend geeft zijn uitzicht op Manhattan hem ineens niet meer dezelfde voldoening. Zijn geest is rusteloos, zijn hart bezwaard. Koning van alles wat hij overziet? Nou en? Hij denkt aan zijn oude buurt. Plotseling staat hij op uit de stoel en belt de portier met het verzoek zijn auto voor te rijden. Een uur later staat Wingy hem aan te gapen en ze begint te brullen van het lachen. Tjonge, wat zie jij er piekfijn uit, zegt ze.

Dag, meissie.

Wat een chic heerschap. Is je schip met geld binnengekomen?

Mijn suikeroom is overleden.

Je meent het? En je wilt een deel van je erfenis uitgeven aan wat liefde van je kleine Wingy?

Nee. Ik kom zomaar even langs om je nog eens te zien. Ik had zo'n vermoeden dat je wel zin had in bezoek.

Hij laat zijn nieuwe hoed op het bed vallen.

Ik wou net gaan ontbijten, zegt ze.

Ik lust ook wel wat.

Ze haalt een fles illegaal gestookte drank onder haar matras vandaan, schenkt twee glazen in en geeft er een aan Willie. Ze vertelt hem dat zijn vermoeden helemaal klopte; ze voelt zich een beetje triest vanochtend. Het niveau van haar klanten gaat hard achteruit. De crisis loopt ten einde, de beurshandel schiet omhoog, en ineens komt er een heel ander slag mannen bij haar op bezoek.

Hoe anders?

Uit Wall Street, Willie. Dat is slecht volk.

Het verbaast me dat ze zich de brug over wagen.

Ze komen naar Brooklyn voor … iets anders. Aan deze kant van de rivier geldt: hoe lelijker het meisje, hoe beter de zaken gaan. Ze vinden dat ze zich met ons, lelijke meisjes, alles kunnen veroorloven. Dat ze meer zichzelf kunnen zijn, denk ik.

Tot die groep behoor jij niet. Er is niets lelijks aan jou, Wingy.

Dat is lief van je, Willie. Maar ik weet wie ik ben. Wat ik ben. En ik kan je wel vertellen dat ik veel liever een zeeman dan een investeringsbankier op bezoek heb.

Waarom is dat?

Bankiers vrágen niet, Willie. Ze nemen.

Wat rot dat je je met dat soort kerels moet inlaten.

Trek het je niet aan. Het voordeel is dat ik me een stuk minder schuldig voel als ik ze een poot uitdraai.

Willie moet lachen.

Wingy vraagt of hij sigaretten bij zich heeft. Hij haalt een pakje tevoorschijn, steekt er een voor haar op en laat het pakje op het bed liggen.

Ik wou dat ze allemaal zo lief waren als jij, zegt ze. Die eerste keer? Ik weet nog hoe je binnenkwam, beleefd, bibberend – dankbaar. Ja, juffrouw, nee, juffrouw. Alsof het je eerste schooldag was. Alsof ik je juf was.

Dat was ook zo. Je was mijn juf.

Willie zit op een stoel, Wingy op de rand van het bed. Ze haalt haar hand door haar haar. Ik mis die Willie Boy, zegt ze. Het enige rare wat hij ooit wilde, was me Bess noemen.

Willie kijkt weg. Die Willie Boy is dood, zegt hij.

Samen met je rijke oom.

Juist, zegt hij. Precies.

Was er een begrafenis?

Ja. Maar er kwam niemand opdagen.

Ze gaat naar haar toilettafel. Als Willie haar door de kamer ziet lopen, vindt hij dat ze er veel ouder uitziet dan haar leeftijd, ook al heeft hij geen idee hoe oud ze is. Ze gaat zitten, poedert haar neus en vraagt in de spiegel aan hem hoe het met Happy is. Willie fronst zijn wenkbrauwen. Ze vraagt naar Bess. Zijn frons verdiept zich.

Ik heb haar een brief geschreven. Maar ik wist niet waar ik hem naartoe moest sturen.

Je hoort vast nog wel van haar, zegt Wingy. Als ze zo slim is als jij altijd zei, neemt ze wel contact op.

Hij tikt op zijn nieuwe gouden horloge. Ik moest maar weer eens gaan.

Kort bezoekje.

Ik heb een bespreking.

Hij staat op, trekt zijn das recht en steekt zijn hand in zijn binnenzak. Hij haalt er een keurig stapeltje nieuwe bankbiljetten uit en steekt haar dat met twee handen toe. Wingy draait zich om op haar krukje. Ze staat niet op, neemt het niet aan.

Jezus, wat is dat, Willie?

Een verlaat kerstcadeau.

Wat zit erachter?

Ik dacht dat je misschien ergens naartoe zou willen. Waar we het weleens over hebben gehad. Om een nieuwe start te maken.

Hij stapt naar voren en legt het geld op Wingy's schoot. Ze raakt het aan, bladert door de biljetten als door de pagina's van een boek. Ze kijkt op. Ik wil je medelijden niet, Willie.

Het is mijn medelijden niet. Het is mijn geld. Jezus, het is niet eens mijn geld.

Ze staat op en laat het geld op de grond vallen. In één stap is ze bij hem en slaat haar arm om hem heen. Willie is verrast en hij verstijft. Dan ontspant hij en omhelst haar broederlijk.

Hij is niet dood, zegt ze.

Wie?

Willie Boy.

Portier: Vrolijk kerstfeest, meneer.

Sutton: Vrolijk kerstfeest, knul. Zeg, staat 8C toevallig leeg? Daar woonde vroeger een vriend van me en ik had gehoopt dat ik er misschien even kon rondkijken. Herinneringen ophalen.

Portier: Ho. Wacht eens even. Bent u niet Willie de Acteur?

Sutton: Ja.

Portier: Godsamme, echt? Willie de Acteur?

Sutton: Sommige mensen noemen me zo.

Portier: Godsamme, Willie de Acteur die hier zomaar op de stoep staat? Man, het zal toch niet waar zijn. Godsamme, dat gelooft mijn vader nooit. Hij is uw grootste fan, meneer Sutton. Wegwezen, Willie, wegwezen, dat zegt mijn ouweheer altijd als u in de krant staat. De drie beroemdste Willies van New York, zegt mijn ouweheer: Willie Mays, Joe Willie Namath, en Willie de Acteur.

Sutton: Bedankt voor het compliment.

Portier: Tjongejonge. Ik bedoel … tjongejonge nog aan toe. Mag ik uw handtekening, hier op mijn krant?

Sutton: Tuurlijk.

Portier: Hier. Teken hier maar. Onder uw foto. Kijk eens aan. Zet er maar bij: Voor Michael Flynn, daar zat het geld. *Michael Flynn, dat is mijn ouweheer. Ik ben Tim Flynn. Wat doet u in vredesnaam hier, meneer Sutton?*

Sutton: Ik ben gisteren vrijgekomen.

Portier: Dat weet toch iedereen? Maar wat doet u híér?

Sutton: Ik ben herinneringen aan het ophalen. Bezoek dierbare plekjes van vroeger. Vroeger kende ik iemand die hier woonde en ik hoopte gewoon even zijn woning te kunnen zien.

Portier: 8C? Daar wonen nu de Monroes. Even onder ons gezegd en gezwegen: de Monroes zijn echt een stel verwaande, reactionaire teringlijders.

Sutton: O ja?

Portier: Als ze niet thuis waren, zou ik u graag een rondleiding geven. In 't geniep. Jezus, ik zou u zelfs hun wc laten gebruiken. Maar ze zijn thuis, zeker weten. Er gaan de hele ochtend al gasten naar boven.

Sutton: Misschien is er een andere manier. Fraai uniform heb je aan. Welke maat heb je, knul?

Portier: Achtenveertig.

Sutton: Zullen we ruilen van pak? Mijn pak is gloednieuw.

Portier: Meent u dat nou?

Sutton: Ik ben bloedserieus. Ik ga naar boven als de nieuwe portier, verzin een reden om bij ze aan te kloppen en ben weer weg voordat ze iets doorhebben.

Portier: Tjee, ik weet het niet, meneer S., het zou me mijn baan kunnen kosten. En wie bent u?

Verslaggever: Ik schrijf een artikel over meneer Sutton.

Fotograaf: En ik maak foto's van hem.

Sutton: O. Ik wist niet dat jullie achter me stonden. Mag ik je voorstellen aan de commandanten Armstrong en Aldrin?

Portier: Vrolijk kerstfeest.

Fotograaf: Insgelijks.

Sutton: Nou, oké, knul. Ik begrijp het. Ik zou je graag een fooi willen geven, maar ik heb alleen een paar cheques van gouverneur Rockefeller.

Portier: Kom nou, meneer Sutton. Ik zou nooit geld van u aannemen.

Sutton: Dat moet je niet zeggen, knul. Dat moet je nooit zeggen. Nooit geld afslaan.

Eddie had gelijk, Doc weet van wanten. Hij kan de hele avond doorpraten over brandkasten. En Willie kan de hele avond luisteren. Na hun vaste voorbereidingsoverleg in het koffiehuis op de hoek gaat Willie vaak met Doc mee naar zijn appartement voor privéles.

Doc verzamelt niet alleen brandkasten, maar ook citaten. Voor alles wat hij Willie bijbrengt, heeft hij er een ter illustratie. Hij is dol op Gibran. *Arbeid is zichtbaar gemaakte liefde.* En Novalis. *We zijn bijna wakker wanneer we dromen dat we dromen.* Hij kent hele bladzijden van Plutarchus, Epictetus en Emerson uit het hoofd. Als hij te veel gedronken heeft, zegt hij keer op keer: *Wanneer je een misdaad pleegt, is het alsof de grond bedekt is met een laag sneeuw, een laag die in de bossen het spoor verraadt van elke patrijs, vos, eekhoorn of mol.*

Op een avond schenkt Doc zich een glas whiskey in, steekt een dunne cigarillo op en leunt achterover op zijn sofa. Het is allemaal een wrede grap, Willie Boy. Amerikanen zijn een volk dat goed van vertrouwen is, zodat de gemiddelde brandkast op zijn hoogst een hindernis vormt. Niet bedoeld om je tegen te houden, maar om je af te remmen. Als je verstand hebt van brandkasten, er echt verstand van hebt, is dit hele gedoe maar kinderspel. Elke brandkast is per definitie gebrekkig. Zelfs als je hem niet kunt kraken, is er altijd minstens één manier om het slot te omzeilen, een achterdeurtje dat door de fabriek wordt ingebouwd voor het geval de eigenaar gaat hemelen of de tuimelaars dienst weigeren. En anders ligt de combinatie voor de hand, de verjaardag van de eigenaar bijvoorbeeld. Of de combinatie is opgeschreven op een voor de hand liggende plek. Je zou er versteld van staan hoe vaak die op de muur boven de brandkast staat. De regel die voor brandkasten geldt, is een regel die je op alles kunt toepassen, Willie. *Je kunt er altijd in komen.*

Naast alles wat er te weten valt over brandkasten, brengt Doc Willie van alles bij over alarmsystemen, deursloten, hangsloten en smerissen. Hij vertelt Willie welke advocaten de beste zijn voor welke tenlastelegging, en welke je beter kunt vermijden. Hij troont hem mee door de stad en laat hem kennismaken met het gilde. Moordenaars met kille ogen, poenige dranksmokkelaars, verweerde inbrekers. Brandkastkrakers, dieven, bookmakers, bedelaars die doen alsof ze flauwvallen van de honger, zwendelaars, ladenlichters, topcriminelen. Hij stelt Willie, als een minister zonder portefeuille, voor aan de bazen. Legs Diamond. Owney Madden. Dutch Schultz.

Tot slot maakt hij Willie zorgvuldig en geduldig wegwijs in de logistiek van het verpatsen van gestolen goederen.

Je belangrijkste gereedschap, zegt Doc, is niet je hefboompje, je stethoscoop of je breekijzer. Maar je heler. Wie jouw buit omzet in geld weet meer over je dan wie dan ook ter wereld, met inbegrip van je moeder, dus kies die persoon uit zoals je je gabbers kiest. Met extra zorg.

Docs heler is een vrouw. Als bekend lid van de beau monde staat deze dame elke week in de societykolommen omdat ze bakken met geld schenkt aan de opera, het ballet en de bibliotheek. De kranten noemen haar een nestor, een douairière, een steunpilaar van de samenleving. Doc zegt dat ze ook een psychopaat is. Ze krijgt een kick van diamanten van duistere herkomst. Ze heeft een bijzondere voorliefde voor de erfstukken van andere vrouwen.

Op een dag neemt Doc Willie mee om Dame bij haar thuis te ontmoeten, een prachtig herenhuis in de East Sixties. Bijna een uur lang zitten ze in haar art-decowoonkamer op witleren Barcelona-stoelen thee te drinken en citroenkoekjes te eten. De helft van de muren is bedekt met spiegels, zodat Willie van alle kanten wordt aangestaard door wel vijftig Willies. Hij voelt zich in de minderheid bij al die mannen.

Hij ziet een opengeslagen boek op de salontafel liggen. Hij pakt het op. Dame zegt dat het een bundel met verhalen en gedichten is die je alleen in Parijs kunt krijgen. De naam van de jonge schrijver is Heming-nogwat. Willie bekijkt de foto van de auteur aandachtig en legt het boek weer neer. Heeft wel een stoere kop, zegt hij.

Ravissant, zegt Dame. Elke zin is ravissánt.

Willie weet niet precies wat dat woord betekent, maar Dame gebruikt het veelvuldig. Parijs is ravissant in deze tijd van het jaar. Clara Bow is ravissant op het witte doek. Die nieuwe puzzels die iedereen maakt, kruiswoordraadsels, zijn werkelijk een ravissante manier om tijd mee zoet te brengen.

Er ligt een opengeslagen puzzelboek vlak bij de korte verhalen. Ze pakt het. Weet een van jullie een woord van vier letters voor een Europese rivier, beginnend met een A?

Arno, zegt Doc.

Dame zet grote ogen op. Terwijl zij het woord invult, werpt Doc Willie een snelle blik toe. Willie haalt een zijden buideltje uit zijn binnenzak en legt het op de salontafel. Dame laat de puzzel voor wat hij is en grist het zakje weg. Ze loopt er de kamer mee door en leegt het op een schrijftafel die eruitziet alsof hij uit Versailles gejat is. Diamanten, saffieren en smaragden rollen over het houten blad van de schrijftafel. Ze sorteert ze en bekijkt ze stuk voor stuk aandachtig door een lorgnet. Vervolgens beginnen Doc en zij te onderhandelen.

Dat kan ik niet doen, zegt Doc. Als ik met die prijs akkoord ga, beland ik in het armenhuis.

Je wilt wel het onderste uit de kan, Doc.

Een lager bedrag is niet acceptabel, vrees ik.

Goed dan, goed dan.

Ze opent een kluisje achter een van de spiegelpanelen. Ze haalt er een dik pak bankbiljetten uit en wikkelt die in vetvrij papier. Willie werpt een laatste blik op de juwelen op de schrijftafel. In een plotselinge opwelling steekt hij zijn hand uit en pakt een ring met een driekaraats, oud-Europees geslepen diamant.

Deze niet, mevrouw.

Doc draait zich naar hem toe. Zijn ogen schieten van Willie naar de ring en weer terug naar Willie. Ze draaien zich allebei om en kijken Dame aan. Doc werpt haar een zuur lachje toe. Tja. Eh. Blijkbaar is mijn compagnon … gehecht geraakt aan die ring.

Dame tuit de lippen. Ze loopt niet graag iets mis, ook al is het maar één glimmer. Ze kijkt nijdig naar Doc. Dan naar Willie. Willie vreest dat hij de deal heeft versjteerd, Docs onmisbare relatie met zijn heler heeft verpest.

Dame gaat aan de schrijftafel zitten. Een meisje? vraagt ze.

Ja, mevrouw. Ze is ravissant.

Sutton loopt naar de hoek van de straat. Vroeger stond hier een kiosk waar je kranten uit het hele land kon kopen, zegt hij. Als we uit de nachttrein stapten in onze lange overjassen en met onze hoeden zo breedgerand dat het wel sombrero's leken, liepen we linea recta naar die kiosk.

Wie?

Het team van Doc.

Waarom?

We wilden de recensies lezen. We genoten ervan om beroemd te zijn. De meeste mensen lijden aan de angst dat ze er niet echt zijn, dat ze onzichtbaar zijn. Beroemd zijn lost dat op. Je móét er wel zijn, want dat staat in de krant.

Sutton kijkt nog eens naar de plek waar de kiosk vroeger stond, alsof die zo weer zou kunnen opdoemen. Godsamme, zegt hij, mensen doken aan de kant als wij kwamen aanlopen over dit trottoir.

Waarom?

We zagen er intimiderend uit. En we wisten dat we er intimiderend uitzagen. We deden ons best om er intimiderend uit te zien. Elke crimineel imiteert wel de een of andere crimineel die hij in een film heeft gezien. Het is ongelooflijk hoeveel jongens ik in de bak heb ontmoet die op een ontvankelijke leeftijd Bogart of Cagney hebben gezien. Er is geen groter fan van Bogart dan ik, maar de man heeft meer bloedvergieten teweeggebracht dan Mussolini.

Ik ben de draad kwijt, zegt Fotograaf. Welke recensies?

We kochten de kranten van de stad waar we net hadden toegeslagen en lazen de artikelen over onze kraak. De politie zegt geen aanknopingspunten te hebben – daar bescheurden we ons altijd om. De politie zegt dat het lijkt op een diefstal door insiders – dat vonden we een echte dijenkletser. Maar de slechte recensies, die kwamen hard aan. Als de politie zei dat de diefstal het werk van amateurs leek, hadden we een week lang de pest in. Iedere idioot denkt maar dat hij het beter weet.

Verslaggever bekijkt Suttons plattegrond. Meneer Sutton, over kranten gesproken, het ziet ernaar uit dat onze volgende stop Times Square is. Dat is de thuisbasis van New York Times. *Dat is het hol van de leeuw. Times Square is voor verslaggevers wat een standbeeld is voor duiven, dus alstublieft, meneer Sutton, ik smeek u: niet Times Square.*

Sorry, knul. Willie moet echt Times Square zien. Willie is niet eens officieel uit de gevangenis totdat hij Times Square heeft bezocht.

Doc wacht tot ze de straat uit zijn en bijna op Times Square staan voordat hij ontploft. Godschristus, Willie Boy, wat bezielde je in jezusnaam?

Het spijt me, Doc. De ring sprak me gewoon aan.

Willie haalt de ring uit zijn binnenzak en houdt hem tegen de lentezon.

Stop weg dat ding, sist Doc hem toe. Verdomme, ik dacht dat je mokkeltje het land uit was?

Noem haar alsjeblieft geen mokkeltje. Ja, ze is het land uit. Maar ik ben van plan haar te vinden. En als dat me lukt, wil ik voorbereid zijn. Een ring op zak hebben.

Doc recht zijn schouders, schuift zijn hoed naar achteren en ziet eruit alsof hij wat gezond verstand in Willie wil slaan. Maar dan haalt hij met een zucht zijn vingers door zijn witte haar. Oké, oké. Ik zal de ring van je volgende buit aftrekken.

Schaduwboksend geeft hij Willie een rechtse op zijn kaak.

Maar, laat hij erop volgen, mocht het ooit nog eens gebeuren dat een glimmer je aanspreekt, zeg dan niks terug, Willie Boy. Begrepen? Kom op. Laten we naar de Silver Slipper gaan. Sodeju, je bent me wel een drankje verschuldigd.

Ik had nooit bij Doc weg moeten gaan, zegt Sutton. Ik stond bij hem in het krijt. Ik was nooit ergens goed in totdat ik hem leerde kennen. Een man moet het gevoel hebben dat hij ergens goed in is, anders is hij geen man, en bij Doc kwam ik erachter dat ik goed was in diamanten stelen. Nee, ik was er niet goed in, ik blonk erin uit.

Waarom bent u dan weggegaan?

We verdienden niet slecht, maar ik had een grote slag nodig. Eigenlijk een hele serie grote slagen, als ik Bess wilde vinden en haar wilde laten zien dat ik voor haar kon zorgen. Dat zat altijd in mijn achterhoofd. Dat was mijn droom. En, als ik eerlijk ben, Doc was ook op z'n retour.

Het gebeurt in Boston. De brandkast is een aftandse oude Mosler, kinderspel, maar Doc kan gewoon de combinatie niet vinden. Hij draait de schijf heen en weer, maar er gebeurt niets. Ik weet niet wat me vanavond mankeert, zegt hij. Zijn stem klinkt anders.

De boor moet eraan te pas komen. Eddie begint en boort snel drie gaten in het metaal, maar Willie wijst op zijn gouden horloge. Tijd. Ze laten alles achter en lopen naar buiten.

In de nachttrein terug naar New York zitten ze zwijgend bij elkaar. Willie kijkt naar een Ford Model A, die in de verte over een donkere landweg hobbelt, met maar één koplamp. Hij draait zijn hoofd en kijkt naar Doc, die zijn witte handschoenen uittrekt en een paar slokken uit een zilveren heupflesje neemt. Het heupflesje trilt in zijn hand.

Willie geeft zichzelf een week vrijaf. Hij zit in zijn leren stoel, kijkt uit over de stad en denkt na. Ten slotte trekt hij zijn beste pak aan en loopt naar het huis van Doc. Ze zitten tussen de brandkasten, drinken koffie en praten over het werk. Doc begint over de volgende klus. Willie schudt het hoofd.

Voor mij geen volgende klus meer, Doc. Ik stap eruit.

Ach, Willie, nee toch.

Doc. Je wist dat ik uiteindelijk in mijn eentje verder wilde.

Maar waarom nu? Waarom in vredesnaam nu? We hebben het hartstikke goed voor elkaar.

Doe me een plezier, Doc. Steek je handen eens uit.

Willie.

Doe nou maar, Doc.

Doc strekt zijn armen en spreidt zijn witgehandschoende vingers.

Kijk, zegt Willie. Je hebt de beverik.

Rot toch op, knul – leeftijd. Dat overkomt de besten onder ons.

Je hebt die kraak laatst verpest.

Voor het eerst.

Reden te meer.

Doc staat op en loopt naar de bar. Hij slaat een whiskey achterover, staart omhoog naar de jagers die de vos opjagen over een haag. Misschien heb je gelijk, Willie. Waarschijnlijk heb je gelijk. Maar ik kan er niet mee stoppen. Ik vind het veel te leuk.

Willie knikt.

Veel geluk, Willie. Ik zal je recensies bijhouden in de krant.

Dagen later ontmoet Willie Eddie voor de lunch in een eethuisje op Times Square. Bij een dik ribstuk gesmoord in uien vertelt Willie aan Eddie dat het tijd is. Tijd om hun eigen team te beginnen.

Eddie knikt.

Wat is er, Ed? Ik had wat meer enthousiasme verwacht. Dat is wat je altijd hebt gewild, het echte grote werk. Banken.

Eddie schudt een Chesterfield uit Willies pakje, steekt hem op en neemt een flinke trek. Ik heb slecht nieuws, Sutty.

Laat maar horen.

Een oude vriendin van je is weer in de stad.

O.

Ze gaat trouwen.

Willie schuift het ribstuk weg. Hij kijkt naar zijn handen. De beverik.

Waar?

In de doopsgezinde kerk.

Wanneer?

Vandaag, jongen. Zo te horen heeft haar vader een bruidegom voor haar uitgezocht. Hij komt uit een rijke familie. Ze bezitten pakhuizen overal langs de waterkant.

Willie staat op en wankelt het eethuis uit. Er komt een vrachtwagen de straat in scheuren, die het water in de plassen doet opspatten. Willie en Eddie zullen het altijd oneens blijven over de vraag of Willie op het laatste moment van gedachten veranderde of dat Eddie net op tijd het eethuis uit kwam rennen.

Ze lopen een rondje over Times Square en Eddie drukt Willie op het hart om niet onuitgenodigd binnen te vallen bij de trouwerij.

Los van het feit dat het verschrikkelijk voor je zal zijn om het te zien, Sutty, haar vader kan je laten oppakken.

Waarvoor? Mijn proeftijd is voorbij.

Hij bezit heel Brooklyn. Hij heeft geen reden nodig.

Eddie heeft helemaal gelijk. Willie overweegt zich te vermommen. Hij stapt zelfs een feestwinkel binnen en kijkt hoe hij eruitziet met een slappe vilthoed en een valse baard. Maar dan besluit hij dat hij juist wíl dat meneer Endner hem ziet. En dat Bess hem ziet, op zijn paasbest. Hij loopt een kapperszaak binnen, waar hij zich laat verwennen met een hoofdhuidmassage en zich laat knippen en scheren. Hij trekt zijn nieuwste pak aan, een krijtstreepje met opvallend brede revers. Om vier uur, als het oude dametje met de bloemetjeshoed inzet op het orgel, zit Willie vijf rijen bij het altaar vandaan, twee rijen achter de Rockefellers, met de vierkant geslepen diamanten ring in zijn binnenzak. Voor het geval dat.

Meneer Endner, die met Bess aan de arm door het middenpad komt, ziet Willie als eerste. Hij trekt aan zijn snor. Hij staat op het punt de ceremonie stop te zetten en de politie erbij te halen. Nee, zijn ogen vernauwen zich tot waterige spleetjes en zijn snor waaiert uit boven een gelige grijns. Want Willie is te laat.

Dan ziet Bess Willie. Ze blijft staan en laat haar bruidsboeket zakken. Goudkleurige bloemen, passend bij haar goudgespikkelde ogen, die al snel vol tranen staan. Geluidloos zegt ze iets tegen Willie, hij weet niet precies wat.

Nee, Willie, nee.

O, Willie, o.

Ga, Willie. Ga.

Dan loopt ze door. Ze loopt door, langs Willie, langs de Rockefellers, en Willie heeft bij elke stap het gevoel dat zijn leven met een jaar wordt bekort. Voor het altaar draait ze zich om naar haar bruidegom. Willie schiet de kerkbank uit, het middenpad door, de kerk uit. Hij blijft doorrennen tot hij bij Meadowport komt. Hij zit urenlang naar de ring te staren. Hij legt hem op de grond en loopt weg.

Dan keert hij op zijn schreden terug om de ring te gaan halen. Hij stopt hem in zijn binnenzak en besluit hem te houden. Voor het geval dat.

Fotograaf: Hij slaapt.

Verslaggever: Dat meen je niet.

Fotograaf: En hij snurkt.

Verslaggever: Niet te geloven.

Fotograaf: Willie de Acteur.

Verslaggever: Kan de radio alsjeblieft wat zachter? Ik barst van de koppijn.

Fotograaf: Dat zijn de Rolling Stones, man.

Mick Jagger: Oh! Yeah!

Verslaggever: Waar gaat dat nummer eigenlijk over? Hoezo, rape and murder are just a shot away?

Fotograaf: Kijk, dat is nou jouw makke, alles moet iets betekenen. Waar gaan we ook alweer heen?

Verslaggever: Naar Times Square. Of we nou willen of niet.

Fotograaf: Misschien zijn we wel ontvoerd, maar weten we het gewoon niet.

Verslaggever: Dat is heel goed mogelijk.

Fotograaf: Hé, heb je Laura laatst nog gezien in dat paarse rokje?

Verslaggever: De volgende rechts.

Fotograaf: Dat is wel het lekkerste stuk dat er rondloopt bij de krant, als je het mij vraagt.

Verslaggever: Nee, dus.

Fotograaf: Nee wat?

Verslaggever: Nee, dat vraag ik je niet. Rechts afslaan, zei ik toch. Lekker, hoor. Je hebt de afslag gemist.

Fotograaf: Over meisjes gesproken, hoe gaat het met jouw meisje?

Mick Jagger: Oh!

Verslaggever: Ik ga die muziek echt zachter zetten. Waar zit de volumeknop?

Fotograaf: Die is eraf gevallen.

Verslaggever: Die Polara lijkt nergens meer op.

Fotograaf: Deze opdracht lijkt nergens meer op.

Verslaggever: Mag ik je eraan herinneren dat je om deze opdracht hebt gevraagd?

Fotograaf: Ik vroeg om Al Capone. Niet om Vic Damone.

Verslaggever: Geestig.

Fotograaf: Uitgestorven tunnels, vermoorde schapen, verhalen over een grietje uit het grijze verleden dat onzinverhalen verkocht.

Verslaggever: Hij hield van haar.

Fotograaf: Ja ja.

Verslaggever: Hij maakt het míj ook niet bepaald makkelijk, hoor. Het is al middag en hij heeft nog niet één ding gezegd dat ik kan gebruiken. Chronologische volgorde, knul. Jij hebt tenminste nog een paar goede foto's kunnen maken. Ik heb niks.

Fotograaf: Het enige wat mijn redacteur wil, is die Schone Slaper daar op de achterbank op de plek waar Schuster werd vermoord. Schuster, Schuster, Schuster, dat is het enige wat mijn redacteur zei toen ik de deur uit ging.

Verslaggever: De mijne ook.

Fotograaf: Denk jij dat Willie Arnold Schuster heeft vermoord?

Verslaggever: Hij ziet er niet uit als een moordenaar.

Fotograaf: Hij ziet er ook niet uit als een bankrover, dat heb je zelf gezegd.

Verslaggever: Ja, dat is waar.

Fotograaf: Kan ik hier afslaan naar Times Square?

Verslaggever: Nee, eenrichtingsverkeer.

Fotograaf: Doe me een plezier. Haal mijn portemonnee even uit die stoffen tas.

Verslaggever: Waarom?

Fotograaf: Ik wil iets kopen op Times Square.

Verslaggever: Wat dan?

Fotograaf: Iets voor de lotuseter daar achterin.

Verslaggever: Ik kan er niet bij. Hij gebruikt hem als kussen.

Fotograaf: Gewoon wegtrekken.

Verslaggever: Hij ziet er zo vredig uit.

Fotograaf: Hij droomt waarschijnlijk over … hoe heet ze ook alweer?

Verslaggever: Bess.

Fotograaf: Ik dacht dat het Wingy was.

Verslaggever: Dat was de prostituee. Moet je nou echt elke keer stoned worden als we samen een reportage maken?

Fotograaf: Hé. Waarom maken we die slaapkop niet gewoon wakker? Dan zeggen we dat we al op Times Square zijn geweest. Dat we alle plekken op zijn plattegrond al hebben bezocht en dat het nu tijd is voor Schuster. Hij zal het niet eens doorhebben.

Sutton: Ik hoor jullie wel.

Elf

Gekleed in pak met stropdas en met een aktetas in de hand neemt Willie de trein van de Long Island Rail Road. Samen met de andere forenzen. Behalve dan dat de andere forenzen naar hun werk gaan en Willie op zoek gaat naar een klus. Februari 1923.

Hij heeft van Doc geleerd hoe belangrijk het is om een doelwit vooraf goed af te leggen. En dat het voordelen heeft om buiten New York te werken. Maar in tegenstelling tot Doc wil hij grote steden liever vermijden. In afgelegen plaatsen zijn de smerissen vast trager, redeneert Willie.

Hij maakt verkenningstochten en gaat gewapend met een kaart en een opschrijfboekje op zoek naar het ideale gehucht. Algauw stuit hij op Ozone Park. De stichters van het stadje hoopten dat de naam stadsmensen zou aantrekken die op zoek waren naar schone lucht en groen. Het trekt ook Willie Sutton aan, want het klinkt als een plaats gesticht door halvegaren.

Hij slentert door Main Street. IJssalon, sigarenwinkel, koffiekraampje. Hij koopt een kop koffie en gaat op een bankje zitten, waar hij de oude emailleerfabriek met de bakstenen klokkentoren bewondert. De klok slaat elk half uur. De inwoners lijken het niet te horen. Ze lijken er niet helemaal bij te zijn, met hun hoofd in de wolken te zitten. In de ozon.

Hij loopt naar de First National Bank van Ozone Park en gaat in de rij staan. Als hij voor het loket van de kasbediende staat, schuift hij een dollar onder de tralies door en vraagt of hij die kan wisselen. De kasbediende heeft hazetanden, een spuuglok en een stropdas vol Amerikaanse vlaggetjes. Een koperen naamplaatje op zijn hemd: GUS. Terwijl Kasbediende in zijn la zoekt, steekt Willie de vulpen van de bank in zijn zak en kijkt om zich heen. Hij tuurt naar de kluis achter Kasbediende. Een speeldoos zou moeilijker te openen zijn.

Het mooiste van alles is dat de First National grenst aan een armetierige bioscoop. Willie koopt een kaartje voor de matineevoorstelling. Tijdens de autoachtervolging glipt hij weg langs de achtertrap. Zoals hij al hoopte, hebben de bank en de bioscoop een gemeenschappelijke kelder.

Later die dag reizen Eddie en hij naar een uithoek van New Jersey. Daar kopen ze een krachtige snijbrander, extra grote zuurstoftanks en helmen.

Terwijl ze bezig zijn met het veldwerk en de aankopen zegt Eddie dat ze nodig even een snelle slag moeten slaan. Om de contanten op peil te houden. Om scherp te blijven. Hij stelt een juwelierswinkel voor op Times Square, naast het Astor Hotel.

Sutton staat op een vluchtheuvel en kijkt naar boven. Is dit Times Square? Waar zijn verdomme alle neonreclames gebleven? Waar zijn de lichtjes?

Ze hebben er een hoop weggehaald, zegt Verslaggever. Bezuinigingen.

Doodzonde, zegt Sutton. Dit was vroeger een van de meest magische plekken op aarde. Daar, op die plek, hing de reclame van BOND*-kleding. Overal ter wereld kenden de mensen dat bord.* BOND *– in grote, rode letters. Als je van buiten New York naar Times Square kwam, of vanuit Timboektoe, kon je erop rekenen dat de trolleytrams eruitzagen als grote broden en dat het bord van* BOND *daar hing, precies daar. En erboven stonden twee reusachtige standbeelden. Vijf verdiepingen hoog. Als twee Vrijheidsbeelden. Naakte Man, Naakte Vrouw. Preutse types wonden zich vreselijk op over die standbeelden. En ertussen was een enorme waterval, naar het voorbeeld van de Niagarawatervallen. En daarginds had je de Wrigleyreclame. Allemaal verschillend gekleurde vissen – groen, blauw, roze – met erboven een prachtige meermin. Ze leek op Bess. Een neon-Bess. Kun je het je voorstellen, knul? En daar had je de Camelreclame. Daar stegen rookkringen uit op. Als er geen wind* *stond, behield zo'n kring zijn mooie ronde O-vorm helemaal tot aan Broadway. Godsamme, Times Square betekende alles voor me. Ik kwam hierheen om na te denken, om te mediteren, om me te oriënteren. Toen ik jong was, kwam ik hierheen om naar de lichtjes te kijken en dan dacht ik: hier wil ik deel van uitmaken. Als ik geen manier vind om hier deel van uit te maken, zal mijn leven niets betekenen. Toen ik ouder was, en eenzamer, kwam ik hierheen om te dansen.*

Te dansen?

Sutton gaat op zijn tenen staan en beweegt zijn heupen heen en weer. Ik was een echte danseur. Toen mijn onderdanen allebei nog goed functioneerden. En hier in de buurt had je wel honderd tenten waar je met een meisje over de dansvloer kon zwieren als je haar vijf cent gaf. Voor tien cent mocht je aan haar zitten. Voor een dollar … tja. Je weet wel. Ze werden taximeisjes genoemd, omdat je ze huurde.

Hij draait eenmaal om zijn as en ziet een markies met het woord SEKS *erop. Er wankelt een vrouw voorbij. Ze draagt een rode broek van nepleer, hoge plateauzolen en een paarse pruik. Tja, zegt hij, sommige dingen zijn niet veranderd.*

Hij loopt naar haar toe.

Hé, meneer Sutton, we kunnen beter niet … O, jezus.

Hallo, zegt de vrouw tegen Sutton.

Hallo.

Op zoek naar een scharreltje?

Werk jij met Kerstmis?

Is het Kerstmis, dan?

Volgens de kranten wel.

Ach, wat zou het. Mensen worden ook geil met Kerstmis. Kerstmis is de geilste feestdag.

Is dat zo? Ik zou hebben gedacht 4 juli, onafhankelijkheidsdag.

Manlief zegt tegen vrouwlief dat er bijna geen advocaat meer in huis is. Ik ben het advocaatje.

Ik ben Willie.

Hij steekt zijn hand uit. Zij staart ernaar.

Wat is het gangbare tarief tegenwoordig, Advocaatje?

Advocaatje doet zo abrupt een stap naar achteren op haar hoge hakken dat ze bijna achteroverkukelt. Wacht 'ns effe, zegt ze. Wacht 'ns effe, wacht 'ns effe – jij bent Willie Sutton!

Klopt.

Willie de Acteur!

Klopt helemaal.

Ik heb over je gelezen. Je bent gisteren vrijgekomen. En nu? Wil je nu een Advocaatje?

Nee, dank je, lieverd. Ik was gewoon nieuwsgierig. Ik heb ooit een vriendin gehad die ook in het vak zat. En ik heb vroeger veel tijd doorgebracht met een paar ... meisjes ... hier op Times Square.

Kolere. Willie Sutton. Jij was een echte schurk.

Nog steeds.

Wat doe je op Times Square?

Verslaggever stapt naar voren en schraapt zijn keel. Sutton draait zich naar hem om en grijnst. Om je de waarheid te vertellen, zegt hij, geef ik deze jongen hier een rondleiding door mijn leven. De locaties van alle hoogte- en dieptepunten, mijn overvallen.

Doe ik mijn werk in dezelfde straat als Willie de Acteur vroeger? Krijg nou wat.

Sutton wijst. Ik heb zelfs ooit een klus gedaan op die hoek daarginds, zegt hij.

Advocaatje en Verslaggever kijken.

In een schoenenwinkel? vraagt Advocaatje.

Nee. Daar had je vroeger het Astor Hotel. Ernaast zat een juwelierszaak. Al het mooie spul stalden ze uit in de etalage.

Ik ook, zegt Advocaatje.

Ze vroegen er gewoon om.

Ik ook, zegt ze.

We hebben het raam ingeslagen. Met kruissleutels. We gingen ervandoor met een zak vol diamanten horloges. Dat was een makkelijke buit.

Bracht je dat naar een heler? vraagt Advocaatje.
Sutton knikt.
Wat kreeg je ervoor?
Tien mille. Om en nabij.
Weet je hoeveel gozers ik blij moet maken voor tien mille?
Ik wil er liever niet aan denken.
Wie was je heler?
Dutch Schultz.
Verslaggever hoest. Dé … Dutch Schultz?
Dutch was de eigenaar van een illegale kroeg hier vlakbij, zegt Sutton. Ze hebben het er altijd over hoe lelijk Dutch was, maar hij was niet half zo lelijk als Monk Eastman. Ik vond hem er altijd wel goedverzorgd uitzien. Als een Britse lord. Hij had natuurlijk wel afschuwelijke kleine klauwhandjes. En een slecht hart. Dutch heeft de druiperpleister bedacht.
Advocaatje kijkt stomverbaasd. De wát?
Dutch nam een met gonorroe geïnfecteerd verband en plakte dat dan over iemand zijn ogen. Werd hij blind van. Het was een gemene klootzak, maar om de een of andere reden mocht hij mij wel.
Advocaatje wijst. Wie is dat?
Met een bruinpapieren zak in zijn hand komt Fotograaf op hen afhollen vanuit 43rd Street. Buiten adem komt hij bij hen aan en geeft de zak aan Sutton. Cadeautje voor je, Willie. Vrolijk kerstfeest.
Sutton doet de zak open en haalt er een paar met bont gevoerde handboeien uit. Manchetten, zegt hij lachend.
Dat je je niet meer zo, ik citeer, naakt voelt, zegt Fotograaf. Probeer ze 'ns.
Daar wacht ik mee tot we weer in de auto zitten.
Zolang ik maar een foto van je kan maken met die dingen om.
Oké, zegt Sutton. Afgesproken.
Advocaatje kijkt naar Fotograaf. Ze kijkt naar Verslaggever, Sutton, de handboeien. Ze steekt een vinger op. Nou, nou, nou, zegt ze terwijl ze langzaam wegloopt. Willie Sutton op de kinky toer.

Willie en Eddie staan bij de achterdeur van de Loews Bioscoop in Ozone Park, laat op een koude, regenachtige avond.

Klaar? vraagt Willie.

Eddie knikt.

Willie schuift het hefboompje in het sleutelgat, dan de hookpick. Precies zoals Doc het hem heeft geleerd. Het slot springt open. Eddie zeult de snijbranders, de lashelmen en de tanks de trap af, de kelder van de bioscoop in, terwijl Willie de zaagbokken meeneemt.

Onder de hal van de bank flansen ze snel een primitief platform in elkaar. Willie, met lashelm, klimt erop en steekt de brander aan. Hij richt de paarse vlam op het plafond. Meteen al weet hij dat hij een verkeerde inschatting heeft gemaakt. In een artikel in een technisch tijdschrift had hij gelezen dat beton smelt als boter onder de nieuwste acetyleengassen, maar dit beton niet. Na twee uur is hij nog niet halverwege en heeft hij zo'n pijn in zijn armen dat hij niet meer verder kan. Eddie lost hem af. Om en om werken ze verder totdat ze uiteindelijk een gat hebben uitgesneden dat groot genoeg is om zich erdoorheen te wurmen.

Als ze eenmaal in de bank staan, horen ze de torenklok van de emailleerfabriek zeven keer slaan. De bewaker zal over een half uur arriveren. Er is niet genoeg tijd om de kluis te kraken. Willie drukt zijn handpalmen tegen de deur van de kluis. Ze zijn zo ver gekomen. Ze zijn er zo verrekte dichtbij. Aan de andere kant van deze deur ligt vijftigduizend dollar, misschien wel vijfenzeventigduizend.

Ze trekken hun jas aan, zetten hun gleufhoed op en lopen naar buiten, de stromende regen in. Ze laten alles achter, de snijbrander, het platform, de zuurstoftanks. Ze kunnen bij daglicht niet met al die spullen over straat gaan sjouwen. Ze hebben met handschoenen aan gewerkt – geen vingerafdrukken.

Wekenlang houden ze zich gedeisd en spellen alle kranten. Nergens ook maar iets over de inbraak bij de First National in

Ozone Park. Misschien houdt de bank het verhaal uit de publiciteit, zegt Eddie. Misschien willen ze de klanten niet afschrikken. Misschien, zegt Willie, misschien.

Eddie stelt voor om uit te gaan, stoom af te blazen. We hebben een verzetje nodig, zegt hij.

Een honkbalwedstrijd, zegt Willie.

Er is net een prachtig nieuw stadion geopend in de Bronx. De hele stad heeft het erover.

Prima idee, zegt Eddie. Jij hebt altijd van die goede ideeën, Sutty.

Het is 24 april 1923.

Sutton kijkt omhoog naar het neonbord van de Canadian Club, boven de flikkerende Coca-Colareclame. Hij kijkt naar de bioscoop waar hij vroeger naar stomme films ging kijken. Daar draaien nu twee hoofdfilms: Daniel Bone *en* Davy Cock It.

Hij kijkt naar de lichtkrant op het gebouw rechts van hem. Hij leest de berichten hardop voor. PAUS ROEPT TIJDENS KERSTMIS OP TOT WERELDVREDE ... *Nou, succes ermee ...* NIXON STOPT FINANCIERING NASA ... *Tuurlijk, lijkt me logisch, wat heeft* NASA *ooit voor ons gedaan? ...* PROCES IN CHICAGO TEGEN ZEVEN RELSCHOPPERS TIJDENS DEMOCRATISCH CONGRES TOT MAANDAG OPGESCHORT ... *Alleen maar uitstel van het onvermijdelijke.*

Meneer Sutton, misschien een overbodige vraag, maar kunnen we alstublieft verder naar onze volgende stop? New York Times *zit daarginds. Het is een wonder dat ze ons nog niet gezien hebben.*

BANKROVER WILLIE DE ACTEUR SUTTON VRIJ NA 17 JAAR ... *Hé!* HÉ! *Dat ben ik! Wat geweldig! Ik ben beroemd.*

U bent uw hele leven al beroemd, meneer Sutton.

Touché, knul.

Met een Chesterfield in zijn mondhoek en de zak met handboeien onder zijn arm zet Sutton de bontkraag van Verslaggevers jas op en wandelt weg met een nieuwe veerkracht in zijn hinkende tred.

Waarnaartoe? roept Fotograaf hem na.

De Bronx, zegt Sutton.

O, leuk, zegt Fotograaf. Ik zie de krantenkoppen in neonletters al voor me. JOURNALISTEN VINDEN DE DOOD BIJ KERSTBEROVING.

Het Yankee Stadion zit tot de nok toe vol. Het is een bijzondere gelegenheid en alle mannen hebben zich erop gekleed: hun mooiste pak, de vlotste stropdas, hun beste strohoed. Willie heeft een driedelig geellinnen pak gekozen met een lavendelkleurige stropdas. Eddie draagt een grijs tweedpak met een limoengroene das. Allebei hebben ze een witte hoed op met een brede zwarte band. Die van Eddie heeft vierhonderd dollar gekost.

Ze betalen grof geld voor luxe zitplaatsen naast het derde honk. De jongen op de parkeerplaats vraagt er tweehonderd dollar voor. Prijzig, maar we hebben geen keus, zegt Eddie. We kunnen niet tussen het schorriemorrie op de open tribune gaan zitten.

De plaatsen zijn drie rijen verwijderd van president Warren G. Harding, wiens box is versierd met rood-wit-blauwe draperieën. Eddie reikhalst. Hij moet niks hebben van Harding, een hypocriet en een connaisseur van vrouwen en whiskey, ondanks zijn echtgenote en de drooglegging. Hij vindt het maar niks dat Harding zo dik is met Rockefeller. Hetzelfde geldt voor Willie. Voor de eerste worp probeert Harding de hand te schudden van Babe Ruth, de jonge sterspeler van New York. Eddie schatert het uit als Harding zijn gezicht in de plooi trekt voor de camera's en Ruth dat nadrukkelijk niet doet.

Zie je dat, Sutty? Zo rijk als Croesus en nog steeds is Ruth een democraat. Reken mij maar tot de Ruth-fans.

Een jongen met een witpapieren hoedje op komt door het middenpad met gebrande pinda's. Eddie houdt hem aan, koopt twee doosjes en geeft er een aan Willie. Dit is pas leven, hè, Sutty? Er is maar één ding dat eraan ontbreekt: een paar ijskoude biertjes. Pokkedrooglegging. Volgens mij heb ik nog een grotere hekel aan droogstaan dan aan spaghettivreters.

In de tweede helft van de vijfde inning slaat Ruth een snelle bal met een enorme klap hoog de lentelucht in. Heel even blijft hij daar hangen, als een tweede maan. Dan komt hij naar beneden en landt met een plof tegen een stoel rechts van het veld, vlak bij het reclamebord voor Edison Cement.

Die zwaai! zegt Eddie. Heremetijd, Sutty, het gewéld in die zwaai.

Willie en Eddie zijn hun hele leven al fans van de Brooklyn Robins, maar ze kunnen niet ontkennen dat die Ruth een onvervalste kanjer is. Als Ruth bij het derde honk staat, gaan Willie en Eddie staan en applaudisseren eerbiedig. Ze zijn zo dicht bij hem dat ze de naden in zijn kousen kunnen zien, de vlekken in zijn flanellen shirt, de poriën in zijn neus. Willie kan zijn ogen niet van die neus afhouden. Hij is nog breder dan die van Willie, enorm breed, wat Ruth in Willies ogen nog sympathieker maakt.

Het publiek komt tot bedaren en gaat weer zitten. Wally Pipp gaat met grote stappen op de thuisplaat af. Willie voelt een harde tik op zijn schouder. Over hem heen gebogen staan twee mannen van Ruths formaat.

Bent u Sutton?

Sutton wie?

En is dit Wilson?

En wie bent u, als ik vragen mag?

Meekomen.

Waarnaartoe?

Wij stellen de vragen, stuk onbenul.

Zeg, hoor eens, we hebben eerlijk geld betaald voor deze plaatsen.

Jij weet niet eens hoe eerlijk geld eruitziet.

Wie ben jij om te zeggen ...?

De mannen pakken Willie bij zijn revers en tillen hem uit

zijn stoel. Ze doen hetzelfde met Eddie. Fans gapen hen aan. Fotografen die rondom de thuisplaat geknield zitten, draaien zich om en kijken waar het rumoer vandaan komt. Pipp vraagt om een time-out en kijkt hoe de mannen Willie en Eddie over de tribune omhoogduwen. Met in één hand nog steeds zijn doosje gebrande pinda's, voelt Willie met de andere in zijn zak, haalt daar onopvallend de diamanten ring van Bess uit, graait in het doosje alsof hij nog een handje pinda's wil pakken, en stopt de ring diep weg onder in het doosje.

Net buiten Poort 4, voordat de mannen hem achter in hun auto gooien, mikt hij het doosje in een vuilnisbak.

Sutton staat voor Poort 4. Ze hebben het verpest, zegt hij.

Dat wilde ik nog zeggen, zegt Verslaggever. In de tijd dat u in de gevangenis zat, hebben ze het stadion verbouwd.

Jij zegt verbouwd, ik zeg verpest.

Het was oud.

Het was jonger dan ik.

Fotograaf maakt een foto van de voorkant, de vlaggen langs de bovenrand. Je weet toch dat de Yankees vandaag niet spelen, hè, Willie?

Sutton werpt hem een koele blik toe.

Ik vraag het maar, mompelt Fotograaf. Maar gezien het feit dat elke plek die we bezoeken totaal veranderd is, gezien het feit dat heel New York op subatomair niveau totaal en compleet veranderd is, vraag ik me af wat al dat rondrijden voor zin heeft.

Ik ben ook totaal veranderd, zegt Sutton. Op subatomair niveau. Maar ik ben nog steeds mezelf.

Fotograaf en Sutton kijken elkaar aan, als vreemden in de metro, en kijken dan naar Verslaggever.

Elke generatie denkt dat de wereld vroeger beter was, zegt Verslaggever.

Elke generatie heeft gelijk, zegt Sutton.

Verslaggever slaat een lege bladzij open in zijn aantekenboekje.

En, meneer Sutton, wat is er hier in het stadion gebeurd?

Hier zijn Eddie en ik opgepakt na onze eerste bankroof. Ons leven stond op het punt te veranderen, te eindigen, eigenlijk. Maar toen de premiejagers ons hier oppakten en met ons naar de stad reden, weet je waar Eddie toen in gedachten mee bezig was? Met Ruth. Hij bleef maar doorgaan over wat Ruth bij zijn volgende slagbeurt zou doen. Het spel was uit en Eddie zat nog steeds met zijn hoofd bij die honkbalwedstrijd.

Noemde de politie u niet de Babe Ruth van de Bankrovers?

Dat was later. Jezus, wat had Eddie de pest in dat hij de rest van die wedstrijd zou missen. Hij ging maar door over hoeveel we voor die plaatsen hadden betaald. De smerissen op het bureau volgden de wedstrijd op de radio, en elke keer dat het publiek juichte, zat Eddie te kreunen. Het drong niet tot hem door. En tot mij ook niet, denk ik. Ik dacht alleen maar aan die ring.

Welke ring?

Ik heb hem daar ter plekke in de vuilnisbak gegooid. Het was een wonder dat die premiejagers het niet hebben gezien.

Meneer Sutton, welke ring?

Een diamanten ring. Die wilde ik aan Bess geven. Als ik ooit de kans kreeg.

Had u nog contact met haar?

Nee, ze was toen al getrouwd.

Met wie?

Met een of andere rijke vent. Ik wilde er klaar voor zijn, voor het geval ze ooit niet meer getrouwd zou zijn. Met een mooie, grote diamanten ring. Maar de ring was afkomstig van een klus die ik met Doc had geklaard, en dus een bewijsstuk dat ik moest zien kwijt te raken.

Fotograaf wijst naar de uitpuilende vuilnisbakken. De reinigingsdienst heeft sinds die tijd zo vaak gestaakt, misschien zit hij er nog in.

Sutton keert Verslaggever en Fotograaf de rug toe en kijkt in de binnenzak van zijn pak. De witte envelop. Hij sluit zijn ogen.

Over zijn schouder zegt hij: Waar het op neerkomt, is dat ik niet had moeten denken aan ringen, of aan Bess, of aan wat dan ook, maar aan mijn juridische situatie. Ik had duidelijk stront in mijn ogen. Wat kon mij nou gebeuren?

Sutton draait zich om en kijkt Verslaggever aan. Heb jij een meisje?

Ja.

Hou je van haar?

Nou ...

Nee, dus.

Wacht ...

Te laat. Het staat al genoteerd als nee.

Zo simpel is het niet, meneer Sutton.

Dat is het wel, knul. Het leven is ingewikkeld, de liefde niet. Als je er ook maar een halve seconde over moet nadenken, ben je niet verliefd.

Ze behandelt hem als oud vuil, zegt Fotograaf. Ik heb al gezegd dat hij het moet uitmaken. Hij denkt dat hij niks beters kan krijgen. Hij heeft geen zelfvertrouwen.

O, knul, het gaat alléén maar om zelfvertrouwen. Daar valt of staat alles mee. Wat je ook doet, laat zien dat je kloten hebt. Zo haalde Ruth uit met zijn knuppel – met kloten. Of je nou achter een meisje aan zit, een bank berooft of je tanden poetst, doe het met de kloten die God je heeft gegeven, of doe het niet.

Fotograaf houdt zijn camera vlak bij Suttons gezicht en neemt een foto van hem met Poort 4 op de achtergrond. Vermetelheid, vermetelheid, vermetelheid, zegt hij.

Sutton tilt zijn kin op. Wat?

Dat zei Che Guevara.

Vermetelheid? Klinkt goed.

Verslaggever fronst. Maar, meneer Sutton, u zei net dat u die dag dat u hier gearresteerd werd nou net veel te vermetel was, dat u dacht dat u niets kon gebeuren – dat klopt niet helemaal.

Vind je?

Willie en Eddie worden aan elkaar geketend en op de trein gezet. September 1923. Geen van beiden zegt iets als de trein in noordelijke richting langs de Hudson dendert. Allebei kijken ze uit het raampje naar de roodbruine en goudkleurige heuvels, het flakkerende spiegelbeeld van de bomen in de rivier. Naar hoe de gouden bladeren fonkelen in het blauwe water ... Willie denkt aan Bess. Hij vraagt zich af of hij haar ooit weer zal zien. Het ziet er niet erg rooskleurig uit.

Hij vraagt zich af of ze over het proces heeft gelezen. Het heeft in alle kranten gestaan, mede doordat Eddie en hij zich een topadvocaat konden veroorloven. Maar zelfs Clarence Darrow had hen niet vrij gekregen. De tenlastelegging van de detectives klopte tot in de puntjes. Die waren in het geheim ingeschakeld door de First National en hadden moeiteloos de herkomst van de zuurstoftanks weten te traceren. Willie en Eddie hadden die weliswaar onder een valse naam gekocht, maar de detectives lieten de verkoper een map met politiefoto's zien, jongens uit de omgeving die veroordeeld waren voor inbraak. De verkoper wees Willie aan, waarop de detectives Willies appartement in de gaten hielden en hem volgden naar het Yankee Stadion. Na de aanhouding doorzochten ze Willies appartement. Toen dat van Eddie. Daar vonden ze in de prullenbak de kwitantie van de tanks. Appeltje, eitje.

Willie en Eddie hadden geen geld gestolen, maar hadden ingebroken bij een bank en hun bedoeling was duidelijk. Een mislukte bankroof is nog steeds een bankroof, zei de rechter. Vijf tot tien jaar. Sing Sing.

Tijdens de treinrit van vijfenzestig kilometer staart Eddie naar de rivier en hij spreekt slechts eenmaal: Ik durf te wedden dat het in Sing Sing wemelt van de spaghettivreters.

Willie en hij hadden allebei gehoopt dat deze hele geschiedenis tenminste nog íéts positiefs zou opleveren. Een weerzien met Happy. Maar hun advocaat had het uitgezocht en ontdekte dat Happy een half jaar eerder uit Sing Sing was vrijgelaten. Sindsdien had niemand meer iets van hem gehoord.

In een vrachtwagen worden Willie en Eddie van het station naar Sing Sing gebracht. Als Willie die hoge muren ziet, die bewakers in hun zwarte uniformen met hun zwarte wapenstokken en hun zwarte Thompsonmachinepistolen, krijgt hij een droge mond. Dit is geen Raymond Street. Dit is een heuse, keiharde gevangenis. Het zou best kunnen dat hij hier niet tegen opgewassen is.

Op het moment dat de poort openzwaait, begint in de gevangenis een routinetest van Big Ben, de oorverdovende sirene die wordt aangezet wanneer er een uitbraakpoging of een opstand plaatsvindt. Big Ben is kilometers ver te horen, stroomop- en stroomafwaarts langs de rivier, en is voor de mensen in de omliggende dorpen het sein dat ze binnen moeten blijven omdat er gevaarlijke gevangenen zijn ontsnapt. Binnen de gevangenismuren houden de mannen hun oren dicht en bidden om stilte. Terwijl Big Ben de lucht verscheurt, terwijl bewakers Willie en Eddie visiteren, hun hoofd kaalscheren en hun billen spreiden, draait Willie zijn hoofd om. Eddie, die over een stoel gebogen staat, kijkt Willie een lang moment in de ogen – en knipoogt.

Eén knipoog. Het langzaam sluiten van één oog. Jaren later zal het Willie onmogelijk lijken dat zoiets zo'n verschil kon hebben gemaakt. Maar in die eerste dagen in Sing Sing, die cruciale dagen waarin elke man zich aanpast aan zijn nieuwe werkelijkheid of zijn verstand verliest, ligt Willie in zijn cel van twee bij een meter, naast de emmer met ontsmettingsmiddel die dienstdoet als toilet en wasbak, te luisteren naar de duizend mannen boven en onder hem, vloekend en huilend en smekend tot God. Dan herinnert hij zich Eddies knipoog en slaagt erin de kalmte in zijn hoofd te bewaren.

Na een week worden Willie en Eddie voor het eerst naar de directeur gebracht, ook al weten ze al hoe die eruitziet. Directeur Lawes is een beroemdheid, net zo beroemd als Harding of Ruth. Met zijn eigenaardig toepasselijke naam en zijn roofvogelogen is hij een symbool van orde en gezag geworden, met name voor Amerikanen die verontrust zijn over de exploderende gevangenispopulatie. Hij heeft bejubelde tijdschriftartikelen en een razend populaire bestseller geschreven over het doel dat hij zich heeft gesteld: Sing Sing hervormen. Het gerucht doet de ronde dat er ook een film in de maak is.

In de ogen van de buitenwereld is Lawes een heilige. Na een aantal van de oude, harde straffen in Sing Sing te hebben afgeschaft, laat hij nu de bibliotheek opknappen en organiseert hij een honkbalcompetitie voor gevangenen. Binnen de gevangenismuren waarschuwen oudgedienden Willie en Eddie er echter voor dat Lawes volkomen geschift is. Alleen om te bewijzen hoe mannelijk en onverschrokken hij is, laat hij zich elke morgen met een ouderwets scheermes scheren door een tot levenslang veroordeelde. Daarnaast heeft hij onlangs een verbod op masturbatie uitgevaardigd. Hij denkt dat je er krankzinnig of blind van kunt worden. Op heterdaad betrapte gevangenen worden in de isoleercel gegooid. De ironie daarvan is aan Lawes niet besteed.

Willie en Eddie staan voor Lawes' bureau en houden zich van de domme. Ze doen alsof ze niets van hem afweten. Ze antwoorden nee meneer, ja meneer, en Lawes laat zich een rad voor ogen draaien en voelt zich gevleid, of anders speelt hij het spelletje mee. Hij geeft hun allebei een prima baantje. Eddie wordt aangesteld in de eetzaal, waar hij aan extra eten kan komen. Willie wordt als hulpje toegewezen aan Charles Chapin, de populairste gevangene van Sing Sing. Chapin is misschien nog wel beroemder dan Lawes.

Nog niet zo lang geleden was Chapin de beste krantenman van Amerika. Als redacteur van Pulitzers *Evening World* vestigde hij zijn reputatie door harteloos te zijn en weinig scrupules te hebben. Hij zwolg in menselijke misère, had er plezier in om slachtoffers van sensationele misdaden en tragedies uit te buiten en om zijn concurrenten een stap voor te zijn bij alle spraakmakende gebeurtenissen. Hij slaagde er zelfs op de een of andere manier in een man aan boord te hebben van de Carpathia, die overlevenden van de ramp met de Titanic uit de Noord-Atlantische oceaan viste. Terwijl de Carpathia terugstoomde naar New York, hield Chapins man de allereerste interviews met die overlevenden. En toen de pietluttige kapitein van de Carpathia Chapins man zijn aantekeningen niet naar land liet telegraferen, huurde Chapin een sleepboot en ging de Carpathia tegemoet toen die de haven van New York binnenvoer. Terwijl de sleepboot naast het schip werd gemanoeuvreerd, riep Chapin naar zijn man dat hij de aantekeningen overboord moest gooien en ving ze op, net voordat ze in het water zouden belanden. Nog voordat de overlevenden zich goed hadden kunnen afdrogen en van boord gingen, had Chapin al een extra editie uitgebracht.

Chapin had de hersens, de lef, de drang om de tweede Mencken te worden. Maar in 1918 kwam er een abrupt einde aan zijn carrière. Rond de tijd dat Willie Bess het hof maakte, vermoordde Chapin zijn vrouw. Een schot in het hoofd terwijl ze lag te slapen. Chapin vertelde de politie dat hij failliet was, zonder dat iemand ervan wist, en dat hij zijn vrouw de schande en de vernedering van de armoede had willen besparen. Hij beschouwde de moord als een daad van barmhartigheid. De rechter niet. Die veroordeelde Chapin tot levenslang.

Lawes zorgt er echter voor dat Chapin een aangenaam leven heeft. Hij geeft de oude krantenman de vrije hand, laat hem doen wat hij wil en gaan waar hij wil, zolang Chapin maar de ghostwriter blijft van Lawes' tijdschriftartikelen en memoires. Onlangs heeft Lawes Chapin zelfs toestemming gegeven om de zuidelijke luchtplaats van Sing Sing in een Engelse rozentuin te veranderen. En nu benoemt hij Willie tot assistent-tuinman.

De eerste keer dat Willie op bezoek gaat in Chapins cel in het oude gedeelte met de dodencellen, ziet hij dat het niet één cel is, maar twee. De tussenmuur is eruit gesloopt. Hij is bovendien luxueus ingericht met boekenkasten, leren stoelen en een cilinderbureau. De suites in het Waldorfhotel zijn niet half zo mooi.

Willie tikt zachtjes tegen de openstaande traliedeur. Chapin, een elegante man van midden zestig, met een bril, gekleed in een grijze flanellen broek en een geelbruin vest, heeft mensen op bezoek. Het zijn allemaal acteurs, onder wie een in een chique panamajas die in een film speelde waar Willie helemaal niks aan vond. *Danny Donovan, the Gentleman Cracksman* – het verhaal over een brandkastkraker met stijl. Er klopte helemaal niets van de details, de essentie. Willie staat op het punt zich voor te stellen, de acteur te vertellen hoe het er werkelijk aan toegaat, maar Chapin is hem voor.

Jij bent Sutton.

Ja, meneer.

Ik heb het op het moment verschrikkelijk druk. Kom om vier uur maar terug.

Alsof Willie even langswipt in Chapins luxe passagiershut. Om te zien of hij misschien zin heeft in een potje sjoelen. Willie zou het liefst tegen Chapin zeggen dat hij zijn Ierse kont kan kussen, maar hij houdt zijn mond. Chapin is het lievelingetje van de directeur, dus is het niet slim om hem tegen zich in het harnas te jagen.

In de weken die volgen blijft Chapin uit de hoogte doen tegen Willie en Willie ondergaat het met een glimlach. Een kleine prijs voor vrede met Lawes en het voorrecht om buiten te werken, denkt hij.

Dan, geleidelijk aan, merkt Willie dat zijn afkeer van Chapin omslaat in een ziekelijke fascinatie. Terwijl hij naast Chapin knielt en dorre takken plant die volgens Chapin rozenstruiken zijn, werpt Willie steeds weer steelse zijdelingse blikken op dat beroemde gezicht. Hij neemt Chapins brede voorhoofd en alerte grijze ogen op, verwondert zich over hoe onberispelijk Chapin eruitziet. De meeste gevangenen nemen de moeite niet om hun haar te kammen, maar Chapin zal zijn cel nooit verlaten zonder dat zijn grijze lokken precies in het midden gescheiden zijn en bevochtigd met geurige olie. Net zoals hij weigert eruit te zien als een gevangene, zal hij ook nooit spreken als een gevangene. Hij heeft een dwingende, welluidende stem, een diepe bas. Een stem die Willie doet denken aan de nieuwe uitvinding waar iedereen zo opgewonden over is: de radio. Behalve dan dat Chapin beter klinkt dan de radio, want hij ruist niet. Af en toe stelt Willie Chapin een onbenullige vraag waar hij het antwoord al op weet, alleen om zijn stem te horen. Wat hij vooral mooi vindt, is de intonatie waarmee Chapin de namen van de verschillende rozen uitspreekt.

Hoe zei u ook alweer dat deze struiken heetten, meneer?

Dat, zegt Chapin, zijn General Jacqueminots.

Echt waar, meneer? En deze?

Prachtige Frau Karl Druschki's. En er zitten ook een paar Madame Butterfly's bij.

En deze hier, meneer?

O, ja. Dorothy Perkins.

U hebt een erg mooie stem, meneer Chapin.

Dank je, Sutton. Voordat ik journalist werd, was ik acteur. En niet eens zo'n slechte. Ik heb Romeo gespeeld. Ik heb Lear gespeeld. Daarom staat directeur Lawes ons toe om een paar keer per jaar een stuk op te voeren.

O?

Mocht je belangstelling hebben, we hebben een nieuwe Regan nodig. De directeur heeft de laatste gratie verleend.

O.

Opgelaten strooit Willie een zak beendermeel uit. Chapin merkt zijn zwijgen op en fronst. Ik heb een exemplaar van het stuk in mijn cel, Sutton, dat mag je best lenen.

Dank u, meneer.

Hoelang heb je op school gezeten, Sutton?

Tot en met de achtste klas, meneer.

Chapin zucht. Alle mannen hier hebben hetzelfde verhaal, weinig tot geen scholing. Vaak zo goed als zeker de eerste stap naar een leven van misdaad.

En wat is uw excuus? zou Willie willen vragen.

Je moet je tijd hier gebruiken om te lezen, zegt Chapin. Om jezelf te ontwikkelen. Je bent hier terechtgekomen door onwetendheid. Onwetendheid zal je hier houden. Onwetendheid zal je hier terugbrengen.

Ik ben dol op lezen, meneer. Altijd al geweest. Maar als ik een bibliotheek of een boekwinkel binnenloop, ben ik helemaal overdonderd. Ik weet niet waar ik moet beginnen.

Maakt niet uit.

Hoe weet ik wat de moeite waard is en wat niet?

Er is niets wat niet de moeite waard is. Elk boek is beter dan geen boek. Langzaam maar zeker zal het ene boek je naar het andere leiden, en dat zal je naar het beste boek leiden. Wil je je leven slijten met rozen planten hier bij mij?

Nee, meneer.

Dan: boeken. Zo simpel is het. Een boek is de enige echte vlucht uit deze verdorven wereld. Afgezien van de dood.

Terwijl ze samen werken onder de brandende zon, allebei duizelig van de meststank, onderhoudt Chapin Willie met de pikantste plots van Shakespeare, Ibsen en Chaucer. Hij vertelt de plots als sensationele krantenverhalen en als hij de climax bereikt, als Willie hunkert naar hoe het verdergaat, stopt Chapin en zegt hij tegen Willie dat hij het boek maar moet lezen. Willie krijgt het gevoel dat Chapin probeert zijn geest vruchtbaar te maken.

Het is jammer dat Chapin verder niets vruchtbaar kan maken. De oude krantenman heeft duidelijk geen groene vingers, ze zijn eerder inktzwart, als de pest. Willie en Chapin zijn nu al weken hard aan het werk en het enige wat het heeft opgeleverd zijn rijen zogenaamde rozenstruiken die er allemaal even morsdood uitzien.

Aan het begin van de zomer wordt Willie geveld door de griep. Tien dagen lang is hij niet in staat om in de tuin te werken, te zwak om van zijn brits op te staan. Hij valt bijna vier kilo af en hoort de bewakers praten over hem naar het ziekenhuis overplaatsen. Of naar het lijkenhuis.

Als de koorts uiteindelijk zakt, is het een heldere, winderige ochtend. Juni 1924. Wanneer hij kort na het ontbijt langzaam naar de dodencellen loopt, blijft hij opeens als aan de grond genageld staan. Vóór hem golft een zee van scharlakenrood en crèmewit, roze en omber, dieppaars en exquis koraalrood. Er strijkt een briesje over de nieuwe rozen dat Willie verlokt met een zachte, zoete geur.

Willie ziet Chapin aan komen kuieren vanaf de dodencellen. Ha, Sutton! Mooi dat je weer onder de levenden bent.

Dank u, meneer. Maar de tuin, meneer ... hoe? En dat in die korte tijd dat ik weg ben geweest.

Dat zit hem in de aard van rozen, Sutton. Ben je verbaasd?

Dat ben ik zeker, meneer. Niet dat ik aan u twijfelde. Ze zijn gewoon zo ... prachtig. Het is al een poos geleden dat ik iets heb gezien wat ik prachtig kon noemen.

Chapin duwt zijn bril omhoog. Ja, zegt hij. Dat klopt. Daarom heb ik directeur Lawes gezegd dat, eh, heb ik hem om deze tuin gevraagd. Een mens heeft íéts van schoonheid nodig om te kunnen overleven.

Maar wel jammer, meneer, dat zoiets moois omgeven wordt door die lelijke muren.

Elke tuin is omgeven door muren, Sutton. Lees de Bijbel maar. Lees de klassieken. Als er geen muren waren, zouden er geen tuinen zijn. Als er geen tuinen waren, zouden er geen muren zijn. De allereerste tuin ter wereld was omgeven door een muur.

Een paar dagen later, als de rozen zo groot als honkballen zijn geworden, zegt Willie tegen Chapin dat zijn lievelingsroos de Dorothy Perkins is. Die heeft een helderroze kleur die hij slechts één keer eerder heeft gezien. Bij een lint dat Bess in haar haar droeg in Meadowport.

Chapin trekt een gezicht. De Dorothy Perkins, zegt hij, is een zwerfster. Een klimster. Wild, ongetemd slingert zij zich langs muren omhoog, langs latwerk omlaag. Maar … ze verkwist al haar energie aan dat rondzwerven. Daarom heeft zij slechts eenmaal de energie om te bloeien. Ik hoop dat jij geen Dorothy Perkins bent, Sutton. Ik hoop dat er nog een tweede bloei in je zit.

Ja, meneer. Ik ook, meneer.

Weken later, terwijl hij zonnehoed en vuursalie aan het planten is rond een meditatiebank, kijkt Willie hoe Chapin een nieuwe Dorothy Perkins afknipt om mee te nemen naar zijn cel. Willie doet hetzelfde. Dan, in een opwelling waar hij ook zelf een beetje van schrikt, vraagt Willie naar Chapins misdaad. Chapin knippert heftig met zijn ogen en wacht een hele tijd voordat hij antwoord geeft. Hij wacht zo lang dat Willie bang is dat hij te ver is gegaan. Geld, zegt Chapin ten slotte.

Meneer?

Wat een wereld zou het zijn zonder geld, Sutton. Toen ik dat van mij was kwijtgeraakt – slechte investeringen, riskante ondernemingen, infame adviseurs – raakte ik ook mijn verstand kwijt. Daar komt het eigenlijk op neer. Ik wist niet hoe ik zou moeten leven. Ik wist niet hoe mijn vrouw zou moeten leven. Ze was gewend aan mooie dingen. Wij allebei. De liefde voor díngen – ik denk dat die evenveel slachtoffers heeft gemaakt als de liefde voor drank. Ik was van plan mezelf daarna van het leven te beroven. Dat was het plan. Nellie en ik zouden weer verenigd worden aan gene zijde. Heb ik je verteld dat ze ooit Julia speelde toen ik Romeo was in het stuk? Zo hebben we elkaar leren kennen. Maar ik verloor de moed. Het is makkelijk om gene zijde te romantiseren. Tot je op de drempel staat.

Willie reageert niet. Hij voelt dat Chapin nog meer te zeggen heeft. Hij wacht, hoopvol, alsof Chapin een van zijn Shakespeareplots gaat ontvouwen. Maar dan ziet hij Eddie staan achter Chapin.

Meneer Chapin, zegt Eddie, mag ik Willie even spreken?

Chapin kijkt naar Willie, dan naar Eddie. Hij knikt.

Willie en Eddie lopen naar een hoek van de tuin, Willie met zijn afgeknipte roos in de hand.

Heb je de nieuwe Dorothy Perkins gezien, Ed?

De wat?

Niks.

Ik heb nieuws, Sutty. Een paar kerels op mijn afdeling hebben een weg naar buiten gevonden.

Echt?

De voedselwagens. Die komen en gaan elke dag en er is een manier waarop we ons erin kunnen verstoppen. Het klopt, ik heb het gecontroleerd en ik heb tegen die jongens gezegd dat we er klaar voor zijn, wanneer dan ook.

Ik niet, Ed.

Eddie kijkt verbijsterd. Wat? Hou je me voor de gek?

Nee.

Zeg nou niet dat je liever petunia's blijft planten.

Beter dan eronder liggen.

Sutty.

Ed. Met goed gedrag en een beetje hulp van Lawes kunnen we hier over vier jaar weg zijn. Dan zijn we nog steeds jong. Dan hebben we nog een heel leven voor ons.

Eddie sputtert, maar Willie geeft hem de Dorothy Perkins en slentert terug naar Chapin.

De volgende ochtend moeten Willie en Eddie bij Lawes op de kamer komen. Op zijn bureau staat een vaas met nieuwe Madame Butterfly's. Het raam boven het bureau kijkt uit op Chapins tuin. Lawes staat bij het raam, met zijn rug naar Willie en Eddie toe.

Iemand heeft jullie twee grapjassen gisteren horen praten. In de tuin nog wel. Over dankbaarheid gesproken. Nou, ik laat twee minkukels uit Irish Town niet mijn reputatie bezoedelen met een uitbraak. Jullie vertrekken allebei. Vandaag. Ik stuur jullie naar het noorden, naar Dannemora. Vlak bij de Canadese grens. Bevalt het jullie niet in Sing Sing? Geloof me maar, het duurt niet lang voordat je denkt dat dit hier shangri-la was.

Een bewaker geeft Willie vijf minuten om zijn spullen in een papieren zak te stoppen. Dan worden hij en Eddie in een bus geladen. Een paar uur later is Willie op de vloer van een stenen cel beland en wordt hij bespuugd door twee Franssprekende bewakers die naar goedkope wijn stinken. De cel is kleiner, kouder en veel smeriger dan Willies cel in Sing Sing. En in een omtrek van driehonderd kilometer is er geen roos te bekennen.

Sutton kijkt naar een auto die langzaam de parkeerplaats van het Yankee Stadion op komt rijden. Het raampje gaat omlaag. Uit het niets verschijnen er twee mannen, die een bruinpapieren zak aan iemand in de auto geven. Er verwisselt geld van hand. De auto scheurt weg.

Sutton schudt het hoofd. Wat kost tegenwoordig eigenlijk een biertje in het Yankee Stadion?

Vijftig cent, zegt Fotograaf.

En dan stoppen ze mij in de gevangenis voor beroving.

Fotograaf zoekt in zijn cameratas naar een andere lens. Hoe was het in Sing Sing, Willie?

Er was geen betere plek om te leren hoe je misdadiger moest worden dan daar. Het was het Princeton van de bankroof.

Hoelang ben jij er geweest?

Die eerste keer? Minder dan een jaar. Dat ging snel voorbij. Ik raakte bevriend met een oude krantenman, Charlie Chapin, en ik heb veel van hem geleerd. Maar toen hoorde iemand Eddie en mij praten over een ontsnapping. Of eigenlijk had Eddie het erover, ik luisterde alleen maar. Ik heb me altijd afgevraagd of het Chapin was die ons heeft verlinkt. Ik hoop van niet. Hoe dan ook, de directeur liet ons overbrengen naar Dannemora, een kerker in het noorden. Daar werd het pas echt zwaar. Stenen cellen, geen verwarming. Ze sloegen ons met ijzeren staven, voerden ons halfrauwe berggeit. Judasgeit.

Sutton smakt met zijn lippen, alsof hij de geit proeft, en loopt dan in de richting van de Polara.

Fotograaf rent voor hem uit, gaat achterstevoren lopen en fotografeert de lopende Sutton. Ja, zegt hij. Het licht dat van het stadion afkaatst is te gek, Willie. Een beetje sinister.

Verslaggever loopt vlak achter Sutton met een opengeslagen dossier. Meneer Sutton, volgens dit dossier hebt u in Dannemora een toekomstige handlanger leren kennen. Marcus Bassett?

Sutton kreunt.

Wat was dat voor iemand?

Een typische kraker.

Een wat?

Een overvaller.

Hij was me er nogal eentje, als ik dat hier zo lees.

Zijn hoofd had de vorm van een driehoek, zegt Sutton. Een volmaakte driehoek. Kun je het je voorstellen? En zijn ogen waren net waterwantsen. En ze bewogen voortdurend. Als je iemand tegenkomt met ogen als waterwantsen, loop dan maar liever de andere kant op. Maar om de een of andere reden dacht ik dat Marcus deugde. Ik ben erin getrapt, denk ik, omdat hij schrijver was. Ik had indertijd respect voor schrijvers. Ik had beter moeten weten toen hij me een paar van zijn verhalen liet lezen.

Was het niks?

Het was het literaire equivalent van halfrauwe berggeit. Hij werd overvaller omdat hij zijn verhalen aan de straatstenen niet kwijt kon.

Sutton blijft staan en kijkt nog een laatste keer naar de gevel van het stadion. Een ommuurde tuin, zegt hij. Volgens mij was het in Dannemora dat ik voor het eerst kwaad werd. Een cel is een slechte plek om kwaad te zijn. Als een man kwaad is, moet hij kunnen bewegen, zijn kwaadheid kwijt kunnen. Een boze man in een cel stoppen is alsof je een brandende staaf dynamiet in een brandkast stopt.

Op wie was u kwaad?

Op iedereen. Maar vooral op mezelf. Ik haatte mezelf. Dat is de ongezondste vorm van haat.

Was u ook kwaad op Eddie? Omdat hij uw goede verstandhouding met Chapin had verpest?

Nee. Ik zou nooit kwaad kunnen zijn op Eddie. Niet na die knipoog.

Welke knipoog?

Twaalf

Willie zit voor de paroolcommissie, zeven kilo lichter en rillend. Hij rilt al drie jaar. Hij vertelt de commissieleden dat hij op het rechte pad wil blijven. Hij vertelt ze dat hij wil trouwen, werk wil zoeken en een nuttig lid van de maatschappij wil worden. Hij vertelt ze dat de afgelopen vier jaar in Sing Sing en Dannemora een nachtmerrie zijn geweest, maar ook een geschenk uit de hemel, waarvoor hij hen bedankt. Vier jaar geleden kende hij zichzelf niet, maar nu wel. Hij weet wie Willie Sutton is, en wie hij niet is. Het is juni 1927, binnenkort wordt hij zesentwintig, en hij is er beroerd van hoeveel van die zesentwintig jaar hij heeft verpest. Vechtend tegen de tranen vertelt hij de commissie dat hij vastbesloten is geen minuut meer te verspillen.

Hij ziet het effect van zijn acteerprestatie. Hij ziet dat de leden van de paroolcommissie zich naar voren buigen, zijn woorden in zich opnemen en tot de slotsom komen dat Sutton, William F., geen bedreiging meer vormt voor de maatschappij en onmiddellijk op vrije voeten moet worden gesteld.

Een paar dagen later wordt dat verordend.

Suttons medeplichtige, Edward Buster Wilson, wordt voorwaardelijke vrijlating geweigerd.

Willie stopt zijn boeken in een papieren zak. Eerst de Tennyson. Hij heeft de ballade die Tennyson over zijn grote jeugdliefde schreef uit het hoofd geleerd. *Toe, kom nu de tuin in, Maud, ik sta hier alleen bij het hek.* Vervolgens de boeken van Franklin, Cicero en Plato – stuk voor stuk aanbevolen door Chapin – met veel onderstreepte passages.

Een bewaker begeleidt Willie naar de paroolbeambte van de gevangenis, die hem een tiendollarbiljet overhandigt dat om een treinkaartje is gevouwen. Dan neemt de bewaker Willie mee naar de gevangeniskleermaker, waar hij een vrijlatingspak krijgt.

Grijs, met een bruine stropdas. Bij de hoofdpoort blijft Willie staan en vraagt aan de bewaker: Zou u Eddie Wilson de groeten van me willen doen?

Opsodemieteren nou, klootzak.

Willie loopt naar het station, neemt de stoptrein en komt tegen het vallen van de avond aan op Grand Central. Hij loopt naar Times Square en verbaast zich over de nieuwe reclameborden, de tientallen nieuwe luifels, en de líchtjes. Iemand heeft tijdens zijn afwezigheid blijkbaar besloten dat Times Square Coney Island moet overtreffen. Hij ziet een torenhoog neonbord: WELKOM IN NEW YORK, DE GEWELDIGSTE STAD TER WERELD. Hij blijft staan bij een kiosk, koopt een paar kranten en twee pakjes Chesterfield en gaat in een cafetaria zitten. Aan een hoektafeltje bestelt hij een assortiment gebak en een kop koffie en staart, zonder er iets van te eten of te drinken, uit het raam naar de mannen en vrouwen die voorbijkomen. De bevolking van New York moet zijn verdubbeld toen hij weg was. De trottoirs lijken twee keer zo vol. En de mensen zien er anders uit. Ze hebben allemaal nieuwe kleren aan, gebruiken nieuwe woorden, lachen om nieuwe grappen. Hij zou ze willen vragen: Wat is er zo grappig? Wat heb ik gemist?

Hij schrokt een donut naar binnen en slaat *Times* open. Hij leest de sportpagina. Gehrig heeft een homerun geslagen, Ruth plaatste een tweehonkslag, de Yanks hebben Boston ingemaakt. Hij leest over Lindberghs triomfantelijke terugkeer naar de VS. De vliegenier was een paar dagen geleden nog in New York, staat er in de krant, en burgemeester Walker en de hele stad waren uitgelopen om hem te bedelven onder lof en tickertape.

Willie slaat de pagina om. Advertenties voor vakantiereizen. Een treinreis met couchette naar Yosemite kost 108,82 dollar. Een treinreis met couchette naar Los Angeles 138,44 dollar. Hij denkt aan de verfrommelde dollarbiljetten in zijn zak. Hij bladert door naar de personeelsadvertenties en loopt met zijn vinger een kolom langs, dan nog een. Hulpkok – ervaring vereist.

Boekhouder – ervaring noodzakelijk. Scheepsboorder – uitsluitend met referenties. Winkeldetective – ervaring, referenties, antecedentenonderzoek.

Hij kijkt de cafetaria rond. Mensen zitten hem aan te staren. Hij besefte niet dat hij hardop zat te vloeken.

Hij loopt rond door de theaterbuurt, leest wat er op de luifels en op de affiches staat, en beluistert de nieuwe jazz die uit de clubs klinkt. Hij ziet dames en heren vrolijk de straat oversteken en lachend de nieuwe theaters in en uit zwieren. Ze lopen langs hem heen, door hem heen. Toen hij zeven jaar geleden vrijkwam uit de Raymond Street-gevangenis voelde hij zich somber. Nu voelt hij zich onzichtbaar.

Somber was beter.

Hij staat voor het Republic Theater, in West 42nd Street. Het stuk dat er loopt heet *Abie's Irish Rose*. Hij hoort de ouverture. Hij stelt zich de dansers en acteurs voor die zich gereedmaken voor hun optreden en het publiek dat er eens lekker voor gaat zitten om zich anderhalf uur te laten vermaken. Hij stopt zijn handen in zijn zakken en sloft verder. Hij komt bij het Capitol Theater. HEDENAVOND: LON CHANEY ALS VLUCHTELING IN *THE UNKNOWN*. En als extraatje journaalbeelden van kolonel Lindbergh.

Willie heeft het gevoel dat de wereld een boek is dat hij jaren geleden heeft weggelegd. Nu hij het weer oppakt, kan hij zich de plot en de personages niet meer herinneren. Noch waarom het hem interesseerde. Hij houdt zichzelf voor dat hij het zich vast wel weer zal herinneren, dat hij wel weer het gevoel zal krijgen deel uit te maken van de wereld, als hij maar werk kan vinden. Een baan, dat is de oplossing, dat is altijd zo geweest. Hij heeft geen ervaring, geen opleiding, en niemand zal een vent aannemen die net een gevangenisstraf van vier jaar achter de rug heeft. Maar misschien kan hij iets legitiems vinden via zijn criminele vrienden. Misschien in een andere stad.

Hij knipt met zijn vingers. Philadelphia. Daar is hij met Doc dikwijls geweest, en de stad beviel hem wel, ook al had hij er alleen maar een vluchtige indruk van opgedaan, 's avonds laat uit het raampje van een rijdende trein. Stad van Broederliefde. De Liberty Bell. En Benjamin Franklin niet te vergeten. Hij loopt naar Penn Station en stapt in de Broadway Limited. Hij glipt de kapperswagon in, betaalt een dollar voor een knipbeurt en een gezichtsmassage, gaat vervolgens in de salonwagen aan het raam zitten. Hij haalt de autobiografie van Franklin tevoorschijn uit zijn papieren zak. Chapin heeft Willie verteld dat Franklin zijn leven centreerde rond één simpel idee: geluk. Voordat Ben ergens aan begon, vroeg hij zich altijd af: Word ik hier gelukkig van? Nu hij leest over de jonge Ben Franklin die wegloopt naar Philadelphia, moet Willie grinniken. Er zijn slechtere voorbeelden die hij zou kunnen volgen.

Voor het station in Noord-Philadelphia vraagt hij mensen waar hij Boo Boo Hoff kan vinden, de grillige gangster die deze stad in zijn macht heeft. Boo Boos hoofdkantoor, wordt hem verteld, is een sportschool. Hij omringt zich met boksers zoals een koning zich met ridders omringt. Willie loopt de stad in, vindt de sportschool en treft Boo Boo aan in een klam hoekje waar hij een stevig gespierde vedergewicht aan het trainen is.

Willie benadert hem met de nodige omzichtigheid, stelt zich voor en legt uit dat hij zonder werk zit.

Boo Boo grijnst. Hij heeft zo'n grijns die van links naar rechts een hoek van negentig graden maakt, als een jaap van een mes. Ja, zegt hij met een gespeeld soort ongeduld, ja, ja, Willie Sutton, Doc heeft het over je gehad. Zei dat je slim was. Zei dat je deugde.

Ja, meneer Hoff. Hoe is het met die ouwe Doc? Gaat het goed met hem?

Hij heeft drie vierkante meter tot zijn beschikking en meer dan genoeg rust, als je dat goed kunt noemen. Hij is een paar jaar geleden opgepakt. De rechter gaf hem een lange straf. Omdat Doc een recidivist was.

Boo Boo richt zijn aandacht weer op de vedergewicht, op wiens lichaam minder vet zit dan op een leren riem. De vedergewicht staat voor een boksbal die een spinnend geluid voortbrengt onder het geroffel van zijn vuisten. In Willies ogen is hij goed in vorm, klaar om elk moment in de ring te stappen, maar Boo Boo foetert hem uit.

Jezus, knul, je moet die bal niet aaien. Ga je hem zo nog zoenen, soms?

Nee, Boo Boo, zegt de vedergewicht met een glimlach die zijn bitje onthult, glimmend van het speeksel en het bloed.

Jawel, zoen hem maar, knul. Je lijkt wel een beetje verliefd op die bal, dus toe maar, zoen 'm maar.

Goh, Boo Boo. Ik doe mijn best.

Je best? Ik betaal je niet om je best te doen, hufter. Ik betaal je om de pest te hebben aan die boksbal. Waarom heb je niet de pest aan die boksbal? Waarom haat je die boksbal niet, waarom vermink je 'm niet en sla je 'm niet dood zoals ik je verdomme gezegd heb?

Oké, Boo Boo, oké. Ik heb de pest aan die boksbal.

Boo Boo keert zich af van de vedergewicht. Ik heb misschien wel iets voor je, zegt hij tegen Willie.

Echt waar? Goh, dat is geweldig, meneer Hoff.

Willie hoopt dat het iets met boksen te maken heeft. Misschien kan hij de manager worden van een paar tweederangsboksers. Boo Boo is een van de beste bokspromotors in het land. Impresario wordt hij in de kranten altijd genoemd, al lijkt dat Willie wel een erg duur woord voor een man met een gezicht als een blote kont. Dik, bleek, bol, het enige wat eraan ontbreekt is een bilnaad in het midden. Boo Boo moet weten dat hij een blotebillengezicht heeft, daarom draagt hij zo'n extra grote platte strohoed en een vlinderdas met de afmetingen van een vlieger. Zo probeert hij de aandacht van zijn gezicht af te leiden, maar veel helpen doet het niet. Nu ziet het eruit alsof iemand een enorm achterwerk heeft opgetooid met een strohoed en een vlinderdas. Als je met Boo Boo praat, denkt Willie, is het alsof hij je zijn blote kont laat zien.

Het is een klein klusje, zegt Boo Boo.

Geen klus is te klein, meneer.

Echt heel klein.

Tja, zoals ik net al zei …

Ik wil dat je iemand om zeep helpt.

O?

Een echte kleine étterbak.

Nou …

Een akelig onderkruipsel.

Eh. Jezus.

Wat? Je zei toch net …

Ik weet het. Maar ik denk het niet. Iemand vermoorden? Godsamme.

Rustig maar. Het is niet wat je denkt.

Oké. Poeh. Ik dacht heel even …

Het is maar een halve man.

Ik volg het niet meer.

Een halve man. De volle mep.

Ik denk het niet. Weet u, ik ben geen …

Een dwerg. Een kleine gebochelde klootzak van een dwerg, een verlinker, die voor mij werkt, maar ook voor de politie, en daar zit 'm het probleem. Man, wat een waffel heeft die etterbak. Hij vertelt die smerissen alles wat ze maar willen weten over mijn bezigheden. Ze hoeven hem niet eens af te tuigen. Ze knijpen even in zijn wangetje en hij zingt als Al Jolson. Bovendien denk ik dat-ie geld voor me verzwijgt. Het wordt echt de hoogste tijd dat-ie van kant wordt gemaakt. Kijk. Hier is zijn naam. Ik schrijf hem voor je op. Ik schrijf er ook de naam bij van de kroeg die hij heeft. Waarom ga je er niet even langs, kijken wat je van hem vindt. Maar niet laten merken dat ik hem doorheb. Laat me maar weten of je geïnteresseerd bent.

Willie loopt door Philadelphia en staart naar het papiertje

waarop in het ronde handschrift van Boo Boo de naam gekrabbeld staat: Hughie McLoon. Willie probeert zich een voorstelling te maken van McLoon, maar hij kan alleen aan de verhalen van Daddo denken over de kleine mannetjes vroeger in Ierland. Willie is sindsdien altijd bang geweest voor kleine mannetjes. Maar hij heeft wel werk nodig. Wat zou Ben Franklin doen als een dwerg om zeep helpen de enige manier was om gelukkig te zijn?

Tegen de avond staat Willie op de hoek van 10th Street en Cuthbert Street, voor de Dry Saloon van Hughie McLoon. Hij dwingt zichzelf om naar binnen te stappen en te gaan zitten. Hij bestelt een whiskey en vraagt naar Hughie. Wie wil hem spreken? Een vriend van een vriend. Hij komt nog wel langs. Willie bestelt nog een whiskey. Hij bestelt een kop schildpadsoep. Om een uur of elf ziet hij een hoed komen aanzweven langs de bar, als de rugvin van een lome tropische vis. Ben je op zoek naar mij? vraagt de vis.

Willie springt van zijn kruk. Meneer McLoon? Hallo, mijn naam is Sutton. Willie Sutton. Boo Boo Hoff heeft me gestuurd. Hij zei dat u misschien wel een baantje voor me had.

Hughie neemt Willie van top tot teen op. Of eigenlijk meer van heup tot teen. O ja? Hmm. Goed, welkom in de Dry Saloon, knul. Drink er eentje van me.

Hughie is ongeveer van Willies leeftijd, maar een derde kleiner. Hooguit één meter twintig. En hij is niet alleen klein, maar volkomen buiten proportie. Zijn voorhoofd is te groot voor zijn gezicht, zijn hoed is te groot voor zijn hoofd en zijn stem is te hoog voor zijn mond. Hij klinkt als een plaat van Josephine Baker op een te hoog toerental.

Hij probeert op de barkruk naast Willie te springen. Het lukt hem niet. Hij heeft hulp nodig en geneert zich er niet voor die te vragen. Hij legt zijn hand op die van Willie, als een debutante die de quadrille gaat dansen.

Ondanks Willies nervositeit, ondanks het feit dat hij wordt

afgeleid door de verschijning van Hughie, kunnen ze het goed met elkaar vinden. Hughie, zo blijkt, is een onderhoudende prater. Hij leest de kranten en denkt veel na over actualiteiten en de politiek. Hij is uiteraard voor Al Smith, de eerste Ierse katholiek die een serieuze kandidaat voor het presidentschap is. Maar hij mag Coolidge ook wel en denkt dat Coolidge de boeken in zal gaan als een van de beste presidenten in de geschiedenis.

Wel een beetje een zuurpruim, zegt Willie.

Welnee, zegt Hughie met een wegwerpgebaar, Stille Cal is gewoon heel serieus, meer niet. Dat mag ik wel. Het leven is een serieuze zaak. Cal weet wat hij wil, en wie dat niet aanstaat, kan zijn reet kussen. En Cal wil dat je rijk wordt.

Ik?

Jij, ik, iedereen. Cal bevrijdt zakenmensen van de handboeien, zodat we kunnen doen wat we moeten doen. Ik had hem er in 1919 al uit gepikt als een vent naar mijn hart. Toen hij een vuist maakte tegen de politie van Boston. Elke man die een vuist maakt tegen de politie, deugt in mijn ogen. Snap je wat ik bedoel?

Hughie lacht. Een verontrustend geluid – als een speelgoedversie van een Thompsonmachinepistool. Een paar hortende salvo's, gevolgd door een onheilspellende, rokerige stilte. Willie doet zijn best om niet iets geestigs te zeggen.

Het gesprek komt op honkbal. Hughie is een fan, net als Willie. Hij prikt hem met een duim ter grootte van een jong worteltje in zijn borst.

Ik zat vroeger ook op honkbal, zegt hij.

O ja?

Ik was ballenjongen voor de A's. Ik was veertien en toen nog zo mager als een lat. Waardoor mijn bochel nog groter leek. Op een dag speelden we in Detroit. En daar komt Ty Cobb naar de plaat. Ineens blijft hij staan en bekijkt me eens goed. Voor ik wist wat er gebeurde, staat-ie over mijn bochel te wrijven – dat brengt geluk. De fans lachen, alle andere Tigers lachen. Zelfs mijn eigen team moest erom lachen. En toen, geloof het of niet, wist Cobb de achterstand in te lopen met een driehonkslag. En bracht daarna zijn totaal die dag op vier. Nou, je weet hoe bijgelovig spelers soms zijn. Vanaf dat moment wilden alle spelers over mijn rug wrijven. Omdat dat geluk bracht. Ze hebben zowat de huid ervan afgeschuurd.

Willie kijkt Hughie lang aan. Arme drommel, denkt Willie. Hij mag zichzelf wel over de rug wrijven, want zijn gelukkige dagen zijn geteld.

Hughies favoriete onderwerp is vrouwen. Hij is meidengek, geeft hij toe, en de meiden zijn gek op hem. Ze vinden het leuk om hem op te tillen, te wiegen en onder zijn kin te kriebelen. Hij is een halfwas Valentino, beweert hij, maar hij kan er niet van genieten, omdat zijn hart toebehoort aan een harteloos kreng.

Ze komt hier één keer per week, zegt Hughie mismoedig. Met haar man. Ze heeft lang rood haar en is ongeveer één meter vijfenzeventig op zijden kousenvoeten. Ze is mijn Everest. Ik wil niet verder leven als ik de top niet kan bereiken.

Om je vlag te planten.

Precies.

Heb je haar al over je gevoelens verteld?

Voortdurend. Ik vertel haar dat ik de gelukkigste man ter wereld zou zijn, als ze maar van me zou houden. Maar ze houdt niet van me. Ze zegt dat ik scháttig ben. Ze zegt dat ze me aan een bedelarmband zou willen hebben. Is dat geen stoot onder de gordel?

Hughie is dronken. Willie ook. Als het sluitingstijd is, wankelen ze naar buiten, arm in arm, en nemen op het trottoir hartelijk afscheid van elkaar. Voordat hij wegwaggelt, zegt Hughie dat Willie 's ochtends langs kan komen voor dat baantje. Willie ziet de bochel langzaam in het donker verdwijnen en loopt dan wankelend de andere kant op. Hij wankelt door tot hij een logement vindt voor twee dollar. Hij valt neer op het smerige bed, met zijn kleren nog aan, en voordat hij onder zeil gaat, beseft hij dat hij Hughie niet kan vermoorden. Hij schaamt zich om het toe te geven, maar hij kan niemand vermoorden, zeker Hughie niet.

Anderzijds kan hij Hughie ook niet waarschuwen. Zoals hij tegen de paroolcommissie zei: hij weet wie Willie Sutton is, en wie hij niet is. Hij heeft heel even gedacht dat hij een moordenaar kon zijn, maar hij weet dat hij geen verrader is.

Er vallen wat lichte sneeuwvlokken wanneer de Polara wegrijdt van het Yankee Stadion. Fotograaf zet de ruitenwissers aan. Verslaggever zet de AM-radio aan. Nieuws. De nieuwslezer klinkt alsof hij te veel koffie heeft gehad. En een lijntje cocaïne. De telexmachine die op de achtergrond staat te ratelen zal zijn nervositeit geen goed doen.

Het belangrijkste nieuws van dit uur. Willie – de Acteur – Sutton is sinds vandaag een vrij man. Gouverneur Rockefeller heeft de achtenzestigjarige aartscrimineel gisteravond laat gratie verleend. Het is niet bekend waar de succesvolste bankrover in de Amerikaanse geschiedenis de Kerst doorbrengt. Dan verder met de verkeersdrukte rond de feestdagen ...

Verslaggever en Fotograaf kijken elkaar aan en kijken om naar de achterbank. Sutton lacht schaapachtig. Aartscrimineel, zegt hij. Hij kijkt uit het raampje – de Bronx. In de verte ziet hij een gebouw in brand staan. De vlammen slaan uit de bovenste verdieping – waar is de brandweer? Op een braakliggend terrein langs de snelweg ziet hij een tiental jongens overgooien met een football. In hun hemd, afgetrapte schoenen. Geen sportschoenen, geen voetbalschoenen, maar oude veterschoenen? In de eindzone ligt een zwerver te slapen.

Vanuit het noorden komen donkere wolken opzetten.

Toen ik uit Dannemora kwam, zegt Sutton, in de zomer van '27, kon ik geen werk vinden.

Zelfs niet in die bruisende jaren twintig?

Mensen denken maar dat het iedereen in de jaren twintig voor de wind ging. Dat iedereen van de ene op de andere dag rijk werd, al die F. Scott Fitzgerald-flauwekul, maar jongens, luister naar Willie, de jaren twintig begonnen met een depressie en eindigden met een depressie, met heel wat beroerde dagen daartussenin. Een handjevol mensen leidde een luxebestaan, maar alle andere leefden op de rand van de afgrond. Het waren moeilijke tijden en je kon zien dat er nog slechtere tijden aan zaten te komen. We stevenden op een krach af, dat kon je voelen. Nu is dat natuurlijk altijd wel waar. Wil je de profeet uithangen? Wil je Nostradamus zijn? Voorspel een krach. Dan zit je er nooit naast.

Verslaggever spreidt de plattegrond uit. Onze volgende stop is Madison Avenue en 86th Street. Wat is daar gebeurd, meneer Sutton?

Daar heeft Willie ten slotte een van de twee mooiste dingen gevonden die een mens kan hopen te vinden.

Vanuit een telefooncel op Penn Station belt Willie naar Boo Boo. Op kosten van de gebelde. Hij zegt dat hij het werk waarover ze hebben gesproken niet kan aannemen. Nee? zegt Boo Boo. De mazzel dan.

Klik.

Willie gaat naar een kiosk, koopt alle kranten, stopt ze in een dikke bundel onder zijn arm en loopt naar Times Square. Hij huurt een kamer in een logement en kamt twee dagen lang de personeelsadvertenties uit. Buschauffeur – met ervaring. Hulpkok – met ervaring. Kinderverzorger – met ervaring, met referenties, antecedentenonderzoek.

In de marge van een katern met personeelsadvertenties begint hij een brief aan Bess. Hij komt ruimte tekort, woorden tekort. Hij gooit de krant opzij.

Op de derde dag gaat hij de deur uit om kranten te halen en iets te eten, en duikt een kroeg in. Hij bestelt een biertje en slaat de krant open. ONDERWERELDMOORD IN PHILADELPHIA. De politie heeft bekendgemaakt dat Hughie McLoon, een plaatselijke kroegbaas, op straat is neergeschoten enzovoort. Willie huivert. Hij stelt zich voor dat Hughies machinepistoollach wordt afgekapt door een echt machinepistool. Even voelt hij gewetenswroeging, maar hij houdt zich voor dat hij er niets aan kon doen.

Hij bladert door naar de personeelsadvertenties. Afwasser – ervaring vereist. Hulpkok – met referenties. Hovenier – hm. *Klein bedrijf in Upper East Side zoekt man. Moet verstand hebben van struiken en planten. Funck en Zonen. Vraag naar Pieter Funck.*

Willie gaat naar de drogisterij op de hoek en koopt een blikje schoensmeer. Hij poetst zijn enige paar schoenen tot ze blinken, hangt zijn vrijlatingspak netjes over de stoel en kruipt in bed.

Bij het krieken van de dag staat hij op, ontbijt met kraanwater en loopt de halve stad door. Het adres is East 86th Street nummer 42. Een oud bakstenen pand. Op de tweede verdieping ziet hij een matglazen deur met de naam FUNCK erop. Hij treft de vermoedelijke eigenaar aan achter een ijzeren bureau met daarop een rekenmachine, een asbak en diverse pornobladen. Hij zit een van de tijdschriften door een vergrootglas te bekijken.

Pieter Funck?

Wat moet je?

Ik ben hier voor die betrekking.

Ga zitten.

Funck stopt het tijdschrift weg. Willie neemt plaats op een houten stoel tegenover Funck. Het kantoor ruikt aangenaam naar potgrond en hooi. Ik zal meteen maar vertellen, zegt Funck, geen zonen.

Wat?

Funck en Zonen, ik heb geen zonen. Ik dacht: *en Zonen* gaf de zaak cachet, maar mevrouw Funck is niet vruchtenbaar en nu ben je in de hoogte en ik wil niet dat je me later vraagt waar zijn de zonen en me een leugenaar noemt. Ik kan alles overal laten groeien, behalve een baby in mevrouw Funck.

Funck, veertig, te dik, met de vorm, kleur en consistentie van een paddestoel, kletst maar door in iets wat op Engels lijkt. Hij vertelt dat hij acht jaar geleden vanuit Amsterdam naar Amerika is gekomen, en nog steeds geen vloeiend Engels spreekt. Je meent het, wil Willie zeggen. Als hij geen woorden samenbundelt tot merkwaardige bosjes, plant Funck ze wel ondersteboven in zinnen, hun wortels boven de grond. En toch komen ze soms tot bloei. Hij zegt dat hij in Nederland heeft leren *hovenierderen*. Hij zegt dat hij alles weet wat het *weetsen* waard is over tulpen.

Uiteindelijk gaat het gesprek de kant op waar Willie al bang voor was. Funck informeert naar Willies recente werkervaring. Willie haalt eens diep adem. Ik zal er niet omheen draaien, meneer Funck, ik heb de afgelopen vier jaar in de gevangenis gezeten.

Willie haast zich om de onvermijdelijke stilte te overbruggen en zweert dat hij wel degelijk kan hovenierderen, het vak goed verstaat, het heeft geleerd van een medegevangene, Charles Chapin.

Die redacteur? vraagt Funck.

Willie knikt.

Funck leunt achterover in zijn krakende houten stoel. Er steekt een rijtje sigaren uit zijn borstzak, allemaal van verschillend formaat, als een skyline van sigaren. Nou zeg, wat vind je me daarvan, zegt hij. Ik heb de Chapin-zaak heel dicht gevolgd.

Nou, ik kan u vertellen dat hij een zeer interessante man is. Zijn tuinen zijn ...

Ik ben me de hele tijd afvragen hoeveel mannen dromen te doen wat Chapin doet. Daar is echt lef voor nodig, niet? Je vrouw van haar kant maken? Hoeveel duizenden echtgenoots denk je niet dat hun vrouwen zien slapend en fantasie een kleine kogel in de hersenen te doen? En dan het zeuren houdt voor altijd op, nee? Ben ik gelijk? Hoeveel vrouwen zeuren niet, ben ik gelijk? De hele tijd willen zij iets, maar als jij iets wil, zoals een beetje genegenlijk, hebben ze daar geen trekken in? Te druk met zeuren!

Willie doet zijn stropdas recht, trekt aan zijn oorlel, concentreert zich op een plek op de muur net achter Funcks hoofd. Mevrouw Funck, denkt hij, kan maar beter niet te veel plannen voor de toekomst maken.

Funck bladert door een kaartenbak en zegt dat hij iets heeft wat geknipt is voor Willie. Samuel Untermyer, zegt hij. Advocaat, een hoge ome. Heb je weleens gehoord over zijn huis in Yonkers?

Nee, meneer.

Greystone heet het. Zo'n huis heb je nog nooit niet gezien. Het is een Edenhof. Tientallen mannen is ervoor nodig om het toptip te houden, dus Untermyer gebruikt vele bedrijven, ook onze. Ik stuur om de twee dagen een ploeg heen en vandaag ben ik tekort. Een van mijn mans heeft een breuk. Dus. Jij neemt zijn plaats. Morgenochtends, om vier uur, als je te laat bent, ga ik je ontslaan.

Fotograaf kijkt door de achterruit en verandert van rijbaan omdat hij van de snelweg af wil. Hij kijkt naar de wolken. Hé, Willie? Kunnen we niet even snel naar de plaats delict van de Schustermoord gaan? Nu het licht nog goed is.

Jij en je licht.

Het licht is nu ideaal, Willie. Kijk dan. Kijk eens naar de lucht, man.

Heb je nog steeds niks van Willie opgestoken? Je maakt je eigen licht in deze pokkewereld.

Op zijn eerste dag is Willie een uur te vroeg. Hij heeft een grote boerenzakdoek bij zich, een appel die hij uit een vuilnisbak heeft opgediept en een beduimeld exemplaar van Cicero. Hij heeft nog steeds zijn vrijlatingspak aan.

Funck slaat zijn handen tegen zijn wangen. Een pak? Jezus de christus! Greystone is geen opera!

Dit zijn de enige kleren die ik heb, zegt Willie.

Funck leent Willie een grijze overall, tuinlaarzen en een pet, en Willie klimt in de achterbak van Funcks open bestelwagen, die wel van karton en blik lijkt gemaakt. Op een houten bankje zitten nog vier andere werklieden. Niemand zegt gedag. Een uur later, net als de zon opkomt, rijdt de bestelwagen door de poort van Greystone, en Willie kan er niets aan doen – hij hapt naar adem. Funck heeft gelogen. Dit is geen hof van Eden. Hiermee vergeleken is de hof van Eden zoiets als Irish Town. Er zijn Griekse tempels, Romeinse beelden, ronde marmeren koepelprieeltjes, fonteinen met klaterend zilverkleurig water en felgekleurde tegeltjes. Er zijn donkergroene vijvers, overdekt met waterlelies, en roerloze helderblauwe vijvers. Van elke bloem- en boomsoort onder de zon lijkt er wel één te staan, en er zijn alle mogelijke soorten heggen en struiken, geknipt en geschoren in tientallen maten en vormen. Het geheel wordt begrensd en van een vleugje dramatiek voorzien door een rotswand die steil omlaagloopt naar de majestueuze Hudson.

De voorman is een lange man met een krop ter grootte van een knol aan zijn hals. Hij laat Willie beginnen met harken en het aanbrengen van een laag muls. Algauw staat Willie het zweet op het voorhoofd. Het is lekker om zijn spieren weer te gebruiken, buiten adem te raken. Hij fluit zacht voor zich heen, wordt helemaal in beslag genomen door hoe goed het voelt om echt werk te hebben, totdat hij onderbroken wordt door de werkman rechts van hem.

De voorman is een hufter, zegt de werkman.

O? zegt Willie.

Zorg maar dat je hem te vriend houdt. Hij ontslaat je om niks. Minder dan niks. Zieke vrouw? Ziek kind? Hij trekt zich er niks van aan.

Oké. Bedankt voor de waarschuwing, vriend.

Aardig optrekje, hè?

Ja. Prachtig.

Weet je hoeveel rododendrons hier staan?

Nee.

Dertigduizend. Weet je hoeveel tulpen?

Geen idee.

Vijftigduizend.

Echt waar?

Weet je hoeveel open haarden ze hier hebben?

Eh, nee.

Elf. Een daarvan is gemaakt van robijnen en smaragden.

Goh.

Weet je waarom die ouwe Untermyer deze tuin heeft aangelegd?

Nee, ik zou 't niet weten.

Voor zijn vrouw. Hij was stapelverliefd. Maar toen is ze kassiewijlen gegaan voordat het klaar was. Die ouwe Untermyer woont hier helemaal in zijn uppie.

Triest.

Zo gaat 't in het leven.

De werkman wijst op een kronkelpad naar een tuinkoepeltje aan de rand van het klif. Meneer Untermyer noemt dat de Tempel van de Liefde.

Nu mengt ook de werkman links van Willie zich in het gesprek. Naar die vent moet je niet luisteren, hij kletst uit zijn nek. Deze tuin is niet alleen voor mevrouw Untermyer. De oude Untermyer wilde ook de Rockefellers de ogen uitsteken. Die wonen hier vlakbij. Meneer Untermyer heeft nog meer de pest aan de Rockefellers dan aan konijnen.

's Middags deelt de voorman uienbroodjes, kadetten en een kop waterige groentesoep uit. Willie neemt zijn twaalfuurtje mee en loopt naar de Tempel van de Liefde. Hij gaat op een groen ijzeren bankje zitten. Links van hem ligt de tuin, rechts van hem de rivier. Bij zijn voeten, op de vloer van de Tempel, zijn bleke, pastelkleurige nimfen en najaden geschilderd, die koketteren en zeelieden aanroepen. Daarachter, op ooghoogte, de palissade van Jersey. Hij kijkt uit over het water en ziet een jacht de rivier op varen, in de richting van Sing Sing. Hij neemt zich voor Eddie wat sigaretten en tijdschriften te sturen als hij zijn eerste loon krijgt.

Hij gaat op zijn rug liggen en slaat Cicero open. Een verhandeling over geluk. Wat is het toch met al die beroemde mannen dat ze alleen maar aan geluk kunnen denken? Eén regel springt eruit. *Maar geen mens kan gelukkig zijn wanneer hij zich zorgen maakt over het belangrijkste in zijn leven.* Willie overdenkt deze zin en probeert te begrijpen hoe die van toepassing kan zijn op zijn ervaring, maar ineens breekt het klamme zweet hem uit. Hij wordt gadegeslagen. Hij laat het boek zakken en ziet op tien meter afstand een tweede voorman, die naar hem staat te staren. Waar komt die tweede voorman in godsnaam vandaan? Hij moet op het landgoed wonen. Willie gaat rechtop zitten. Hij heeft nog twintig minuten over van zijn schaftuur, maar verfrommelt zijn papieren zak tot een prop, slaat zijn boek dicht en haast zich weer aan het werk.

De eerste voorman stuurt hem naar het pad aan de voorkant om buksbomen te helpen planten. Na een poosje voelt hij een blik in zijn nek prikken. Hij draait zich om. De tweede voorman weer. Hij blaft Willie toe: Voorzichtig, die buksbomen zijn een eeuw oud.

Ja, meneer.

Voorzichtig met die daar.

Ja, meneer.

Weet je dat Cicero buksbomen op zijn landgoed had?

Willie blijft staan en tuurt om een boom heen. Hij ziet een zweem van een glimlach op het gezicht van de tweede voorman. Willie denkt tenminste dat het een glimlach is. Moeilijk te zeggen wat er zich afspeelt achter die snor, die zo wild en bossig is dat zijn eigen tuinman er een dagtaak aan zal hebben. Boven de snor zit een indrukwekkende neus, even steil als de rotswand aan de westkant die de grens vormt van Greystone.

Mag ik vragen, meneer, of dit toevallig úw buxus is?

Mijn buxus. Mijn huis.

Aangenaam kennis te maken, meneer Untermyer.

Ik moet zeggen dat we nog niet veel hoveniers hebben gehad die Cicero lazen tijdens hun schaftpauze.

Briljante man, meneer.

Inderdaad.

Ik wou dat ik hem had gekend.

Hoe dat zo?

Ze zeggen dat hij de beste advocaat was die ooit heeft geleefd.

Dat was hij ook.

In dat geval had hij misschien kunnen voorkomen dat ik naar Sing Sing werd gestuurd.

Willie kan er met zijn verstand niet bij dat hij dat heeft gezegd. Iets in de blik van meneer Untermyer maakt dat hij zijn gereserveerdheid laat varen. Hij wacht af of het gezicht van meneer Untermyer verstrakt of dat hij misschien de eerste voorman erbij zal roepen om Willie ter plekke te ontslaan. Maar meneer Untermyer lacht met zijn ogen.

Als ik vragen mag: wat was je misdaad?

Een bankoverval, meneer. Poging tot.

Meneer Untermyer kijkt hem strak aan. Wanneer was dat?

In 1923, meneer. Ozone Park.

Wanneer ben je vrijgekomen?

Deze maand, meneer.

Wie is een groter crimineel, hij die een bank berooft of hij die een bank bezit?

Wat, meneer?

Het is een regel uit een nieuw toneelstuk. Van Bertolt Brecht.

Ik ben al een poos niet naar het theater geweest, meneer Untermyer. Maar ik heb wel Regan gespeeld in een uitvoering in Sing Sing. *Ook spot is vaak profetisch.*

Meneer Untermyer trekt aan zijn snor, een beetje zoals me-

neer Endner. Hoe heet je, knul?
Sutton, meneer. William Francis Sutton jr.

Fotograaf zet de auto dubbel geparkeerd op Madison Avenue, vlak bij 86th Street. Sutton kijkt uit het raampje naar de voormalige behuizing van Funck en Zonen. Allejezus, zegt Sutton. Het staat er nog.

Wat?

Ik kreeg een betrekking bij een hoveniersbedrijf in dat bakstenen gebouw. Tweeënveertig jaar geleden. De baas stuurde me naar Greystone, een beroemd landgoed. Vreselijke grond. We moesten massa's stenen uitgraven of met springstof uit de bodem zien te krijgen. Ik weet niet hoeveel mest we wel niet door de bovenste grondlaag hebben gemengd.

Sutton opent het portier en zet één voet buitenboord. Hij glimlacht. Het was er zo mooi dat ik de baas heb gesmeekt me in vaste dienst te nemen. Ik ben zelfs voor hem op de knieën gegaan.

Sta op, zegt Funck. Ik neem je daar niet in vaste dienst.

Waarom niet?

Ik heb je niet nodig. Mijn man met breuk is terug.

Alstublieft, meneer. Dat werk is geknipt voor me. Het terrein, de lucht, de eigenaar. Na de gevangenis moet een mens genezen – ze zouden gevangenen meteen moeten doorsturen naar het ziekenhuis – en Greystone is voor mij precies de juiste plek.

Genees maar op je eigen tijd.

Willie licht zijn pet. Als u er zo over denkt, meneer.

Ja.

Willie komt overeind uit zijn geknielde houding en loopt naar de deur. Ik hoop alleen dat uw vrouw er niet al te veel heisa over maakt, meneer. Tot ziens.

Tot ziens ... Wacht. Waarom heisa?

Als ik haar ga bellen – over ons gesprek over Chapin? Als ik haar laat weten dat haar man het een geweldig idee vindt om

een echtgenote in haar slaap een kogel door het hoofd te jagen?
Funck wordt zo bleek als een kerstster. Dat zoud jij niet doen.
Willie leunt tegen de deur met de matglazen ruit. O nee?
Ze zal niet geloven.
Waarschijnlijk niet. Zo te horen is het een erg lieve vrouw.

Hij staat te lachen, zegt Fotograaf tegen Verslaggever. Hij staat gewoon midden op Madison Avenue te lachen.
Meneer Sutton, waarom lacht u? En kijkt u alstublieft uit – er komen auto's aan.
Ik dacht eraan terug hoe ik de baas zover kreeg dat hij me een vaste betrekking gaf op Greystone. Ja, jongens, dat was één-nul voor mij. Eindelijk namen de zaken een keer voor Willie. Werk waar ik van hield. Werk waar ik goed in was. Geld op zak. Mijn conditie ging vooruit en ik kreeg er wat kilo's bij, en op mijn vrije dag zat ik uren in de bibliotheek. Te lezen. Wat een genot.
Wat las u dan?
Alles.
Fotograaf houdt de plattegrond tegen de wind in. Man o man, christene ziele, is onze volgende stop daarom ... de bibliotheek? Serieus? Willie, gaan we naar de bibliothéék?

Zodra Willie de kans krijgt, zoekt hij kranten, tijdschriften en vakbladen op, alles wat hij in de bibliotheek kan opduikelen over meneer Untermyer. Hij is geschokt door wat hij aan de weet komt. Willie en Eddie dachten dat zij slimme jongens waren door banken te overvallen, maar meneer Untermyer laat banken vállen. Als bijzonder aanklager werd meneer Untermyer de beroemdste bestrijder van banken aller tijden, de gesel van Amerika's beruchtste bankmagnaten. Tijdens spannende hoorzittingen voor het Congres van de Verenigde Staten, hoorzittingen die het hele land ademloos volgde, liet meneer Untermyer, met een verse orchidee van Greystone in zijn revers, de ene bankier na de andere plaatsnemen in de getuigenbank en ontmaskerde ze als samenzweerders, leugenaars en dieven.

Door middel van een geheim kartel hadden de bankiers in de loop der jaren het financiële systeem gekaapt. Ze hadden elkaar benoemd in de besturen van de verschillende banken en bedrijven, waardoor die in feite waren samengevoegd tot één geheime superbank. Meneer Untermyer had het lef om dit gesjoemel aan de kaak te stellen, om publiekelijk de daders te ondervragen die toevallig tot de rijkste mensen van Amerika behoorden, onder wie J.P. Morgan en een van de Rockefellers. En wat Morgan nog meer tegen de borst stuitte dan de ondervraging zelf – Untermyer was een Jood.

De hoorzittingen leidden niet tot strafrechtelijke vervolging, maar ze hadden wel Morgans gezondheid geruïneerd. Geschokt en vernederd nam hij de wijk naar Europa. Weken later, in een luxe hotelsuite in Rome, blies Morgan zijn laatste adem uit. Zijn erfgenamen en zakenpartners wezen openlijk met de vinger naar meneer Untermyer. Meneer Untermyer had de schuld nooit erkend. Hij had hem ook nooit ontkend.

Als Willie meneer Untermyer op het terrein van Greystone ziet, probeert hij zijn blik te vangen. Zo nu en dan komt meneer Untermyer naar hem toe voor een praatje. Willie kan niet bevatten dat zo'n belangrijk iemand, een man die bezig is Morgans te verslaan en Rockefellers het schaamrood op de kaken te jagen, tijd voor hem heeft. Maar meneer Untermyer vindt Willies verhalen over Irish Town, Sing Sing, Dannemora en Eddie blijkbaar vermakelijk. Als Willie door de echte verhalen heen is, verzint hij nieuwe. Halverwege een van die verhalen ziet hij een knorrige blik verschijnen op het gezicht van meneer Untermyer. Willie, zegt hij, ik denk dat je een moderne *seanchaí* bent.

Willie zit op zijn knieën in de schaduw van de Tempel van de Liefde, waar hij ridderspoor plant. Achter meneer Untermyer ziet hij de nimfen dansen.

Mijn grootvader had het vaak over die verhalenvertellers, meneer Untermyer.

Daar twijfel ik niet aan. Je grootvader kwam natuurlijk uit Ierland.

Ja, meneer.

De seanchaí was een heilige man in Ierland. Hij bekortte de lange nachten. En het kon hem niet altijd wat schelen of zijn verhalen waar waren.

Is dat erg?

Niet per se. Waarheid heeft haar plaats. In een rechtszaal, zeker. In een directiekamer. Maar in een verhaal? Ik weet het niet. Ik denk dat waarheid in de luisteraar zit. Waarheid is iets wat de luisteraar aan een verhaal toekent – of niet. Hoewel ik je niet zou aanraden met dat argument bij een vrouw of vriendin aan te komen.

Willie moet lachen. Nee, meneer. Klopt het, meneer, dat u deze tuin hebt aangelegd voor uw vrouw?

Dat klopt. Telkens wanneer hij in bloei staat, rouw ik weer opnieuw.

Ja, meneer. Wat rot voor u, meneer.

Meneer Untermyer schraapt zijn keel. Mag ik je iets vragen, Willie?

Tuurlijk.

Hoe is het om een bank te beroven?

Willie wil gaan antwoorden. Dan ziet hij de blik op het gezicht van meneer Untermyer en zwijgt nog even. Hij wist zijn voorhoofd af en steekt zijn spade in de grond.

Om eerlijk te zijn, meneer Untermyer, het is werk. Andere bankrovers in de bajes mogen graag vertellen hoe spannend het is om een bank te beroven, dat niets een man sterker het gevoel geeft dat hij leeft. Dat is een lulverhaal, meneer. De bedoeling is om het goed te doen, snel te doen en veilig thuis te komen.

Meneer Untermyer strijkt zijn snor glad. Ik dacht wel dat je zoiets zou zeggen, zegt hij.

Mag ik u iets vragen, meneer?

Natuurlijk.

Hoe is het om een Rockefeller in verlegenheid te brengen?

Meneer Untermyer glimlacht naar de rivier. Niets geeft een man sterker het gevoel dat hij leeft, zegt hij, dan loopt hij weg.

Sutton werpt een laatste blik op de voormalige behuizing van Funck en Zonen. Oké, zegt hij. We smeren 'm. Volgende stop: de hoofdvestiging van de openbare bibliotheek van New York.

Fotograaf schudt het hoofd. Eerlijk, Willie, ik kan me niets voorstellen wat visueel saaier is dan zo'n stomme bibliotheek.

Visueel saaier.

Ja. Ik zou je nog liever fotograferen terwijl jij weer met de geest van een prostituee praat. Ik bedoel maar, een bankrover voor een bibliotheek? Ik zie er de lol niet van in, man. En mijn redacteur ongetwijfeld ook niet, tenzij je er in de jaren twintig toevallig een overval hebt gepleegd.

Als ze boeken net zo goed opgeborgen hadden als geld, zou ik dat zeker gedaan hebben.

Ik snap trouwens ook niet zo goed waarom we hiernaartoe moesten.

Omdat ik je over Untermyer wilde vertellen, de eigenaar van Greystone. Hij was een Amerikaanse Cicero.

En had u ons niet bij het Yankee Stadion over hem kunnen vertellen?

Ik zou me niet alles hebben herinnerd zonder dit pand te zien. Ik zou me niet hebben herinnerd dat meneer Untermyer J.P. Morgan de dood heeft ingejaagd. Ik denk dat hij stiekem wou dat hij ook Rockefeller om zeep had geholpen.

Fotograaf kijkt met samengeknepen ogen naar Verslaggever. Verslaggever haalt zijn schouders op. Ze stappen allemaal in de auto.

Sutton tikt Fotograaf op de schouder. Je zou weg zijn geweest van meneer Untermyer, knul. Hij sprak precies jouw taal. Man, wat had hij een pesthekel aan banken. Hij vertelde me een keer dat de stichters van Amerika zich meer zorgen maakten over banken dan over de Britten. Zij wisten dat banken chaos hadden teweeg-

gebracht, eeuwenlang wereldrijken op de knieën hadden gebracht, allemaal uit naam van het vrije ondernemerschap.

Willie, zegt Fotograaf grijnzend, ben je een communist?

Jezus, nee, knul. Dat hebben ze Capone ook een keer gevraagd en toen ging hij helemaal door het lint en heeft bijna iemand de hersens ingeslagen, en ik weet hoe hij zich voelde. Een rooie rakker? Ik heb er geen trek in om negentig procent van mijn buit aan de overheid te geven. Noteer mij maar als iemand die gelooft in een geringe overheidsbemoeienis. Noteer mij maar als iemand die gelooft in het vrije ondernemerschap. Maar als een paar inhalige klootzakken de regels veranderen als het ze zo uitkomt, is dat geen vrij ondernemerschap. Dat is zwendel.

Je klinkt op zijn minst een tikkeltje socialistisch.

Wat is jouw politieke voorkeur, knul?

Ik ben een revolutionair, zegt Fotograaf.

Sutton moet lachen. Dat had ik kunnen raden. Dat is ook volksverlakkerij. Jongens, wisten jullie dat Morgan geobsedeerd was door zijn neus? Die zat onder de karbonkels, pokputjes en adertjes – het was de last van zijn leven. Hij vond het vreselijk om op de foto te moeten. Als hij jou had zien aankomen met je camera, zou hij voor je zijn weggelopen als een mietje. Morgan was banger voor een camera dan voor het communisme.

Fotograaf lacht en voegt de auto weer in het verkeer. J.P. Morgan die voor me wegloopt. Dat zou ik graag willen zien.

Ze rijden over Madison Avenue. Fotograaf bekijkt Sutton in de achteruitkijkspiegel.

Zeg, Willie, je vertelde ons dat Untermyer een pesthekel had aan banken. Maar ik heb je niet horen zeggen dat jij er een pesthekel aan had.

O nee?

Sutton kijkt uit het raampje naar de lucht. Kijk, zegt hij. De maan komt op.

Dertien

Willie zit in de leeszaal, zijn hoofd onder een van de koperen lampen. Juli 1929. Hij bekijkt vluchtig de koppen in de *Brooklyn Daily Eagle.*

COOLIDGE SOMT ZIJN PRESTATIES OP

VOORMALIGE SLAAF OVERLEDEN IN ...

BESSIE ENDNER LAAT ECHTGENOOT ARRESTEREN

Het licht van de koperen lamp wordt wazig. Willies gezichtsveld vernauwt zich. Hij houdt de krant dichter bij zijn gezicht en leest zo snel als hij kan, maar de woorden dringen niet tot hem door. Hij moet de eerste alinea vier keer lezen voordat hij snapt wat er staat.

Bessie Endner zit wederom in de nesten. Ze vertelt de rechter dat haar echtgenoot haar mishandeld heeft, haar met de dood heeft bedreigd ...

Dan volgt het eeuwige cliché over haar criminele verleden. *De mooie jonge vrouw, die haar vrienden en de hele gemeenschap verbijsterde door de benen te nemen met ...*

Dan volgt er een sarcastische opmerking van de verslaggever. *Ze vertelt de rechter dat ze er kort na haar huwelijk achter kwam dat het leven geen rozengeur en maneschijn was, maar meer weg heeft van een donkere, stinkende modderpoel.*

Ten slotte vermeldt de krant haar nieuwe adres, waar ze zich volgens de geruchten schuilhoudt uit angst voor haar echtgenoot: Scoville Walk 15, Coney Island.

Willie wankelt terug naar zijn logement. Hij neemt een lauwe douche, de enige optie in de gemeenschappelijke badkamer van het logement, scheert zijn kaken zorgvuldig en kamt olie door zijn haar. Klopt wat lavendelwater op zijn wangen, trekt zijn vrijlatingspak aan, neemt de metro naar Coney Island.

Bij het uitstappen realiseert hij zich dat hij een wrak is. Hij is te emotioneel, te gespannen om Bess te ontmoeten. In deze toestand zal ze van hem schrikken. Hij loopt heen en weer over het strand, ademt diep de zeelucht in en houdt zichzelf voor dat hij moet kalmeren.

Bij het Lunapark blijft hij staan, voor de toegangspoort, en gaat in gedachten terug naar dat driedubbele afspraakje van tien jaar geleden. Eddie en Happy. Eerste en Tweede Vriendin. Hij blijft staan onder de reusachtige, hartvormige neonreclame boven de ingang van het park. HET HART VAN CONEY ISLAND. Hij kijkt naar de maan, die langzaam oprijst uit zee.

Hij loopt naar het splinternieuwe Half Moon Hotel, op het puntje van Coney Island, met een gouden koepel die glanst in de schemering. Hij gaat in de lobby zitten kijken naar de mensen die komen en gaan. De meesten lijken echtparen op huwelijksreis. Ze slenteren arm in arm door de lobby, gaan naar hun kamer of naar het strand. Hij kan het niet aanzien. Hij ontvlucht het hotel en loopt tot hij een donkere, louche clandestiene kroeg vindt. Twee whiskeys, snel achter elkaar, dan is hij er klaar voor. Hij loopt met grote stappen over Mermaid Avenue, slaat rechts af bij 24th Street, links af naar Surf Street en loopt Scoville Walk in en blijft staan voor nummer 15. Een door het zout uitgebeten vakantiehuisje. De wind steekt op. Er waait zand in zijn ogen. Hij kijkt nog eens naar de maan. In de bibliotheek heeft hij in een artikel gelezen dat er op de maan geen wind is.

Hij klopt op de hordeur.

Geen reactie.

Hij trekt de hordeur open en klopt op de voordeur.

Geen reactie.

Hij duwt de hordeur dicht en doet een paar stappen achteruit. Hij draait zich om en loopt langzaam terug de straat in. Op de hoek hoort hij zijn naam in de wind.

O, Willie.

Hij draait zich om. Ze is vijftien meter bij hem vandaan. Hij doet een stap in haar richting, zij doet twee stappen in de zijne. Ze heeft een zomerjurk aan, groen met blauw, nauwsluitend, als een staartvin. Ze ziet eruit alsof ze op de maan uit zee is opgerezen. Allebei beginnen ze te rennen, botsen midden op straat tegen elkaar op. Haar strakke lichaam onder die dunne zonnejurk te voelen – zo'n verlangen heeft Willie nooit eerder gekend. Hij wist niet dat hij ten prooi kon vallen aan zo'n verlangen.

Hij zet haar op de grond, hij laat haar los en kijkt naar haar.

Ach, Bess. Nee.

Ze heeft een blauw oog, bloed op haar lip.

Sutton raakt het voetstuk aan van de leeuw voor de openbare bibliotheek van New York, kijkt naar de leeuw aan de andere kant van de ingang. Ik vergeet altijd welke van de twee Geduld heet en welke Standvastigheid.

Ik wist niet eens dat ze namen hadden, zegt Fotograaf.

Weet je wie ze die gegeven heeft, knul? Burgemeester LaGuardia. Tijdens de crisisjaren. Dat was namelijk wat de New Yorkers volgens hem nodig zouden hebben om de moeilijke tijden te doorstaan: Geduld en Standvastigheid.

Fotograaf probeert vanaf de stoep een foto van Sutton te nemen. Er loopt een groep toeristen in de weg. Ze spreken iets wat op Duits lijkt. Ze merken Fotograaf op, die Sutton fotografeert, en veronderstellen dat Sutton dan wel beroemd zal zijn, dus halen ze hun eigen camera's tevoorschijn. Verslaggever en Fotograaf schreeuwen naar hen, jagen hen weg als duiven.

Geen foto's! Hij is van ons! Exclusief!

Sutton kijkt naar de Duitsers, die zich uit de voeten maken. Hij lacht. Hij draait zich om naar de leeuw. De oude leeuw, zegt hij. De oude leeuw komt om bij gebrek aan prooi.

Zei je iets, Willie?

Nee. Dat moet de leeuw zijn geweest.

Meneer Sutton, wat is hier gebeurd? Hoezo was dit een cruciale plek?

Hier zijn Willies geduld en standvastigheid opgeraakt.

Ze lopen over het strand. Bess vertelt Willie dat Eddie gelijk had, dat haar vader haar inderdaad tot het huwelijk had gedwongen. Haar vader, die diep in de schulden zat en zich geconfronteerd zag met het mogelijke verlies van zijn scheepswerf, had een rijke familie gevonden met een losbandige, vrijgezelle zoon.

Ware economische liefde, zegt Bess. Als pappa me had kunnen uithuwelijken aan de oude Rockefeller, zou hij het ook hebben gedaan.

Ze had nee kunnen zeggen. Dat had ze ook bijna gedaan. Maar ze vond dat ze het haar vader verplicht was na het schandaal met Willie en Happy, dat de aanleiding had gevormd voor zijn gezondheidsproblemen.

Ze begon zonder enige illusie aan het huwelijk. Elke bruid en bruidegom zijn vreemden voor elkaar, zegt ze. Maar in mijn huwelijksnacht was mijn echtgenoot letterlijk een vreemde voor me. Maar toch. Het schreeuwen, het slaan, dat had ik nooit verwacht.

Bess.

Ik dacht dat het wel zou stoppen, zei ze. Toen ik zwanger werd.

Zwanger?

Ze raakt haar buik aan. Het stopte niet, zegt ze, het werd erger. Dus ging ik naar de politie. En toen hierheen. Coney Island is altijd een speciale plek voor me geweest.

Voor ons.

Ze wrijft over zijn arm. Goede herinneringen, zegt ze.

Ze gaan op het strand zitten en kijken naar het maanlicht, dat zich als melk over het water uitspreidt.

Hoe gaat het met de andere twee vrolijke hengelaars? vraagt ze.

Eddie zit nog steeds in Dannemora. Happy is een poos geleden vrijgekomen uit Sing Sing, maar niemand heeft hem meer gezien.

Allemaal mijn schuld, zegt ze.

Nee, hoor.

Ze praten tot de wind killer wordt en gaan dan terug naar het vakantiehuisje. Onderweg vertelt Willie haar over zijn tijd in Sing Sing, de verschrikking van Dannemora, zijn werk bij Funck.

Bess warmt een blik soep op en trekt een fles illegale wijn open. Willie maakt de open haard aan met behulp van wat drijfhout en een *Brooklyn Daily Eagle*. Er ligt een geopende koffer op de bank en ernaast een canvas tas vol boeken. Hij bekijkt ze. Tennyson, zegt hij. Nog steeds?

Altijd, zegt Bess. Als ik eenmaal verliefd ben, is dat voor altijd.

Hij leest voor: *En ach, dat een man in mij op mag staan. Opdat de man die ik ben ophoudt te bestaan*. Hij legt het boek neer en pakt een ander op. Ezra Pound?

Bess komt naar hem toe en laat de wijn in haar glas ronddraaien. Ze geeft het glas aan Willie en sluit haar ogen: *Je kwam binnen uit de nacht. En had bloemen in je hand. Nu maak jij je los uit een kluwen mensen. Uit een tumult van stemmen om je heen.*

Willie staart naar het boek. Een kluwen mensen, zegt hij.

Ze leggen kussens op de grond en gaan bij het vuur zitten. Als de sintels in as veranderen, als de klok op de schoorsteenmantel drie uur aanwijst, moet Willie gaan. Over twee uur wordt hij bij Funck verwacht. Bess loopt met hem mee naar buiten. Daar staan ze samen te huiveren.

Laten we er samen vandoor gaan, Bess.

Ze werpt het hoofd in de nek. We weten allebei dat dat niet kan.

Waarom niet?

Geen geld.

Er zijn plaatsen waar dat niks uitmaakt.

Plaatsen waar geld niks uitmaakt? Noem maar eens op dan.

Poughkeepsie.

Ze glimlacht gepijnigd. De familie van mijn man is machtig. Ze zullen ervoor zorgen dat je voorwaardelijke vrijlating wordt ingetrokken. Ze zullen je voorgoed laten opsluiten. Dat wil ik niet op mijn geweten hebben. Ik heb al genoeg schade aangericht in je leven.

Hij kijkt naar de lucht. Hij probeert iets te bedenken waardoor ze van gedachten zal veranderen. Hij probeert zijn gevoelens in woorden te vatten. Ze zet zijn gedachten stil met een aanraking van haar vinger, waarmee ze over zijn bakkebaard streelt.

Hij haalt een opschrijfboekje en een potlood uit zijn binnenzak en schrijft het nummer op van de telefoon in de lobby van zijn logement. Vanavond kom ik terug om te kijken hoe het met je gaat, zegt hij. Wees voorzichtig tot dan.

Ik zou me een stuk veiliger voelen als de krant mijn adres niet had afgedrukt.

Hij knikt. Die rotkranten ook, zegt hij. Maar als ze je adres niet hadden afgedrukt, zou ik je nooit hebben gevonden.

Ze geeft hem een kus op de wang, doet dan een stap achteruit en richt zogenaamd een pistool op zijn borst.

Ze glimlacht. Je geld of je leven?

Mijn leven, Bess. Altijd.

Haar glimlach verdwijnt. O, Willie.

Zodra de vrachtwagen van Funck die avond terugkomt van Greystone, springt Willie eraf en rent naar de metro. Nog steeds in zijn grijze overall gaat hij naar Coney Island en ziet daar dat de deur van het vakantiehuisje klapperend openstaat. De lege wijnfles ligt op de grond. De spullen van Bess, haar boeken, zijn verdwenen. Hij raapt de fles op en zet hem op tafel. Hij loopt naar het Half Moon Hotel en kijkt naar het komen en gaan van de echtparen op huwelijksreis.

O nee, zegt Fotograaf, staat hij alweer te huilen.

Nee, toch.

Kijk dan.

Verslaggever loopt bedeesd naar Sutton toe. Meneer Sutton? Alles goed?

Sutton, die tegen de leeuw leunt, vraagt: Ken je het Half Moon Hotel, knul? Op Coney Island?

Waar die maffiamoord heeft plaatsgevonden? In de jaren veertig?

Ja.

Waar die halvegare van een Albert Anastasia de een of andere informant heeft vermoord?

Ja. Abe Reles. De grootste verrader van allemaal.

Anastasia heeft Reles toch van het hoteldak gegooid?

Ja, dat klopt. Moet je je voorstellen, het Half Moon Hotel was vroeger dé plek in New York waar je op huwelijksreis naartoe ging.

Kende u Anastasia?

We hadden … gemeenschappelijke vrienden.

Hoe komt u zo ineens bij het Half Moon Hotel?

Daar ben ik ook een kopje kleiner gemaakt. Zou je kunnen zeggen.

Willie klokt in als hij naar binnen gaat bij Funck en Zonen. Februari 1930. Uit het kantoor van Funck hoort hij maniakaal gelach. Hij loopt door de gang naar de openstaande matglazen deur en ziet Funck daar zitten met zijn voeten op zijn bureau terwijl hij een fles van het een of ander omklemd houdt. Zo, zo, zegt hij tegen Willie, hier is meneer Afperser! Kom binnen, kom binnen. Weet je, meneer Afperser, jij perst af zoveel je wilt, maak niet uit. We gaan op fles. Jij wilt mijn vrouw bellen? Maak ook niet uit. Ze gaat toch al scheiden.

Maar waarom?

De markt, slimmerik. Helft van onze klanten zegt op. Slechte tijden komen, tuinen het eerste wat weggaat. Niks azalea's in recessie. Margrieten mag doodvallen in depressie. Naar de hel met pioenen. Me rug op met narcissen. Leuk je hebben gekend. Hier jouw laatste cheque, meneer Afperser. Hoop jij een fijn leven nog. Ik had in Amsterdam moeten gebleven.

Funck legt zijn hoofd op het bureau en barst in tranen uit.

Willie gaat meteen naar de bibliotheek, verschanst zich in de leeszaal en slaat de personeelsadvertenties op. Maar er wordt vrijwel geen personeel gevraagd. Hij ziet alleen de ene pagina na de andere vol mensen die werk zoeken, die zichzelf en hun vaardigheden aanprijzen. De weinige advertenties waarin wel mensen worden gevraagd zijn voor specialisten, vakmensen, mensen met een smetteloos verleden. Willie steekt een sigaret op. Hij is uit de zoveelste tuin gezet. Hij wou dat er ten minste nog tijd was geweest om afscheid te nemen van meneer Untermyer. Dan denkt hij: misschien is die er wel.

De volgende ochtend neemt hij de bus naar Yonkers. Hij loopt van de bushalte naar Greystone en vraagt aan de bewaker bij de poort of hij meneer Untermyer kan spreken.

En wie ben jij dan wel?

Ik ben … een vriend.

Ben jij niet een van de tuinlieden?

Ja. Maar ik ben ook een vriend.

Lazer op.

Als ik meneer Untermyer maar vijf …

Hoor eens, maat, iedereen heeft het zwaar. Iedereen heeft zo zijn trucjes. Maar ik ben niet van plan mijn baan te verliezen door meneer An-te-maaier lastig te vallen over de een of andere tuinman. Ophoepelen.

Willie neemt de bus terug naar Manhattan. Hij loopt van het gebouw van Havenbeheer naar zijn logement. Onderweg ziet hij een krantenjongen die met een extra editie staat te zwaaien.

HOOVER MAANT TOT KALMTE.

Hij grist een krant uit de uitgestrekte hand van de krantenjongen. President Hoover houdt vol dat de Amerikaanse economie solide is. *De fundamenten zijn stevig.* Willie zou de krant graag kopen, maar hij weet dat dat hem alleen maar bozer zal maken. Bovendien moet hij nu iedere cent omdraaien.

In zijn kamer staat Willie bij de commode zijn geld te tellen. Hij maakt torentjes van de munten en legt de biljetten op keurige stapeltjes. Honderdzesentwintig dollar. Genoeg voor vier maanden huur en eten. Als hij zuinig eet. Hij gaat zitten en schrijft een brief aan meneer Untermyer waarin hij uitlegt dat hij heeft geprobeerd hem te spreken te krijgen en dat hij graag zou willen blijven werken op Greystone, zelfs voor een lager loon.

Er zal nooit een antwoord op komen.

Bij zonsopgang gaat hij op pad. Hij gaat langs bij hoveniersbedrijven en fabrieken. Bij elke poort en op elke kade staan al honderd, tweehonderd mannen te wachten. Hij gaat naar arbeidsbeurzen. De gebouwen waarin ze ondergebracht zijn, worden zo belaagd en zitten zo tjokvol mensen die smeken om werk dat hij niet eens binnenkomt.

Om de paar dagen gaat hij langs bij de bibliotheek om de personeelsadvertenties te lezen. *Chauffeur/monteur – uitstekende referenties vereist. Verfverkoper – uitsluitend solliciteren met eersteklas ervaring. Jongste bankbediende – redelijk salaris, gratis lunch, middelbareschooldiploma vereist.*

Hij vraagt zich af waarom hij de advertenties blijft bekijken.

Op een mistige ochtend loopt Willie versuft de buitentrap van de bibliotheek af, wanneer hij struikelt en bijna flauwvalt. Hij heeft al twee dagen niet gegeten. Maar hij vindt het een onverdraaglijke gedachte om in vuilnisbakken te moeten graaien – alweer. Hij laat zich neerploffen onder de leeuw, slaat zijn handen voor zijn gezicht en begint te bidden.

Hij hoort zijn naam.

Hij kijkt op. Er komt een bekend gezicht naar hem toe zweven vanuit de mist. Een driehoekig gezicht. Waterwantsogen. Het is Marcus Basset, uit Dannemora. Die holt met een boek onder zijn arm de trap op. *Nu maak jij je los uit een kluwen men-*

sen. Willie staat op, verbaasd hoe blij hij is om iemand, wie dan ook, te zien die hij kent.

Hoe staan de zaken ervoor, Marcus?

Willie! Hoe gaat het met je, ouwe gabber?

Willie trekt het boek onder Marcus' arm vandaan. *De ondergang van het Avondland.*

Het moet vandaag worden teruggebracht, zegt Marcus.

Sorry, Marcus. De bibliotheek is net dichtgegaan. Je zult de boete moeten betalen.

Zo'n pechvogel ben ik dus.

Ik ook.

Marcus nodigt Willie uit om mee te gaan naar zijn huis. Hij heeft een fles clandestiene gin die hij al een tijd heeft bewaard.

Een andere keer, zegt Willie. Ik voel me niet lekker.

Maar Marcus laat zich niet afschepen. Hij sleept Willie mee door Fifth Avenue.

Onderweg komen ze langs een grijsharige man in een maatpak die appels verkoopt. Ze komen langs een groepje kinderen met smoezelige gezichten die potloodstompjes verkopen. Een penny per stuk, meneer? Ze komen langs een vrouw op pantoffels in een vlekkerige ochtendjas die bundels oude tijdschriften verkoopt voor tien cent. Ze komen langs een ploegje mannen bij een taxistandplaats die kranten hebben uitgespreid over de motorkap van een taxi en die diepe zorgrimpels hebben in hun ooghoeken.

Ze komen een ambulance tegen die voor een pension geparkeerd staat. Willie vraagt een kleine dikke man met bloemkooloren wat er aan de hand is, ook al weet hij het eigenlijk al. Hij ruikt het gas.

Alweer een zelfmoord, zegt de man. De derde deze maand hier in de straat.

Ze zien opgestapelde meubels aan de stoeprand, bergen speelgoed en kleren – de spullen van gezinnen die de huur niet meer konden opbrengen, die het niet gehaald hebben. Het ziet eruit als de overblijfselen die aanspoelen op het strand een paar uur nadat er een schip is gezonken.

Ik sta zelf ook bijna op straat, zegt Marcus. Tot een paar maanden geleden ging het prima met me. Ik was corrector bij een advertentiebureau. Mijn baas was een dronkelap en het werk was saai, maar ik was dolblij met die baan, Willie. Het was goed betaald, eerlijk werk en het was het enige wat er tussen mij en de afgrond stond.

Wat is er gebeurd?

De vraag liep met veertig procent terug. Het ging tussen mij en een andere vent. Die andere vent had nooit in de bajes gezeten.

Als Willie de souterrainwoning ziet waar Marcus woont, op de hoek van 83rd Street en Broadway, denkt hij dat Marcus op straat misschien beter af zou zijn. De stoep is overdekt met vuilnis, de gang stinkt naar urine. Oude urine. De ruimte die Marcus bewoont is een konijnenhok waarvan de muren zijn behangen met kranten. Oude kranten. Boven het kookplaatje van Marcus ziet hij krantenkoppen over president Taft.

Aan de andere kant van de muur is een vrouw of een wild beest aan het jammeren. De muren zijn zo dun, het gejammer is zo luid, dat het klinkt alsof ze bij Willie en Marcus in de kamer is. Ze klinkt als de Big Ben.

Doe alsof je thuis bent, zegt Marcus.

Willie kijkt om zich heen. Thuis? Er zijn geen meubels, alleen een bank die eruitziet als een parkbank, een onopgemaakt opklapbed en een kaarttafeltje dat doorbuigt onder het gewicht van een Underwoodtypemachine. Her en der om de typemachine liggen afwijzingsbrieven van allerlei tijdschriften. Willie draait het vel uit de typemachine. Het staat vol zinnen die met x'en zijn doorgehaald.

Hoe gaat het met schrijven, Marcus?

Ik ben bezig aan een verhaal over een vent zonder werk die in een varkensstal woont. Ik moet nog een einde bedenken.

Willie staat op het punt om een bemoedigende opmerking te maken als de deur openvliegt en er een monsterachtig lelijke vrouw binnenkomt. Geen taille, geen borsten en de wangen bespikkeld met zo veel donkere moedervlekken dat ze eruitziet alsof ze onder de modderspetters zit. In haar haar zitten een soort vingergolven, maar de vingers die ze gegolfd hebben, moeten reumatisch zijn geweest. Willie heeft met haar te doen. Ze is vast de jammerende buurvrouw. Dan hoort hij de buurvrouw opnieuw luidkeels jammeren. Big Ben. Ontsnapte gevangenen. Vol verwarring ziet hij dat Marcus op de vrouw afrent en haar een kus op haar bespikkelde wang geeft.

Willie, mag ik je mijn bruid voorstellen. Dahlia, dit is mijn oude vriend, Willie Sutton.

Hier is het gebeurd, zegt Sutton, terwijl hij wegstapt bij de leeuw en omhoogkijkt naar zijn brede neus, die hem altijd aan zijn eigen neus deed denken. Over cruciale momenten gesproken, jongens, hier op deze trap liep ik Marcus tegen het lijf, terwijl de leeuwen hier toekeken, in het voorjaar van 1930. Hoe vaak heb ik niet teruggekeken op dat moment en gedacht: stel dat het niet was gebeurd? Wat zou er zijn gebeurd als ik niet had besloten om in de schaduw van deze leeuw te gaan zitten, precies op het moment dat Marcus een boek kwam terugbrengen? Wat zou er zijn gebeurd als Marcus had besloten om De ondergang van het Avondland *uit te lezen? Wat zou er zijn gebeurd als ik in de bibliotheek nog even naar de wc was gegaan, of een paar minuten langer de personeelsadvertenties had uitgeplozen, of hallo en de mazzel had gezegd en Marcus links had laten liggen? Alles wat ik had kunnen zeggen. Alles wat ik niet had moeten zeggen. Dan zou er zo veel anders zijn gelopen.*

Sutton kijkt kwaad naar de leeuw. Jij hebt het zien gebeuren, zegt hij. Geduld of Standvastigheid, hoe je ook heten mag. Waarom heb je me godverdomme niet gewaarschuwd? Niet even zachtjes gebruld?

Veertien

Willie zit op de trap van de bibliotheek te wachten tot die opengaat. In de afgelopen paar maanden is hij er via personeelsadvertenties in geslaagd een paar tijdelijke betrekkingen te vinden. Een baantje als vloerendweiler in een kantoorgebouw – tot de baas moest bezuinigen. Een baantje als schoonmaker van de wc's op het busstation – tot de vaste kracht terugkwam. Hij is bijna platzak. Hij heeft geen familie, geen vrienden op wie hij kan terugvallen, afgezien van Marcus, die er nog beroerder voor staat dan Willie. Hij moet iets vasts zien te vinden, en wel nu, want anders.

De bibliotheek opent haar deuren. Willie holt naar boven, naar de leeszaal, pakt een armvol kranten en installeert zich op een stoel. Hij neemt de personeelsadvertenties langzaam, hoopvol door, twee keer, niets. Hij wrijft in zijn ogen, masseert zijn slapen.

Even bekijkt hij de nieuwspagina's. Vier miljoen mensen zonder werk. Dertienhonderd banken failliet, alleen al dit jaar. Volgend jaar zal dat aantal naar verwachting twee tot drie keer zo hoog zijn. Hij verfrommelt de krant en smijt hem op de grond. De bibliothecaressen kijken ontstemd zijn kant uit. Hij stormt naar buiten.

Door een nieuw gat in zijn schoenzool heen voelt hij het wegdek. Voordat hij kan nadenken over het gat en hoe hij zich nieuwe schoenen zou kunnen veroorloven, begint zijn ontstoken kies te kloppen. Hij legt een hand tegen zijn kaak. Meestal is het wel te harden, maar vandaag bonkt het. Hij blijft maar doorlopen, vechtend tegen zijn woede en zijn honger, en staat uiteindelijk stil voor een bank. Hij kijkt naar de marmeren zuilen, de adelaars van goud en koper bij de hoofdingang. Hij ziet klanten komen en gaan. Hij ziet dat de bewaker afsluit.

Sluitingstijd, nu al? Hoeveel uur zijn er niet verstreken? Hij moet in een soort schemertoestand zijn geraakt.

Hij strompelt terug naar zijn logement. Hij heeft nog één week vooruitbetaald. Maar dan? Hij strekt zich uit op het bultige bed en trekt de zurig ruikende sprei op tot aan zijn kin. De geur van de vorige bewoner. En van die daarvoor, en daarvoor. Hij stelt zich voor dat ze hier allemaal hebben gelegen en zich zorgen hebben gemaakt over hetzelfde. Hij doezelt weg.

Doorweekt van het zweet wordt hij wakker omdat zijn buurman tegen de muur bonkt. Hou je bek daar! Willie moet het weer hebben uitgeschreeuwd in zijn slaap. Het is pikkedonker in de kamer. Hij weet niet hoe laat het is. Hij heeft zijn horloge verpand, maar uit het aantal lampen dat brandt in de gebouwen aan de overkant kan hij afleiden dat het laat is. Hij gaat naar de wastafel, maakt zijn waslapje nat en drukt het tegen zijn gezicht en zijn nek. Hij trekt zijn jas aan, zet zijn hoed op en gaat een eind lopen. Hij komt weer bij de bank terecht. Aan de overkant van de straat zit een drogisterij. Door de etalageruit valt er een trapezium van wit-paars licht op de stoep. Willie staat net buiten het trapezium. Hij kijkt naar alle ramen van alle gebouwen om hem heen. Elk raam is een verhaal. Waarschijnlijk net zo'n verhaal als het zijne. Hij bedenkt de verhalen, vertelt ze aan zichzelf, het ene na het andere, verhalen over mensen die moe, ziek, bang en platzak zijn. Dan kijkt hij naar de bank. En blijft kijken. Er gaat een uur voorbij. Drie uur. De bewaker van de bank verschijnt. Willie ziet hem de deur ontgrendelen. Willie sluipt tevoorschijn uit de schaduw en gluurt door het raam in de voorgevel van de bank, ziet dat de bewaker het alarmsysteem uitschakelt en een pot koffie gaat zetten. Willie steekt steels de straat weer over en wacht tot de eerste kasbedienden arriveren, daarna de onderdirecteur, daarna de directeur. Vlak voordat de bank opengaat, klopt er een jongen van Western Union aan. De bewaker doet de deur wijd open, maakt grapjes met de jongen en tekent voor een telegram.

En dan gebeurt het. Willie wordt overvallen door een gevoel, enigszins vergelijkbaar met het gevoel dat hij kreeg toen hij voor het eerst de tuin aan de zuidkant van Sing Sing betrad en Chapins uitbundig bloeiende rozen zag. Hij rent het hele eind naar de woning van Marcus. Terwijl Dahlia ligt te slapen, zitten Willie en Marcus aan het kaarttafeltje en doet Willie het hem allemaal uit de doeken.

Het is zo simpel, Marcus. Ik begrijp niet waarom ik er niet eerder op ben gekomen. Ik begrijp ook niet waarom niemand anders erop is gekomen. Wij gaan bij het bankgebouw staan, ja? Vroeg. Als die bewaker komt, als hij het alarmsysteem uitzet, is de bank weerloos. Een makkelijk doelwit. Het enige wat we hoeven doen is binnen zien te komen. Dus hoe zorgen we ervoor dat we binnenkomen? We gaan met een líst naar binnen. Dat heeft nog nooit iemand gedaan. Dillinger, Floyd, Barrow, al die jongens gaan schietend naar binnen, jagen iedereen de stuipen op het lijf. Of anders breken ze in, midden in de nacht, en blazen de kluis op, riskant. Er kunnen honderd dingen fout gaan. Maar zo moeilijk hoeft het niet te zijn, Marcus. Het is allemaal veel simpeler.

Hoe dan?

Door een uniform. Maakt niet uit wat voor uniform. Van Western Union. Van de post. De bewaker doet sesam-open-u, abracadabra, omdat bewakers uniformen blindelings gehoorzamen, die controleren ze niet, en als die bewaker de deur opendoet, is het kat in 't bakkie. Dan is die klotebank van ons. Ik werk die bewaker terug naar binnen en bind hem vast. Dan kom jij binnen. Telkens wanneer er een personeelslid binnenkomt, binden we hem vast. Dan komt de directeur. Wij dwingen hem de kluis open te maken. Dan binden we hem vast en gaan weer naar buiten. Geen snijbrander, geen nitroglycerine. Geen geweld, geen bewijs. Netjes. IJskoud.

Marcus strijkt over zijn driehoekige gezicht. Zijn waterwantsoogjes flitsen heen en weer. Het is van een grote schoonheid, Willie.

Zeg dat je akkoord bent.

Ja, ik ben akkoord, Willie. Ik ben akkoord.

Ze zijn het erover eens dat er maar één probleem is. Pistolen en uniformen zijn niet goedkoop. Ze zullen een startkapitaal nodig hebben voor deze nieuwe onderneming. Om nog maar te zwijgen over huur, eten, sigaretten. Ook kunnen ze wel een generale repetitie gebruiken. Na moord met voorbedachten rade wordt in 1930 geen misdaad strenger bestraft dan een bankoverval. Daar hebben de bankiers en hun lobbyisten wel voor gezorgd. Als je een bank gaat beroven, moet je de zaak heel goed aanpakken.

Als Eddie hier was, zegt Willie, zou hij een juwelierswinkel aanraden. Ik weet er een die er geknipt voor is. Rosenthal en Zonen. Die zit in het centrum, op een van de drukste straathoeken.

Dat lijkt me vragen om problemen, Willie.

Ik durf er heel wat om te verwedden dat ze gemakzuchtig zijn geworden doordat ze op zo'n drukke hoek zitten. Ze denken dat ze zich nergens zorgen over hoeven te maken.

Hij durft er ook wat om te verwedden dat er geen zonen zijn.

Waarom was het zo noodlottig dat u Marcus Bassett tegen het lijf liep, meneer Sutton?

We waren allebei werkloos, wanhopig – stom. Het was de lucifer bij de lont.

Had u bedenkingen toen u die keus weer maakte? Om weer een crimineel leven te gaan leiden?

Bedenkingen? Ja, knul. Ik had mijn bedenkingen.

Ik bedoel, hebt u ooit stilgestaan bij de morele kant van de zaak? Bij de ethische kant? Kwam het op dat moment bij u op dat iets wegnemen wat niet van jou is, nou ja, immoreel is?

Mensen hebben van mij ook zat weggenomen.

Ik wil niet … ik probeer me alleen een beeld te vormen, meneer Sutton, van hoe u toen dacht. Hebt u er ooit bij stilgestaan dat het verkeerd was?

Ik vond niet dat het verkeerd was. Ik wíst dat het verkeerd was. Maar het was ook verkeerd dat ik honger had. Het was verkeerd dat ik elk moment weer op straat kon staan. Het was verkeerd dat het halve land in hetzelfde schuitje zat als Willie, dat goddomme de helft van het land zonder werk zat. Je weet toch dat ze zeggen dat je karakter je lot bepaalt? Nou, dat is gelul. Werk bepaalt je lot. Als een man vertelt over de vrouw die hij liefheeft, dan mag hij misschien enthousiast klinken, maar als je hem aan de praat krijgt over zijn werk, dan moet je maar eens naar zijn ogen kijken, dán zie je wie hij echt is. Een man is zijn werk, knul, en ik had geen werk, dus ik was een niksnut. Een mislukkeling. Amerika is een geweldig land om succesvol te zijn, maar het is de hel voor mislukkelingen.

Er verschijnen drie heilsoldaten voor de bibliotheek. Ze zetten hun grote collectebus neer, luiden een bel en laten tamboerijnen rinkelen.

Bovendien, zegt Sutton, had ik het helemaal uitgedacht. Ik zou niemand kwaad doen. Als geen andere bankrover vóór mij heb ik alles in het werk gesteld om vooral niemand kwaad te doen. Marcus en ik overvielen banken voordat ze opengingen. Als dat niet mogelijk was, deden we wat we konden om ervoor te zorgen dat er geen geweld aan te pas kwam.

Verslaggever opent een dossiermap. Volgens dit knipsel hier, meneer Sutton, hielden Marcus en u er een soort beleid opna. Als er iemand onwel werd tijdens een van jullie overvallen, als een ouder iemand of een zwangere vrouw een flauwte kreeg, als er een baby begon te huilen, bliezen jullie de hele zaak af en liepen de bank uit.

Dat klopt.

Het lijkt zo tegenstrijdig, zegt Verslaggever.

Ik hou niet echt van mensen, knul, maar ik wil ze ook geen kwaad doen. Wat gij niet wilt dat u geschiedt – daar gelóóf ik in.

Maar u deed wel mensen kwaad, zegt Verslaggever. U nam ze hun geld af. En dat was voordat mensen een depositogarantie hadden.

Ja, zegt Sutton, maar destijds verzekerden de banken zichzelf tegen overvallen.

Fotograaf slaakt een zucht. Hij snapt het niet, Willie.

En jij wel, knul?

Fotograaf richt zich tot Verslaggever. Rond de tijd dat Willie en die Marcus op rooftocht gingen, viel de Amerikaanse Bank. Mensen weten dat vandaag de dag niet meer; de overheid wíl niet dat we het nog weten. De Amerikaanse Bank verdampte gewoon – met honderd miljoen spaargeld van mensen. Het is nog steeds het grootste bankfaillissement in de wereldgeschiedenis. Duizenden mensen werden te gronde gericht. En is een van die verantwoordelijke bankdirecteuren naar de bajes gestuurd, zoals Willie? Nee, dat is niet gebeurd. Ze zaten in hun sociëteit en lachten erom. Banken gokten met het systeem, verneukten de samenleving en veroorzaakten de krach van 1929, stortten de wereld in het verderf en zetten de deur open voor de opkomst van het fascisme – Stalin, Hitler – en werden gaandeweg ook nog eens weerzinwekkend, godallejezus rijk. Banken. Dat was wat banken allemaal uitvraten. Daarom wilde Willie alleen de banken kwaad doen, niet de mensen, en daarom groeide hij uit tot een volksheld. Heb ik gelijk, Willie?

Antiheld, mompelt Sutton.

Heeft hij gelijk? vraagt Verslaggever aan Sutton.

Nou, zegt Sutton, volgens mij heeft de Amerikaanse Bank de mensen zelfs tweehonderd miljoen door de neus geboord.

Nee, ik bedoel: had u het gevoel dat u op voet van oorlog verkeerde met de banken? Met de samenleving?

Welke van de twee bedoel je?

Welke u wilt. Kies maar.

Iedereen verkeert op voet van oorlog met de samenleving, knul. Iedereen verkeert op voet van oorlog met iedereen. In elke baan moet je wel íémand te vlug af zijn, iemand iets voor de neus wegkapen. Je iets toe-eigenen wat niet van jou is. Er bestaat geen andere manier om te overleven. Zo werkt het nu eenmaal, iedereen berooft iedereen.

Ik beroof niemand, zegt Verslaggever.

O nee, denk je dat? Jij berooft mensen van hun verhalen. De helft van de tijd willen ze hun verhaal niet kwijt, heb ik gelijk of niet? Dus moet je ze charmeren, vleien, belazeren. Of anders een deal sluiten met hun advocaat.

Fotograaf lacht. Hoe zit het met mij, Willie? Ga je me nu vertellen dat ik ook mensen beroof?

Nee, jij hoeft niemand te beroven. Jij schiet gewoon een eind weg.

Fotograaf duikt diep weg in zijn geitenleren jasje. Willie, man, je maakt het me niet makkelijk om een fan van je te zijn.

Dat hoor ik niet voor het eerst, knul.

Verslaggever gaat met zijn wijsvinger over de plattegrond. Dus onze volgende stop is de kruising van 50th Street en Broadway, hebt u daar een bank beroofd, meneer Sutton?

Nee. Daar heb ik een grote juwelenroof gepleegd. Een opwarmertje voor de banken. De banken waren het gewone speelseizoen. Juweliers waren als een soort voorjaarstraining. Dat dacht ik tenminste. Die juwelenroof bleek de noodlottigste klus van mijn carrière te zijn.

Marcus en Willie lopen over Broadway. Marcus draagt een grijsflanellen pak, Willie een donkerblauw postbode-uniform. Dinsdag 28 oktober 1930. Vroeg in de ochtend.

Op de hoek van 50th Street blijven ze staan en doen alsof ze een praatje over het weer maken. Marcus gooit een kwartje in de lucht en vangt het op. Een zwarte man in een blauwe broek en een lichtblauw werkhemd komt aanlopen over Broadway. Hij blijft staan, ontgrendelt de deur van Rosenthal en Zonen en gaat naar binnen.

Marcus kijkt links en rechts de straat in. Is dat de portier?

Willie knikt.

Ze geven de portier vijf minuten om het alarmsysteem uit te schakelen en koffie te gaan zetten. Dan gaat Willie erop af.

Hij klopt aan. De deur gaat open. Portier – rond de veertig, grijzend aan de slapen, pasgeschoren. Willie ruikt zijn pimentalotion.

Ja?

Telegram.

Voor wie?

Voor meneer Rosenthal.

Die is er niet.

U mag ook tekenen voor ontvangst.

Ze staren elkaar aan. Eenentwintig, tweeëntwintig.

Wacht even, zegt Portier.

Hij slaat de deur dicht.

Willie kijkt de straat in. Hij ziet Marcus tegen de straatlantaarn leunen en zijn kwartje opgooien. Er flitst door zijn hoofd dat hij nu nog kan weggaan.

De deur gaat open. Waar moet ik tekenen?

Willie geeft hem een klein klembord. Hier.

Als Portier het klembord aanpakt en geen van beide handen vrij heeft, haalt Willie een .22 uit zijn binnenzak.

Achteruit, zegt Willie. Heel rustig.

Portier doet een stap achteruit. Willie glipt naar binnen en sluit de deur. Hij en Portier staan bijna neus aan neus; Portier staart naar Willie, niet naar het pistool. Willie zwaait met het pistool in de richting van een lege vitrine. Daarheen – lopen.

Portier gaat achter de vitrine staan.

Marcus komt de deur binnen, zijn gezicht afgedekt met een halsdoek, die de driehoekige vorm accentueert. Alleen zijn waterwantsogen zijn te zien. Hij loopt naar Portier. Geef me je been, zegt hij.

Mijn wat?

Ben je doof?

Ik versta je niet door die halsdoek.

Marcus tilt een puntje van de halsdoek op. Je béén.

Portier tilt zijn been op. Uit zijn binnenzak haalt Marcus een rol schilderijkoord tevoorschijn. Het ene eind bindt hij om de enkel van Portier, het andere houdt hij vast als een leiband. Al die tijd kijkt Portier strak naar Willie.

Hoe heet je, Portier?

Charlie Lewis.

Ben je al eens eerder overvallen?

Nee.

Nou, dan hou je het hoofd wel koel.

Wat kan ik anders?

Hoeveel personeel komt er vandaag?

Drie man.

Wanneer?

Dadelijk.

Wie heeft de combinatie van de brandkast in de ruimte hierachter?

Meneer Fox. Eerste verkoper.

Willie gebaart dat Portier bij de deur aan de Broadwaykant moet gaan staan. Voor het glas van de deur zit een rolgordijn, dat Willie half naar beneden trekt. Marcus gaat aan één kant van de deur staan terwijl hij het koord vasthoudt waar Portier aan vastzit, en Willie hurkt aan de andere kant, met het pistool in de hand.

Er loopt een smeris voorbij.

Portier kijkt naar Willie. Wat als er een politieagent aan de deur komt?

Dan laat je hem binnen, zegt Willie. Dat handelen wij wel af.

Er gaan tien minuten voorbij. Het zweet gutst Marcus over het voorhoofd. Zijn halsdoek is kletsnat. Het gezicht van Portier is droog, valt Willie op.

Kort voor acht uur, er wordt aangeklopt.

Dat is meneer Hayes, zegt Portier. Een van onze verkopers.

Doe open.

Een jongeman van ongeveer Willies leeftijd slentert naar binnen, zet zijn hoed af en gooit hem op een van de vitrines. Goeiemorgen, Charlie, zegt hij tegen Portier, hoe komt het dat de deur nog op slot zit?

Willie priemt zijn pistool tegen de rug van de man. Goeie

vraag. Heel stil zijn en doen wat je gezegd wordt.

Hij draagt Eerste Verkoper over aan Marcus, die zijn polsen aan zijn enkels bindt en zegt dat hij op de grond moet gaan zitten.

Een minuut later wordt er weer aangeklopt.

Dat zal meneer Woods zijn, zegt Portier. Verkoper.

Portier doet open. Deze keer neemt Sutton het vastbinden voor zijn rekening terwijl Marcus het pistool vasthoudt. Tweede Verkoper maakt een geluid, een kerm of een schreeuw.

Je moet hem geen pijn doen, zegt Portier, het is een oude man.

Ik doe niemand pijn, zegt Willie geïrriteerd.

Weer een klopje. Dat is meneer Fox, zegt Portier.

Willie trekt Derde Verkoper opzij zodra hij de deur binnenkomt en duwt het pistool tegen zijn ribben. Goeiemorgen. We stonden al op je te wachten. Kom met mij mee, we gaan de brandkast openen.

Mag ik eerst mijn hoed en mijn jas ophangen?

Gooi maar op de grond.

Willie voert Derde Verkoper mee naar de ruimte achter de winkel en zet hem voor de brandkast. Openmaken, zegt hij.

Derde Verkoper hannest met het draaischijfslot. Ik ben de combinatie vergeten.

Je probeert tijd te rekken, zegt Willie. Kom op, openmaken – of je komt van een kouwe kermis thuis.

Ben je echt postbode?

Ik stel hier de vragen.

Derde Verkoper gaat verder met de brandkast. Hij is aan het vloeken en zuchten, en hij zweet nog meer dan Marcus. Ik ben de combinatie vergeten, zegt hij.

Je liegt.

Ik weet hem écht niet meer. Als ik het kón, zou ik hem openmaken. Denk je soms dat mijn leven me niks waard is?

Jezus, ik heb geen idee wat je leven je waard is. Het enige wat ik weet, is dat je aan het tijdrekken bent.

Willie hoort Portier vanuit de winkel roepen: Hij moet van schrik de getallen zijn vergeten. Laat me meneer Rosenthal bellen, dan krijg ik de combinatie wel voor je.

Willie loopt naar de winkel. Hij kijkt Portier aan. Laat hem de telefoon gebruiken, zegt hij tegen Marcus.

Portier draait het nummer terwijl Marcus zijn oor tegen de hoorn drukt. Willie kijkt van een paar meter afstand toe.

Ja, hallo, meneer Rosenthal? Met Charlie. Meneer Fox is de combinatie van de brandkast vergeten, zou u me die willen geven? Nee, meneer. Meneer Fox is hem vergeten. Ja, meneer. De winkel is nog niet open. Nee, meneer. Kwart over negen. Ik weet 't, meneer.

Portier schrijft de combinatie op. Willie maakt het schilderijkoord los dat om zijn been zit en loopt met hem naar het vertrek achter de winkel. Portier draait de knop van de brandkast rond. Na drie pogingen lukt het. Eindelijk zwaait de deur open, maar daarachter wordt nog een deur zichtbaar – ook op slot.

Voor die deur heb ik míjn sleutels nodig, zegt Portier.

Hij loopt terug naar de winkel. Langzaam. Hij haalt een set sleutels onder de voorste vitrine vandaan en loopt naar het achtervertrek. Nog langzamer. Hij geeft de sleutels niet aan Willie. Hij laat ze voor Willies gezicht bungelen.

Weet je zeker dat je nooit eerder bent overvallen?

Ja.

Heb je ooit een overval gepléégd?

Ik overtreed de wet niet.

Volgens mij wist je de combinatie de hele tijd al. Je probeerde tijd te rekken. En je probeerde de eigenaar in te seinen. Waar of niet? Waar of niet, Portier?

Portier geeft geen antwoord.

Willie grist de sleutels uit zijn hand. Aan Derde Verkoper vraagt hij: In welke laden zitten de goede spullen?

Drie, vijf en zeven.

Willie maakt ze open. Namaakjuwelen. Willie kijkt Derde Verkoper woedend aan. Als hij een andere man was zou hij Portier en Derde Verkoper ter plekke doodschieten. Hoe weten zij dat hij geen andere man is?

Vanuit de winkel roept Marcus naar Willie: Hé. Twee minuten voor half tien. We moeten opschieten.

Willie trekt de andere laden open. Bingo. Diamanten armbanden, diamanten horloges, diamanten ringen, robijnen armbanden, platina horloges met diamanten rond de wijzerplaat, en een enorme diamanten broche die eruitziet alsof hij afkomstig is uit een oude zeeroverskist. Willie gooit het allemaal in een zijden zakje. Een paar sieraden vallen op de grond.

Hij laat Derde Verkoper en Portier voor zich uit lopen naar de winkel en bindt ze vast aan een vitrine. Marcus geeft hem een groene jas om over zijn uniform aan te trekken. Willie richt zich tot het personeel.

Oké, jullie vieren. Wij zijn klaar. Verroer je niet voordat we zeker vijf minuten weg zijn.

Als jullie weg zijn, zegt Portier, hoe kunnen jullie dan weten of wij ons verroerd hebben?

Willie kijkt Portier doordringend aan. Portier slaat zijn ogen niet neer. Willie omklemt de van een ruitpatroon voorziene greep van zijn pistool en doet een halve stap in de richting van Portier. Marcus raakt Willies elleboog aan. Niet doen.

Ze gaan naar buiten, kuieren nonchalant over Broadway, duiken het eerste het beste metrostation in en nemen de eerste de beste trein die naar de buitenwijken gaat. Willie heeft het gevoel dat zijn hart een pistool tegen zijn ribben houdt. Maar hij heeft ook een lach op zijn gezicht. Vanavond staat er biefstuk op het menu. Zijn eerste vlees in maanden. En het ziet ernaar uit dat hij een poos verlost is van de zorg of hij op straat zal moeten slapen. Hij draait zich naar Marcus toe. Ik ben de combinatie vergeten, bauwt hij de klaaglijke stem van Derde Verkoper na.

Je probeert tijd te rekken, zegt Marcus, die Willies stoere toon imiteert. Kom op, openmaken – of je komt van een kouwe kermis thuis.

Iedereen in de metro draait zich om en kijkt naar hen. Het is een zeldzaamheid om mannen te horen lachen aan het begin van de Grote Depressie.

Fotograaf rijdt langzaam over 50th Street en stopt bij Broadway. Sutton stapt uit, gevolgd door Verslaggever en dan door Fotograaf, die de sleuteltjes in de Polara laat zitten en de motor laat draaien.

Ben je niet bang dat iemand je auto zal stelen? vraagt Sutton.

In de binnenstad? Op Eerste Kerstdag?

Sutton haalt zijn schouders op. Bekijk het dan maar.

Ze lopen een stukje over Broadway. Sutton blijft staan voor een hoge, zwartglazen kantoortoren. Ernaast ligt een bouwplaats omgeven door multiplex schuttingen, met openingen erin waar mensen door naar binnen kunnen kijken. Sutton laat zijn blik over Broadway gaan. De Big Stem, *zegt hij. Zo werd Broadway in de jaren twintig en dertig genoemd. Daarom noemen ze New York de* Big Apple.

Waar zat de winkel?

Willie wijst op het kantoorgebouw. Vlak naast het oude Capitol Theater.

Hoeveel heb je buitgemaakt?

Twee ton. Hoofdzakelijk diamanten.

Fotograaf laat een lange fluittoon horen. In 1930?

Ja, zegt Sutton. We hebben de boel verpatst voor zestig mille. Dus mijn deel was dertigduizend voor ongeveer twee uur werk. We zwommen in het geld.

Heb je Dutch Schultz weer als heler gebruikt? vraagt Verslaggever.

Ja. Dutch was zo onder de indruk van deze buit dat hij me vroeg om voor hem te gaan werken. Ik heb gezegd dat ik graag mijn eigen baas was. Hij smeekte me. De enige keer in mijn leven dat iemand me smeekt om werk aan te nemen, is het een psychotische moordenaar.

Willie en Marcus kopen betere wapens, betere uniformen en een snelle nieuwe Ford. Ze gaan niet meer met de metro naar hun bankklussen. Dan gaan ze aan de rol. Zo noemen de kranten het, aan de rol, en Willie en Marcus zijn dol op die uitdrukking. Ze zeggen het om elkaar aan het lachen te maken. Alleen al in de eerste maand van 1931 overvallen ze drie First Nationals, een National City, twee Corn Exchanges, een Curb Exchange, en een Bowery Savings and Loan. Elke klus kost dagen van zorgvuldige voorbereiding, overleg en precisietiming, maar er zijn zo veel banken dat de namen en de entreehallen en kasbedienden allemaal door elkaar beginnen te lopen in Willies hoofd.

Hun gemiddelde buit bedraagt twintigduizend dollar. Willie stopt zijn aandeel in luchtdichte potten, die hij in parken in heel Manhattan en Brooklyn begraaft. Hij gaat er 's avonds laat opuit met een spade die hij van Funck en Zonen heeft gepikt – voor een andere vorm van hovenierderen.

Willies uniformen stellen de politie voor een raadsel. Ze denken eerst dat er een bende ontslagen postbodes op strooptocht is. Dan denken ze dat het een ploeg ontevreden jongens is van Western Union. Dan, wanneer Willie een klus heeft gedaan als timmerman en een andere als glazenwasser, vermoedt de politie dat er een golf van handwerkslieden het slechte pad op is gegaan.

Willie houdt het meest van het politie-uniform. Los van de ironie vindt hij gewoon dat het prettig aanvoelt. Hij had altijd al een veerkrachtige tred, van nature een stoere manier van lopen, maar wanneer hij die lange blauwe uniformjas aantrekt, met dat gouden insigne, merkt Willie dat hij rondstapt met een nieuw besef van autoriteit en moed. Agent Sutton, die deurklinken en parkeermeters controleert.

In 1931, vlak voor het begin van het honkbalseizoen, is Willie zijn repertoire aan het uitbreiden en experimenteert hij met haar en make-up. Met een potlood geeft hij zichzelf dikkere wenkbrauwen en hij gebruikt pancake aan de zijkanten van zijn neus om hem smaller te laten lijken. Op zijn kin plakt hij soms een nepwrat, die het bankpersoneel biologeert. Hij ziet dat ze zich voornemen om dat aan de politie te vertellen. Daardoor zullen ze al het andere vergeten, daar is hij van overtuigd.

Hij draagt valse baarden, wenkbrauwen en tochtlatten. Bij een van de klussen draagt hij ouderwetse brede bakkebaarden en een snor zoals die van meneer Untermyer. Bij een andere gelegenheid draagt hij een grote krulsnor, als een negentiende-eeuwse vuistvechter. Hij bezoekt regelmatig de theaterbuurt en maakt zich geliefd bij bedienden in muffe oude kostuumwinkels. Hij koopt een viskoffer en vult die met alle denkbare spullen uit de kostuumwereld. Voor de tweede klus bij de Corn Exchange heeft hij een enorm kunstgebit bij zich. Op weg naar de bank die ochtend kijkt Marcus toevallig opzij wanneer Willie het indoet. Marcus rijdt bijna tegen een brandkraan aan.

Willie wou dat hij eerder aan gezichtsvermomming had gedacht. Hij dringt erop aan dat Marcus ook zoiets doet. En een uniform aantrekt. Maar Marcus zegt dat hij het houdt bij zijn bandana en een diep over zijn ogen getrokken gleufhoed. Ik zou me belachelijk voelen met een vermomming, zegt Marcus. Je zult je een stuk belachelijker voelen, zegt Willie, als de politie een goed signalement van je krijgt.

Willie heeft één keihard criterium voor elke bank die ze overvallen. De bank moet duidelijk zichtbaar zijn vanuit een goed koffiehuis. In de dagen voorafgaand aan een klus koopt Willie een ringbandboekje en gaat urenlang in het koffiehuis zitten om te observeren en aantekeningen te maken. Hij noteert wanneer de bankbedienden komen, wie er slim uitzien, wie eruitzien alsof ze bijdehand zouden kunnen worden. Hij gebruikt professionele linialen en kleurpotloden om gedetailleerde tekeningen, schetsen en plattegronden te maken. Zo nu en dan wacht hij tot de bank sluit en volgt de personeelsleden naar het koffiehuis of de clandestiene kroeg waar ze vaak komen. Hij luistert gesprekken af en prent zich hun namen in en de namen van hun echtgenotes. Tijdens een klus spreekt hij hen bij hun naam aan, of hij laat terloops de naam van iemands vrouw vallen. Doe wat ik zeg, meneer Myers, of u ziet Harriet nooit meer terug.

Dat is zo angstaanjagend, zo onverwacht, dat ze geen vin meer kunnen verroeren.

Meneer Sutton, hoeveel banken hebt u in 1931 overvallen?

Ach knul, ik weet het niet.

Bij benadering.

Bij benadering? Zevenendertig.

Verslaggever kijkt op van zijn aantekenboekje. Zevenendertig banken?

Ik wil niet opscheppen. Maar ja.

Fotograaf drukt een half opgerookte Newport uit. Ik vind het moeilijk te geloven, Willie, dat je zevenendertig banken kunt overvallen zonder dat er sprake is van een vendetta tegen banken. Tegen de maatschappij.

Eerlijk, knul, ik vind het vervelend om je teleur te stellen, maar voor mij draaide het meer om Bess.

Kan een man werkelijk zevenendertig banken overvallen om een vrouw voor zich te winnen?

Een betere vraag is, knul: Is voor sommige vrouwen zevenendertig banken genoeg?

Willie en Marcus gebruiken de Automat, een cafetaria op Times Square, als hun kantoor. Een paar keer per week komen ze daar 's ochtends bij elkaar en de agenda is altijd dezelfde. Eerst evalueren ze hun laatste klus. Dan nemen ze Willies aantekeningen voor de volgende klus door. Daarna bespreken ze wat ze zullen doen als ze gepakt worden. Als recidivist kunnen ze vijfentwintig jaar verwachten. Op een ochtend steekt Willie een Chesterfield op en kijkt verbijsterd naar de serveerster. Ze lijkt op Moeder.

Zo'n straf kan ik niet aan, Marcus.

Ik ook niet, Willie.

Dan is het dus simpel. Als we gepakt worden, zeggen we geen woord. Als we de politie niets vertellen, hebben ze geen zaak.

Marcus steekt zijn hand omhoog. Op mijn kind.

Je hebt geen kind.

Dahlia is zwanger.

O.

Marcus straalt. Ja. Ik roof nu voor drie.

Aan hun vaste tafeltje in de Automat schuift Marcus hem een glazen flesje toe. In het flesje zitten drie kleine paarsroze pillen. Willie pakt het snel op en legt het op zijn schoot.

Een vervroegd verjaardagscadeau, zegt Marcus.

Wat is het?

Een subiete dood.

Willie knijpt zijn ogen tot spleetjes. Hè?

We hadden het er laatst over wat we zouden doen als we gepakt worden. Dat is strychnine.

Willie sluit zijn vuist om het flesje. Hij denkt aan allerlei momenten in zijn leven waarop hij zulk snoepgoed prima had kunnen gebruiken.

Verzeker je er wel van dat je geen andere opties hebt, zegt Marcus. Het is geen mooie dood.

Hoezo, niet mooi?

Ooit een dier gezien dat ze strychnine hadden gegeven?

Nee.

Ze verstijven. Hun nek trekt krom. Het schuim stroomt uit hun bek.

Hoe weet je dat allemaal, Marcus?

Ik heb het uitgeprobeerd op een paar katten bij mij in de buurt.

Naar wat ik gelezen heb, meneer Sutton, bent u met Marcus met uniformen begonnen? En make-up?

Ja.

En blijkbaar had u een vlotte babbel. Om het bankpersoneel te vermaken. Moppen? Gedichten? Eén personeelslid vertelde de FBI *dat door u beroofd worden was alsof je in de bioscoop naar een film zat te kijken. Behalve dat de plaatsaanwijzer de hele tijd een pistool op je gericht hield.*

Als we het personeel tevreden hielden, waren ze gemakkelijker in de hand te houden. Ontevreden mensen zijn veel moeilijker in de hand te houden. Dat zal elke politicus beamen.

Maar u gebruikte altijd een pistool?

Jazeker.

Geladen?

Wat heb je nou aan een ongeladen pistool?

Willie huurt een vijfkamerappartement op Riverside Drive. Hij heeft geen meubilair. Dat wil hij ook niet. Na de gevangenis, na het logement, wil hij gewoon ruimte. En rust. Hij vindt het best een aardig appartement, maar het voelt niet als thuis, totdat Willie hoort dat John D. Rockefeller jr. in hetzelfde gebouw woont.

Wanneer de lente overgaat in de zomer begint zich in Willies hoofd een groots plan te vormen. Hij gaat genoeg geld vergaren om Bess op te sporen en haar over te halen om er met hem vandoor te gaan. Naar Ierland, denkt hij. Misschien naar Schotland. Hij brengt verscheidene aangename avonden in de bibliotheek door, waar hij leest over de afgelegen eilanden voor de kust, waar kluizenaars zich vroeger schuilhielden voor de binnenvallende Romeinen en Vikingen. Niemand zal hem en Bess daar ooit vinden. Ze zullen op een grazige helling in een huisje met een rieten dak gaan wonen, met een stuk of tien kippen en een paar schapen en een adembenemend uitzicht op zee. Het kind van Bess zal beter af zijn met Willie dan met die vent met de losse handjes met wie ze getrouwd is. Als die vent en de vader van Bess wél komen opdagen en op moeilijkheden uit zijn, zal Willie meer dan genoeg poen hebben om ze te overtroeven bij corrupte politiemensen, rechters en douanebeambten.

Willie zit op de vloer van zijn nieuwe appartement en telt in gedachten de bedragen op die hij in potten heeft begraven. Minstens een half miljoen. Het grootse plan lijkt helemaal niet zo vergezocht.

Marcus huurt ook een nieuw appartement. Aan Park Avenue. Hij koopt een fraai nieuw bureau, een nieuwe Underwood, een doos met nieuwe schrijfmachinelinten. De woorden stromen weer, vertelt hij Willie. Alles ziet er rooskleurig uit.

Een uitdrukking die ik probeer te vermijden, mompelt Willie.

Marcus nodigt Willie uit in zijn nieuwe woning voor een feestelijk etentje. Willie brengt een mandwieg mee voor de baby en een doos bonbons voor Dahlia. Dank je wel, zegt ze terneergeslagen.

Alles in orde, Dahlia?

Ze mompelt iets over ochtendmisselijkheid.

Willie vraagt zich af hoeveel Dahlia afweet van zijn werk met Marcus. Hij is er altijd van uitgegaan dat Marcus zo verstandig was om haar niets te vertellen. Maar nu beseft hij dat hij Marcus niet kent. En Dahlia – die hem een ongemakkelijk gevoel bezorgt – kent hij al helemaal niet.

Marcus klapt in zijn handen en zegt dat hij een fles bovenste beste illegale gin heeft bewaard voor een speciale gelegenheid. Hij gaat wat martini's mixen. Hij heeft alleen nog olijven nodig. Hij gaat op een drafje naar de markt.

Dahlia zegt dat Willie moet gaan zitten en het zich gemakkelijk moet maken. Nadat hij aan de keukentafel is gaan zitten, steekt Willie een Chesterfield op en kijkt naar Dahlia. Zij staat bij het keukenraam naar het verkeer te kijken. Ze streelt verstrooid over haar buik. Willie denkt aan Bess.

Zomaar ineens begint Dahlia te huilen.
Dahlia, lieverd. Wat is er?
Ik weet het, Willie.
Wat weet je?
Ik wéét het.
Ze draait zich om. Van Marcus, zegt ze.
Ach, jezus, denkt hij. Wat is er dan met Marcus? vraagt hij.
De tranen rollen over haar wangen, stromen over haar moedervlekken. Kom nou toch, Willie. Als een meisje eruitziet zoals ik, kan ze zich niet veroorloven onnozel te zijn.
Willie zegt niets. Voorlopig lijkt zwijgen de slimste zet die hij kan bedenken.
Jij gaat je van de domme houden, zegt Dahlia snikkend. Alsof je niet weet dat Marcus ... dat Marcus ... dat Marcus er een ander opna houdt.
Willie slaakt een zucht van opluchting. Ach Dahlia, dat is belachelijk.
Waarom is Marcus, die altijd en eeuwig loopt te kniezen, dan ineens zo zelfverzekerd?
Willie gaat in gedachten terug. Hij heeft Marcus in de Automat al heel wat keren onderhouden over zelfverzekerdheid. Wat je ook doet, doe het met kloten. Blijkbaar heeft Willie een monster gecreëerd.
Dahlia, zegt hij, ik wéét gewoon dat Marcus zelfverzekerder overkomt omdat hij weer is gaan schrijven. Dat heeft hij me zelf verteld. De woorden stromen weer. Hij heeft geen andere relatie. Marcus houdt van jou. Hij is dolgelukkig dat hij vader wordt. Hij heeft gewoon een goed gevoel. Over zijn leven. Zijn werk. Over jou.
Dahlia veegt haar ogen af en kijkt naar haar buik. Echt waar?
Ja. Absoluut.
Ik wil je graag geloven.
Dat kun je ook, dat kun je ook. Ik lieg nooit over de liefde. Ik maak er zelfs nooit grapjes over. Het is veel te belangrijk.

Ze lacht door haar tranen heen. Oké, Willie. Oké. Dank je. Ik voel me een stuk beter nu ik dit heb gehoord.

Hij gaat naar haar toe en legt zijn handen op haar schouders. Hij geeft haar zijn nieuwe telefoonnummer en zegt dat ze hem kan bellen als ze problemen of twijfels heeft. Dag en nacht.

Marcus komt terug. Hij mixt de martini's en Willie drinkt er twee. Daarna dient Dahlia het eten op. Gebraden varkensvlees. Droog, verbrand. Willie is opgelucht als het tijd is om te gaan. Hij verlangt naar een glas zuiveringszout en naar zijn bed. Hij vraagt Marcus of hij een stukje met hem op wil lopen, omdat hij iets met hem moet bespreken.

Op de hoek vraagt hij Marcus hoeveel Dahlia afweet van hun werk. Marcus kijkt schuldbewust.

Jezus, Marcus. Alles?

Ze is mijn vrouw, Willie.

Willie knikt. Dan vertelt hij Marcus over zijn gesprek met Dahlia.

Ze denkt dat je haar bedriegt, Marcus. Dus je moet aardiger voor haar zijn, meer aandacht aan haar besteden. Vooral omdat ze alles weet over onze … eh … onderneming. Je moet haar geen reden geven om wraak te willen nemen.

Te laat.

Hoezo?

Ik bedrieg haar.

Willie slaat zijn handen voor zijn ogen. Godallemachtig.

Ik heb mijn grote liefde ontmoet, Willie. Ze komt uit St. Louis, zo'n echte gezonde meid uit het Midwesten, maar ook een tikje ondeugend. Ze vindt het lekker om billekoek te krijgen. Kun je je dat voorstellen, Willie? Billekoek. Ze heeft, denk ik, mot gehad met haar familie en is naar de oostkust verhuisd, en ze werkte als dansmeisje om het hoofd boven water te houden. Tot ze mij ontmoette.

Willie neemt zijn gleufhoed af en veegt zijn voorhoofd droog.

De dingen die ze zegt in bed, Willie, je hebt geen idee. Ze

komt uit Soulard. Dat is een van de oudste buurten van St. Louis.

Heeft Marcus zijn verstand verloren? Willie steekt een sigaret op, inhaleert zo diep mogelijk en staart naar het gloeiende puntje. In het donker ziet dat er helderder uit dan normaal, als een druppel bloed.

We hebben elkaar ontmoet in Roseland, zegt Marcus. Ik zal nooit onze eerste dans vergeten. 'I'm Good for Nothing but Love.'

Alweer verbluffend irrelevante informatie. Willie en Marcus blijven doorlopen en Marcus blijft maar praten. Onder een straatlantaarn in 79th Street blijven ze staan. Willie heeft het gevoel dat hij geen stap meer kan verzetten. Hij steekt zijn hand in zijn binnenzak en voelt aan het flesje strychnine. Dit staat me helemaal niet aan, Marcus.

Maak je niet druk, Willie, ik heb het in de hand.

Ja, dat zal wel. Dat zal wel. Onder controle. Hoor eens, Marcus, het kan me niet schelen van wie je houdt of met wie je naar bed gaat, maar Dahlia moet je tevreden houden, begrijp je dat? Dahlia's geluk komt eerst. Dahlia's geluk is essentieel voor ons geluk. Mijn geluk.

Marcus knikt.

Hou je taximeisje goed uit beeld, zegt Willie.

Millicent.

Wat?

Ze heet Millicent. Ik wil haar dolgraag aan je voorstellen.

Willie kijkt hem nijdig aan, gooit zijn sigaret in de goot en loopt weg.

Dagen later krijgt Willie een telefoontje. Dahlia. Ze is aan het hyperventileren. Ze heeft een stel brieven gevonden die op Marcus' nieuwe Underwood zijn getypt.

Brieven? Aan wie?

Aan die hóér van Marcus.

Als ze aan haar gericht waren, hoe heb jij ze dan kunnen vinden?

Het zijn doorslagen.

Willie slaat zijn hand voor zijn mond. Doorslagen.

Willie, je zei dat je nooit liegt over de liefde. Maar dat heb je wél gedaan. Je hebt gelogen. Marcus en jij horen allebei in de gevangenis thuis.

De gevangenis? Dahlia, liefje, wat zeg je nou toch? Je trekt overhaaste conclusies. Laten we erover praten. Ik kan het uitleggen.

Laat maar eens horen dan.

Niet over de telefoon. Laten we afspreken in restaurant Childs in het Ansonia Hotel. Geloof me, de dingen zijn niet wat ze lijken. Over een uur. Bij Childs. Alsjeblieft?

Hij komt te vroeg. Dahlia is er al. Ze zit aan een tafeltje achterin, naast de keuken, en heeft een afschuwelijke jurk aan en een vilten dophoedje op dat eruitziet als een leren footballhelm. Willie kust haar op de wang en laat zijn hoed op tafel vallen. Hij bestelt een stuk taart en een kop koffie en gaat recht tegenover haar zitten.

Hoe gaat het ermee, Dahlia?

De baby schopt als een gek vanochtend. Het lijkt wel of hij eruit wil.

Ik snap hoe hij zich voelt, denkt Willie. Goed, Dahlia, zegt hij, die brieven.

De serveerster brengt de taart en koffie. Hij wacht tot ze wegloopt.

Ja? zegt Dahlia.

Het is zo simpel, Dahlia. De roman, Dahlia. Marcus' roman.

De roman.

Die brieven komen uit de roman van Marcus. Het is natuurlijk een roman in briefvorm. Dat noemen ze een epistolaire roman.

Ach, kóm nou toch.

Nee, echt wel, die brieven zijn niets meer dan passages uit het boek waar hij mee bezig is. Het is eigenlijk om te lachen. Ik snap waarom je dacht dat ...

Maar hij heeft ze ondertekend, Willie. Met zijn eigen naam.

Ja, dat kan zijn, Marcus heeft waarschijnlijk een aantal echte voorvallen uit zijn liefdesverleden genomen, oude affaires enzovoort, en heeft ze omgewerkt tot een mengeling van feiten en fictie. Dat doen schrijvers voortdurend.

Volgens jou bestaat er dus geen dansmeisje dat Millicent heet? Uit Soulard?

Met zijn vork neemt Willie een hap taart. Natuurlijk bestaat er een Millicent, zegt hij. Maar ze komt niet uit Soulard. Ze komt uit het koortsige brein van Marcus Bassett. Jouw man. De vader van je ongeboren kind.

Hij gaat uitgebreid in op Marcus' literaire aspiraties, hoeveel woorden en boeken voor Marcus betekenen, voor hen allebei. Hij vertelt dat hij Marcus tegen het lijf is gelopen op de trap van de bibliotheek, dat ze daar allebei hun heil zochten in slechte tijden. Hoe geloofwaardiger hij klinkt, hoe verachtelijker hij zich voelt. Hij had de waarheid gesproken toen hij de vorige avond zei dat hij nooit liegt over de liefde. Hij voelt iets in zijn keel, in zijn buik, iets wat hij in lange tijd niet heeft gevoeld. Zijn geweten, wroeging, schuldgevoel, hij heeft er geen woord voor.

Zweer het, zegt Dahlia. Zweer dat die brieven fictie zijn.

Ik zweer het.

Want als je liegt – voor de tweede keer – nadat je hebt gezworen dat je dat nooit zou doen, zou ik er zelfs plezier in hebben je aan te geven.

Mij aan te geven, wat zeg je nou, Dahlia?

Ik weet wat jij en Marcus hebben gedaan.

Lieverd, praat alsjeblieft niet zo hard.

Dat jullie ... aan de rol zijn geweest.

Ssst.

Willie draagt een hoge stijve boord en een gebloemde stropdas, en die beginnen allebei te knellen. Hij laat zijn blik nerveus door het restaurant gaan. Mensen staren. Hij buigt zich over het tafeltje. Ik zweer bij God de Almachtige, fluistert hij, dat Marcus je niet bedriegt.

Dahlia vist een papieren zakdoekje uit haar tas. Ze drukt het tegen haar neus en balt het dan tot een prop, alsof ze het Willie naar het hoofd wil gooien. Uit zijn borstzak haalt Willie zijn linnen pochet tevoorschijn en steekt haar die toe. Ze neemt hem aan en dept haar ogen. Haar gezicht ontspant. Sorry voor die uitbarsting, zegt ze.

Zwijgend zitten ze zo een paar minuten. Plotseling staat ze op. Haar stoel schraapt over de vloer, valt bijna om. Bedankt dat je wilde komen, Willie, zegt ze.

Ga nog niet weg. Eet eerst je taart op.

Nee, dank je. Ik heb al te veel van je tijd in beslag genomen. Ik weet dat je niet veel ... tijd hebt.

Willie aarzelt, dan staat hij op. Dahlia kust hem op de wang en loopt naar buiten. Willie gaat weer zitten en vraagt de rekening. Hij neemt nog een hap taart en dan kantelt het restaurant. Vier, zes, acht agenten komen de keuken uit stormen en slaan Willie van zijn stoel. Ze drukken hem tegen de linoleumvloer en doen hem de handboeien om. Er is geen tijd om de strychnine te pakken. Hij hoopt dat de arme Marcus daar wel de tijd voor zal hebben.

Fotograaf doet alsof hij een pistool op Sutton richt. Het idéé alleen, Willie. Het dringt nu pas tot me door. Dat jij, ongeveer zo oud als wij nu, met een pistool op zak liep en banken en juweliers beroofde. Het idéé alleen.

Verdomme, zegt Verslaggever.

Wat?

Daar. Kanaal 11.

Aan de overkant van de straat komt een reportagewagen met een schok tot stilstand. Er springt een jongeman met een groot afrokapsel uit die hun kant op komt hollen met een tv-camera op zijn schouder. Verslaggever duwt Sutton op de achterbank van de Polara en hij en Fotograaf springen voorin. Terwijl ze met brullende motor wegscheuren, kijkt Sutton door de achterruit: de jongeman staat waar zij net stonden, met zijn camera als een koffer in de hand, vloekend en puffend als iemand die net zijn trein heeft gemist.

Fotograaf en Verslaggever joelen en slaan hun handpalmen tegen elkaar. Dát scheelde maar een haartje, zegt Verslaggever.

Hoe heeft Kanaal 11 ons in godsnaam weten te vinden?

Ze kwamen vast zomaar langsrijden. Gelegenheidsmisdaad.

Als mijn uitgever Willie Sutton op tv ziet …

Rustig maar. Die vent heeft geen seconde gefilmd. Hij heeft de belichting niet eens aan kunnen zetten.

Verslaggever kijkt achterom. Ik hoop dat ik u daarnet geen pijn heb gedaan, meneer Sutton.

Nee, knul. Nee, het was net of we aan het dansen waren. En het was een mooi voorproefje van onze volgende stop.

Vijftien

Willie ligt op de achterbank, de handen geboeid op zijn rug. Voorin zitten twee reusachtige agenten. De dikke agent achter het stuur kauwt op een onaangestoken sigaar, de nog dikkere agent naast hem propt vier kauwgumpjes in zijn monsterlijk kleine mond. We hebben je partner, zegt Dikste Agent over zijn schouder. Voor het geval je je dat soms afvroeg.

Ik heb geen partner, zegt Willie.

Ken je John Marcus Bassett niet? vraagt Dikke Agent.

Nooit van gehoord.

Zijn vrouw is die lelijke meid waar je net mee aan de koffie met taart zat.

Dat meen je niet.

En Bassett kent jóú wel degelijk. Hij zit op dit moment je levensverhaal te vertellen aan de rechercheurs.

Dan is hij niet goed bij zijn hoofd. Ik zeg toch dat we elkaar nooit hebben ontmoet.

Daarom had je zeker ook met zijn vrouw afgesproken.

Ze zei dat ze vrijgezel was.

Je gaat me toch niet vertellen dat je dat mokkel aan het versíéren was?

Is dat een misdaad?

Zou kunnen. Heb je eigenlijk wel naar d'r gekéken?

Het is een goed mens.

Ze ziet eruit als Lon Chaney. En ze is zwanger.

Wil dat zeggen dat ze van de markt is?

Dikke Agent lacht, haalt zijn onaangestoken sigaar uit zijn mond en wendt zich tot Dikste Agent. Die vent is hilarisch.

Ze stoppen in Centre Street, voor nummer 240, een Frans barokpaleis met standbeelden en pilaren en een erg grote koepel erop. Net een soort smerissenvaticaan, denkt Willie, die het gebouw opneemt. Pausen en smerissen, die hebben een erg hoge pet op van zichzelf.

Aan weerszijden van de ingang staat een witte stenen leeuw. Ach, de bibliotheek – wat zou Willie er niet voor geven om daar nu te zijn. Pal achter de voordeur staat een tiental agenten in blauwe overjassen rond een hoog houten bureau. Ze begroeten Dikke Agent en Dikste Agent en feliciteren hen met de mooie vangst. Een van hen kijkt naar Willie. Ik hoop dat uw verblijf in Centre Street Arms naar genoegen zal zijn, zegt hij, waarschijnlijk hoeft u geen gebruik te maken van de wekdienst. Iedereen buldert van het lachen en de allerdikste schatert zo hard dat hij ervan buiten adem raakt.

Dikke Agent en Dikste Agent slepen Sutton een oogverblindend lichte kamer in en zetten hem op een podium, met nog zes andere mannen. Dieven, brandkastkrakers, overvallers – Willies collega's. Er komt een groep burgers binnen. Bankbedienden. Willie herkent ze. Ze staan voor het podium en kijken met samengeknepen ogen naar hem op. Hij laat zijn schouders hangen, kijkt weg.

Sorry, zeggen ze tegen Dikke Agent en Dikste Agent. Geen van deze mannen komt ons bekend voor.

Willies vermommingen, zijn make-up en snorren – het heeft gewerkt.

Dan komt Portier binnen.

Herkent u een van deze mannen? vraagt Dikste Agent, terwijl hij nog een kauwgumpje naar binnen propt.

Portier laat zijn blik langs de groep gaan, van links naar rechts. Ja.

Stap op het podium en leg uw hand op de schouder van de man die u herkent.

Portier loopt het podium op en blijft voor iedere man staan. Hij maakt er een kleine show van. Ten slotte komt hij bij Willie aan. Hij staat met zijn neus vlak voor die van Willie. Willie ruikt zijn pimentalotion. En de stroganoff die hij die middag heeft gegeten. Portier kijkt Willie recht in de ogen, drie seconden lang. Vier. Hij legt zijn hand op Willies schouder en draait zich om naar de agenten. Deze man, zegt hij. Dan wendt hij zich van de agenten af en lacht, maar dat kan alleen Willie zien. Aangenaam, Bankrover, ik ben Charlie, zegt hij.

Dikke Agent en Dikste Agent nemen Willie mee naar een zijkamer met een ijzeren tafel en een ijzeren stoel. Dikste Agent boeit Willies handen op zijn rug. Dikke Agent duwt hem op de stoel. Ze gaan elk aan een kant van hem staan.

Bassett is doorgeslagen, zegt Dikste Agent.

Ik heb toch al gezegd dat ik niet weet wie dat is, zegt Willie.

Bassett heeft alles bekend, zegt Dikke Agent. Als we dat wilden, zou hij zelfs bekennen dat hij Sacco en Vanzetti heeft geholpen, dus het is voorbij, Sutton, doe jezelf een lol.

Dikste Agent somt details op die alleen Marcus kon weten. Banken, vermommingen, exacte dollarbedragen. Bovendien een complete inventaris van Rosenthal en Zonen. Willie huivert. Arme Marcus. Die moeten ze behoorlijk hebben afgetuigd.

Dikke Agent brengt de zestigduizend dollar te berde die Willie heeft gekregen voor Rosenthal en Zonen, maar hij zegt niets over Dutch, want Willie heeft Marcus nooit over Dutch verteld. Godzijdank. Maar Willie heeft wel door dat de smerissen op Dutch uit zijn. Ze hebben een vermoeden. Er zijn niet heel veel helers in New York die uit de voeten kunnen met een buit van een dergelijke omvang. Ze ruiken groot wild en denken dat Willie hen ernaartoe kan leiden.

Sorry, jongens, zegt Willie. Er is kennelijk enige verwarring ontstaan. Marcus is een schrijver. Hij moet jullie de plot hebben verteld van het boek waar hij mee bezig is.

Dikke Agent en Dikste Agent kijken elkaar aan. Die vent is toch ongelooflijk? zegt Dikke Agent.

Wat een rotboek, zegt Dikste Agent tegen Willie.

Ja, zegt Dikke Agent. Want weet je, in dat boek verkleedt een oud-gevangene, genaamd William Francis Sutton, leeftijd dertig jaar, zich als een politiebeambte van New York en wandelt zo, tra-la-la, allerlei banken binnen, die hij vervolgens berooft, en wij zijn niet blij met boeken over bankovervallers die zich voor agent uitgeven, snap je? Daar nemen we aanstoot aan. Die penning betekent iets voor ons, snap je?

Dikke Agent beent heen en weer en gaat voor Sutton staan. Eindelijk steekt hij de sigaar uit de patrouillewagen op. Wat niet in dat boek staat, zegt hij, wat Bassett kennelijk niet weet en wat jij ons nu gaat vertellen, jij Iers stuk vullis, is waar je de buit verstopt hebt en wie die juwelen voor je heeft geheeld.

Ik wil een advocaat.

Dat zijn de laatste woorden, de laatste verstaanbare woorden, die Willie de komende dagen zal spreken. Hij krijgt een klap tegen zijn achterhoofd met een eind hout. Zijn gezicht slaat tegen de tafel, en alles wordt zwart. Dan is hij weer een jongen die van een verlaten strekdam in de rivier springt. Hij vliegt omhoog, zo hoog dat hij de lucht in duikt. Langzaam tuimelt hij achterover en omlaag en doorklieft het koude zwarte water. Hij raakt iets hards. Nu trekt iemand hem naar de oppervlakte, terug op de strekdam. Het is Happy. En Eddie. Hé, jongens, wat heb ik geraakt? En hoe kom ik in godsnaam weg van die klootzakken hier? Eddie steekt zijn hand uit, raakt Willies achterhoofd aan. Sutty, je bloedt. Nee, het is Willie die zijn hand uitsteekt en voelt. Zijn vingers zijn felrood, nat. Hij knippert met zijn ogen, probeert zijn hoofd helder te krijgen.

Grijp hem, Mike.

Dikke Agent grijpt Willie bij de enkels. Dikste Agent grijpt Willie onder de armen. Ze hijsen hem de lucht in, moeiteloos, en laten hem op tafel ploffen, op zijn rug, als een kalkoen die ze willen gaan aansnijden. Dan komen er nog meer smerissen het vertrek binnendraven. Er klinkt geroep en gevloek als ze Willies schouders beetpakken en zijn voeten omlaagdrukken, en iemand begint Willie in de maagstreek af te ranselen met een rubberen pijp of slang. Willie doet zijn ogen dicht en schreeuwt het uit. Ik heb rechten. Ze proppen iets in zijn mond. Ze slaan op zijn benen, zijn dijen, zijn schenen. Hij voelt, hoort een van zijn knieschijven verbrijzelen. Hij ziet de vrouwen van Irish Town, op de eerste warme dagen van mei, die kleden over de brandladders hangen en die zo hard mogelijk kloppen, en hij voelt iets onwaarschijnlijk heets op zijn blote onderarm, waar zijn aders uitpuilen. Hij probeert zijn arm weg te trekken, maar dat kan niet omdat ze hem te stevig vasthouden. Hij ruikt dat zijn huid verbrandt, en hij weet, hij weet gewoon dat het de sigaar van Dikke Agent is.

Ze slaan hem in zijn kruis. Met een kegel of knots. Recht op zijn pik. O, jongens, dat niet. Hij raakt bewusteloos. Hij is weg. Hij is terug – de geur van verbrand vlees is nu vermengd met smerissenzweet. Een stem vraagt of hij al wil praten. Nou en of hij wil praten. Hij zal ze vertellen wat ze maar horen willen. Hij staat op het punt om door te slaan, judas te worden, en dat beangstigt hem nog meer dan wat ze verder met hem kunnen doen. Hij is banger voor doorslaan dan voor doodgaan, dus klemt hij zijn kiezen om de lap of de sok of wat het ook is dat ze in zijn mond hebben gepropt en schudt zijn hoofd, nee, nee, nee.

Stilte. Willie denkt dat het misschien voorbij is. Misschien beseffen ze dat ze zijn verzet nooit zullen breken. Hij ademt zwaar, het zweet druipt van hem af en hij houdt zijn ogen dicht en likt aan het bloed dat van zijn gezicht stroomt. Misschien.

Hij hoort nieuwe stemmen in het vertrek, iemand die zijn knokkels laat kraken. De nieuwe stemmen vragen de oude stemmen wat het probleem is. Dan gaan ze los. Vuisten. Grote vuisten. Die tegen zijn ribben beuken. Dit zijn de bokskampioenen van het politiebureau, schat Willie in. Middengewicht, zo te horen en te voelen. En minstens één halfzwaargewicht. Bij wijze van training leven ze zich eens flink uit op Willies bovenlijf. Linkse directen, hoekstoten, nekslagen. Steeds wanneer een van Willies ribben knapt, klinkt het alsof er canvas wordt gescheurd. De pijn. Hij wordt erdoor verteerd, weggevaagd. Zijn lichaam voelt alsof het van dun glas is gemaakt en de smerissen blijven het maar tot steeds kleinere stukjes verbrijzelen – hoe kan er nog iets over zijn om te verbrijzelen? Maar steeds weer weten ze een nieuw intact stukje te vinden en verbrijzelen het. Nog nooit heeft hij zo'n pijn gevoeld en toch is er ook iets vertrouwds aan de pijn. Wanneer heeft hij zich eerder zo gekweld, alleen en verlaten gevoeld?

Hij herinnert het zich. Niet bewust, want hij is maar half bij kennis, maar met een piepklein deel van zijn hersens herinnert hij zich Bess. Dat hij uit haar huis werd verbannen. Dat hij haar vader ontmoette. Dat hij hoorde dat ze het land uit was. Zag dat ze de vrouw werd van een andere man. Hoorde dat ze het kind van een andere man droeg. Na al die pijn zal hij aan deze pijn niet bezwijken, houdt hij zich naar adem snakkend voor, en mocht dat wel het geval zijn, het zij zo. Hij schreeuwt tegen de middengewichten: Kom maar op, kom maar op – laat maar zien wat je kunt! Maar hij ijlt en in zijn mond zit de onderbroek van een smeris gepropt. Ze kunnen hem niet verstaan.

Dan glimlacht hij. Dát begrijpen ze.

Het slaan houdt op.

Ze hijsen Willie overeind, binden een touw om zijn enkels. Ze blinddoeken hem en voeren hem de kamer uit, slepen hem door de gang naar de rand van een afgrond. Hij voelt koele lucht in zijn gezicht die van beneden komt. Hij moet boven aan een lange trap staan die naar een kelderverdieping leidt. Hij probeert achteruit te stappen.

Laatste kans, Sutton. Heb je iets te zeggen?

Hij zegt niets.

Bommen los, klootzak.

Hij slaat twee keer over de kop, landt op zijn gebroken ribben, op zijn schouder, op zijn neus. Zijn arme neus. Weer gebroken. De smerissen komen de trap af. Verzet bieden tegen arrestatie, hè? Poging tot vluchten, zeker?

Ze beginnen allemaal te lachen, en Willie hoort een van hen

zo hard schateren dat hij ervan buiten adem raakt.

Dan doen ze het nog een keer.

Fotograaf slaat Centre Street in.

Langzaam, zegt Willie. Langzaam.

Er staat een rij politieauto's diagonaal geparkeerd. Ze zien er precies hetzelfde uit als de Polara, maar ze zijn zwart-wit, met een zwaailicht erbovenop. Sutton wijst achter de auto's, waar de bordestreden zijn met de twee stenen leeuwen.

Dat gebouw, zegt hij. Daar hebben ze me naartoe gebracht toen ze Marcus en mij hadden opgepakt.

Fotograaf stopt er zo'n vijftig meter vandaan. Ik denk niet dat ik dichterbij kan komen, man.

Sutton stapt uit en loopt aarzelend in de richting van het gebouw. Aan de overkant van de straat blijft hij staan en staart naar de agenten en rechercheurs die tussen de stenen leeuwen door komen en gaan. De oude leeuw komt om, mompelt hij. Gebrek aan prooi, godverdomme.

Verslaggever en Fotograaf komen naar hem toe. Wat hebben ze gedaan toen ze je hierheen hadden gebracht? vraagt Fotograaf.

Wat hebben ze niet gedaan?

Kun je wat specifieker zijn?

Ze organiseerden een confrontatie. Stelden een boel vragen.

Heb je gepraat?

En of ik gepraat heb. Ik heb gezegd dat ze dood konden vallen.

En toen?

Toen hebben ze me helemaal verrot geslagen.

Juten, fluistert Fotograaf. Als ze er maar op los kunnen timmeren.

Inderdaad, knul. Dat klopt.

Hoe was dat, man? Hoe wás dat?

Sutton steekt zijn hand in zijn binnenzak en haalt de met bont gevoerde handboeien tevoorschijn. Wil je weten hoe het was?

Ja.

Doe deze dan maar eens om.

Fotograaf lacht.

Dat dacht ik al, zegt Sutton. Volgens jou gaat het allemaal om de ervaring. Tot de ervaring zich opeens aandient.

Fotograaf kijkt gekwetst. Hij geeft zijn camera aan Verslaggever en steekt zijn polsen uit. Sutton draait een rondje met zijn wijsvinger. Nee, knul, omdraaien. Handen op je rug.

Fotograaf draait zich om en Sutton boeit zijn polsen. Drie agenten houden de pas in en kijken naar de oude man in de trenchcoat met bontkraag die de hippie in de geitenleren jas in de met bont gevoerde boeien slaat. En lijkt die oude man niet erg op ... Willie Sutton?

Geboeid en wel draait Fotograaf zich weer om. Sutton haalt uit voor een harde rechtse in zijn maag en houdt zijn vuist drie centimeter voor de riemgesp van Fotograaf in. Fotograaf krimpt ineen en springt naar achteren. Sutton glimlacht.

Stel je nu voor, knul, dat die klap was aangekomen. En stel je voor dat er nog eentje aankwam en nog eentje en dan nog vijftig. Je kunt niet ademen. Je hoest bloed op. Na honderd stompen in de maag ben je bereid om je vader en je moeder en alle engelen in de hemel te verlinken.

Razendsnel deelt hij nog een stel nepklappen uit, een linkse directe, een opstoot, een linkse directe, maar houdt steeds vlak voor de riemgesp of het gezicht van Fotograaf in. Fotograaf krimpt bij elke klap ineen. Dan stapt Sutton van de stoep af de straat op en neemt de gebogen houding van een bokser aan. Hij haalt met veel grotere klappen uit in de richting van het politiebureau. Rechtse cross. Linkse. Opstoot. Rechtse hoekslag. Linkse. Opstoot. Rechtse hoekslag.

MIJ KONDEN JULLIE D'R NIET ONDER KRIJGEN, HÈ, KLOOTZAKKEN?

O, nee, zegt Verslaggever.

HOE HARD JULLIE HET OOK GEPROBEERD HEBBEN, HÈ, SMERISSEN?

Verslaggever slaat zijn armen om Sutton heen, maar Sutton wringt zich los en blijft schreeuwen. EN NU BEN IK HIER! IK BEN TERUG. IK LEEF NOG STEEDS. EN WAAR ZIJN JULLIE GODVERDOMME ALLEMAAL GEBLEVEN? HÈ? WAAR DAN?

In godsnaam, meneer Sutton, alstublieft.

Willie doet één oog open. Hij ligt op de grond in een arrestantenhok. Vlak bij de deur van de cel ziet hij een tinnen kroes water staan. Het stinkt naar pis, maar dat kan hem niet schelen. Hij neemt een slok, probeert dat althans, maar het lukt niet. Zijn keel zit dicht, zijn adamsappel is gekneusd en opgezet. Er klinkt ook hard getuit in zijn oren. Zijn trommelvlies is gescheurd. Boven het getuit uit hoort hij … gesnik? Hij kijkt de cel rond, ziet door de tralies een gang die verlicht wordt door een kaal peertje. Aan de overkant van de gang, leunend tegen de deur van een andere cel, zit Marcus. Arme Marcus. Willie kruipt naar zijn celdeur, drukt zijn gezicht tegen de tralies. Marcus, fluistert hij. Hé, knul, wat hebben ze met je gedaan? Gaat het wel? Hé, Marcus, het ergste is voorbij, denk ik.

Willie ziet Marcus' waterwantsogen. Ze zien er anders uit. Ze bewegen niet meer. Ze zijn strak op Willie gericht. Nu ziet Willie dat Marcus niet bebloed is. Marcus heeft geen blauwe plekken. Marcus is volledig ongeschonden. Door de pijn en het getuit in Willies oren heen dringt het besef door: Marcus heeft gepraat zonder ook maar één klap te hebben geïncasseerd.

En hij praat nog steeds.

Willie ik wist het niet ik wist het niet als ik had geweten wat ze gingen doen zou ik geen woord hebben gezegd maar ze zeiden dat ze je niks zouden doen ze zeiden dat het de enige uitweg was Willie het spijt me zo ik kon het gewoon niet aan ze zeiden wat ze met me zouden doen en ik kon het gewoon niet aan …

Willie voelt of zijn kaakgewricht het nog doet. Hij spuugt een bloederige klodder van het een of ander uit en sleept zich weg van de deur naar de verste hoek van de cel. Hij krult zich op tot een bal en zegt drie woorden, de laatste die hij ooit zal zeggen tegen John Marcus Bassett.

Jij vuile judas.

Inmiddels staan er vijf agenten voor het politiebureau te kijken naar een padvinder in een pak van Brooks Brothers die de sprekend op Willie Sutton lijkende oude man meesleept door de straat, terwijl de gehandboeide hippie in zijn geitenleren jas achter hen aan loopt.

Jullie weten niks, zegt Sutton hijgend. Jullie weten echt niks. Zolang je niet in die kamer bent geweest, overgeleverd aan een stel boksers met een penning, kun je het niet weten. Ik heb een hoop dingen gedaan waar ik niet trots op ben. Maar hoe ik toen heb standgehouden – daar ben ik nog steeds trots op. Misschien was het wel het beste wat ik ooit in mijn leven heb gepresteerd.

Hij draait zich om en schreeuwt nog één keer naar het gebouw: TOT ZIENS, STELLETJE KLOOTZAKKEN, VUILE VERRADERS.

Meneer Sutton, alstublieft, doe nou niet.

Ze komen bij de Polara. Verslaggever duwt Sutton op de achterbank alsof hij hem gearresteerd heeft. Hij slaat het portier dicht. Kom op, wegwezen hier, zegt hij tegen Fotograaf.

Doe me die boeien af, zegt Fotograaf.

Ik heb het sleuteltje niet.

Vraag dat dan aan Willie.

Laten we eerst hier weggaan.

Hoe moet ik dan rijden? vraagt Fotograaf.

Ik rij wel, zegt Verslaggever. Geef me de autosleutel.

Die zit in mijn zak.

Verslaggever vist de autosleutel uit de geitenleren jas. Hij helpt Fotograaf op de passagiersstoel en holt om de auto heen naar de bestuurdersplaats.

Terwijl ze wegscheuren, draait Fotograaf zijn lichaam zo ver om dat hij naar Sutton op de achterbank kan kijken. Willie, man, maak die handboeien los, ze knellen mijn bloedsomloop af.

Sutton, die nog steeds zit na te hijgen, staart uit het raampje en geeft geen antwoord.

Willie, man, kom op nou. Ik begin … in paniek te raken.

Meen je dat nou, knul?

Willie.

Geniet je tot nu toe een beetje van de Willie Suttonervaring?

Fotograaf zegt tegen Verslaggever: Zeg dat hij me die boeien afdoet.

O ja, hij doet alles wat ik zeg, zeker?

Mijn proces was een schertsvertoning, zegt Sutton. Hoe kun je nou foto's van mijn tot moes geslagen gezicht en mijn gebroken botten buiten de rechtszaak houden? Mijn advocaat stond op het punt om in hoger beroep te gaan, maar na mijn veroordeling werd hij zelf opgepakt.

Wat? Werd uw advocaat gearresteerd, meneer Suttton?

Albert Vitale. Hij was een voormalig rechter; het kwam uit dat hij steekpenningen had aangenomen toen hij nog rechter was. Van Arnold Rothstein.

Die vent van dat omkoopschandaal bij de World Series in 1919?

Die ja. Ze waren dik met elkaar. Raad eens met wie de broer van Rothstein getrouwd was? Met de kleindochter van de broer van meneer Untermyer.

Willie, de boeien. Alsjeblieft, man.

Wat is er met Marcus gebeurd, meneer Sutton? Hebben ze hem ook mishandeld?

Neu. Hij had het zo druk met praten dat ze geen tijd hadden om hem af te rossen. Hij dacht dat ze hem een mildere straf zouden geven als hij mij verlinkte, maar ze hebben hem evengoed vijfentwintig jaar gegeven. In '51 hebben ze hem vrijgelaten en een paar maanden later is hij gestorven. In Times *stond dat hij in het bezit was van twee dollar eenentachtig. Hij werd gevonden in een logement. Ineengezakt boven een typemachine. De vuile judas.*

Willie in de bus naar Sing Sing. Februari 1932. Hij hoort de woorden van de rechter nog steeds, weerkaatsend van de marmeren pilaren en de maanbleke muren van de rechtszaal.

Meneer Sutton, u bent het soort crimineel wiens misdaden de Amerikaanse bevolking hebben geschokt. U wordt door de politie van New York beschouwd als een van de gevaarlijkste criminelen die de straten van de stad ooit onveilig hebben gemaakt. Wat betreft brutaliteit, schending van de wet, de absolute minachting voor bezit en leven, behoren uw misdaden tot de meest schaamteloze die ooit in deze stad zijn gepleegd. Wanneer we over dit soort overvallen in het Oude Westen lezen, staan we versteld. We zeggen dan dat zulke misdaden nooit meer zouden kunnen plaatsvinden. Maar u bent geen haar beter dan die desperado's van vroeger. Het is voor een rechter uit New York bijzonder pijnlijk om een jongen uit New York voor zich te zien, grootgebracht in een milieu dat u eerder een goed mens had moeten maken dan een slecht mens. Maar het is duidelijk wat mij te doen staat. U mag dan pas dertig zijn, toch veroordeel ik u tot een straf die qua lengte meer jaren telt dan u oud bent.

Vijftig jaar.

De bus rijdt door de hoofdingang van Sing Sing. Sutton overziet het terrein. Het eerste wat hem opvalt is de rozentuin. Die is er niet meer. En dat is slechts één van de vijftig veranderingen. Lawes heeft de hele gevangenis van boven tot onder laten verbouwen. Hij heeft hem veranderd in een kleine stad, met nieuwe werkplaatsen, een nieuw cellenblok van vijf verdiepingen, een nieuwe, acht meter hoge muur.

Sommige dingen zijn natuurlijk niet veranderd. Wanneer de bewakers Willie naar het kantoor van Lawes brengen, zit die van oor tot oor te grijnzen. Welkom terug, klootzak.

Willie vraagt naar de tuin.

We hebben een nieuwe riolering aangelegd. De bloemen moesten weg.

Dat moet een hele klap zijn geweest voor Chapin, dat er een bulldozer over zijn rozen ging.

Dat kun je wel zeggen. We hebben hem een half jaar geleden geplant.

Nog een paar andere dingen zijn precies zoals Willie ze zich herinnert. Het eten, bijvoorbeeld. Maïspap als ontbijt, bonen als lunch, een schijf varkensvlees vol kraakbeen als avondeten. Het is niet alleen hetzelfde menu, Willie heeft het vermoeden dat het gewoon hetzelfde eten is van zeven jaar geleden.

Lawes stelt Willie aan in de schoenmakerswerkplaats, waar hij zolen moet lappen. Vijftig jaar, denkt hij. Wanneer hij aan het eind van de zoveelste troosteloze dag van de schoenmakerswerkplaats de heuvel op loopt naar de eetzaal en de heuvel af loopt terug naar zijn cel, zegt Willie steeds weer: Vijftig jaar. Zonder Chapin, zonder tuin, zonder Eddie, zonder eind in zicht – dat is meer dan hij kan bevatten. Meer dan hij aankan.

Hij bestudeert de nieuwe opzet van de gevangenis en slaat de plattegrond op in zijn hoofd. Er zijn acht obstakels tussen hem en de buitenwereld. Zijn celdeur is de eerste. Dan komt er een trap en een houten deur die op slot zit. Dan een lange gang met aan het eind een ijzeren hek met een hangslot. Dan weer een gang en nog een afgesloten houten deur. Daarna weer een hek met een hangslot. Dan de kelder, met aan het eind een reusachtige, afgesloten stalen deur die naar de luchtplaats leidt.

Zelfs als Willie op de een of andere manier alle acht obstakels kan nemen, dan nog zou hij voor de buitenmuur staan. Hoe kom je over een acht meter hoge muur terwijl er daarboven bewakers met Thompsons staan?

Twee maanden lang worstelt Willie met die vraag.

Op een dag laat een gevangene die speciale privileges geniet zich tegenover Willie ontvallen dat een van de bewakingstorens 's nachts onbemand is. Daar begrijpt Willie eerst helemaal niks van. Maar dan begrijpt hij het volkomen. De kranten staan vol met verhalen over de buitensporige verbouwing van Lawes. En nu de economische depressie met de dag erger wordt, zal Lawes kosten moeten besparen. Waarom zou je in elke toren bewakers betalen om daar de hele nacht te zitten, terwijl je miljoenen hebt uitgegeven aan de bouw van cellenblokken die ontsnappen onmogelijk maken?

Daarom denkt Willie nu dat hij de zwakste plek van de muur kent. Maar hij zit nog steeds met het probleem hoe hij over die muur heen moet komen. En hij heeft het probleem nog niet opgelost hoe hij vanuit zijn cel bij de muur moet komen. De acht obstakels. Er volgen nog vier maanden waarin hij met die vraag worstelt.

In de nazomer van 1932 zit Willie op de luchtplaats te treuren over de verdwenen rozen, wanneer hij opkijkt en Johnny Egan uit de machinewerkplaats ziet komen. Egan is donker en knap en lijkt een beetje op Happy, ook al gedraagt hij zich een beetje als Marcus. Willie kan het zich echter niet permitteren om daar al te lang bij stil te staan, want Egan geniet privileges, wat betekent dat hij de vrijheid heeft om rond te dwalen over het gevangenisterrein, de vrijheid heeft om machinewerkplaatsen in en uit te lopen die, realiseert Willie zich nu, vol liggen met gereedschap.

Tijdens het luchten mag Egan graag een partijtje muurkaatsen. Dus maakt Willie zich het spel eigen. Hij wordt er goed genoeg in om samen met Egan een team te vormen bij gevangenistoernooien. Hij weet Egans respect en loyaliteit te winnen, dubbelt met hem in de Sing Sing-kampioenschappen van 1932. Wanneer ze een achterstand hebben weten om te buigen tot een overwinning slaat Willie een bezwete arm om Egans nek en zegt dat hij eerstdaags misschien een paar dingen nodig heeft. Hij fluistert hem een mogelijk boodschappenlijstje in het oor.

Ga je uitbreken? fluistert Egan.

Willie geeft geen antwoord.

Ik doe mee, zegt Egan.

Ik werk alleen, knul.

Ik doe mee, anders bekijk je het maar.

Het heeft geen zin om ertegenin te gaan. Zelfs al zou Egan de spullen op het boodschappenlijstje van Willie weten te bemachtigen, het benodigde gereedschap voor de acht obstakels, Willie heeft nog steeds geen idee hoe hij over de muur kan komen.

Het is Egan die een manier bedenkt. In november 1932 loopt Egan tijdens zijn omzwervingen door de kelder onder de eetzaal en ziet daar achter een stapel pallets twee houten ladders. De ladders zijn vier meter hoog, vertelt hij Willie. Niet hoog genoeg om boven op de muur te komen.

Tenzij we ze aan elkaar tapen, zegt Willie.

Dat is de oplossing. Het plan is duidelijk en het tijdstip is nu. Wie weet hoelang die ladders daar nog liggen. Willie geeft Egan zijn boodschappenlijstje. Voor de deuren en hekken heeft hij een momentsleutel, een hookpick en een shim nodig. Voor de tralies van zijn celdeur heeft hij een kleine ijzerzaag nodig.

Ik doe mee, zegt Egan. Toch?

Willie schudt het hoofd.

Ik doe mee, zegt Egan, anders kun je het schudden.

Willie zucht. Goed dan.

De volgende dag, wanneer Willie en Egan hun forehand oefenen, stopt Egan Willie onopvallend de lockpicks, het ijzerzaagje en de shim toe. Willie stopt ze weg onder zijn shirt, achter zijn broeksband. Muurkaatsen met gereedschap achter je broeksband – dat valt niet mee. Vooral het ijzerzaagje snijdt in Willies rug.

Later, als het licht uit is, haalt hij het zaagje heen en weer langs een van de lage tralies van zijn celdeur. Hij gaat even makkelijk door de tralie heen als door zijn rug. Hij zaagt de tralie door, duwt hem eruit en zet hem vervolgens met kauwgum weer terug op zijn plek. De volgende ochtend tijdens het ontbijt vertelt hij Egan dat hij zichzelf ook een zaagje moet bezorgen en hetzelfde moet doen met een tralie van zijn cel, en dan moet wachten.

Willie weet dat hij de sloten van alle acht obstakels kan kraken. Zo goed is hij. Behalve het laatste. Die grote stalen deur in de kelder die toegang geeft tot de luchtplaats gaat zijn talent te boven, gaat alles wat Doc hem heeft geleerd te boven. Voor dat slot zal hij een sleutel nodig hebben. Hij krijgt een tot levenslang veroordeelde zover dat die de moedersleutel van de ketting van een van de bewakers pikt wanneer de bewaker onder de douche staat, en er een wasafdruk van maakt. In ruil daarvoor belooft Willie hem dat hij na zijn uitbraak een pakketje geld zal afleveren bij de familie van de gevangene. Willie heeft nog steeds door de hele stad verspreid potten vol geld begraven.

Egan gebruikt de wasafdruk om er in een machinewerkplaats stiekem een ruwe kopie van te maken.

Begin december doen Willie en Egan op het kaatsveld net of ze een wedstrijdje spelen, maar ze bespreken ondertussen welke dag het beste zou zijn. Willie wil dinsdag 13 december uitbreken, maar Egan schudt het hoofd. Dertien is zijn ongeluksgetal. Alle slechte dingen in Egans leven, inclusief bijna al zijn arrestaties, hebben plaatsgevonden op de dertiende van de maand.

Oké, zegt Willie. Dan de twaalfde.

Egan lacht en serveert een keiharde bal tegen de muur. Willie duikt om de service te retourneren en komt ten val, waardoor de striemen op zijn rug weer opengaan.

Als de uitverkoren dag is aangebroken zitten Willie en Egan tijdens het middagmaal naast elkaar en nemen het plan nog een laatste keer door. Willie fluistert dat ze kort na de uitbraak ieder huns weegs moeten gaan. Egan zegt dat dat geen probleem zal zijn. Hij heeft een broer die in de West Side van Manhattan woont en bij wie hij zich schuil kan houden.

Ze wisselen een blik. Egan knikt. Willie knikt. Tot vanavond, knul.

De dag lijkt tien jaar te duren. Willie kan zich niet op zijn werk concentreren. Hij naait bijna een zool aan zijn vinger vast. Eindelijk, na het avondeten, terug in zijn cel gaat hij op zijn brits liggen en probeert hij zijn hart tot bedaren te brengen. Het bonst in zijn keel. Zijn hart weet: als Egan en hij ook maar één fout maken, één keer pech hebben, zullen de bewakers hen neermaaien, met plezier. Hij stelt zich de krantenkoppen voor, schrijft in gedachten de verhalen erbij. Hij trekt een brief van Eddie onder zijn kussen vandaan, die eindelijk is vrijgelaten uit Dannemora. *Op zoek naar werk, Sutty. Niks te vinden. Iedereen heeft het nog steeds over jou en Marcus. Goed gedaan, knul.*

De bewaker op Willies verdieping loopt langs de celdeur. Hij blijft staan. Voel je je wel goed, Sutton?

Ja, meneer.

Je zweet zo.

Beetje grieperig. Denk ik. Meneer.

Hm.

Ze nemen elkaar op.

Wat is dat daar op je hemd?

Mijn hemd, meneer?

Die rode vegen.

Waar, meneer?

Daar. In je zij. En op je rug. Ziet eruit als bloed.

O. Ik heb me bezeerd bij het muurkaatsen, meneer.

Bij het muurkaatsen?

Ja. Meneer.

Hm.

Drie seconden. Vijf. Een eeuwigheid.

Goedenacht, Sutton.

Goedenacht, meneer.

Vijf minuten. Tien.

Willie sluipt naar de celdeur en trapt de tralie eruit. Hij houdt zijn buik in, kromt zijn schouders en slaagt er op de een of andere manier in zich door de opening naar buiten te wurmen. Hij kan het niet geloven: *hij staat buiten zijn cel.* Zonder toezicht. Eén obstakel genomen, nog zeven te gaan.

Hij rent naar Egans cel precies op het moment dat Egan door

zijn opening naar buiten glipt. Ze staan daar zoals ze altijd op het kaatsveldje stonden, wachtend op de service. In gebogen houding luisteren ze gespannen naar de bewakers een verdieping lager.

En wat zou Roosevelt dan volgens jou in jezusnaam kunnen doen wat Hoover niet kon?

Ik zal je vertellen wat hij níét zal doen. Hij zal geen oorlogsveteranen op straat neerschieten.

Daar heb je misschien wel gelijk in, ja.

Willie en Egan lopen op hun tenen naar het eind van de verdieping en gaan drie trappen af naar de benedenverdieping. Het tweede obstakel, een houten deur, heeft een standaard Corbinslot met zes pinnen. De helft van alle huizen in Amerika heeft een Corbinslot. Willie heeft tientallen Corbins gekraakt en dit heeft hij binnen drie minuten open. Egan lacht. Sutton slaat een hand voor Egans mond.

Het derde obstakel is een hek met een hangslot. Sutton haalt zijn shim tevoorschijn en laat het slot openknallen.

Egan en hij sluipen door een gang naar het vierde obstakel, weer een houten deur, weer met een Corbin. Nu zijn vingers zijn opgewarmd, heeft Willie dit slot in precies één minuut open.

Het vijfde obstakel, weer een hek met hangslot, is ook geen partij voor de shim.

Ze zijn in de eetzaal. Willie ademt zo luid en hoorbaar dat hij amper kan geloven dat het hele cellenblok er niet wakker van wordt. Egan en hij sluipen tussen de lege tafels door en gaan nog een trap af, naar het zesde obstakel, de laatste houten deur met een yaleslot, nog makkelijker dan een Corbin.

Het zevende obstakel is een hek met een hangslot. Willie opent het slot met zijn shim, maar de shim breekt af. Kolere, fluistert hij. Dan schiet hem te binnen: er komen geen hangsloten meer.

Ze gaan de kelder binnen. Daar. De ladders. Ze tapen ze aan elkaar en dragen de provisorische ladder naar de stalen deur.

Willie houdt zijn adem in en steekt de duplicaatsleutel in het slot. Hij past niet.

Dus daar loopt het op stuk. Op een ondeugdelijke namaaksleutel. Godver ...

Egan probeert de klink. De deur is niet op slot. Langzaam zwaait het achtste obstakel open. Het is spookachtig en stil op de luchtplaats. Het vriest. Ze sprinten naar de muur, zorgen dat ze tussen de stralenbundels van de zoeklichten blijven en zetten de ladder tegen de muur. Egan gaat eerst. Dan Willie. Bovenop is een smal looppad. Willie zet zich schrap voor de val van acht meter. Hij voelt zijn enkel al breken. Maar het gras is verrassend zacht. Afgezien van een verdraaide knie doorstaat hij de sprong prima. Egan ook. Ze rennen tegen een aarden talud op naar de weg, waar hun vluchtauto staat te wachten. Met een bekend gezicht achter het stuur.

Fotograaf leunt tegen zijn raampje. Zijn we er al bijna?

Bijna, zegt Sutton.

Waar gaan we ook weer heen?

Naar het Sundowner Hotel, zegt Sutton. Mijn eerste stop nadat ik uit Sing Sing was uitgebroken. Op de hoek van 47th Street en 8th Street.

Terug naar Times Square. Tjonge. Geweldig. We gaan nu officieel in een kringetje rond.

Het leven gaat ook in een kringetje rond. Waarom wij niet?

De radio snerpt. Verslaggever zet hem zachter. Meneer Sutton, zegt hij, hoe bent u precies uit Sing Sing weggekomen? Daarover staat erg weinig in de dossiers.

Sutton stopt een Chesterfield tussen zijn lippen. Alles wat je ooit in een gevangenisfilm hebt gezien is met mij begonnen. Vóór mij had nog nooit iemand gehoord van gevangenen die een ijzerzaag gebruikten. Na mij werd het een rage.

Wat ik op dit moment niet zou overhebben voor een ijzerzaag, zegt Fotograaf.

Ik was met iemand bevriend geraakt, zegt Sutton. Johnny Egan. Hij heeft me de zaag en wat lockpicks bezorgd. Toen moest ik alleen nog regelen dat er buiten de gevangenis iemand met een auto klaarstond.

Wie hebt u gevraagd?

Bess.

Verslaggever gaat op de rem staan. Fotograaf schiet rechtop. Je houdt ons voor de gek, Willie.

Ze had natuurlijk gelezen over mijn proces. Ze kwam op bezoek in de eerste maand dat ik in de bak zat. In die tijd ging het er in de bezoekersruimte van Sing Sing nog tamelijk laks aan toe. Geen scheidingswanden, geen bewakers die de gesprekken afluisterden. Dus ik vertelde haar meteen dat ik helemaal gek werd, dat ik zou uitbreken en dat ik haar hulp nodig had. Ik zei dat ik haar de precieze datum in een brief zou schrijven. Onze post werd gecensureerd, dus ik beloofde dat ik het in code zou schrijven. Een paar weken later, midden in een lange, onsamenhangende brief, schreef ik: Weet je nog die keer dat we gingen wandelen op Coney Island, op 12 december, klokslag middernacht? Ze zei tegen haar man dat ze ging bridgen met een paar vriendinnen, kwam stiekem naar Sing Sing en pikte ons op buiten de muur. Ze reed mij en Egan naar Times Square en zette ons af bij het Sundowner, had zelfs kleren voor ons bij zich en wat contant geld. En binnen vier uur was ze weer thuis.

Hoe was dat, meneer Sutton? Om haar weer te zien?

Ze stoppen bij een rood verkeerslicht. Sutton kijkt naar de overkant van de straat. Een koffiehuis met een flikkerende neonreclame voor het raam. COCKTAILS. COCKTAILS. COCKTAILS. Voor het koffiehuis staat een Dodge dubbel geparkeerd, niemand op de bestuurdersstoel, een vrouw op de passagiersstoel. Sutton kan het aan haar zien. Hij ziet het in haar ogen. De vrouw wacht op een man. Een man van wie ze houdt.

Meneer Sutton?

Willie?

Het voelde als een droom, jongens.

Zestien

Willie tekent het hotelregister als Joseph Lamb. Hij zegt tegen Egan dat hij zich moet inschrijven als Edward Garfield. Dan loopt hij met Egan mee naar diens kamer.

Dat was echt een heel aardige dame die ons oppikte, zegt Egan.

Ja.

Ontzettend knap. Waar ken je haar ook alweer van?

Hoor eens, Egan, ga nou maar gewoon op je kamer zitten en blijf daar. Nergens voor naar buiten gaan. Ik kom je morgenochtend halen.

Maar als ik nou een ommetje wil maken?

Geen sprake van.

Maar als ik nou frisse lucht nodig heb?

Dan zet je maar een raam open.

Ik heb last van claustrofobie, Willie.

Je komt net uit de gevangenis, Egan.

Willie kijkt Egan doordringend aan en beseft hoe weinig hij eigenlijk van die knul afweet. Het merendeel van hun tijd samen hebben ze gemuurkaatst. Ze hebben amper vijftig woorden met elkaar gewisseld. Willie weet niet eens voor welke misdaad Egan in Sing Sing zat. Willie wordt door een misselijkmakend gevoel bekropen. Hij herinnert zich de eerste keer dat hij Egan zag, hoe die hem aan Marcus deed denken.

Nadat hij Egans deur heeft dichtgetrokken, wankelt Willie naar zijn kamer, laat zich op het bed vallen en is meteen vertrokken. Drie uur later wordt hij gewekt door het zonlicht dat door de vuile mousselinen gordijnen valt. Hij schiet overeind en probeert zich te herinneren wat er gebeurd is. Het lijkt nu allemaal onwerkelijk. Egan, de obstakels, de ladders. Bess. Hij holt naar een koffiestalletje en koopt twee bekers koffie, vier dik met boter besmeerde broodjes, een slof Chesterfield en alle kranten.

Nu lijkt het echt. Egan en hij staan op alle voorpagina's. Lawes laat de kranten weten dat de drie bewakers die dienst hadden tijdens de uitbraak – Wilfred Brennan, Samuel Rubin en Philip Dengler – zijn ontslagen.

Willie steekt een Chesterfield op. Veel succes met het vinden van een nieuwe betrekking, jongens. Het is namelijk crisistijd.

Willie gaat naar Egans kamer en klopt aan.

Geen reactie.

Hij klopt nog eens aan. Egan, fluistert hij. Tijd om te gaan.

Niets.

Hij klopt harder.

Stilte.

De receptionist, wiens dienst net is begonnen, zegt dat de sleutel van meneer Garfields kamer niet op zijn plek hangt. Hij moet de deur uit zijn gegaan.

De deur uit?

Willie gaat in de lobby zitten en houdt de ingang in de gaten. Een uur lang. Hij gaat weer naar boven, naar zijn kamer, en houdt de straat vanuit zijn raam in de gaten. Twee uur. Hij kan letterlijk voelen dat zijn zenuwen het begeven. Stel dat Egan niet terugkomt? Stel dat de politie hem al heeft ingerekend? Hoelang zal Egan zijn kaken op elkaar kunnen houden voordat hij vertelt waar ze Willie kunnen vinden? Hoelang moet Willie wachten voordat hij de benen neemt uit het Sundowner? Hij wil zijn maatje niet in de steek laten, en hij wil geen los eindje achterlaten, zeker geen los eindje dat zo veel weet. Maar misschien zit Egan nu al met de politie te praten. Misschien is de politie al onderweg.

Vlak voor twaalven kijkt Willie uit zijn raam en ziet Egan zwalkend in de richting van het hotel komen. Hij rent naar beneden en stormt op hem af.

Ik had toch gezegd dat je op je kamer moest blijven?

Ik moes-effe weg, Willie, ik werd kneddergek.

Je stinkt naar jenever.

Da's een vuile leugen. Ik heb whiskey gedwonken.

Egan, snap je wat een risico je hebt genomen?

Ik heb niks genomen. Had een slokkie nodig, Willie, voor m'n zenuwen. Om de hoek zit een leuke tent, ga mee, dan laak'm zien.

Willie troont Egan mee naar boven en legt hem op bed. Trekt een stoel bij en kijkt naar de ronkende Egan. Het negende obstakel.

Sutton, Verslaggever en Fotograaf staan voor het Sundowner, een smal pand van drie verdiepingen, ingeklemd tussen twee gebouwen die schuin hangen als palmbomen. Niet te geloven dat het er nog steeds staat, zegt Sutton.

Hij tuurt omhoog over de steile trap, die eindigt bij een glazen deur vol krassen en vingerafdrukken. Dezelfde glazen deur waardoor hij Egan zevenendertig jaar geleden naar binnen heeft geloodst.

In 1932 kostte een bed in deze vlooientent een dollar, zegt Sutton. Kun je je dat voorstellen? Schone lakens kostten twintig cent extra. Maar allejezus, die eerste nacht was dit in mijn ogen het Plaza. Ik heb nog nooit zo lekker geslapen. Maar toen joeg Egan me de stuipen op het lijf. Die zette het op een zuipen. Toen hij weer terug was en ik hem in bed had gestopt, hoorde ik sirenes. Ik dacht echt dat ze hem gezien hadden. Maar ze kwamen voor een arm kind een paar deuren verder op de gang: ze had haar polsen doorgesneden. Dus daar zaten we dan, twee ontsnapte criminelen in een logement waar het wemelde van de politie. Een paar uur lang spande het erom.

Willie?

Sutton draait zich om naar Fotograaf. Ja, knul?

Wil je alsjeblieft, alsjeblieft, die handboeien afdoen?

O jee, helemaal vergeten.

Sutton steekt een hand in zijn zak en haal het sleuteltje tevoorschijn. Hij maakt de handboeien los.

Halleluja, zegt Fotograaf, over zijn polsen wrijvend.

Ja. Halleluja. Dat zei Willie ook altijd als ze de manchetten afdeden.

Verslaggever haalt de plattegrond uit zijn binnenzak. Onze volgende stop is hier niet ver vandaan, zegt hij. West 54th Street.

Daar zat vroeger Chateau Madrid, zegt Sutton. Het hoofdkwartier van Dutch Schultz – die me heeft geholpen mijn Eganprobleem op te lossen.

Nadat de politie het meisje met de doorgesneden polsen uit het Sundowner heeft weggedragen, glipt Willie haar kamer binnen. Precies zoals hij had gehoopt, staan er allemaal make-upspullen op de toilettafel. En een flesje waterstofperoxide. En er liggen een paar bebloede scheermesjes. Hij houdt het voorpand van zijn overhemd op, schuift alle spullen erin en haast zich terug naar zijn kamer. Hij gaat voor een spiegel zitten en blondeert zichzelf met behulp van de peroxide van het dode meisje. Vervolgens gebruikt hij haar wenkbrauwpotlood en haar pancake. Ten slotte gaat hij naar Egans kamer en terwijl die nog uitgeteld op bed ligt, scheert hij Egans hoofd kaal.

Later op de avond gaan Willie en Egan stiekem Central Park in. Egan staat op de uitkijk terwijl Willie een van zijn potten opgraaft. Tien mille. Het verbaast Willie hoeveel beter, veiliger, hij zich voelt met geld op zak. Ze nemen de metro naar Lower East Side. Bij een nachtcafé op Avenue A gebruiken ze hun eerste fatsoenlijke maaltijd in twee dagen. Egan mag van Willie twee glazen whiskey drinken om zijn zenuwen te kalmeren, maar meer niet.

Waarom zijn we in dit deel van de stad? vraagt Egan.

Ik heb een keer gelezen dat de politie hier niet graag komt. Te veel zwervers. Daarom is het de ideale plek voor wat wij moeten doen.

Na het eten zwerven ze door de donkere straten en achterafsteegjes en turen door de raampjes in geparkeerde auto's. Na een poos vinden ze een Chrysler met de sleuteltjes nog in het contact. Een dikke vrouw in een doorgestikte peignoir, die op een brandtrap een stenen pijpje zit te roken, kijkt naar hen. Als zij naar binnen gaat, springen ze in de Chevy en scheuren weg.

Terwijl Willie de auto in zijn derde versnelling zet en ze over East River Drive vliegen, zegt hij tegen Egan dat het tijd is dat ze ieder huns weegs gaan. Waar woont die broer van je?

Egan geeft Willie een adres op in Hell's Kitchen. Willie zoeft 10th Street in en slalomt door het verkeer. Dan ziet hij het huisnummer op een brievenbus staan. Een twee-onder-een-kapwoning met een kerstkrans op de linkerdeur. Bij het parkeren van de auto rijdt hij bijna een vuilnisemmer omver.

Hou je gedeisd, zegt hij tegen Egan. En blijf van de drank af. Ik neem contact met je op.

Willie laat de motor draaien wanneer Egan naar de voordeur loopt, de deur zonder krans, en aanklopt. Een roodharige man doet open. Hij en Egan wisselen rustig een paar woorden. Dan ineens duwt de roodharige man Egan opzij en terwijl hij komt aanrennen over het pad schreeuwt hij Willie toe: Zou je mij eens willen vertellen wat je je in je hoofd haalt?

Kan het ook wat zachter, misschien? Ik kom uw broer hier afzetten.

Ben je besodemieterd? Ik heb nog liever dat je bij me op de stoep schijt.

Egan komt aanlopen over het pad, met de handen op zijn hoofd. Mijn eigen broer, jammert hij.

Kop dicht, wordt Egan door zowel de broer als Willie toegebeten.

De broer buigt zich voorover en tuurt door het autoraampje naar Willie. Meneer Sutton, neem ik aan? Leuk u te ontmoeten. Ik heb uw wapenfeiten met enige bewondering gevolgd. Die pokkebanken. Maar deze zuiplap mag u niet hier achterlaten. Neem hem maar weer mee.

Willie kijkt recht voor zich uit. Sorry, vriend. Ik heb de grens bereikt met hem.

Ik ben bang dat u de grens dan maar een eindje moet verleggen, vriend. Anders geef ik uw kenteken en verblijfplaats door aan de politie, en dat doe ik dan met een zuiver geweten, dat kan ik u verzekeren.

Willie, die nog steeds voor zich uit kijkt, denkt na. Dan knikt hij. Egan stapt weer in.

Willie scheurt weg.

Ik denk dat je met me opgezadeld zit, zegt Egan.

Je hebt vast nog wel andere familie, Egan. Hoe zit het met je ouders?

Mijn moeder is bij mijn geboorte overleden.

Juist, ja. Je vader?

Wie het ook was, hij is er jaren geleden vandoor gegaan.

Nog meer broers of zussen?

Vijf broers.

Woont er een in de buurt?

Eens kijken. Charlie. Het is een armoedzaaier, maar bij hem kan ik wel terecht. Op de kruising rechts.

Charlie de Armoedzaaier staat ze bij de stoeprand al op te wachten. Hij heeft duidelijk een telefoontje gehad van de vorige broer. Hij steekt zijn hand op als een verkeersagent. Hij is ook niet bereid de leverantie te accepteren. Hij draait zijn hand om, met de palm naar boven. Hij zit een beetje krap bij kas en hij hoopt dat Willie Sutton, de beroemde bankrover, hem wel een lening wil geven. Anders ziet hij zich genoodzaakt de politie te bellen. Nu meteen. Willie geeft hem vijfhonderd dollar en rijdt plankgas weg.

Egan zit met zijn hoofd in zijn handen. Willie overweegt vaart te minderen en Egan uit de auto te schoppen. Maar ondanks alles heeft hij te doen met een man die verstoten wordt door zijn broers. Noem nog eens een andere broer, zegt Willie.

Egan denkt na. Sean, zegt hij. Ja. Sean. Hij heeft me dat akkefietje van een tijd geleden vast wel vergeven.

Sean woont aan de andere kant van de stad. Willie neemt

de korte route door Central Park, langs een groot werklozenkamp, Hooverville. Het is meer dan een tentenstad, het is een tentenmetropool, met straten, buurten, honden en katten. En er wonen niet alleen zwervers in dit werklozenkamp. Er wonen hele gezinnen. Gezinnen waar niets aan mankeert. Willie remt af. Egan en hij kijken allebei hun ogen uit. Die klootzak van een Hoover, zegt Willie.

Ja, zegt Egan.

Onderkruiper. Stroman van Rockefeller. Slippendrager van al die Wall Streetjongens. Wist je dat die ouwe Herbert voor zijn dertigste al miljonair was?

Meen je dat? Echt waar? Herbert wie?

Ten slotte komen ze bij Seans huis, een voornaam huis van bruinrood zandsteen. Een brandschone stoep bij de voordeur, keurige rode bloembakken met oranje, winterharde geraniums. Sean is kennelijk de succesvolste van de Egans. Deze keer worden Willie en Egan aan de stoeprand opgewacht door Seans vrouw. Ze zegt dat ze nog liever een wilde hond in huis zou nemen die schuimbekt van de hondsdolheid, dan deze mislukkeling van een zwager.

Ze schreeuwt naar Willie: Hij zat góéd waar hij was. We hebben een feestje gehouden op de avond na zijn veroordeling. Waarom heb je hem helpen uitbreken?

Hij heeft mij geholpen.

En waarom is hij kaal?

Dat is een lang verhaal.

Nou, je zit mooi met hem opgescheept. Moge God jullie genadig zijn.

Sutton staat voor de voormalige locatie van Chateau Madrid, nu een Indiaas restaurant. Wat ruik ik toch? vraagt hij.

Curry, zegt Fotograaf, die iets zoekt in zijn stoffen tas. En braaksel.

Verbazingwekkend dat bepaalde delen van New York precies zo ruiken als de gevangenis, zegt Sutton.

En wat is de betekenis van dit kleine stukje paradijs, Willie?

Laten we dat café binnengaan, dan zal ik het jullie vertellen.

Verslaggever en Fotograaf kijken om zich heen. Een café dat ze niet hadden gezien.

Jimmy's? O, meneer Sutton, die zaak ziet er ... verschrikkelijk uit.

De tent heeft betere dagen gekend. Maar zoals ik al zei, Willie heeft behoefte aan een glaasje tegen zijn kater en deze tent voldoet aan mijn eerste vereiste voor een café.

En dat is?

Hij is open.

Willie rijdt de steeg in achter Chateau Madrid. Egan en hij glippen binnen door een zijdeur en komen via de keuken in een donkere caféruimte. Er hangt een lampje boven de bar, waar een barman in een wit overhemd met groene mouwophouders over een krant gebogen staat.

Willie schraapt zijn keel. De barman kijkt op.

Ik wil Dutch Schultz graag spreken, zegt Willie.

Die is er niet.

Bo Weinberg dan?

Kent Bo je?

Nee.

Dan is die er ook niet.

Ik ben Willie Sutton.

Ja, dat zal wel.

Willie gaat in het licht staan en trekt Egan aan de elleboog mee. De barman kijkt naar hen, dan naar de voorpagina. Dan weer naar hen. Zijn ogen worden als schoteltjes zo groot. Een blonde Willie Sutton en een kale Johnny Egan. Godsamme, dat slaat alles, zegt hij.

Barman glipt weg door een verborgen deur in de achterwand van de bar en komt even later terug met Bo. Willie heeft Bo nog nooit ontmoet, maar hij heeft zijn politiefoto vaak genoeg in de krant zien staan en hij kent de reputatie van de man. De meest gevreesde moordenaar van New York. Vorig jaar nog heeft Bo Legs Diamond omgelegd.

Wat politiefoto's en een reputatie niet overbrengen, niet kúnnen overbrengen, is hoe groot Bo is. Alles aan Bo is groot. Zijn hoofd, zijn handen, zijn lippen – zelfs zijn kin is een overmaatse klomp vlees. Willie kan zich niet voorstellen hoe hij dat ding scheert. Bo gebaart dat Willie mee moet komen naar het kantoortje. Willie voelt dat zijn voeten als vanzelf in beweging komen. Hij zegt tegen Egan dat hij moet wachten.

Het kantoortje is net zo groot als een hoekzitje in de Silver Slipper. Een groot Engels bureau laat nauwelijks ruimte voor een kapstok en een archiefkast. Bo gaat aan het bureau zitten. Je neemt een groot risico, zegt hij. Door hier te komen. Hartje centrum. Je hebt wel kloten.

Dutch heeft ooit gezegd dat ik hem moest opzoeken mocht ik in de problemen komen. Ik zit in de problemen.

Dat hoorde ik. Wat heb je nodig? Geld?

Nee.

Wat dan?

Ik wil iets bij je dumpen. Iets wat een blok aan mijn been is.

Willie maakt een hoofdbeweging in de richting van het café. Bo's wenkbrauwen schieten omhoog. Dat is zeker een geintje?

Was het maar waar. Het is een dronkelap en misschien is-ie ook wel niet goed bij zijn hoofd. Zijn familie wil niets met hem te maken hebben en ik begin te begrijpen waarom.

En is dat je verkooppraatje?

Ik kan hem niet meenemen, maar ik kan hem ook niet op straat laten staan. Ik moet hem achterlaten bij iemand die ik kan vertrouwen, iemand die een oogje op hem houdt, hem een baantje geeft, een maaltijd, en misschien een tik als het nodig is.

Je kunt de maan wel willen.

De maan hoef ik niet. Dit is wat ik nodig heb.

Bo draait zich om in zijn stoel en kijkt naar een wandkalender. Het laatste blaadje van 1932. De hoek ervan is omgekruld.

Dutch heeft vrienden bij de politie, weet je.

Dat heb ik gehoord.

Sommigen van die vrienden werken in Centre Street 240.

O?

Op een avond gingen Dutch en ik onze maandelijkse steekpenningen afdragen, en die vrienden vertelden ons dat ze toevallig in Centre Street waren toen niemand minder dan Willie Sutton werd binnengebracht. Wat een pak slaag kreeg die Sutton, vertelden die vrienden ons – ieder ander zou Dutch hebben verlinkt. Nu zijn die vrienden geen bewonderaars van Sutton. Die vrienden doen hun werk en moeten niks hebben van mensen die zich uitgeven voor agent. Maar toch, nadat ze getuige waren geweest van dat pak slaag en er een poosje aan hadden meegedaan, spraken die vrienden over Sutton met wat je alleen maar respect kunt noemen.

Willies ogen worden vochtig van trots. Hij is bang dat zijn make-up zal gaan doorlopen.

Bo haalt diep adem en ademt uit alsof hij een kaars uitblaast. Laat die knul maar hier, zegt hij. Neem de benen. Schulden zijn schulden en Dutch voldoet zijn schulden altijd.

Willie knikt, draait zich om en wil weggaan.

Maar … Sutton.

Willie blijft staan.

Ik wil je hier niet meer terugzien.

Sutton laat zijn blik door het café dwalen. Tien barkrukken met rode kunstleren bekleding, twee daarvan bezet door bebaarde mannen, de armen over elkaar geslagen op de bar, het hoofd op de armen. Ze zien eruit alsof ze verstoppertje spelen. De barman is hem blijkbaar. Hij houdt zich schuil aan de andere kant van de bar en leest de krant. Hij kijkt op, ziet Sutton, Verslaggever en Fotograaf, en fronst zijn wenkbrauwen. Hij komt stilletjes naar hen toe, langs de slapende stamgasten, en legt drie viltjes neer. Wat willen jullie drinken?

Jameson, zegt Sutton. Puur.

Ik niets, zegt Verslaggever.

Ik wil graag een Jameson, zegt Fotograaf, nog steeds over zijn polsen wrijvend. Hij zet zijn stoffen tas op de bar.

Sutton kijkt langs de bar naar de slapende mannen. Ik herinner me de depressie van 1914, zegt hij. Duizenden mannen zonder werk, zonder huis, namen hun intrek in cafés. Café-eigenaren smeekten de politie om ze op te pakken, maar daar voelde de politie niets voor. Beter in het café dan op straat, dacht de politie.

Verslaggever slaat zijn aantekenboekje open en trekt de dop van zijn pen. Eh, meneer Sutton, terug naar de ontsnapping. U en Egan gingen naar het Sundowner en kwamen daarna hier, of hier in de buurt. Waarom?

Ik moest van Egan zien af te komen. Hij was een blok aan mijn been en hield me op. Daarom liet ik hem achter bij Bo Weinberg, de rechterhand van Dutch.

Barman stopt met het inschenken van de Jameson en kijkt op. Zeg, ben jij Willie Sutton?

Dat klopt, ja.

Krijg nou wat. Willie de Acteur?

Jep.

Geef me de vijf, makker.

Sutton schudt Barman de hand. Is dit jouw tent?

Jazeker. O'Keefe is de naam. James O'Keefe. Tot je dienst. Wat brengt jou hier, vriend?

Ik geef deze jongens een rondleiding. Mag ik je voorstellen: Watt en Halfwatt.

Verslaggever en Fotograaf steken even hun hand op.

Vrolijk kerstfeest, zegt Barman. Vertel eens, wat is de rol van mijn kroeg in het rijke leven van Willie de Acteur?

Ik kwam vroeger in de zaak hiernaast.

Chateau Madrid. De tent van Dutch. Natuurlijk. Jezus, Willie de Acteur. Wat een eer. Dit rondje is van het huis.

In dat geval, vriend, schenk het tweede rondje dan ook vast maar in. Laat ze maar komen. En wil je zelf ook wat?

Verslaggever wrijft vermoeid in zijn ogen en bladert door zijn dossiers. Meneer Sutton? U wilde iets vertellen. Over Egan?

Sutton proost met Fotograaf en Barman. Op de vrijheid, zegt Sutton. Fáilte abhaile, *zegt Barman. Ze slaan de whiskey achterover. Fotograaf geeft een klap op de bar. Godallemachtig, zegt hij. Wie drinkt dit spul?*

De helft van Brooklyn, zegt Sutton. Heel Ierland, inclusief pasgeborenen.

Meneer Sutton?

Ja, knul, ja.

Egan? Bo Weinberg?

O ja. Dus ik liet Egan achter bij Bo, hier vlakbij, en toen ben ik de stad uit gegaan.

En hoe is met Egan afgelopen?

Twee maanden later was hij dood.

Dood?

Doodgeschoten in een clandestiene kroeg hier niet ver vandaan. Vreemd. In Times *stond dat hij een garderobebonnetje op zak had … met nummer dertien. Egan had me ooit verteld dat dertien zijn ongeluksgetal was. Ik denk dat-ie gelijk had. Nu ik erover nadenk: ik heb hem hier achtergelaten … op 13 december.*

Wie had hem doodgeschoten?

De politie heeft er nooit iemand voor opgepakt.

Verslaggever slaat zijn aantekenboekje dicht en knijpt zijn ogen tot spleetjes. Dat blok aan uw been was ineens … dood.

Knul, je klinkt steeds meer als een smeris.

Het kwam natuurlijk wel heel goed uit.

Wat kan ik ervan zeggen? Ik was de kus des doods in 1932. Bo Weinberg stierf ook kort nadat hij mij had ontmoet.

Wie vermoordde Bo?

Bugsy Siegel, zegt Barman.

Sutton knikt. Dutch zette een prijs op zijn hoofd, maar Bugsy loste het schot.

Hoe dat zo?

Dutch kreeg er lucht van dat Bo een verrader was.

Willie rijdt naar Philadelphia en zet de gestolen Chrysler onder een brug. Hij haalt de kentekenplaten eraf, steekt de auto in de fik en gaat lopen. En lopen. Hij blijft staan bij een bord: TE HUUR. Hij vraagt om een kamer en zegt tegen de verhuurster dat zijn naam James Clayton is. Het adres is Chestnut Street 4039.

Bij een buurtwinkel op de hoek slaat hij spullen in. Tonijn in blik, chocoladerepen, sigaretten, koffie. Hij loopt even de plaatselijke boekhandel in om een paar bestsellers en een paar Russische romans te kopen. Vergrendelt de deur van zijn kamer en wacht.

Na drie dagen: zacht geklop. Hij schuift het kijkgaatje in de deur open. Hij gooit de deur open. Waar bleef je in godsnaam? zegt hij.

Ik ben gekomen zodra ik je bericht had ontvangen.

Eddie laat een zware plunjezak vallen en gaat met uitgestrekte armen voor Willie staan. Ze omhelzen elkaar en slaan elkaar hard op de rug. Willie trekt Eddie zijn kamer in en doet de deur op slot. Laat me je eens bekijken, zegt hij.

De jaren van gevangenschap en werkloosheid hebben hun tol geëist van Eddie. Zijn gezicht is magerder, harder. Zijn blauwe ogen zijn bleker geworden, zijn blonde haar begint uit te dunnen. Hij ziet natuurlijk ook veranderingen bij Willie. Hij wijst op Willies blonde lokken. Wat moet dat nou voorstellen?

Je weet dat ik altijd precies op jou heb willen lijken, Ed.

Eddie geeft Willie lachend een stomp tegen zijn schouder. Dan rommelt hij in zijn plunjezak en haalt er een fles Jameson uit. Hij ontkurkt hem en neemt een slok. Op de vrijheid, zegt hij terwijl hij de fles doorgeeft aan Willie, die een dubbele slok neemt en voor het eerst in een jaar begint te lachen.

Ze blijven de hele nacht op, drinken whiskey en praten elkaar bij over de afgelopen vijf jaar. Dingen die ze in brieven niet konden zeggen.

Het werd beroerd in Dannemora toen jij weg was, Sutty. Ik heb er een paar van de ergste knokpartijen van mijn leven meegemaakt. Knokpartijen op leven en dood. Toen ze me vrijlieten, heb ik mezelf een belofte gedaan: Ik ga nooit meer terug. Ik kreeg een baantje: vloeren dweilen en wc's schoonmaken in een lunchroom. Ik kwam vroeg, bleef tot laat, en slikte alle rottigheid die mijn baas maar over me wist uit te storten. Ik legde geld opzij, leerde zelfs een meisje kennen. Ik was eigenlijk best gelukkig. Toen op een dag kwam er een vent binnenlopen die een vrouw begon lastig te vallen. Ik had geen idee of hij haar vriendje was of haar man of wat dan ook. Het kon me ook niet schelen. Hij greep haar bij de nek en begon haar naar buiten te sleuren. Wat moest ik doen? Ik heb hem buiten westen geslagen. Mijn baas ontsloeg me ter plekke. Het kostte me de grootste moeite om hem niet ook tegen de vlakte te slaan toen ik naar buiten liep. Dat was drie maanden geleden. Sindsdien heb ik geen werk meer kunnen vinden.

Willie zwaait met de krant. Je bent niet de enige.

Dertien miljoen werklozen, zegt Eddie. Mensen hamsteren nota bene goud. Elke week gaan er vijftig banken failliet.

Voedselrellen, zegt Sutton. Ik had nooit gedacht dat ik dat zou beleven.

Ieder voor zich, Sutty. Nu meer dan ooit. We moeten zorgen dat we ons deel krijgen voordat er niets meer over is.

Ik heb mezelf ook een belofte gedaan, Ed. Ik ga ook niet meer de bak in.

Dan moeten we er gewoon voor zorgen dat we niet gepakt worden.

Eddie ritst zijn plunjezak weer open. Hij haalt er een politie-uniform uit tevoorschijn. Hij gaat staan en houdt het uniform tegen zijn lichaam. Nog steeds maat vijftig?

Barman veegt de bar af met een vieze lap. Nog een rondje, Willie?

Graag. Maar wel een vluggertje. Watt en Halfwatt zien eruit alsof ze 'm willen smeren. Wat krijg je van ons?

Fotograaf komt er snel tussen. Dit is voor onze rekening, Willie.

Ja, zegt Verslaggever, stop uw geld maar weg, meneer Sutton.

Fotograaf pakt zijn portemonnee uit zijn stoffen tas, doet hem open en zit verbijsterd te staren. Wacht even, zegt hij. Godver ... ik had durven zweren dat er nog twintig dollar in zat.

Verslaggever draait zich naar hem toe. Sutton draait zich naar hem toe.

Toen ik die handboeien afrekende, heb ik twee briefjes van tien gezien, dat weet ik zeker, zegt Fotograaf.

Maak je er maar niet druk over, zegt Sutton. Ik trakteer.

Sutton steekt zijn hand in zijn binnenzak en haalt er tien dollar uit.

Ik dacht dat u alleen cheques had, zegt Verslaggever.

Mijn vriend Donald moet me wat geld hebben toegestopt toen ik niet keek. Aardige vent.

Met een klap legt Sutton het tientje op de bar.

Willie, zegt Barman, ik neem je geld alleen aan op één voorwaarde. Dat je er je handtekening op zet, zodat ik hem boven de kassa kan hangen.

Afgesproken, zegt Sutton.

Barman geeft Sutton een pen.

Wat moet ik erop schrijven?

Schrijf maar: Voor de jongens bij Jimmy's. Daar zat het geld NIET.

Willie zet zijn handtekening en stopt de pen in zijn binnenzak. Hij voelt de witte envelop. Hij haalt hem eruit en staart ernaar.

Wat zit er in die envelop? vraagt Verslaggever.

Mijn ontslagpapieren.

Fotograaf houdt zijn portemonnee ondersteboven en schudt ermee. Ik weet zeker dat hier twintig dollar in zat.

In hun eerste maand samen beroven Willie en Eddie elf banken en strijken zo'n driehonderdduizend dollar op. Ging Willie met Marcus vroeger aan de rol – dit slaat echt alles.

Deze keer laat de politie zich niet voor de gek houden door Willies vermommingen. Zijn aanpak is zijn handelsmerk geworden. De politie geeft hem zelfs een bijnaam die de kranten onweerstaanbaar vinden. Willie de Acteur. Sommige kranten verkorten die tot de Acteur. Als in: DE ACTEUR SLAAT WEER TOE.

Willie moet niets hebben van die bijnaam. Hij is banaal, vindt hij. En bovendien klopt hij niet. Een acteur is iemand die speelt dat hij iemand anders is. Een acteur is iemand die zinnen uitspreekt die niet echt zijn, omdat ze niet van hemzelf zijn. Wanneer Willie een bank binnenloopt, speelt hij niet, maar is bloedserieus, en hij meent elk woord.

Tussen twee klussen in is hij dikwijls te vinden in tweedehandsboekwinkels in Philadelphia, waar hij allerlei boeken over acteren koopt. Sommige dingen die hij leest, stellen hem gerust. Hij komt te weten dat de grootste acteur-schrijver aller tijden een dief was, en een Willie. Na zijn arrestatie in Stratford wegens stroperij, moest Shakespeare de benen nemen naar Londen. Daar raakte hij in het theater verzeild. Willie leest dat het bij acteren niet gaat om wat je zegt, maar dat het gaat om wat je niet zegt, om wat je door suggestie oproept. Het publiek wil je niet leren kennen, ze willen het verlangen voelen om je te leren kennen. Omdat je dat verlangen nooit volledig bevredigt, nooit het achterste van de tong laat zien, is acteren het tegenovergestelde van bekennen. Willie onderstreept die passage met pen.

In maart 1933 zit Willie met een van zijn acteerboeken op schoot; naast zijn stoel staat een nieuw radiomeubel. Eddie ligt op de bank te roken. De nieuwe president, Franklin D. Roosevelt, heeft een maand na de aanslag op zijn leven een korte landelijke vakantieperiode ingesteld, de bankholiday. Om de paniek in de straten te bezweren, om de toestroom in te dammen van mensen die de overbelaste banken bestormen en hun geld opeisen, heeft Roosevelt verordend dat alle banken in het land vier dagen dichtgaan. Hij heeft ook een causerie gepland waarin hij uitleg gaat geven over de bankholiday en wat er daarna zal gebeuren. Willie en Eddie luisteren ernaar, net als veertig miljoen anderen.

Zet eens wat harder, zegt Willie.

Beste vrienden. Ik wil het Amerikaanse volk graag een paar minuten onderhouden over bankieren. Daarbij richt ik me niet slechts tot de relatief weinigen die begrijpen hoe het bankwezen functioneert, maar vooral tot de overgrote meerderheid van u.

Met andere woorden, zegt Eddie, tot jullie idioten.

Het is veiliger om uw geld te bewaren bij een heropende bank dan onder uw matras.

Behalve bij de banken die wij beroven, hè, Sutty?

U dient vertrouwen te hebben. We willen niet nog een golf van bankfaillissementen, en dat zal ook niet meer gebeuren.

Ja, ja, dat zal wel, zegt Eddie spottend.

Laat me duidelijk stellen dat de banken aan alle verzoeken zullen voldoen, behalve uiteraard aan de overtrokken eisen van hamsteraars.

Eddie laat een honende lach horen en doet alsof hij een pistool op de radio richt. Overtrokken eisen, zoals: Maak de kluis open of je krijgt een kogel door je rotkop.

Deze federale banksluiting vindt navolging in een groot aantal staten. Het lijkt de ideale tijd voor Willie en Eddie om zelf ook vrijaf te nemen. Hun script bij te werken, hun aanpak te stroomlijnen. Hun werk efficiënter te maken. Ze bespreken vooral hoe ze met helden moeten omgaan. Dat baart Willie nog de meeste zorgen.

Bij zowat elke vierde klus is het raak. Een directeur, kasbediende of bewaker weigert mee te werken. Omdat Willie niemand wil verwonden of pijn doen, vervullen die momenten hem met angst. Er kan van alles gebeuren, en vroeg of laat zal dat ook gebeuren. Willie en Eddie praten erover en komen tot de slotsom dat bankmedewerkers, net als mensen in hun oude buurt, een hechte gemeenschap vormen. Wanneer een personeelslid weerspannig is, heeft het geen zin om hem te bedreigen, is hun conclusie. Het is beter om zijn collega's te bedreigen.

Eddie stelt nog een andere aanpassing voor. Zwaarder geschut. Mensen zijn niet bang meer voor een zakpistool. Ze hebben te veel films gezien. Maar van een Thompson gaat iets uit, met dat grote patroonmagazijn en die dunne loop. En niets snoert mensen sneller de mond dan een geweer met afgezaagde loop.

Ten slotte besluiten Willie en Eddie dat hun klussen vlotter zullen verlopen als ze er een derde man bij nemen. Het is te veel werk voor Eddie om Willie te helpen bij het in bedwang houden van het bankpersoneel, het geld te vergaren én te rijden.

Ik weet precies de juiste man, zegt Eddie. Joey Perlango. We zaten in hetzelfde cellenblok in Dannemora.

Perlango? Beveel jíj een spaghettivreter aan?

Ja, wat zal ik ervan zeggen? Die vent deugt gewoon.

Oktober 1933. In een eethuisje langs de snelweg hebben Willie en Eddie hun eerste ontmoeting met Perlango. Hij is een paar jaar ouder dan zij, heeft hangende oogleden en een neus die eruitziet alsof hij platgestreken is, duidelijk het werk van tientallen bokshandschoenen. Zijn tanden zijn groot, wit, regelmatig, maar met grote ruimten ertussen. Als hij lacht, moet Willie aan de veter van een football denken. Uit de zak van zijn metaalgrijze pak, dat glimt als de bumpers van een nieuwe auto, haalt Perlango een nagelknippertje tevoorschijn dat hij hanteert terwijl Willie met hem zit te praten.

Dus, Joey, wat wij in gedachten hebben ...

Knip. Er vliegt een nagel over tafel, die even in de lucht blijft hangen als een kleine maansikkel, en dan in de suikerpot belandt. Noem me maar Plank.

Wat? zegt Willie.

Iedereen noemt me Plank. Zelfs mijn ouders.

Hoe dat zo?

Omdat ik een keer een vent geslagen heb. *Knip.* Met een plank.

Er vliegt weer een nagelstukje de lucht in, dat op Willies mouw belandt. Hij pakt het eraf en kijkt naar Eddie.

De serveerster komt. Willie bestelt drie koffie.

Ik wil thee, zegt Plank.

Willie kijkt weg. Thee. Jezus.

De serveerster brengt hun bestelling en verdwijnt weer. Willie buigt zich over de tafel. We zijn van plan de Corn Exchange te beroven, Plank. Hier in Philly.

Daar geven ze vulpennen weg.

Hè?

Als je er een rekening opent. Dan krijg je een vulpen cadeau.

Eh ... oké. Het zal wel.

Willie vouwt een plattegrond open. Met een rode pen markeert hij die met kruisjes en nummers. Hij zet een kruisje waar Plank met de auto gaat staan.

Ik ga eerst naar binnen, zegt Willie. Verkleed als agent. Na een minuut of wat laat ik Eddie binnen, ook verkleed als agent. Tien minuten later, Plank, start je de auto en rijd hiernaartoe. We springen erin, en je rijdt weg, langs deze route. De hele klus zou nog geen vijftien minuten moeten duren.

Plank giet zijn thee op het schoteltje en blaast erop. Wat moet ik aan?

Wat je aan moet ... hè?

Wat voor uniform?

Je hoeft helemaal geen uniform aan.

Plank staart naar zijn schoteltje. O.

Is er iets?

Nou ja. Ik dacht dat ik postbode zou zijn of brandweerman of zoiets. Het klonk leuk toen Eddie me erover vertelde.

Nee, jij rijdt. Meer niet. Maar dat is veel. Dat is een heel belangrijke taak, Plank.

Plank knikt. Een poos zegt niemand iets. Plank zet het schoteltje aan zijn lippen en slurpt. Wat dacht je van een chauffeursuniform? zegt hij. Je weet wel. Omdat ik rij.

Ik geloof dat je het niet snapt, zegt Willie. Niemand ziet je, behalve wij.

Plank knikt. Maar hij kijkt diepteleurgesteld.

Later zegt Willie tegen Eddie dat ze wel een betere kandidaat kunnen vinden dan Plank.

Iemand die we uit de rij voor de gaarkeuken hadden gepikt, zou nog beter zijn geweest dan Plank, Ed.

Eddie haalt een stripje fruitkauwgom uit de verpakking, buigt het dubbel en steekt het in zijn mond. Willie denkt aan Centre Street, herinnert zich Dikke Agent en Dikste Agent. Hij rilt.

Ik geef toe, zegt Eddie, dat Plank niet zo'n goede eerste indruk maakt. Maar hij deugt, Sutty. Dat zul je zien.

Barman plant zijn ellebogen op de bar en gebaart dat Sutton zich naar hem toe moet buigen. Wat ik altijd leuk aan je heb gevonden, Willie, is de manier waarop je die tyfusbanken te kakken zette.

Sutton glimlacht vagelijk.

Die jongelui van tegenwoordig, zegt Barman, begrijpen niet hoe inslecht de banken destijds waren. En destijds was iedereen het erover eens dat de banken bloedzuigers waren, heb ik gelijk of niet? Hoofdartikelen, spotprenten, preken, overal waar je keek, probeerde wel iemand duidelijk te maken dat de banken bloedzuigers waren, dat we mensen ertegen in bescherming moesten nemen. Dat weet je toch nog wel?

Zeker, zeker.

En ze zijn nog steeds bloedzuigers, zegt Barman, maar tegenwoordig worden bankiers gerespecteerd. Wat is er in godsnaam gebeurd?

Een van de mannen die aan de bar zitten te slapen heft het hoofd. Hij kijkt boos naar Sutton en Barman. Mijn broer is bankier, zegt hij.

O, zegt Sutton. Sorry, makker.

Mijn broer is een zak.

Ga maar weer slapen, zegt Barman. We zullen je wakker maken als we besluiten een inventarisatie van imbecielen te maken.

Ze ontmoeten Plank op een neutrale locatie. Laten Willies auto achter en stappen over in die van Plank. Eddie als bijrijder, Willie op de achterbank. Ze trekken hun politie-uniformen aan terwijl Plank rijdt. Willie kijkt naar Planks gezicht in de achteruitkijkspiegel. Zichzelf ziet hij weerspiegeld in het pak van Plank. Weer zo'n glimmend pak, koopt hij ze in het groot in?

Hoe voel je je, Plank?

Best, Willie. Best.

Willie bestudeert Planks nek. Er puilt een rol spek over zijn kraag. Hij bestudeert de achterkant van Planks hoofd, vraagt zich af wat erin omgaat, hoe het is gekomen dat Plank zo vaak het spoor bijster is geraakt dat hij uiteindelijk taxichauffeur voor bankrovers is geworden. Willie zucht en kijkt uit het raampje naar de grijze ochtend in Philadelphia.

Maar ja, nu ik jullie in je vermomming zie, voegt Plank eraan toe, wou ik natuurlijk gewoon dat ...

Niet doen, zegt Eddie. Niet over beginnen.

Plank kijkt geërgerd op de snelheidsmeter. Ik snap gewoon niet wat het voor kwaad kan, zegt hij.

Eddie wrijft zijn politiepenning op. Daar hebben we het al honderd keer over gehad.

Plank gromt wat.

Niemand zal je zien, Plank. Snap je dat dan niet?

Dat bedoel ik dus, zegt Plank.

Wat?

Niemand zal me zien, dus wat kan het voor kwaad als ik een vermomming aanheb?

Ik ken Sutty mijn hele leven al, zegt Eddie, ik heb hem verteld dat je deugt. Zorg dat ik daar geen spijt van krijg.

En iemand zijn die deugt met een vermomming aan, dat kan niet? Hoor je de onlogica, Ed?

Onlogica?

Plank glimlacht. Mijn vrouw heeft een boek voor me gekocht om mijn woordenschat te vergroten.

Weg met dat boek. Niemand wil een chauffeur met een woordenschat.

Willie wrijft over zijn voorhoofd. Stil. Jullie allebei. Bij de vierde zijstraat rechts zit de bank.

Plank parkeert de auto. Ze blijven zwijgend zitten, met snorrende motor. Om half negen stapt Willie uit, loopt naar de bank en klopt aan. Routinecontrole, zegt hij tegen de bewaker, gezien de recente golf van overvallen en zo.

Tuurlijk, tuurlijk, zegt de bewaker en hij zwaait de deur wijd open. Wilt u een kop koffie, agent?

Dat lijkt me lekker, zegt Willie en hij stapt soepel als een danser naar binnen terwijl hij zijn Tommy tevoorschijn haalt van onder zijn overjas. Pal achter hem volgt Eddie, het geweer met afgezaagde loop op schouderhoogte. Eddie trekt het pistool van de bewaker uit de holster en bindt de man vast. Vervolgens binden Willie en hij de personeelsleden die binnenkomen vast. Het zijn er twaalf in totaal.

De directeur is, zoals altijd, de laatste. De Tommy tegen zijn buik doet hem beven. Hij kijkt in Willies blauwe ogen. U bent ... de Acteur.

Doet er niet toe. De kluis. Lopen.

De directeur doet een stap, blijft staan. Hij kijkt schaapachtig. Ik moet de geit verpinnen, zegt hij.

Wat?

Wateren.

Eerst de kluis. Dan wateren.

Dat red ik niet, meneer Acteur. Ik heb thuis een extra bakkie leut genomen. Ik had moeten gaan voordat ik wegging, weet u. Maar ik was aan de late kant, en de aanblik van uw Tommy heeft … nou ja. De zaak bespoedigd.

Maak die kluis open, zegt Eddie met stemverheffing, of we gaan personeelsleden doodschieten.

Gaat u mijn personeelsleden doodschieten omdat ik moet wateren?

Willie zucht. Eddie zucht. Dat lijkt me inderdaad nogal cru, Sutty.

Willie loopt met de directeur naar de wc. Hij wacht met de deur open.

Die ouwe man klinkt als een pissend paard.

Het gaat maar door. En gaat maar door.

Jezus, mompelt Eddie. Nou moet ik ook. Eindelijk komt de directeur naar buiten. Hij neemt Willie mee naar de kluis, draait aan de combinatieschijf en trekt de deur open. Ineens moet Willie wateren. De meeste kluizen zijn maar voor een deel gevuld, maar deze is afgeladen. De groene stapels zitten zo dicht opeengepakt dat er nog geen stiletto meer tussen kan.

Later, terug in Willies kamer, zitten Willie, Eddie en Plank voor de salontafel, de buit opgestapeld tot een piramide. Ze hebben het drie keer geteld. Elke keer komen ze uit op een kwart miljoen dollar. Telkens weer vraagt Plank: Jongens, wisten jullie dat? Willie en Eddie geven geen antwoord. Het moet zo'n beetje de grootste buit aller tijden zijn hier in de stad, zegt Plank. Ze geven nog steeds geen antwoord. Dit vraagt om een feestje, zegt Plank.

Willie knikt zwijgend.

Mag ik mijn vrouw uitnodigen? vraagt Plank.

Weer knikt Willie zonder erbij na te denken.

Mevrouw Plank komt met de trein uit East New York. Ze is boekhoudster bij een slager en ziet eruit zoals Willie verwacht had; hoe zou de vrouw van Plank er anders uit kunnen zien? Lichtblond haar, grote sensuele mond, niemand-thuis-blik.

Eddie nodigt zijn vriendin, Nina, uit, een mannequin. De vorige zomer heeft ze op de cover van *McCall's* gestaan. Zij is de vriendin geweest van Max Baer, kampioen zwaargewicht en hartenbreker, vertelt Eddie, en Clark Gable heeft haar een keer proberen te versieren in een van de Schrafft's restaurants. Ze heeft een strak truitje aan, een zijden sjaaltje om haar hals geknoopt en op haar hoofd een hoed die omhoogwelft, dan steil naar beneden en weer omhoog, als een golfbaan. Willie kan zijn ogen niet van haar afhouden. Hij probeert het. Maar het lukt niet.

Iedereen drinkt te veel. Plank en zijn vrouw drinken veel te veel. Dan beginnen de meisjes hun kleren uit te trekken. In hun jarretelgordeltje en bustehouder dansen ze rond de salontafel. Mevrouw Plank pakt een vuist vol honderdjes en gooit die naar Nina, die twee vuisten vol pakt en ze in de lucht gooit.

Willie ziet Eddie op zijn dij kletsen van het lachen. Hij gaat naar hem toe en slaat een arm om zijn schouders. Hé, partner.

Hé daar, Sutty.

Willie werpt een verlekkerde blik op Nina. Wat denk je, mag ik een keer met haar? zegt hij.

Eddie duwt Willie van zich af en kijkt hem verbouwereerd aan. Wát?

Willie buigt zijn hoofd en probeert na te denken. Hij kijkt op. Sorry, Ed, ik weet niet waar dat vandaan kwam. Ik ben dronken.

Vergeet 't maar, zegt Eddie. Hij loopt weg.

Willie laat zich op de grond ploffen en gaat liggen. Hij legt een kussen onder zijn hoofd, probeert zijn glas whiskey op zijn borst in evenwicht te houden en morst de helft. Zijn oogleden. Hij kan ze niet openhouden. Vlak voordat hij ze laat dichtvallen, ziet hij dat Eddie met Nina naar het raam loopt. In silhouet afgetekend tegen het vervagende daglicht lijken ze Gable en Lombard op het witte doek. Willie probeert wakker te blijven en hun lippen te lezen. Dan ziet hij, vanuit zijn ooghoek, dat Plank mevrouw Plank achternazit naar de slaapkamer. Hij ziet de derrière van mevrouw Plank, groot en rond, haar felpaarse jarretels, haar verwarde lichtblonde haar dat golvend over haar rug valt. Ten slotte, een fractie van een seconde voordat hij onder zeil raakt, ziet Willie iets anders.

's Ochtends weet hij niet meer of hij het echt heeft gezien of het heeft gedroomd.

Plank – in Willies politie-uniform.

Barman: Het andere dat ik altijd in je bewonderde, Willie, was dat je nooit geweld gebruikte. Als er meer boeven waren zoals jij, zou de wereld er beter aan toe zijn. Tegenwoordig vinden ze het heel normaal om een oud dametje te grazen te nemen in de metro en haar een klap op het hoofd te geven om haar portemonnee te kunnen afpakken.

Sutton: Vertel mij wat. De jochies die ik de laatste paar jaar Attica zag binnenkomen – je zou het niet geloven. Gewelddadig, verslaafd aan drugs. En lui! Ze kwamen naar mij om te vragen of ik ze het geheim van het bankroven wilde vertellen. Dan zei ik: Het geheim is godvergeten hard werken.

Barman: Tegenwoordig rennen er van die radicalen rond, die bommen plaatsen bij banken en overheidsgebouwen. Ze zeggen dat ze het uit protest doen, maar het zijn onschuldige mensen die eronder lijden.

Sutton: Ik stond altijd om vijf uur op, vulde een thermoskan met koffie, liep naar de bank en stond daar dan te vernikkelen. Ik maakte stapels aantekeningen. Die prentte ik in mijn hoofd. Ik bereidde elke klus tot in de puntjes voor, zodat er niemand gewond zou raken.

Barman: Toen ik in 1919 terugkwam uit Europa, met granaatscherven in mijn heup, kon ik twee jaar lang geen werk vinden. Ik werd zo kwaad dat ik me echt moest inhouden om niet mijn handen om iemands keel te slaan. Ik bleef me maar afvragen: Wat heeft het voor nut gehad? Ik had me zo kunnen aansluiten bij een man zoals jij. Om je de waarheid te zeggen heb ik dat bijna gedaan. Maar dat had ik nooit gekund met het tuig dat tegenwoordig rondloopt.

Verslaggever: Meneer Sutton?

Sutton: Ja?

Verslaggever: Ik zit hier net in dit dossier te kijken, en daar staat in dat u en Eddie machinepistolen afvuurden terwijl jullie een bank aan het beroven waren? Traangas gebruikten? En daarna door de politie in vliegende vaart dwars door het centrum werden achtervolgd? Dat klinkt niet zo geweldloos.

Barman: Wat heeft die knul toch?

Sutton: Ik wou dat ik het wist.

Verslaggever: Maar ik lees gewoon ... het staat in het dossier.

Sutton: Heb je nooit gehoord dat kranten er weleens naast zitten?

Bartender: Wat is de volgende stop in de rondleiding, Willie?

Sutton: Broadway en 178th Street.

Fotograaf: Weer terug. Dat is vlak bij het stadion. Ik kan het niet laten om even te zeggen dat we daar net vandaan komen.

Sutton: Geduld en Standvastigheid hier ergeren zich eraan dat ik ze in chronologische volgorde door mijn verhaal leid.

Barman: Hoe moet je anders een verhaal vertellen? Wat is daar gebeurd, Willie?

Sutton: Daar hebben ze die arme Eddie neergeschoten.

De jongen van de buurtwinkel op de hoek komt bij Willie aan de deur om te zeggen dat er telefoon voor hem is. Willie schiet iets warms aan, loopt naar de winkel en stapt de telefooncel in.

Sutty, met Eddie.

Hoe staat het ermee?

Ik moet naar New York.

Hoe dat zo?

Ik heb nieuwe kentekenplaten nodig.

Dat lijkt me erg ver reizen voor nieuwe kentekenplaten.

Wat moet ik anders? Ik kan niet aantonen dat ik hier in Philly woon.

Mm. Oké. Bel je als je terug bent?

Zal ik doen.

Wees voorzichtig.

Tot ziens.

December 1933. Het is één jaar geleden dat Willie ontsnapte uit Sing Sing. Hij trekt zich terug in zijn appartement, drinkt brandewijn en beluistert kerstplaten op een oude Victor. Voelt zich weemoedig. Denkt aan Happy, Wingy, Daddo. En meneer Untermyer. Willie vraagt zich af of Cicero heeft gelezen over de wapenfeiten van zijn voormalige tuinman.

Nu denkt hij aan Bess. Hij schenkt zich nog een brandewijn in. Wat hij er niet voor over zou hebben om de Kerst met haar door te brengen. Ach, Bess. Mijn hartelief. De deur wordt uit zijn scharnieren geblazen. Tien agenten stormen het appartement binnen. Net als Willie opspringt uit zijn stoel krijgt hij een rechtse hoek van een rechercheur met stekeltjeshaar, gevolgd door een vuistslag van een andere rechercheur, met een ponem als rauw vlees.

Willie belandt, geboeid, op de achterbank van een politieauto. Rechercheur Stekeltjeshaar rijdt, rechercheur Vleesponem zit ernaast en voert het woord.

Zonder je vriend Plank hadden we je misschien wel nooit gevonden.

Plank? Wie is Plank?

Dat is een goeie. Plank is toevallig de domste man van New York-Oost. Hij heeft geen werk, maar rijdt wel rond in een splinternieuwe Cadillac en draagt pakken van honderd dollar, dát is Plank. Zijn buren vonden het een tikkeltje verdacht en belden ons. We hebben zijn telefoon afgetapt. En bingo, hier zijn we.

Klinkt niet als het soort idioot waar ik iets mee te maken zou willen hebben.

Je maatje Eddie Buster Wilson scoort ook niet hoog op de IQ-test. Hij heeft jou en Plank vanochtend gebeld en ouwehoerde erop los zonder erbij stil te staan dat de lijn weleens kon worden afgeluisterd. Jou vertelde hij dat hij naar New York ging, tegen Plank zei hij dat die naar Bureau Motorvoertuigen moest komen. Dus hebben we twee en twee bij elkaar opgeteld en een mooi welkomstcomité voor hem opgesteld. Hij had zich moeten overgeven, maar hij heeft ons op een pittige achtervolging getrakteerd. Jammer voor hem.

Wat is er gebeurd?

Kop dicht.

Wat hebben jullie met Eddie gedaan?

Kop dicht. Daar zul je gauw genoeg achter komen.

Sutton staat op de hoek, met de wind in de rug. Hij kijkt naar de George Washington Bridge een eindje verderop. Die zwaait lichtjes heen en weer. Of misschien zwaait Sutton heen en weer. Een vrouw gehuld in twee sleetse jassen loopt hem voorbij, vergezeld van een klein meisje op een fiets met oefenwieltjes. Maar er ontbreekt één oefenwieltje.

Wat een naargeestige rothoek, zegt Sutton en hij duikt weg in de trenchcoat van Verslaggever.

Verslaggever haalt zijn aantekenboekje tevoorschijn en wacht tot het kleine meisje hem is gepasseerd. Dus hier is Eddie gestorven, meneer Sutton?

Dan zou hij beter af zijn geweest. Nee, hij is hier neergeschoten, maar hij heeft 't overleefd. Een van de kogels heeft zijn oogzenuw geraakt. De volgende twintig jaar heeft hij op de tast doorgebracht in een cel in Dannemora. Een rechter heeft hem in '53 in vrijheid gesteld. Eddie kwam de rechtbank uit met een blindenstok en al zijn bezittingen in een laken geknoopt. Ze zeiden dat hij braille had leren lezen. Ik kreeg de tranen in mijn ogen toen ik dat in de krant las.

Verslaggever staat rillend te schrijven. Hij schudt zijn pen. De inkt is bevroren, mompelt hij.

Uit zijn binnenzak haalt Sutton de pen van Barman tevoorschijn en geeft hem aan Verslaggever.

Waarom hebben ze Eddie neergeschoten, meneer Sutton?

De politie zei dat hij zijn pistool wilde trekken.

Willie, je handen trillen helemaal, zegt Fotograaf.

Sutton kijkt naar zijn handen. Hij knikt. Hij tast naar zijn sigaretten, steekt er een in zijn mond en klopt op zijn zakken. Heeft een van jullie een vuurtje?

Fotograaf geeft hem zijn Zippo.

Zat er nog iemand anders bij Eddie in de auto, meneer Sutton?

Sutton knipt de Zippo aan en houdt het vlammetje bij zijn Chesterfield. Eddies vriendin, zegt hij. Nina. Zij wierp zich over Eddies lichaam heen. Dat is nog eens liefde. Een van haar vingers werd er finaal af geschoten. Toen ik in de bak zat, heeft ze me jarenlang geschreven. Haar brieven waren moeilijk te lezen.

Emotioneel?

Onleesbaar. Ze had vier vingers.

Wat is er met Plank gebeurd?

Hij heeft de politie alles verteld. Wat nog geen ramp had hoeven zijn. Maar hij vertelde ze waar ik woonde. Hij heeft het me nooit vergeven dat hij zich van mij niet mocht vermommen.

Wat?

Ik heb mezelf wel honderd keer voorgehouden dat ik die idioot niet moest laten weten waar ik woonde. Ik wist dat hij niet deugde. Ik wist het. Maar Eddie bleef voor hem instaan. Later heb ik ontdekt dat sommige kerels in Dannemora Eddie tot hun vriendinnetje probeerden te maken. Hij was een vechtjas van hier tot gunter, maar hij werd trager en hij kon niet vijf kerels tegelijk aan. Plank greep in en bespaarde Eddie dat lot. Daarna kon hij bij Eddie geen kwaad meer doen. Eddie – zo trouw als een hond. Ik had het kunnen weten. Ach, wat zeg ik nou toch? Ik wist het. Ik wist het. Maar ik heb er niet naar gehandeld. Je intuïtie, knul. Nooit vergeten dat Willie je heeft verteld dat je intuïtie de enige echte maat is die je hebt als je in het nauw zit.

DEEL DRIE

Waarom ben je alleen? Waarom brak niet de hele hel uit?

JOHN MILTON, *Het Paradijs Verloren*

Zeventien

Twee bewakers slepen hem door een lange donkere gang. Ze smijten hem in een kerker, één meter twintig bij één meter tachtig, met een stenen vloer, stenen muren en een extra laag, stenen plafond. En een aan de muur bevestigde plank van roestig ijzer. De brits, neemt hij aan.

Ze slaan de deur dicht.

Duisternis.

Volslagen, naadloze duisternis.

Hun voetstappen sterven weg. De deur aan het eind van de gang knarst, wordt dichtgeslagen.

Hij kijkt om zich heen. Hij ziet niets. Maar hij hoort alles. Het bloed dat door zijn aders zwoegt, zijn longen die uitzetten en weer samentrekken, zijn hart. Hij beseft nu pas dat ribben eigenlijk gewoon tralies van bot zijn en dat het hart een bange gevangene is die bonst omdat hij eruit wil.

Rustig maar, jongen.

Hij sluit de ogen, rolt zich op tot een bal.

Zijn benen schokken. Is hij zojuist in slaap gevallen? Hij doet zijn ogen open. Slaapt hij nog steeds? De duisternis heeft zich verdicht. Is bijna vloeibaar.

Hij kijkt omhoog, omlaag. Waar is hij? Met de grootst mogelijke moeite weet hij het zich weer te herinneren. Eastern State. In Philly. Hij is hier al negen maanden, denkt hij. Misschien wel een jaar. Een paar dagen geleden is hij door de bewakers betrapt op het maken van een buste van papier-maché, met echt haar, dat hij had opgespaard van de knipbeurten. Hij was van plan geweest de buste op zijn brits te leggen, zodat de bewakers zouden denken dat hij lag te slapen, en zich dan met ijzerzaagjes een weg naar buiten te banen.

De ijzerzaagjes hadden ze ook gevonden.

De directeur, Herbert Smith, die vanwege zijn keiharde regime de bijnaam IJzervreter Smith had gekregen, leek het als een persoonlijke belediging op te vatten dat Willie had willen proberen om Eastern State te verlaten voordat zijn vijftig jaar erop zaten. Capone had net een tijd doorgebracht in Eastern State, en zelfs Scarface had het lef niet gehad een poging te wagen om eerder dan gepland te vertrekken. Daarom gaf IJzervreter het bevel om Willie in een strafcel te stoppen, ook wel de isoleer genoemd. Ook wel Donkere Cel genoemd. Willie herinnert zich vaag dat IJzervreter zei: Van mijn part mag je daar wegrotten.

Hoelang geleden was dat? Twee dagen? Twee maanden? Hij heeft geen idee.

Hij gaat rechtop zitten en knippert met zijn ogen. Hij vraagt zich af of dit het soort duisternis is dat Daddo zag. Het soort dat Eddie nu ziet. Hij vraagt zich af of de duisternis van de dood nog vollediger kan zijn. Hij bidt dat hij het snel zal weten. Zijn arm schokt. Weer een spiertrekking. Is hij nu net weer in slaap gevallen? Hoelang is hij onder zeil geweest? Tien minuten? Tien uur? De onwetendheid knaagt aan zijn verstand.

Er zijn elke dag slechts twee onderbrekingen van de duisternis. Er klapt een luikje open waar een hand doorheen komt met een tinnen bord eten. Willie weet niet wat het voor eten is en proeven lost het raadsel niet op. Maïspap? Havermout? Griesmeel? Het maakt niet uit. Met zijn vingers schept hij er wat van in zijn mond en duwt het bord weg.

Hij heeft geen recht op bezoek, brieven of een radio. Boeken niet toegestaan. Hij zou een moord doen voor een boek, al zou hij er niets aan hebben in deze duisternis. Maar om gewoon een boek te kunnen vasthouden, zich voor te stellen wat erin zou kunnen staan, zou al een troost zijn. Als hij ooit uit deze Donkere Cel komt, gaat hij voor alle zekerheid boeken en gedichten van buiten leren, zodat ze voorgoed in zijn hoofd zullen zitten, neemt hij zich heilig voor.

Hij fantaseert erover dat alle mensen die hij ooit heeft gekend in zijn cel zijn, dat ze langs de muur zitten en staan. Zij moedigen hem aan, maken grapjes met hem. Het lef van die directeur, zeggen ze, om te denken dat hij iemand als Willie Sutton eronder kan krijgen. Ja, zegt Willie, grappig, hè? Zij lachen. Hij moet lachen. Hij brult van het lachen. Alle grappen van de hele wereld zijn ingedikt tot één grap die alleen Willie snapt. En even plotseling is de grap niet leuk meer. Maar tragisch. Hij begint te huilen.

In zijn derde week in de isoleer wordt hij wakker van een stem. Hallo, Willie.

Eindelijk mag hij een bezoeker ontvangen. O, maar niet zomaar een bezoeker. Hij kruipt naar haar toe, slaat zijn armen om haar benen en legt zijn hoofd in haar schoot. Waarom zijn we toch zulke tegengestelde richtingen ingeslagen, Bess? Ik weet het niet, Willie. Ik dacht dat we altijd bij elkaar zouden blijven, Bess. Ik ook, Willie.

Het zou het makkelijkste moeten zijn wat er bestaat, zegt Willie, je houdt van iemand, die iemand houdt ook van jou. Jij zei dat liefde eenvoudig was. Maar dat is het niet. Niet voor ons. We moeten vervloekt zijn. Ik moet vervloekt zijn.

O, Willie.

Niets is zo uitgepakt als ik had gehoopt. Als kind dacht ik dat ik gelukkig zou worden als ik groot was. En goed, ik dacht dat ik een goed mens zou worden, Bess. Maar slechter dan ik bestaan ze niet. Zegt de rechter.

Nee, nee, nee. Je bent een goed mens die slechte dingen heeft gedaan.

Wat is het verschil?

Er is een verschil.

Ben je nog steeds getrouwd, Bess?

Ze geeft geen antwoord.

Heb je het kindje gekregen?

Geen antwoord.

Bess, ben je gelukkig? Ik moet het weten. Als jij gelukkig bent, zou dat genoeg zijn.

Hij omklemt haar benen. Hij hoort de bewaker lachen door het kijkgat.

Ze zeggen dat onze tijd om is, zegt ze.

Niet weggaan, Bess.

Ze gaat staan en verdwijnt door de muur. Ik kom terug, Willie.

Hij kruipt naar de deur, rolt zich op tegen het luikje en valt in slaap.

Ze stappen met z'n drieën in de Polara. Fotograaf zet de verwarming hoger en pakt de radio. Stadsredactie, hoort u mij?

Gebrabbel geruis, waar hangen jullie uit?

Bij het stadion in de buurt.

Alweer? Kunnen jullie gebrabbel langs Rockefeller ruis Center rijden? Een plaatje gebrabbel schieten van Sutton ruis voor de gebrabbel kerstboom? Speciaal verzoek van de gebrabbel hoge omes. Ruis.

Begrepen. Willie, heb je bezwaar tegen een onderbreking van de rondleiding?

Sutton drukt zijn gezicht tegen het raampje. Nee, hoor. Ik wil die boom best zien.

Dus, meneer Sutton, zegt Verslaggever. Nadat u in Philadelphia was gearresteerd, werd u in Eastern State opgesloten?

Ja. De eerste penitentiaire inrichting ter wereld. In het begin van de negentiende eeuw gebouwd door een stel ernstig gestoorde Quakers. Een verschrikkelijke plek. Natuurlijk probeerde ik onmiddellijk te ontsnappen. Ze betrapten me en gooiden me in een Donkere Cel. Ook wel de isoleer genoemd. Ik ging er bijna aan onderdoor. Toen stopten ze me in de half-isoleer. Wat inhield dat ik een dakraam had. Er stond een lange stok om het dakraam open te duwen en dicht te trekken, maar dat werkte nooit, dus bleef het dakraam altijd openstaan. Op het dak van het cellenblok wemelde het van de ratten die door het dakraam naar binnen vielen. Maar dat was een geringe prijs voor het zien van de zon en de maan. Toen, uiteindelijk, gooide een bewaker een bijbel in mijn cel. Die heeft me gered.

Dus u gelooft in God, meneer Sutton?

Ik ben zojuist vrijgelaten op Kerstavond, knul. Wat denk je zelf?

Hebt u altijd al geloofd?

Min of meer. Ik heb meer moeite met het geloof in mensen.

Zou u zichzelf... vroom noemen?

Nou, nee. Maar in de gevangenis heeft het me veel troost verschaft dat God fouten maakt. En dat hij er spijt van heeft.

Staat dat in de Bijbel?

Exodus: En de Here kreeg berouw over het kwaad, dat Hij gezegd had zijn volk te zullen aandoen. Je kunt immers geen berouw krijgen over iets als het geen fout was? Tenzij je het anders zou doen als je het nog eens over moest doen. Jeremiah: Dan zal de Here berouw hebben over het kwaad dat Hij tegen u gesproken heeft. God voelt zich op een gegeven moment zo schuldig dat Hij zegt: Ik ben het berouwen moe. Nou, daar weet Willie alles van.

Na achttien maanden in de half-isoleer wordt Willie weer teruggeplaatst tussen het gewone gevangenisvolk. Het voelt niet als een bevrijding. Het is beangstigend. Hij schrikt van al de verschillende stemmen en wordt schichtig van die maalstroom van gezichten. Hij weet dat hij zijn best zou moeten doen om zich weer aan te passen, om opnieuw te wennen aan de mensheid, maar tijdens het luchten zit hij het liefst in zijn eentje naar de lucht te staren.

Elke gewone gevangene dient te werken. IJzervreter stelt Willie aan als boodschapper. Zes dagen per week draaft Willie heen en weer over het gevangenisterrein, met boodschappen, documenten, pakketjes, van de bewakers naar de leiding en weer terug. Hij sjouwt ook de poepemmer naar boven en naar beneden in de torens. Er zijn geen wc's in de torens en de bewakers mogen hun post niet verlaten. Dus als ze moeten, gaan ze op de emmer. Een paar keer per dag staat Willie in de houding te wachten, terwijl een bewaker kreunend en persend boven een emmer hangt. Vervolgens draagt Willie de klotsende emmer de steile torentrap af naar de dichtstbijzijnde wc. Dit is niet de beste manier om weer aan de mensheid te wennen, denkt hij.

Na een jaar goed gedrag wordt Willie beloond met een beter baantje. IJzervreter bevordert hem tot secretaris van de gevangenispsychiater. Willy typt de hoofdstukken uit van een handboek dat Zieleknijper aan het schrijven is en de aantekeningen van de therapiesessies van Zieleknijper. Het lezen van de schokkende bekentenissen van zijn medegevangenen en hun gruwelijke levensgeschiedenissen zet Willie aan het denken over die van hemzelf. Terwijl hij Zieleknijpers verslagen uittypt, begint hij daarnaast aantekeningen te typen voor het verhaal van Willie Sutton – een autobiografie, een roman, hij weet het nog niet.

Soms blijft Willie aan het eind van een werkdag nog even wat praten met Zieleknijper, voornamelijk omdat hij het met boeken gevulde kantoor niet wil verlaten, de plek met de heerlijkste geur van de hele gevangenis. Het ruikt er naar lijm en papier en potloodslijpsel. Willie voelt niets voor een psychoanalyse en Zieleknijper lijkt opgelucht dat zijn werk er voor vandaag opzit, dus de gesprekken zijn altijd strikt informeel.

Zieleknijper is ongeveer van Willies leeftijd, halverwege de dertig, maar ziet er veel ouder uit. Als je Zieleknijper ziet, zou je denken dat hij degene is die een zware gevangenisstraf heeft uitgezeten. Hij heeft niet veel haar meer, holle wangen en dikke ogen van vermoeidheid. Hij draagt altijd hetzelfde groene tweedcolbert, dat hem niet flatteert. Het jasje benadrukt zijn schriele borstkast en kromme schouders alleen maar. Op een dag klopt Zieleknijper de as van zijn groene colbert en onderbreekt Willie midden in een verhaal over Marcus. Vind je het niet opmerkelijk, Willie, dat jij nooit een fout hebt gemaakt?

Wat bedoelt u?

Telkens wanneer je gesnapt wordt, is het iemand anders zijn

schuld. Je beschrijft jezelf altijd als een soort eenzame ridder die helemaal alleen een kruistocht voert en gedwongen is om met anderen samen te werken, en het zijn altijd die anderen die de boel in het honderd laten lopen.

Nou, ik vertel u alleen maar hoe het gegaan is.

Anderzijds, vind je het niet vreemd dat je je zo lovend uitlaat over de, ik citeer, Suttonclan? Terwijl ze je ronduit slecht hebben behandeld?

Zo zou ik het nou ook weer niet willen stellen.

Maar het zijn jóúw woorden, Willie. Ik herhaal alleen wat je me zelf verteld hebt. Je broers waren monsters. Je zus was onzichtbaar. Je ouders waren kil.

Tja. Nou. Eh.

Vertel me eens wat over je vader. Wat deed hij?

Dat heb ik al verteld. Hij was smid.

Ja, maar wat dééd hij?

Hij besloeg paarden.

En wat nog meer?

Hij maakte gereedschap.

Zoals?

Hamers, bijlen, spijkers.

Maakt een smid niet ook sloten?

Tuurlijk, allerlei soorten sloten.

Zieleknijper steekt een sigaret op. Hij gebruikt een zwart sigarettenpijpje, net als president Roosevelt, en rookt een buitenlands merk dat ruikt alsof er kortsluiting is geweest.

Dus je vader, die nooit tegen je sprak, maakte sloten. En jij zit nu opgesloten – onder andere omdat je sloten openbreekt. En jij denkt dat dat allemaal toeval is.

Niet dan?

Zieleknijper rookt en haalt zijn schouders op. Vertel eens wat meer over Bess.

Daar heeft Willie weinig zin in. Maar hij kiest een willekeurig verhaal, vertelt Zieleknijper over hun eerste avond op Coney

Island en dan in kort bestek over de beroving van haar vader.

Eigenlijk is het best prijzenswaardig, zegt Zieleknijper.

Wat?

Je blijft maar toegewijd aan dat meisje, ook al heeft ze je gebruikt en je toekomst vergald, zonder je zelfs maar permissie te vragen.

Dat heb ik nooit gezegd.

Dat hóéf je ook niet te zeggen, Willie. Ze heeft je tot misdaad aangezet, heeft vervolgens de benen genomen en is getrouwd terwijl ze jou met de gebakken peren liet zitten.

Willie voelt zijn wangen warm worden. Daar heeft haar vader haar toe gedwongen, zegt hij.

Ze klinkt niet als het soort meisje dat door haar vader tot wat dan ook gedwongen kan worden. Was het niet haar rebellie tegen haar vader die aan het begin stond van al je problemen? Gedwongen door haar vader? Kom op, Willie, je weet wel beter.

Willie vraagt of hij een sigaret mag. Misschien zijn die gesprekken met Zieleknijper toch niet zo informeel.

Later doet Willie wat onderzoek naar Zieleknijper, net zoals hij ooit bij meneer Untermyer heeft gedaan. Ditmaal heeft hij niet de hulpmiddelen van een grote bibliotheek tot zijn beschikking en daarom doorzoekt hij de dossiers in het kantoor van de dokter. Opnieuw is hij geschokt door wat hij ontdekt. Afgezien van het feit dat Zieleknijper 's werelds meest vooraanstaande deskundige is op het gebied van de misdadige geest, is hij een autoriteit op het gebied van hypnose. Dat is het dus. Zieleknijper maakt Willie op de een of andere manier weg. Waarom zou Willie anders zijn ziel en zaligheid blootleggen? Hoe kan Zieleknijper anders zo veel weten? Veel van de verhalen die Willie Zieleknijper vertelt zijn gelogen, maar toch lukt het Zieleknijper om het beetje waarheid dat erin zit eruit te halen. Hoe zou hij dat anders klaarspelen dan door hypnose?

Aan het begin van 1936 zit Zieleknijper in zijn leren stoel te roken en een boek van Bertrand Russell te lezen, terwijl Willie de recentste jungiaanse sessie van de dokter met een moordenaar uittypt. Willie heeft heel vaak geschaakt met die moordenaar – hij wist van niks. Hij neemt zich voor: van nu af aan de moordenaar laten winnen. Terwijl hij de getypte pagina's opstapelt en in een map laat glijden, denkt Willie na over de manier waarop Zieleknijper met de moordenaar sprak. Vriendelijk, zonder te oordelen. Willie zet de map in de dossierkast en neemt plaats in de stoel tegenover Zieleknijper.

Neem me niet kwalijk, meneer.

Zieleknijper kijkt op van zijn boek. Ja, Willie?

Mag ik u iets vragen?

Natuurlijk.

Willie tuit de lippen. Mag ik u vragen om absoluut eerlijk te antwoorden, meneer?

Ja.

Vindt u dat ik hier thuishoor?

O, Willie, ik weet het niet.

Vindt u dat ik de volgende vijftig jaar van mijn leven in dit stinkende graf moet doorbrengen?

Zieleknijper slaat Bertrand Russell dicht en legt het boek op zijn schoot. Hij kijkt naar de rook die omhoogkringelt uit het puntje van zijn sigaret. Willie de Acteur, zegt hij zachtjes. De Acteur die niet blij is met de rol die hij zichzelf heeft toebedeeld.

Willie heeft nu al spijt van zijn vraag.

De Acteur die een geweten heeft, zegt Zieleknijper, of denkt dat hij dat heeft. Oké, Willie. Waarom ook niet. Je vraagt er tenslotte zelf om. Maar vergeet niet, je bent geen patiënt van me. Dit is geen diagnose. Alleen een mening.

Akkoord.

Nou, goed dan. De vervreemding van je vader en moeder, de mishandeling door je broers, de bittere armoede in je vroege jeugd, het samenvallen van jouw levensjaren met een opeenvolging van de heftigste economische rampen in de geschiedenis, dat alles heeft geleid tot een ongewoon gevaarlijk en krachtig heksenbrouwsel. Toen je eenmaal meerderjarig werd, zat het er dik in dat je het verkeerde pad op zou gaan, dat het je veel moeite zou kosten om je impulsen te onderdrukken, met daarbij ook nog eens, mijn God, Willie, de combinatie van je eerste misdaad met die overweldigende eerste liefde – daarmee was je lot wel bezegeld. We weten niet of iemand crimineel geboren of gemaakt wordt, maar jij werd wel degelijk in zekere mate, in grote mate, gevormd door gebeurtenissen van buitenaf, en door een omgeving die criminaliteit vrijwel onvermijdelijk maakte. Maar wat jou anders maakt, wat jou gevaarlijker maakt dan andere mannen in deze instelling, is je buitengewone intelligentie. Je bent attent, gevoelig, welbespraakt en beschikt over inlevingsvermogen. Je bent een bevlogen verteller en je mag jezelf graag mythologiseren, maar je bent ook beangstigend – hoe zal ik het zeggen? – doortrapt. Dat alles maakt je uitermate aantrekkelijk, verleidelijk, charismatisch voor medeplichtigen, voor toevallige toeschouwers, voor kranten en zelfs voor sommigen van je slachtoffers. Ik heb je horen vertellen dat je nooit iemand een haar hebt gekrenkt, daar ga je prat op, maar kijk eens naar de mensen wier pad je gekruist hebt. Hoe is het hun vergaan? Als ze niet in de gevangenis zitten, zijn ze wel blind of dood. Een sympathieke misdadiger kan noodlottiger zijn dan een sinistere seriemoordenaar, omdat mensen tegen hem niet de noodzakelijke voorzorgsmaatregelen nemen. Een beschaafde bandiet wordt vertederend gevonden, aaibaar, en dat is hij ook, net als een pasgeboren leeuwenwelp. Maar neem hem in huis, dan zul je er op een dag wel achter komen hoe vertederend en aaibaar hij is. De mensen zullen je altijd in de armen willen sluiten, Willie, je volgen, je imiteren, met je samenwerken, over je schrijven – je diagnosticeren – en vaak zullen ze daar een hoge prijs voor betalen. Maar niemand zal een hogere prijs betalen dan jij, Willie, jij, omdat jij jezelf nog steeds niet als een crimineel beschouwt. Je ziet jezelf, of schildert jezelf af, wat op hetzelfde neerkomt, als een eerlijk mens die toevallig misdaden heeft gepleegd. Maar toch, je toewijding aan de misdaad, je enorme vakkundigheid … tja, ik ben van mening dat je wel degelijk crimineel bent in hart en nieren, dat je onontkoombaar tot het misdadigersleven wordt aangetrokken omdat je er zo góéd in bent en omdat ik denk dat je, elke keer dat je een bank berooft of een brandkast kraakt, voelt wat je gevoeld moet hebben toen je dat de eerste keer met Bess deed. Die opwinding van de eerste liefde en die prikkeling van medeplichtigheid, van het ongeoorloofde en van gevaar. En seks, natuurlijk. Seks, Willie. Seks en ouders, ik kan geen enkel neurotisch complex bedenken dat niet voortkomt uit het een of het ander. Stel je de menselijke psyche voor als een streng van verschillend gekleurde draden. Ons hele leven lang proberen we de kleuren te begrijpen en te ordenen. Laten we eens zeggen dat seks een blauwe draad is, moeder een rode draad en vader een witte draad. In jou, Willie, in jouw streng, zie ik die drie kleuren uiterst verward door elkaar lopen. Ik denk dat die blauwe draad heel even wat minder verward, wat losser wordt wanneer je een bank berooft, en dat moet jou een enorme, zij het tijdelijke, opluchting verschaffen. Daarom – en het spijt me dat ik het moet zeggen, Willie, maar je hebt erom gevraagd – ja, volgens mij hoor je precies daar thuis waar je bent. Ja.

Toen u uit de half-isoleer kwam, meneer Sutton, kreeg u toen iets te doen? Een baantje?

Ik was secretaris van de gevangenispsychiater. Hij was een van de hoogste autoriteiten van het land op het gebied van de criminologie. Hij schreef een handboek dat op universiteiten nog steeds gebruikt wordt.

Hebt u het gelezen?

Ik heb het uitgetypt.

Heeft hij ooit geprobeerd om u te analyseren?

Nee. Ik was te complex voor hem.

Achttien

Honkbal is alles in Eastern State. Het is de beste manier om de tijd te doden of te vergeten en een van de weinige bronnen van succes en mannelijke trots. Daarom spelen de zes gevangenisteams om te winnen. Moordenaars werpen binnenkant plaat. Maffiabazen bevolken de plaat. Brandstichters stelen een honk bij elke kans die ze krijgen. De zaak kan snel uit de hand lopen.

En toch kent elke wedstrijd ook een paar ogenblikken van pure rust. Elke homerun gaat gepaard met een serene pauze, niet alleen voor de slagman om de honken te passeren, maar ook voor alle anderen om met afgunst en verlangen te staren naar de plek waar de bal over de muur verdween.

In de jaren dertig worden homerunballen uit Eastern State felbegeerde souvenirs in het centrum van Philadelphia. Later worden ze een middel tot een doel. In plaats van de ballen over de muur te slaan, góóien spelers ze eroverheen, met een briefje eraan. Gevangenispost wordt gecensureerd, maar niemand kan een honkbal censureren. *Als je deze vindt, svp bezorgen bij Mickey Whalen, Spruce Street 143, Phila, PA. Beloning!*

Na verloop van tijd komen er ballen van de andere kant van de muur het gevangenisterrein op vliegen, gevuld met drugs, geld, scheermesjes. Eén bal bevat een piepklein staafje dynamiet.

Willie is een ster in de onderlinge competitie van Eastern State, een watervlugge tweede honkman, met een snelle slag, die zelden drie beurten nodig heeft en altijd keihard werkt. Door het honkballen kan hij makkelijker wennen en zich ten slotte weer in de gemeenschap van gevangenen voegen. Dan laat zijn knie het afweten. Juni 1936. Voor de rest van het seizoen is hij veroordeeld tot de tribune, met de andere spelers van middelbare leeftijd. Tussen de innings door handelt hij in kranten, sigaretten en geruchten.

De meeste mannen in Eastern State zijn doorgewinterde leugenaars, zodat Willie geneigd is alle geruchten met een flinke korrel zout te nemen. Maar één gerucht blijft maar opduiken. Keer op keer hoort Willie dat ergens onder het honkbalveld een bochtige rioolbuis ligt, die helemaal doorloopt tot de gevangenismuur en verder zelfs. Dan, terwijl hij toekijkt hoe de Eastern State Pirates de Eastern State Yankees verslaan, komt Willie een nieuwe variant op het vertrouwde gerucht ter ore; hij hoort het van Tiktak, een oude gevangene, die alles lijkt te weten, behalve de tijd. Hij vraagt Willie om de haverklap wat de juiste tijd is en Willie wijst om de haverklap op zijn pols, waarom geen horloge zit. Tiktak zegt dat hij onlangs in de kelder onder Cellenblok 10 een losse vloerplank heeft gezien, en in de diepte, onder de vloerplank, klonk het onmiskenbare geluid van stromend water: dat moet het riool zijn, zegt Tiktak, en als het geluid zo goed te horen is, moet er een gat in zitten – en als een paar kerels die plank eruit konden wrikken, en een tenger gebouwde man zich misschien in die rioolbuis zou kunnen laten zakken, dan misschien, heel misschien.

Willie knikt.

Geen lolletje daar beneden, zegt Tiktak.

Hier is het ook geen lolletje, zegt Willie.

Ze gooien het op een akkoordje. In ruil voor hulp bij het schrijven van een liefdesbrief aan zijn meisje – Hoe schrijf je flamoesje, Willie? – belooft Tiktak dat hij Willie de kelder zal binnensmokkelen.

Kerstmis 1936. Terwijl Zieleknijper zich bezighoudt met patiënten, haast Willie zich over het terrein. Hij is in gezelschap van drie tot levenslang veroordeelden, gepensioneerden, vrienden van Tiktak. Willie kent ze nauwelijks, maar Tiktak zegt dat ze deugen.

Eastern State heeft één leuk aspect: het functioneert als een klein dorp, met tientallen bedrijfjes en werkplaatsen waar het de hele dag bruist van de activiteit. Zelfs de cellen blijven overdag open, zodat de gevangenen van en naar hun werk kunnen gaan. Bewakers zoeken er dus niets bijzonders achter als ze Willie en drie gepensioneerden rond het middaguur met gezwinde pas naar Cellenblok 10 zien gaan.

Zoals beloofd heeft Tiktak een raam open laten staan. Willie glipt als eerste naar binnen, dan de drie gepensioneerden. Ze rennen naar de kelder en vinden de losse vloerplank. Die wrikken ze eruit. Ze trekken hun schoenen en sokken uit en ontkleden zich tot op hun ondergoed. Een voor een laten ze zich door het gat in de vloer zakken. Ze komen terecht op de rioolbuis, en ja hoor, daar zit een mangat in.

De laatste die door het mangat gaat, is Willie. Hij landt met een luide plons. Het water is lauw en komt tot aan zijn schenen. Het is eigenlijk geen water. Eerder slijk uit de East River, vermengd met appelchutney. Het maakt een zompend geluid tussen zijn tenen, glijdt tussen zijn kuiten door. Tussen zijn dijen door. Hij heeft een elektrische zaklantaarn bij zich, die uit een van de magazijnen is gejat. Hij knipt hem aan. Insecten haast zo groot als veldmuizen glibberen weg, omhoog en omlaag langs de wanden van de buis. De lichtbundel dringt nauwelijks door de duisternis heen. Valt op een berg uitwerpselen hier, een nog grotere berg daar, een ware ijsberg van gaas en verband afkomstig uit de ziekenzaal van de gevangenis. Willie herinnert zich dat de gevangenis honderd jaar geleden is gebouwd. Hij beweegt de lichtstraal heen en weer en denkt: een eeuw aan menselijke ...

Hij voelt dat de drie gepensioneerden hem aanstaren. Hij draait zich naar hen om. Het zijn alle drie grote, stoere, keiharde kerels, maar ze kijken hem aan met een soort kinderlijke paniek in de ogen. Willie schuifelt voorwaarts. De drie gepensioneerden volgen. Na zes meter loopt de buis vrij steil naar beneden. De derrie stijgt tot aan hun heupen.

Niet bij nadenken, zegt hij tegen de gepensioneerden.

Maar eigenlijk zegt hij het tegen zichzelf.

Hij probeert aan de tuin van Chapin te denken, aan het landgoed van Greystone en aan het heerlijke parfum van Bess, maar dat valt niet mee wanneer de derrie in dikke vla verandert. En tot zijn buik stijgt. Nu tot zijn tepels. Zijn schouders. Hij denkt aan de bewakers in hun wachttorens, gehurkt boven de emmer. Hij vraagt zich af welke bewaker verantwoordelijk is voor deze kwak vla die nu tegen zijn kin dobbert.

Ten slotte, wanneer de vla zijn onderlip bereikt, concludeert Willie dat ze vlak bij het eind van de buis moeten zijn, wat betekent dat ze bij de muur moeten zijn. Daarachter zou er een bassin zijn, dan een mangat, dan de straat. Hij wenkt dat de gepensioneerden hem moeten volgen. Ze schudden het hoofd – geen denken aan.

Willie vermant zich en zet door, in zijn eentje. Terwijl de gepensioneerden vol afgrijzen toekijken, sluit hij zijn ogen, knijpt zijn neus dicht en neemt een duik.

Hij wurmt zich vooruit. Geen bassinrand.

Hij steekt zijn rechterhand uit en tast rond. Geen bassinrand.

Hij zwemt en glibbert nog een meter verder. Nog steeds geen bassinrand.

Door gebrek aan lucht raakt hij in paniek en verliest zijn gevoel voor richting. Ineens weet hij niet meer wat vooruit is, wat achteruit. Hij draait zich om, zwemt een klein stukje, steekt zijn hand uit en bidt dat zijn hand de knie of het bovenbeen van een gepensioneerde zal raken.

Niets.

Hij draait de andere kant op, tast rond, niets.

Zijn longen staan op barsten. Maar als hij zijn mond opendoet, weet hij wat er in zijn mond en zijn neus zal komen en door zijn keel zal lopen. Hij blijft om zich heen tasten, en eindelijk voelt hij vastigheid. Een gepensioneerde. Hij grijpt zich aan hem vast, hijst zich op en komt wanhopig naar lucht happend boven. Hij veegt met zijn hand over zijn gezicht, zodat hij zijn ogen kan openen. De gepensioneerden staan hem aan te gapen. Hij weet niet of het afgrijzen of medelijden is dat van hun gezicht is af te lezen. Zijn hoofd, zijn haar, zijn ogen zijn overdekt, dichtgeslibd met deze, deze ... Hij kan het woord niet langer vermijden. Stront. Hij hoest. Zijn mond zit er vol mee. Hij blijft spugen. Stront, stront en nog eens stront.

Dan draaien ze zich allemaal om en turen door de rioolbuis naar de duisternis waar Willie zich zojuist in gewaagd heeft. Daar ligt de vrijheid. Achter een hele zee van stront.

Ze sjokken terug naar het mangat in de buis, klimmen naar boven, hijsen zich erdoorheen en wurmen zich dan door de opening in de vloer. Ze hebben één poetslap. Om de beurt vegen ze zich ermee af, maar het is onbegonnen werk. Ze kleden zich aan, zetten een honkbalpet op hun slijkerige haar en gaan in looppas naar de douches.

Willie wou dat hij de hele dag onder de warme straal kon blijven staan. Maar hij moet snel terug naar Zieleknijper. Hij brengt de rest van de middag door met typen en probeer niet na te denken over waar hij net is geweest. Hij kan nog steeds die kwak vla tegen zijn lip voelen. Hij zal dat gevoel nooit meer kwijtraken.

Dagen later worden Willie en de gepensioneerden midden in de nacht uit bed gehaald. Hun kleding en schoenen worden in beslag genomen en laboratoriumonderzoek toont aan dat het vuil van hun schoenen overeenkomt met het vuil in de kelder. Willie wordt weer landelijk nieuws. De verstokte bankrover is ook een sluwerik, een ontsnappingskunstenaar die het nooit opgeeft. De kranten geven hem een andere bijnaam, Slick Willie, een naam die hem minder aanstaat dan de Acteur. IJzervreter stopt hem en de gepensioneerden een maand lang in een Donkere Cel, gevolgd door een jaar in de half-isoleer. Opnieuw leest Willie de Bijbel. Van voor naar achter. Van achter naar voor.

Fotograaf scheurt naar het centrum. Sutton staart uit het raampje en ziet niets anders dan een waas van nieuwe gebouwen, tot hij St. Patrick's Cathedral ontdekt. Hij herinnert zich dat anarchisten tientallen jaren geleden bommen tot ontploffing hebben gebracht in St. Patrick's. De anarchisten waren woedend dat de kerk had geweigerd onderdak te verlenen aan honderden werkloze arbeiders. Een priester kwam daarbij om het leven. Diezelfde anarchisten probeerden ook de villa van Rockefeller op te blazen. De bom ging niet af. Willie heeft zich nooit eerder gerealiseerd dat het predicaat ongenadig zowel op priesters als op anarchisten van toepassing kan zijn.

Hij gaat vandaag dood.

Fotograaf zet de auto dubbel geparkeerd op Fifth Avenue. Ze stappen allemaal uit en lopen achter elkaar naar Rockefeller Plaza. Waar je ook naartoe gaat in deze stad, overal kom je die naam tegen. Rockefeller, zegt Sutton.

Fotograaf schiet een paar achtergrondplaatjes en draait het rolletje door. Oké, Willie, eerst een paar van jou voor de etalage van die cadeauwinkel. Met die vent uit de Notenkraker.

Sutton kijkt om. Een houten soldaat, groter dan een volwassen man, houdt de wacht naast een kunstboom en een nep-openhaard. Sutton loopt ernaartoe en buigt zich naar de etalageruit om de houten soldaat te bekijken.

Perfect, zegt Fotograaf. Zo blijven staan, Willie. Wacht, de camera is vastgelopen. Verdomme. Die klote-Leica's. Wacht even.

Terwijl Fotograaf met zijn camera in de weer is, komt Verslaggever naast Sutton staan en bewondert de houten soldaat.

Weet je dat ik door stront heb gezwommen, knul?

Wat?

Door stront.

Metaforisch, bedoelt u.

Zie ik eruit als een man die in metaforen spreekt? Met Kerstmis 1936 deed ik de Australische borstcrawl door menselijke uitwerpselen. Letterlijk.

Het spijt me, maar ik kan u niet volgen.

Er liep een riool onder Eastern State.

O.

Het gerucht ging dat het naar de vrijheid leidde. Maar ik kwam erachter dat het naar stront leidde en naar nog meer stront, en dat die stront naar nog diepere stront leidde. Toen ze me oppakten, stopten ze me weer in een Donkere Cel, daarna weer in de half-isoleer. Die keer hebben ze me bijna kapotgekregen. Ik snakte zo naar menselijk contact, welk contact dan ook, dat ik het water uit de wc schepte om door de buizen met de man in de aangrenzende cel te kunnen praten. Ik denk in elk geval dat hij in de aangrenzende cel zat. We konden elkaar nauwelijks verstaan, maar we praatten uren achtereen – een van de hechtste contacten die ik ooit met een ander mens heb gehad. Toen op een dag was de stem verdwenen. Vrijgelaten, overleden, daar ben ik nooit achter gekomen. Ongeveer een jaar later, toen ze me uit de half-isoleer haalden, had ik mijn lesje geleerd. Ik volgde een correspondentiecursus, deed een cursus creative writing en werd een modelgevangene. Door de stront zwemmen, dat verandert een mens.

Dat lijkt me ook.

Stront. Mensen gebruiken dat woord te lichtvaardig. Als er een kleinigheid misgaat, zeggen ze al: ze laten me in de stront zakken; of: er is stront aan de knikker. Zoiets zouden ze niet zo makkelijk zeggen als ze er daadwerkelijk doorheen moesten zwemmen. Sterker nog, mensen zouden alles wat ze in het leven willen met andere ogen bezien als ze zich zouden afvragen: ben ik bereid om hiervoor door de stront te zwemmen?

Sutton kijkt Verslaggever aan en recht zijn schouders, zoals de houten soldaat. Is er op dit moment iets, knul, waarvoor je door de stront zou willen zwemmen?

Eens even denken. Om u op de plek te zien staan waar Schuster werd vermoord en dat u me zou vertellen wie Arnold Schuster heeft omgebracht.

Sutton trekt de trenchcoat van Verslaggever dichter om zich heen. Steekt zijn handen diep in de zakken. Je bent echt je roeping misgelopen, knul. Je had politieman moeten worden.

De zitplaatsen in de gevangenisbioscoop bestaan uit planken die op B2-blokken liggen. Telkens als er weer iemand gaat zitten, veren ze diep door. Willie kijkt naar filmjournaals. *De bloedigste gevechten tot nu toe voor onze dappere soldaten!* Hij wiebelt als iemand met een plof rechts van hem komt zitten. Freddie Tenuto, een heethoofd uit South Philly. Zwarte ogen, scheve neus, slechte huid, een heel erg slechte huid. Een opstandige huid van een opstandige man. Freddie, moordenaar voor de maffia, stond op straat bekend als de Engel des Doods. Willie wiebelt weer. Iemand komt met een plof links van hem zitten. Botchy Van Sant. Ook een vent uit Philly. Een scherp gezicht, een lach als een grimas.

Voorjaar 1944. Operatie Gardening is begonnen. Onder het geboemboem van geallieerde bommenwerpers die de Donau bombarderen, krijgt Willie van Botchy en Freddie te horen dat ze een tunnel aan het graven zijn. Ze hebben negen jongens die de klok rond werken. Ze zijn al zes meter diep gekomen, dwars door massief gesteente, en nu moeten ze dertig meter recht vooruit graven, dan zijn ze onder het grasveld langs Fairmount Avenue. Het enige wat ze daarna nog moeten doen is tien meter omhoog graven.

Waar begint de tunnel? vraagt Willie.

Onder Klineys cel, zegt Botchy.

Willie knikt. Kliney – Clarence Klinedinst – is een scharrelaar, een ritselaar en knettergek. Het is logisch dat hij bij een dergelijk plan betrokken is.

Een hele klus, zegt Willie.

De Engel des Doods fluistert in zijn oor: Daarom hebben we jou nodig, Willie. Wij hebben een plek nodig waar we de aarde kwijt kunnen.

Ze denken dat het riool de beste plek zou zijn, en Willie is de plaatselijke riooldeskundige. Ze willen van Willie horen waar hun tunnel vermoedelijk de rioolbuis zal kruisen. Maar Willie staat niet te popelen om weer onder de grond te gaan.

Zijn rioolexcursie ligt al zeven jaar achter hem, zéven jaar, en nog steeds heeft hij nachtmerries. Hij wordt nog steeds stront uitspugend wakker. Bovendien krijgt hij een akelig gevoel bij de Engel des Doods en Botchy, een beetje zoals bij Marcus en Plank. De een is meedogenloos, de ander ongelooflijk dom. De Engel des Doods kreeg zijn bijnaam niet omdat hij mensen vermoordt, maar omdat hij moordt voor de lol, en Botchy dankt zijn bijnaam aan het feit dat hij zo veel overvallen in het honderd liet lopen. Willie blijft naar het witte doek staren. Nu gaat het filmjournaal over de verslaggevers die wachten tot ze over D-day kunnen schrijven. *Maak kennis met de dappere cameralieden die voorbereidingen treffen om de geallieerde invasie in Europa vast te leggen!* Wie doet er nog meer mee? vraagt hij.

Botchy ratelt negen namen af. Willie herkent er één. Akins. Een imbeciel, een zenuwenlijer. Niet echt de 101st Airborne, deze ploeg. Maar wat heeft Willie voor keus? Het is de tunnel of niets.

Een deel van hem heeft besloten om voorgoed in Eastern State te blijven, om hier te sterven, om zich hier te laten begraven, of herbegraven, zoals hij het ziet. In de afgelopen zes jaar heeft hij voldoening gevonden in boeken, zelfs een soort geluksgevoel. Boeken zijn het enige wat hij heeft om voor te leven, en op sommige dagen is dat genoeg. Eindelijk krijgt hij de scholing die hij als jongen nooit heeft gehad, de scholing waardoor alles misschien anders had kunnen lopen. Zelfs de naam van die klotegevangenis – Eastern State – klinkt als een chique school. Zijn mentor is E. Haldeman-Julius. Julius wordt wel de Henry Ford van de literatuur genoemd, omdat hij een productielijn op poten heeft gezet van professoren, wetenschappers en intellectuelen die heldere, eenvoudige boekjes produceren over elk onderwerp onder de zon, van Hamlet tot landbouw, van mythologie tot natuurkunde, van Amerikaanse presidenten tot Romeinse keizers. Iedereen in Amerika heeft op zijn minst wel een paar *Little Blue Books* gelezen – admiraal Byrd nam een stapeltje mee naar de Zuidpool – en Willie heeft er honderden gelezen. Zijn cel staat er vol mee. Alleen al dit jaar heeft hij gelezen: *Een inleiding tot Aristoteles; Hoe schrijf je een goed telegram; Tips voor het schrijven van eenakters; De evolutie in kort bestek; Een korte geschiedenis van de Burgeroorlog; Tolstojs leven en geschriften; De beste yankeemoppen; De kunst van het geluk; Gedichten van William Wordsworth; Ierse gedichten over liefde en verlangen; Een boek met kwinkslagen van Broadway; Het hoe en waarom van het weer; Essays over Rousseau, Balzac en Victor Hugo; Een reis naar de maan,* en *Bouw uw eigen plantenkas.*

Als hij een onderwerp eenmaal heeft verkend met een *Little Blue Book*, verslindt hij daarna de oorspronkelijke werken die betrekking hebben op het onderwerp. Op dit moment heeft hij de klassiekers van de filosofie bij de kop gevat: Plato, Aristoteles en Lucretius. En van de psychologie. Hij heeft de helft van Freud gelezen, het merendeel van Jung, stukken van Adler. Wanneer hij genoeg heeft van zijn studie herleest hij gewoon *Woeste Hoogten.*

Er zijn avonden dat hij tevreden is met een warme maaltijd en een paar uur lezen voordat het licht uitgaat. Hij vond het onlangs fascinerend te lezen dat heiligen soortgelijke levens leidden. Hij leest een *Little Blue Book* over hen. Ze sliepen in cellen, lazen de hele tijd en stelden het zonder vrouwen. Dus Eastern State is niet alleen zijn universiteit, het is ook zijn kluizenaarscel. Tenminste, dat dacht hij. Tot nu. Het luisteren naar Freddie en Botchy en het zien van soldaten die zich stalen voor het grootste straatgevecht in de geschiedenis, maken dat Willie zich beschaamd voelt. Hij beseft dat hij week is geworden. Hij is voor de zoveelste keer verraden door dat stemmetje in zijn achterhoofd dat hem altijd aanspoort om het maar op te geven. Boeken zijn níét het enige wat hij heeft om voor te leven. Hij heeft andere dingen. Dat ene. Datzelfde.

Hij is sinds kort bevriend met Morley Rathbun, in het leven buiten de gevangenismuren een talentvolle beeldhouwer en aquarellist, gevierd en gelauwerd, totdat hij zijn vriendin, een fotomodel, met een mes in de hals stak. Rathbun slijt nu zijn dagen op cel, gescheiden van de andere gevangenen, en maakt olieverfportretten van mensen uit zijn verleden. Maar soms accepteert hij een opdracht, die hem bereikt via corrupte bewakers. Maanden geleden stuurde Willie de eenzame kunstenaar drie sloffen sigaretten en een gedetailleerde beschrijving. De door Rathbun geschilderde Bess hangt nu in Willies cel, en de blauwe ogen met de gouden spikkels zijn er voortdurend, kijken op Willie neer wanneer hij studeert en wanneer hij soms de echte Bess lange brieven schrijft. Brieven die hij nooit verstuurt.

Ik doe mee, zegt hij.

De Engel des Doods geeft hem een klap op de rug.

Fotograaf, die het euvel aan zijn camera heeft verholpen, maakt nog een stuk of tien foto's van Willie en de houten soldaat, en laat Willie dan poseren naast de kerstboom. Willie bewondert de glinsterende, twinkelende lichtjes, en Fotograaf schiet nog wat plaatjes van Willie die bewonderend kijkt. Vervolgens neemt Fotograaf Willie mee naar de balustrade vanwaar je uitzicht hebt op de ijsbaan. Willie kijkt neer op de veertig of vijftig kinderen die langzaam over de ovale baan glijden.

Leuk, zegt Fotograaf. Ja, ja, dat is een toffe foto, Willie. Yep. Je kijkt alsof je diepzinnige gedachten hebt. Houden zo. Verdomme. Mijn rolletje is vol.

Fotograaf rommelt in de zakken van zijn geitenleren jas. Ik heb de rolletjes in de auto laten liggen, zegt hij. Ben zo terug.

Hij holt over Rockefeller Plaza in de richting van de Polara.

Sutton steekt een Chesterfield op. Hij kijkt naar een reusachtig goudkleurig standbeeld achter de ijsbaan. Over zijn schouder roept hij naar Verslaggever: Wie moet dat beeld voorstellen, knul?

Verslaggever stapt naar voren. Prometheus.

Heel goed. Je kent je mythologie. Wat heeft hij gedaan?

Vuur gestolen van de goden en aan de stervelingen gegeven.

Is hij ermee weggekomen?

Niet echt. Hij werd vastgeketend aan een rots en de vogels pikten tot in de eeuwigheid aan zijn lever.

Hij moet een van mijn advocaten hebben gehad. In de bak heb ik een boekje over godsdienst gelezen. Van Alfred North Whitehead, een briljante vent. Hij stelde dat elke religie in de kern het verhaal is van een mens, helemaal alleen, verlaten door God.

Denkt u dat dat waar is?

Het zijn allemaal maar theorieën, knul. Theorieën en verhalen.

Maar na dat riooldebacle, meneer Sutton, wat gebeurde er toen?

We groeven een tunnel. Alles wat ik meemaakte in de gevangenis was een levensles, maar geen les zo groot als die van de tunnel. Het leek in het begin zo'n hopeloze onderneming. Elke dag hakten we alsof ons leven ervan afhing, en elke avond leek het alsof we nauwelijks waren opgeschoten. We spraken elkaar moed in, zeiden tegen elkaar: stukje bij beetje. Volhouden. Ik krijg nog steeds brieven uit de hele wereld van mensen die zeggen dat mijn tunnel hen inspireerde. Mensen die met ziekte te kampen hebben, mensen geconfronteerd met allerlei crises, schrijven me en zeggen dat als Willie Sutton zich een weg kan banen uit een klotebajes als Eastern State, zij zich een weg kunnen banen uit hun probleem, wat dat ook mag zijn.

Hoelang was die tunnel?

Dertig meter.

Hebt u een tunnel van dertig meter gegraven onder de gevangenis – met niets dan uw blote handen? Dat lijkt me onmogelijk.

We hadden een paar schoppen, en lepels. Kliney was een scharrelaar.

Hoe kan het dat de bewakers het niet merkten?

De ingang van de tunnel zat in de muur vlak om de hoek van Klineys celdeur. Kliney was een gevangene met privileges, dus hij had toegang tot de houtwerkplaats en fabriceerde een neppaneel om de ingang af te dekken.

Het lijkt me nog steeds onmogelijk.

Dat was het ook.

Was u niet bang dat hij zou instorten? Dat u levend zou worden begraven?

Ik was al levend begraven.

Maar een tunnel van dertig meter – hoe kwam het dat de wanden niet instortten?

Die hadden we gestut met planken.

Hoe kwamen jullie dan aan planken?

Als je Kliney twee weken gaf, kreeg je Ava Gardner op een presenteerblaadje.

Gedurende de hele zomer van 1944 werkt de tunnelploeg in teams van twee man, niet langer dan een half uur achter elkaar, zodat niemand gemist zal worden op zijn werk. Willie is de helft van de tijd aan het graven, en de andere helft van de tijd probeert hij de stemmingswisselingen van zijn teamgenoot, Freddie, in de hand te houden, wiens maniakale razernij om uit Eastern State weg te komen aan het psychotische grenst. Logisch ook, want Willie herinnert zich dat Zieleknijper in zijn aantekeningen concludeerde dat Freddie een borderliner was.

Freddie doet Willie vaak aan Eddie denken. De woede is vergelijkbaar, hoewel de onderliggende oorzaak anders is. Bij Freddie begint het allemaal met zijn lengte. Hij is zich er pijnlijk van bewust dat hij maar één meter zevenenvijftig is. Botchy, die Freddie van buiten de gevangenis kent, zegt dat Freddie altijd, maar dan ook altijd, verhoogde schoenen droeg. Freddies allesverterende behoefte om te ontsnappen uit Eastern State lijkt daar op de een of andere manier verband mee te houden. Hij kan het niet verdragen dat mensen weten hoe klein hij is. Hij kan niet buiten die verhoogde schoenen. Maat 38½.

Freddie wordt ook geteisterd door een afschuwelijke huidziekte. Om de paar maanden zitten zijn gezicht, armen en borst onder de galbulten en met pus gevulde zweren. De gevangenisartsen weten niet wat de oorzaak daarvan is. Het enige wat ze kunnen verzinnen is Freddie doorsturen naar een van de plaatselijke ziekenhuizen voor een volledige bloedtransfusie, wat maar een enkele keer helpt. Freddie vertelt Willie onder het werk in de tunnel dat het allemaal begonnen is in zijn jeugd. Als jongste van twaalf kinderen kwam hij, nadat zijn moeder was overleden, in een pleeggezin terecht, en hij kreeg voor de eerste keer huiduitslag toen een van de andere kinderen uit het pleeggezin hem misbruikte. Soms wordt Freddie wakker met een gezicht dat zo opgezwollen is dat hij zijn ogen niet kan openen. Maar toch wil hij per se meewerken aan de tunnel. Hij doet Willie aan een mol denken. Een psychotische mol.

Hoewel Freddie niet veel groter is dan Hughie McLoon, is hij verbazingwekkend sterk. Hij trekt vaak zijn hemd uit wanneer hij in de tunnel werkt, en zijn getatoeëerde borst, armen en buik zijn een en al harde, opbollende spieren. Willie en Botchy maken er grappen over dat als ze een manier wisten om Freddie een week alleen in de tunnel achter te laten, hij zich een weg naar het centrum van Philly zou weten te klauwen.

Ondanks Freddies woede, ondanks de voortdurende dreiging van geweld die om hem heen hangt, is hij bij Willie zo mak als een lam. Hij vraagt op eerbiedige toon naar Willies bankklussen, ontsnappingspogingen en beroemde handlangers. Hij kan niet geloven dat Willie Capone, Legs en Dutch heeft gekend. Hij wil alles over Willie weten, en Willie beantwoordt zijn vragen naar waarheid. Liegen kost in de tunnel te veel energie. En op de een of andere manier vergt de waarheid minder lucht.

Freddie is er vooral van onder de indruk dat Willie nog nooit een handlanger heeft verraden. Afgezien van Eddie heeft Willie nog nooit iemand ontmoet die zo'n hekel heeft aan verraders als Freddie.

Er waren dagen, knul, dat we afdaalden in de tunnel en het er wemelde van de ratten. Die staken we dood met onze schop. Ze waren groot en dik, je moest wel een keer of zes steken. Mijn graafmaatje had daar best lol in.

De Engel des Doods?

Hoe weet je dat?

Dat is een van de dikste mappen in het Suttondossier.

Tegen het eind van 1944 zijn ze bijna bij de muur. Maar ze zijn zo ver bij Klineys cel vandaan dat ze bijna geen lucht meer hebben. Als Willie en Freddie op een keer de tunnel in gaan om een team af te lossen, treffen ze de twee naar adem snakkend aan – als ze een paar minuten later waren gekomen, zouden ze zijn flauwgevallen. Kliney belegt een bijeenkomst voor de tunnelploeg en drukt iedereen op het hart dat ze zich niet te veel moeten uitsloven. Als iemand daar beneden ziek wordt of doodgaat, zal IJzervreter hen allemaal voor de rest van hun leven in de isoleer stoppen.

De duisternis speelt ook een rol. Als je je spade of scherp geslepen lepel laat vallen, kan het je twintig minuten kosten om hem terug te vinden. Kliney sluit een dunne draad aan op het stopcontact in zijn cel en leidt die draad de tunnel door om een stuk of vijf peertjes van stroom te voorzien. Nu is er licht. En lucht. Hij sluit ook een ventilator aan die is gestolen uit het kantoor van de directeur.

Hoelang duurde het precies voordat de tunnel klaar was?

Bijna een jaar. Het vorderde sneller toen we eindelijk bij het riool kwamen, omdat we daar de losse aarde in kwijt konden. Daarvóór moesten we de aarde in onze zakken meenemen en uitstrooien op het terrein.

Sutton kijkt naar een groepje kinderen dat achteruitschaatst, achtjes en pirouetten draait. Kijk, zegt hij. Ze zijn zo sierlijk. Zo onschuldig. Zou ik ooit zo onschuldig zijn geweest?

Verslaggever ziet een telefooncel naast de snackbar. Meneer Sutton, ik moet mijn vriendin bellen.

Ga je gang. Het is een vrij land.

Eh. Tja.

Ik ben niet van plan om de benen te nemen, knul. Ik ben gewoon hier als je terugkomt.

Wilt u misschien met me meelopen?

Ik ga niet met jou in een telefooncel staan terwijl jij je blok aan je been belt. Je kunt haar trouwens beter niet bellen. Nooit meer.

Meneer Sutton.

Je houdt niet van haar.

Omdat ik aarzelde toen u me dat vroeg?

Je verspilt je tijd. En tijd moet je nooit verspillen. Bovendien speel je met vuur. Je brengt jezelf in de positie dat je misschien heetgebakerd moet vertrekken. Dat moet je nooit doen.

Wat betekent dat?

Toen ik met mijn eigen team banken ging overvallen, had ik een regel. Nooit heetgebakerd de bank verlaten. Ik lette er altijd extra goed op dat we keurig netjes de deur uit liepen, en niet als een kip zonder kop. Voordat het alarm afging, voordat de politie kwam, voordat er sprake was van een vuurgevecht.

En wat heeft dat met mijn vriendin te maken?

Banken, vrouwen, altijd weggaan op jouw voorwaarden, voordat het niet meer kan. Met een meisje betekent dat voor ze met een ander gaat en je uit jaloezie met haar trouwt of voordat ze zwanger is en je in de val zit. Nooit heetgebakerd weggaan uit een bank. Nooit heetgebakerd weggaan bij een vrouw.

Sutton kijkt chagrijnig naar Prometheus. Waar het om gaat, knul, is dat je je partner zorgvuldig moet kiezen. De belangrijkste beslissing die je in je leven neemt, is de keus van je partner.

En wat moet je zoeken in een partner?

Dat het iemand is die je niet verlinkt.

Ik bedoel in een levenspartner.

Ik ook.

Sutton kijkt naar beneden en ziet een klein meisje van een jaar of vijf, zes, met een dikke blauwe skibroek en een muts met een pluizige rode pompon erop. Ze krabbelt de ijsbaan rond aan de hand van haar vader. Alsof ze het gewicht van Suttons blik voelt, kijkt ze op. Sutton zwaait. Ze zwaait terug – valt bijna. Sutton krimpt ineen en wendt zich af. Hij kijkt Verslaggever een paar seconden lang aan. Ik heb een dochter, zegt hij.

O? Daar heb ik niets over in het dossier zien staan.

Toen ik de eerste keer wegging uit Dannemora, in 1927, liep ik een meisje uit mijn oude buurt tegen het lijf. Ik kwam net uit de bak, was boos en eenzaam en woonde in een logement, en dat meisje was al bijna vijfentwintig, wat indertijd betekende dat je een oude vrijster was. Het was net als toen ik Marcus tegen het lijf liep. De lont die bij de vlam komt.

Verslaggever maakt een aantekening.

Mijn dochter, zegt Sutton – dan zwijgt hij. Ik mag van mezelf maar weinig zinnen met die woorden beginnen. God weet dat ik een lange lijst van dingen heb die ik betreur, maar zij staat bijna bovenaan. In het begin bracht haar moeder haar mee als ze op bezoek kwam in Sing Sing. Weet je wat naar het tegenovergestelde van een gevangenis ruikt? Een driejarig meisje. Die bezoekjes waren een marteling. Ze zeggen dat een kind maakt dat je een beter mens wilt zijn, maar als je al een verloren zaak bent, als je tegen een straf van vijftig jaar aan kijkt, maakt een kind gewoon dat je wilt verdorren en wegwaaien. Hoe moeilijk die bezoekjes voor mij ook waren, voor het kind waren ze nog moeilijker. En voor haar moeder. Daarom zijn ze ermee opgehouden. Haar moeder vroeg echtscheiding aan. Verdween. Ik nam het haar niet kwalijk.

Ik vraag me af waarom daarover niets in de dossiers staat, meneer Sutton.

Sutton haalt zijn schouders op en wijst dan op zijn hoofd. Ik heb alle dossiers over dat onderwerp langgeleden al uit mijn eigen mentale archiefkast gehaald.

Hij wrijft over zijn been en trekt een pijnlijk gezicht. Mensen die zeggen dat ze nergens spijt van hebben, dat is flauwekul, dat is een leugen. Net als in het heden leven. Er bestaat geen heden. Er is het verleden en de toekomst. Leef je in het heden? Dan ben je dakloos. Een zwerver.

Sutton werpt een laatste blik op de schaatsers. Mijn dochter, zegt hij. Ze moet nu een jaar of veertig zijn, knul. Zij zou me waarschijnlijk niet herkennen als ze nu langs zou lopen.

Sutton draait zich om, kijkt Verslaggever aan en zegt met een knipoog: Maar ik durf er al het geld dat ik ooit heb gestolen onder te verwedden dat ik haar wél zou herkennen.

Willie en Freddie zijn de eersten die wortels zien. April 1945. Willie ziet Freddies gezicht oplichten, ziet dan Freddie fanatiek wijzen. Wortels betekenen gras, en gras betekent dat ze pal onder de strook gras langs Fairmount Avenue zitten. Op hetzelfde moment dringt het tot hen allebei door – technisch gezien zijn ze vríj.

Freddie begint naar boven te klauwen. Willie houdt hem tegen.

We moeten op de anderen wachten, Freddie.

Maar Freddie weet van geen ophouden. Anderhalve meter onder de oppervlakte, een meter, hij klauwt maar door. Willie slaat zijn arm om Freddies nek en trekt hem de tunnel weer in. Freddie duwt Willie van zich af. Willie grijpt Freddie bij zijn kraag. Bij zijn haar. Freddie draait zich om, haalt uit en slaat Willie op zijn neus, grijpt Willie bij zijn hemd vast en slaat hem nog eens op zijn neus, en nog eens. De neus zou gebroken zijn als er nog iets over was om te breken.

Freddie klauwt verder. Hij is bijna aan de oppervlakte. Terwijl het bloed uit zijn neus stroomt, schreeuwt Willie: Dat kun je niet maken, Freddie. Je belazert de anderen. We doen dit met zijn allen. Als je doorgaat, ben je gewoon een verrader.

Freddie stopt. Hij zakt op de grond en laat zich tegen de modderige wand van de tunnel vallen. Hijgend, naar adem snakkend, zijn gezicht rood van de huiduitslag. Je hebt gelijk, Willie. Jezus, ik wist niet meer wat ik deed. Het idee om buiten te staan. Ik werd gek.

Ze kruipen op handen en voeten terug door de tunnel en verspreiden het nieuws onder de tunnelploeg. Het is zover.

De volgende ochtend verzamelt iedereen zich in de cel van Kliney. De planning is altijd zo geweest dat de ontsnapping meteen na het ontbijt zou plaatsvinden, wanneer het op het gevangenisterrein het drukst is. Nu, zonder discussie, omdat er geen behoefte is aan discussie, vormen ze een rij en springen het gat in, een voor een, zoals parachutisten boven hun landingspunt. Kliney gaat als eerste, dan Freddie, dan Botchy, dan Akins, dan zeven andere kerels, dan Willie. Een voor een glijden ze door de schacht, de tunnel in, krabachtig kruipend, de vrijheid tegemoet.

Bijna bij het gat gekomen, wanneer hij plotseling een streep wit daglicht ziet, wordt het Willie bijna te veel. Er welt een soort religieuze extase op in zijn hart. Hij barst los in een dankgebed. O, God, ik weet dat ik een zondaar ben en ik weet dat ik een waardeloos leven heb geleid, maar dit moment is duidelijk een geschenk van u, en deze streep licht en deze frisse lucht zijn uw zegen, en ik moet wel geloven dat het betekent dat u mij nog niet hebt opgegeven.

Hij klimt omhoog, omhoog door modder, wortels, gras, en steekt zijn hoofd door het gat naar buiten. Het is een van de eerste warme lentedagen. Hij ruikt de vochtige aarde, de pasontloken bloemen, de warme, heerlijke, verlokkende zonneschijn. Hij wringt zijn schouders door het gat, dan zijn heupen, zijn borst, en valt op de grond, overdekt met grasprieten en aarde. Een wedergeboorte. *Hij was niet geboren, hij was ontsnapt.* Hij ligt op zijn zij en kijkt met half toegeknepen ogen omhoog naar de zwarte muren van de honderd jaar oude gevangenis. Met de hand uitgehakte steen, puntige kantelen, lange smalle sleuven als ramen. Hij heeft er ruim tien jaar doorgebracht, maar heeft nooit geweten hoe afzichtelijk het was.

Hij gaat op zijn knieën zitten, kijkt de straat in en ziet in een flits Freddie en Botchy om de hoek verdwijnen. Aan de overkant van Fairmount ziet hij een vrachtwagenchauffeur met wijdopen mond toekijken; de man heeft uitgerekend dit moment uitgekozen om zijn wagen aan de kant te zetten, zijn thermosfles open te draaien en op zijn plattegrond te kijken. Hij hoort zware voetstappen achter zich. Hij draait zich om. Twee agenten. Hij springt overeind en begint te rennen.

Naast hem ketsen er kogels tegen het wegdek. Hij rent om een auto heen, steekt een grasveld over, springt over een driewielertje, holt een steeg door en vliegt een deur binnen die toegang geeft tot een soort opslagruimte. Hij doet de deur dicht en kruipt weg in een hoek. Misschien hebben ze hem niet gezien.

Kom naar buiten of we schieten dwars door die deur heen.

Hij gaat naar buiten, doorweekt, smerig, ontroostbaar. Al dat werk, al die maanden van hakken, schrapen en graven, voor drie minuten rennen in de lentezon.

Net als Willie worden acht van de anderen meteen ingerekend. Eén man weet een week op vrije voeten te blijven en klopt dan aan bij de gevangenispoort. Moe en hongerig vraagt hij of hij weer naar binnen mag. Dat betekent dat alleen Freddie en Botchy nog voortvluchtig zijn.

Alle leden van de tunnelploeg worden in de boeien voorgeleid aan IJzervreter. De uitbraak is voorpaginanieuws in het hele land, over de hele wereld, en IJzervreter voorziet dat dit zijn nalatenschap zal worden. Hij zal voor altijd het mikpunt van spot blijven omdat hij twaalf gevangenen onder zijn neus een tunnel van dertig meter liet graven. Hij is er de man niet naar om er zijn schouders over op te halen. Iemand zal ervoor moeten boeten.

Eastern State heeft nog oude strafcellen. Gevangenen noemen ze Klondikes. Ze zijn ondergronds, nauwelijks groter dan een sarcofaag en al tientallen jaren in onbruik. IJzervreter geeft opdracht om alle leden van de tunnelploeg naakt in een Klondike te gooien.

Daar zullen ze blijven, verordent hij, totdat ook de laatste twee zijn opgepakt.

Het duurt acht weken. De New Yorkse politie weet Freddie en Botchy ten slotte op te pakken in een nachtclub. Botchy draagt een smoking. Freddie verhoogde schoenen. IJzervreter haalt de tunnelploeg uit de Klondikes. Ze zijn allemaal op sterven na dood. Hij zorgt ervoor dat ze aangekleed, schoongeboend en gevoed worden, en stuurt vervolgens vier van hen, de ergsten onder hen, naar Holmesburg, een streng beveiligde gevangenis vijftien kilometer verderop.

Sutton kijkt om zich heen. Waar is je partner?

Nieuwe voorraad halen.

Zo kun je het ook noemen.

Ja.

Is het een goede fotograaf?

De beste.

Werk je graag met hem?

Dat is een andere kwestie.

Hm.

Afgezien van zijn talent is hij net zoals alle andere fotografen bij de krant. Niet beter, niet slechter.

Dat houdt niet over. Hoor eens, knul, ik heb mijn sigaretten in de auto laten liggen. Waarom loop je niet met me mee terug, dan laat je mij achter bij Watt en kun jij snel even je vriendin gaan bellen.

Klinkt goed.

Ze lopen over Rockefeller Plaza naar Fifth Avenue. De Polara staat niet waar ze hem hebben achtergelaten. Ze kijken links en rechts de straat in. Daar staat hij – vijftien meter verderop, in de schaduw van het standbeeld van Hercules. Met de raampjes dicht voert Fotograaf een gesprek via de radio. Waarom heeft Fotograaf de auto verplaatst? Behoedzaam lopen ze ernaartoe. Verslaggever opent het portier aan de passagierskant. De weeïge, duizeligmakende geur van marihuana walmt hun tegemoet.

Fotograaf laat de radio zakken. Ik moest de auto ergens anders zetten van een agent, zegt hij.

Ja, ja, zegt Verslaggever.

Ik ben in gesprek met de stadsredactie. Ze willen dat we een foto van Willie maken bij de een of andere bank hier vlakbij.

Prima. Ik moet hem twee minuten bij jou achterlaten.

Tof.

Sutton laat zich op de passagiersstoel ploffen. Verslaggever loopt terug over de Plaza naar de telefooncel.

We gaan er dadelijk naartoe, zegt Fotograaf in de radio. Ja. Manufacturers. Ik heb het adres. Ja. Begrepen.

Hij zet de radio terug op het dashboard en kijkt Sutton aan. Sutton kijkt hem aan. Weer van die rode ogen. Je ziet er ... vergenoegd uit, zegt Sutton.

Vergenoegd?

Vredig. Bijna.

Fotograaf lacht nerveus. Het zal wel.

Rook je die troep al lang?

Wat voor troep?

Maak het een beetje, knul.

Fotograaf zucht. Eigenlijk niet.

Waarom ben je ermee begonnen?

Fotograaf wikkelt zijn gestreepte sjaal los en slaat hem langzaam weer om zijn nek. Er is een tijd geweest, zegt hij, dat ik dit werk tamelijk goed van me af kon zetten. Ik was bestand tegen alles. Daar stond ik om bekend. Ik nam foto's van de afgrijselijkste dingen die je je maar kunt voorstellen, en ik had nergens last van. Maar een paar jaar geleden stuurde de krant me naar Harlem. Een jonge moeder met te veel kinderen om ze allemaal te kunnen voeden, niet goed bij haar hoofd, had haar baby uit het raam van de vijfde verdieping gegooid. De verslaggever en ik waren er eerder dan de politie en wij vonden het meisje, dat prachtige eenjarige meisje, dat op straat lag. Haar ogen open. Armen wijd gespreid. Ik deed mijn werk, schoot een filmrolletje vol, net als altijd, maar toen ik thuiskwam, kon ik niet stilzitten en bleef maar trillen. Dus toen ben ik de straat opgegaan en heb de dealers op de hoek gevraagd of ze iets voor me hadden, het maakte me niet uit wát, om de nacht mee door te komen. Ze verkochten me een paar pillen lsd. Ik nam er een in, maar in plaats van dat het beter met me ging, ging het steeds slechter. Een stuk slechter. Ik had wat ze noemen een doodstrip.

Wat is dat?

Ik zal het niet beschrijven. Dat zou niet eerlijk zijn tegenover jou. En bovendien, ik zou het ook echt niet kunnen. Laten we het er maar op houden dat ik er knap beroerd aan toe was. Ik had het gevoel dat ik in het dodenrijk was. Ik had voor het eerst het gevoel dat ik werkelijk begreep wat de dood inhield, begreep hoe afschuwelijk, hoe peilloos, de dood is. Wat zo ongeveer het laatste was wat ik op dat moment wilde voelen. Ik werd hysterisch. Ik begon te schreeuwen en te huilen. Mijn vriendin wilde een ambulance bellen. Dat wilde ik niet. Ik dacht dat het me misschien mijn baan zou kosten. Ze ging naar de dealers op de hoek om wat weed te kopen, en dat kalmeerde me. Het zweten en die verschrikkelijke angst hielden op. Weed was mijn redding en hielp me om over de herinnering aan dat kleine meisje heen te komen. Daarom begon ik elke avond te blowen. Meteen na het werk. Toen vóór het werk. Toen overdag. Weed is nog steeds het enige wat helpt.

Ze zitten een poosje te zwijgen.

Er was een man, zegt Sutton. In Attica. Die teelde weed in zijn cel.

Dat meen je niet!

De cipiers dachten dat het een soort varen was.

Fotograaf schiet in de lach.

Die man vertelde me dat weed hem het gevoel gaf dat hij niet ín Attica zat, maar erboven zweefde.

Ja. Dat klopt wel zo'n beetje.

Sutton kijkt naar zijn Chesterfields, kijkt naar Fotograaf. Misschien heb ik je wel verkeerd beoordeeld, knul.

Dank je, Willie. Datzelfde geldt voor mij.

En, heb je nog wat stuff over?

Meen je dat?

Sutton staart voor zich uit.

Fotograaf overziet Fifth Avenue, kijkt weer naar Sutton. Allebei kijken ze naar Hercules, die op het punt staat de wereld naar beneden te gooien, boven op hen. Fotograaf opent zijn stoffen tas en Sutton sluit het portier van de Polara.

Negentien

Willie verliest al zijn privileges. Freddie ook. Wat betekent dat ze de hele dag en de hele nacht op cel worden gehouden, zelfs tijdens de maaltijden. Hun opsluiting wordt alleen 's ochtends een half uurtje onderbroken, wanneer bewakers hen naar een kleine luchtplaats brengen voor wat beweging. En hoon.

Welkom in Holmesburg, dames. Welkom in de Burg.

Welkom in de jungle, eikels.

Willie en Freddie staan in een winderige hoek van de luchtplaats, de handen onder hun oksels. Willie moet aan de dieren in het slachthuis in Hudson Street denken, hoe die bij elkaar kropen in de hokken.

Waar zijn de anderen? vraagt hij.

In Blok D, zegt Freddie.

Die teringtunnel, mompelt Willie.

Dit was-ie niet waard, zegt Freddie.

Niets is dit waard, zegt Willie.

Op een dag, aan het eind van hun luchttijd, wanneer de bewakers hen terug naar hun cellenblok drijven, wordt Willie beheerst door slechts één enkel gevoel: hij wil niet terug. Natuurlijk wil geen enkele gevangene terug naar zijn cel, maar Willie wil écht niet. Hij overweegt de bewakers te smeken: *Breng me alsjeblieft niet terug, ik kan er niet meer tegen. Alsjeblieft!* Het lijkt hem zowel de idiootste als de normaalste gedachte die hij ooit heeft gehad. In plaats van iets te zeggen gaat hij zijn cel weer binnen, maar als ze de deur sluiten, werpt hij zich tegen de muur, smijt zijn lichaam er telkens opnieuw tegenaan, totdat hij als een verfrommeld hoopje op de grond in elkaar zakt. Zijn schouder is uit de kom. Een paar dagen later, als hij uit het ziekenhuis wordt ontslagen, is hem ook het recht op een half uurtje luchten ontnomen.

Hij geeft het op. Hij laat zich wegzakken in die zachte leegte tussen apathie en waanzin waaraan zo veel gevangenen ten prooi vallen. Hij hoort ze 's nachts – de gebrokenen, zijn broeders, die de maan uitjouwen. Hij doet mee. Het grootste deel van 1946 is hij zo gebroken als het maar kan.

Wanneer hij niet schreeuwt, slaapt hij. Hij slaapt veertien, zestien uur per dag. In zijn dromen kan hij bij Bess zijn, over het strand van Coney Island wandelen, door ongerepte bossen rijden. Ontwaken uit zulke dromen is een kwelling. Terugkeren naar de echte wereld is erger dan terugkeren naar zijn cel. En toch is het hem dat waard. Hij slaapt meer, en meer, en steeds dieper.

Maar geleidelijk, onontkoombaar, raapt hij zichzelf bij elkaar. Hij begint zijn lichaam weer te trainen. Opdrukoefeningen, opzitoefeningen, honderden per dag doet hij er. Daarna komt zijn geest aan de beurt. Hij heeft recht op twee boeken per week uit de gevangenisbibliotheek, en hij verslindt ze, leert ze van buiten. Hij herleest oude favorieten. *Toe, kom nu de tuin in, Maud, ik sta hier alleen bij het hek.* Hij zegt ze op, zingt ze tegen de muren. *Nu maak jij je los uit een kluwen mensen!* Laat de anderen maar schelden tegen de maan, hij brengt haar een serenade. *Uit een tumult van stemmen om je heen.*

Verslaggever komt terug naar de Polara. Oké, zegt hij, rijden maar.

Sutton stapt uit en gaat op de achterbank zitten. Hoe is het met je vriendin? vraagt hij Verslaggever.

Prima, zegt Verslaggever.

Sutton schiet in de lach. Maar het is niet zijn typische schorre lachje. Meer een hoog gegiechel.

Het valt Verslaggever op. Hoe gaat het met jullie hierbinnen? vraagt hij.

Goed, zegt Sutton. Kan niet beter.

Fotograaf start de Polara, slaat Fifth Avenue in en voegt de auto in het verkeer. Verslaggever slaat zijn aantekenboekje open. Meneer

Sutton, voordat we bij de volgende stop komen – u was nog niet klaar met het verhaal over hoe de tunnelontsnapping is afgelopen.

Niet goed. Ik ben maar een paar minuten vrij geweest.

En toen ze u weer oppakten, hebben ze u naar Holmesburg gestuurd?

Stilte.

Meneer Sutton?

Verslaggever draait zich om. Sutton zit in de ruimte te staren.

Meneer Sutton?

Hij staart nog steeds.

Meneer Sutton.

Wat? O. Ja, knul. Holmesburg. De Burg noemden ze het. En ik zat in Blok C, waar de zwaarste gevallen zaten. De krankzinnigen, de onverbeterlijken. Ze noemden Blok C de Jungle. Het was ook een jungle, maar met meer insecten en slechtere lucht. Zonder dat we het wisten, voerden ze medische experimenten op ons uit. De dokters in de Burg maakten gemene zaken met de farmaceutische industrie. Als je in leven wilde blijven, moest je zorgen dat je niet op de ziekenzaal terechtkwam. Maar dat viel voor mij nog niet mee. Een derde van mijn leven achter de tralies, dat begon zijn tol te eisen. Maagzuur, rugpijn, slechte knieën. En wat dacht je van verstopping. Ik zou jullie allebei hebben neergestoken voor een pruim. Die dokters wilden me maar wát graag een pil of een spuit geven. Soms zeiden ze dat het een medicijn was, soms vitaminen. Maar het was vergif. Ik voelde me erna altijd raar. Ik voelde me ... raaaar.

Verslaggever kijkt kwaad naar Fotograaf. Het zal toch niet wáár zijn, zegt hij.

Wat zal niet waar zijn?

Elke ochtend komt er een gevangene met privileges naar Willies cel om zijn post, zijn boeken of het laatste vergif van de dokters af te leveren. De braverik is drieëntwintig en hij praat traag, loopt traag en heeft lang blond haar dat voor één oog valt. Misschien komt het door al die uren die hij met Zieleknijper heeft doorgebracht, of misschien komt het door al die boeken van Freud en Jung die hij heeft gelezen, maar Willie doorziet de jongen onmiddellijk. Hij weet instinctief dat deze jongen snakt naar de goedkeuring van een oudere man. Weet dat hij ervoor door de stront zou zwemmen.

Willie laat zijn charme op hem los. Hoe staan de zaken, knul? Hoe voel je je?

Goed, zegt de jongen, aardig dat je ernaar vraagt. Niemand anders vraagt er ooit naar.

De anderen vragen er nooit naar omdat de jongen een verrader is. Hij zat bij een bende etalagedieven in North Philly, en toen hij gesnapt werd, verlinkte hij zijn maten. Willie wordt al misselijk bij de gedachte om vriendjes te worden met zo'n verrader, om zijn ego te strelen, maar hij is Willies enige contact met de buitenwereld. Wat inhoudt dat hij Willies enige hoop is.

Maandenlang is Willie bezig uit te vogelen hoe Judas in elkaar zit en wat hem beweegt, uit te zoeken wat zijn favoriete teams, liedjes en acteurs zijn en te luisteren naar zijn lulverhalen, die er allemaal op neerkomen dat Judas de zegevierende held is. Hij lacht om al zijn flauwe grappen en doet alsof hij het vreselijk vindt wanneer hij de cel verlaat omdat hij verder moet met zijn ronde.

Geleidelijk en subtiel begint Willie hem uit te vragen. Had je buiten de gevangenis een vak, knul?

Ik was huisschilder.

O, echt? Dat heeft me nou altijd al interessant werk geleken.

En ik was er goed in. Daarom mag ik van de directeur ook soms een klus buiten de gevangenis doen.

Meen je dat nou? In de stad?

Jazeker. Soms wel urenlang. Ik mag zelfs vrienden bezoeken. En dat is tof, want hier heb ik die niet. Al die gozers denken dat ik een verrader ben. Maar ik deug echt wel, Willie.

Dat zie ik toch, knul. Ik zie altijd meteen of iemand deugt of niet.

Dat ik de smerissen wat heb verteld, kwam alleen doordat ze me geslagen hebben.

Je mag nog blij zijn dat ze je niet doodgeslagen hebben. Smerissen!

Man. Jij begrijpt me echt, Willie.

Als je dat maar weet, knul. Als je dat maar weet. Maar wat één ding betreft, zit je er echt helemaal naast.

Wat dan?

Je hebt hier in elk geval één vriend.

Op oudejaarsavond 1947 zitten Willie en Judas samen naar de radio te luisteren. Een nieuw liedje. 'What Are you Doing New Year's Eve?' Margaret Whiting is benieuwd, vraagt herhaaldelijk wie Willie zal kussen om middernacht ... Kutwijf. Willie schakelt over naar de nieuwsberichten. Het noordoosten wordt geteisterd door een sneeuwstorm die aan bijna honderd mensen het leven heeft gekost. Er wordt uitspraak gedaan in het eerste Auschwitzproces – drieëntwintig mensen worden tot de strop veroordeeld. In een grot zijn oude bijbelrollen gevonden, ergens in de buurt van de Dode Zee. Willie zet de radio zachter.

Luister, knul. Als je weer de stad in gaat, moet je iets voor me meebrengen.

Natuurlijk, Willie.

Ik heb een vuurwapen nodig, knul.

Hij zegt het terloops, alsof hij wat extra zout op zijn rundergehakt wil. Judas reageert net zo terloops. Hij tuit de lippen. Knikt.

En ook een paar zaagjes.

Weer een knikje.

Willie laat zijn stem dalen. En als het zover is, moet ik weten of er hier op het terrein soms ergens ladders rondslingeren.

Judas knikt bijna onwaarneembaar. Zelfs in een vertraagde opname zou het niet te zien zijn.

Een paar dagen later, als hij de post komt brengen, overhandigt Judas Willie een klein pakketje. Strak in plastic gewikkeld.

Overdekt met verf. Omdat het naar binnen is gesmokkeld in een verfblik.

Koekjes van thuis, Willie. Zorg dat ze vers blijven.

Willie heeft geen thuis. Hij stopt het pakketje onder zijn matras. Tussen twee bedcontroles door scheurt hij het plastic eraf.

Een geladen .38.

En twee fonkelnieuwe ijzerzaagjes.

Fotograaf stopt in 43rd Street en wijst. Daar is het, Willie.

Sutton veegt het beslagen raampje links van hem schoon. Dát noem ik nou nog eens een bank, zegt hij.

Het is een gigantische glazen schoenendoos. In het midden staat een reusachtige kluis: rond, ruim twee meter hoog, met een deur van meer dan zestig centimeter dik. Hij ziet eruit als het soort kluis waarin de formule voor de atoombom zou kunnen liggen. Fotograaf maakt een U-bocht, gaat dubbel geparkeerd staan en legt de PERS*kaart op het dashboard. Hij draait zich om naar Willie.*

De stadsredactie zegt dat ze deze bank hebben gebouwd vanwege jou, man.

Hoezo?

Kennelijk had je net een Manufacturers Trust overvallen? In 1950?

Dat zeggen ze.

En Manufacturers Trust wilde zijn nerveuze klanten geruststellen.

Klinkt redelijk.

Daarom hebben ze dit volledig doorzichtige filiaal gebouwd. De achterliggende gedachte was dat klanten altijd konden zien of Willie Sutton er was. Ergo, Willie Sutton zou er nooit zijn.

Krijg nou wat.

De eerste Suttonbestendige bank ter wereld. De stadsredactie wil een foto waarop jij stralend naar die bank staat te kijken, alsof je hem zelf gebouwd hebt.

Kennelijk héb ik dat dus gedaan.

Sutton stapt uit de auto en hinkt naar de bank toe. Hij legt zijn handpalmen tegen het glas. Fotograaf neemt een stuk of tien foto's. Een beetje naar links, Willie. Mooi, mooi. Oké, genoeg. We zijn klaar.

Neem er nog maar een paar, zegt Sutton. Dan gebruik ik die volgend jaar als kerstkaart.

Fotograaf lacht en neemt nog een paar foto's.

Sutton hangt zelf slap van de lach en blijft staan waar hij staat met zijn handen tegen het glas. Verslaggever loopt naar hem toe. Meneer Sutton?

Ze hebben zich al die moeite getroost, knul.

Wie?

Zij. Vanwege mij. Een boef uit Irish Town. Ze hebben echt vreselijk hun best gedaan.

Het is ... indrukwekkend.

Mijn nalatenschap.

Sutton doet een stap naar achteren en houdt het hoofd schuin. Hij bekijkt de kluis vanuit verschillende hoeken. Zet dan zijn bril op. Wrijft over zijn kin. Hè, zegt hij. Wat zullen we nou krijgen? Het is een Mosler.

Hoe weet u dat?

Hoe weet een dokter dat je amandelen eruit moeten?

Hij doet nog een stap naar achteren, overziet de straat, eerst de ene, dan de andere kant. Zal ik je eens wat vertellen, knul?

Nou?

Geef me een goed team, een pot zwarte koffie, een uitkijk die ik kan vertrouwen – en ik zou die pokkebank nog steeds kunnen kraken.

Willie tuurt uit zijn celraam. Sneeuw. Het noodweer waarop hij heeft gewacht. 11 februari 1947. Waarom vinden alle belangrijke dingen in zijn leven altijd plaats in februari, die geamputeerde maand, die Hughie McLoon der maanden?

Als het tijd is voor het middagmaal gaat zijn celdeur rammelend open. Hier is het boek dat je wou hebben, Willie.

Dank je, knul. Hoe staan de zaken?

Ik mag niet klagen en wie zou er luisteren als ik het wel deed?

Ik, knul. Ik.

Willie laat zijn stem dalen: Geef het door aan Freddie. Vanavond.

Judas knikt. Blijft dan dralen. Niet dat hij echt blijft, maar hij gaat ook niet weg. Hij veegt het haar uit zijn ogen en doet een stap naar voren.

Ik zal je missen, Willie. Heel erg.

Willie slaat de ogen neer, klemt zijn kiezen op elkaar en vervloekt zichzelf omdat de signalen hem zijn ontgaan. Terwijl hij Judas aan het bewerken was, heeft Judas hem bewerkt. En als hij dit nu niet precies goed aanpakt, zal die knul linea recta naar de directeur lopen. Eens een judas … Willie kijkt op.

Ja. Eh. Ik zal jou ook missen, knul.

Judas doet nog een stap naar hem toe. Ik hou van je, Willie.

O. Ja. Ik hou ook van jou, knul.

Willie omhelst Judas op een vaderlijke manier, maar dat is niet waar Judas op uit is. Hij neemt Willies gezicht in zijn handen en trekt hem naar zich toe. Kust hem. Willie prent zich in dat hij niet mag terugdeinzen, geen afkeer mag laten blijken. Of hij beantwoordt de kus of hij kan de rest van zijn leven hier in deze cel doorbrengen. Hij moet meer doen dan dit verduren, hij moet doen alsof hij het prettig vindt. Nee. Hij moet het prettig vinden. Wanneer hij Judas' tong voelt, beroert hij die lichtjes met de zijne en dan duwt hij zijn eigen tong diep in Judas' mond. Judas kreunt, woelt met zijn vingers door Willies haar en Willie laat hem begaan, doet dan hetzelfde bij Judas.

Judas probeert verder te gaan. Willie wendt zich abrupt van hem af. Ach, knul, zegt hij. Alsjeblieft. Ga weg. Voordat ik jóú niet meer laat gaan.

Hij wacht. Hij hoort de zwoegende ademhaling van Judas. Hij hoort de zwoegende gedachten van Judas. Eindelijk hoort hij de celdeur dichtslaan.

Met bonzend hart gaat Willie op zijn brits liggen. De beste voorstellingen van ons leven, zegt hij tegen de muur, geven we zonder publiek.

Hij blijft daar de hele middag liggen. Hij raakt zijn eten niet aan. Hij leest niet, hij schrijft niet. Na de avondinspectie telt hij tot negenhonderd, pakt dan de .38 onder zijn matras vandaan, stopt hem achter zijn broeksband en sluipt naar de deur. Hij trapt tegen de losse tralie en wurmt zich door de opening. Hij rent naar het eind van de verdieping en ziet Freddie hetzelfde doen. Freddie stort zich op Willie, omhelst hem en bedankt hem voor het uitbroeden van het plan. Ze sluipen terug naar de hoofdingang van het cellenblok en gaan gehurkt achter de deur zitten wachten.

Willie geeft het pistool aan Freddie.

Om klokslag middernacht horen ze twee stemmen aan de andere kant van de deur. Het gerinkel van sleutels. Daar gaan we, fluistert Freddie.

De deur zwaait naar hen toe. Ze doen een uitval. De bewakers zijn sneller dan Willie had verwacht. Ze slagen er bijna in de deur weer dicht te trekken. Maar sneller dan een achterspeler over de doellijn gaat, stort Freddie zich op de deuropening. Met al zijn woede, al zijn spierkracht, beukt hij zich erdoorheen, grijpt de eerste bewaker bij de keel, slaat hem tegen de grond en stopt de .38 in zijn mond.

De bewakers in de bewakerspost, nog geen twee meter verderop, springen op het rek met geweren af.

Willie brult: Eén beweging en jullie maatje is dood.

Ze verstijven.

Willie commandeert ze hun kleren uit te trekken. Ze maken hun riem los en laten hun broek zakken. Doorgaan, zegt hij. Als ze alleen hun onderbroek nog aanhebben, zegt hij dat ze op hun zij moeten gaan liggen. Willie bindt hun handen aan hun voeten vast.

Dan trekt Willie een van de bewakersuniformen aan, haalt de moedersleutel van de heup van de hoofdbewaker en rent naar

Blok D. Kliney en Akins slaken een juichkreet. Willie maakt hun celdeuren open en gaat met hen terug naar de bewakerspost. Freddie, Kliney en Akins trekken alle drie een bewakersuniform aan. Halsoverkop hollen ze met z'n vieren de trap af naar de kelder.

De ladder staat precies op de door Judas aangegeven plek. Ze grijpen elk een sport van de ladder vast en sprinten als vier brandweermannen door de kelderdeur de luchtplaats op.

Het sneeuwt nog steeds. Grote dikke vlokken. Willie zet de ladder tegen de muur en Freddie klimt als eerste naar boven. De straal van een zoeklicht zwaait wild heen en weer over het sneeuwdek.

Jullie daar! Halt!

Willie hoort stampende laarzen, bewakers die rondrennen in de torens daarboven. Eén bewaker begint te schieten. Kogels dringen door de sneeuw en versplinteren de ladder. Twee sporten worden weggeblazen als stof.

Willie schreeuwt naar de toren. Stop met vuren! Zien jullie niet dat we bewakers zijn?

De bewakers turen omlaag. Ze zien de uniformen, maar kunnen de gezichten niet onderscheiden. Het sneeuwt te hard en de sneeuwvlokken reflecteren de zoeklichten. In die ene seconde van besluiteloosheid klauteren Willie en Akins razendsnel de ladder op en duiken van de muur. Daarom heeft Willie op de hevigste sneeuwstorm van het jaar gewacht: niet alleen zorgen de sneeuwvlokken voor dekking, de diepe sneeuwbank aan de voet van de muur zorgt ook voor een zachte landing.

Kliney is de laatste. Hij staat boven op de muur. De bewakers schieten erop los. Springen, Kliney! Kliney laat zich voorovervallen, landt op zijn hoofd. Willie en Akins proberen hem uit de sneeuw te trekken, maar hij beweegt niet. Hij is gewond, zegt Freddie.

Volgens mij heb ik godverdomme m'n nek gebroken, zegt Kliney.

Zolang het maar niet je benen zijn, zegt Willie, die hem overeind trekt.

Ze vluchten. Holmesburg is omgeven door open natuurgebied. Willie voelt zich sterk. Hij voelt alle opdruk- en opzitoefeningen van de afgelopen paar maanden. Hij zuigt de tintelende lucht in – hij is vríj, en dat maakt dat hij zich nog sterker voelt. Een tweede adrenalinestoot. Ze steken een spoorweg over en komen bij een beekje, waar ze doorheen spetteren, en rukken zich de bewakersuniformen van het lijf. Hun gevangeniskleren eronder zijn niet al te opvallend. Zwarte broek, blauw werkhemd. Ze hebben tenminste geen grijs of gestreept pak aan. Als ze bij de hoofdweg aankomen, begint de gevangenissirene te loeien.

Willie speurt naar beide kanten de weg af. Geen auto's.

Op een sukkeldrafje leggen ze een kleine kilometer af. Nog steeds geen auto's.

Ze hebben nog één minuut, misschien twee, voordat de bewakers met hun honden hun op de hielen zitten. Waarom zijn er verdomme geen auto's?

Freddie wijst. Koplampen.

Een vrachtwagen of zoiets, zegt Kliney, die zijn nek masseert.

Willie gaat op de weg staan en zwaait met zijn armen. De chauffeur van de vrachtwagen vergeet dat hij in de buurt van een gevangenis is en stopt. Freddie herinnert hem eraan. Hij duwt de .38 onder de kin van de chauffeur.

Ze springen met z'n allen in de vrachtwagen. De chauffeur zit te snikken. Doe me alsjeblieft niks, alsjeblieft.

Rijden, zegt Freddie.

Waarnaartoe?

Rij nou maar, idioot.

De chauffeur geeft gas. Willie hoort luid gekletter en gerinkel. Hij kijkt om. Het is een melkwagen. Al zijn kracht vloeit ineens uit hem weg. Hij bedenkt dat hij de hele dag nog niets heeft gegeten. Hij is zo zwak dat hij nauwelijks de dop van de fles kan draaien. Hij neemt een grote teug, veegt zijn mond af aan zijn mouw, geeft de fles door aan Kliney en draait een nieuwe open. Hij proeft van een fles karnemelk, room, taptemelk. De beste wijnen, de zeldzaamste champagnes hebben nooit zo heerlijk gesmaakt. Willie doet zijn ogen dicht. Nogmaals bedankt, God. U moet het goed met me voorhebben, dat kan niet anders. Waarom zou u me anders steeds weer deze gaven, deze zegeningen sturen wanneer ik uitbreek?

De rest van zijn leven zal de smaak van melk Willie aan dit moment herinneren. De melk die langs zijn kin druipt, de zwaarbesneeuwde wegen, de zwevende sneeuwvlokken. En al die herinneringen zullen baden in stralend wit licht. De kleur van de onschuld.

Verslaggever kijkt op zijn horloge. We moeten verder, zegt hij.

Ze stappen weer in de auto, snel, alsof het alarm van de bank afgaat, en scheuren weg.

Na die mislukte tunnelontsnapping verbaast het me, meneer Sutton, dat u het kon opbrengen om nog een vluchtpoging te ondernemen. Om nog maar te zwijgen over het feit dat de leiding van Holmesburg u waarschijnlijk heel goed in de gaten heeft gehouden. Het lijkt onmogelijk.

Dat was het ook.

Hoe hebt u het dan toch klaargespeeld?

De belangrijkste reden waarom niemand uit de gevangenis ontsnapt, is dat iedereen denkt dat het niet kan. Elke dag wordt je door de bewakers en de directeur en je medegevangenen voorgehouden dat het niet kan. En door alle uiterlijke tekenen, de tralies en de muren. De eerste stap bij elke ontsnapping is het geloof dat het wel kan.

En de tweede stap?

Er liep zo'n lul van een verlinker rond met speciale privileges. Die heb ik bewerkt, voor me gewonnen, zover gekregen dat hij een pistool en wat zaagjes voor me ritselde.

Net als Egan.

Ja en nee.

Kan iemand me vertellen waar ik naartoe ga, zegt Fotograaf.

Staten Island veerbootterminal, zegt Sutton.

Waarom?

Dat zul je wel zien.

Verslaggever doet zijn aktetas open en haalt er een paar dossiers uit. Meneer Sutton, ik moet zeggen dat de krantenknipsels een ander verhaal vertellen over die uitbraak.

Is dat zo?

Volgens de meeste kranten uit die tijd was het Freddie die het pistool de gevangenis in liet smokkelen. En het was Freddie die het slot van zijn cel openbrak. Met een beitel. Toen heeft Freddie u en de anderen bevrijd en heeft iemand een schaar gebruikt om William Skelton, een bewaker, neer te steken en hebben jullie met z'n allen Skelton als menselijk schild gebruikt toen de bewakers begonnen te schieten.

Zo herinner ik het me niet.

Als ze in de buurt van de stad komen, ontstaat er een discussie of ze de chauffeur moeten doodschieten. Ze brengen het in stemming. Terwijl de chauffeur toekijkt hoe ze een voor een hun hand opsteken, plast hij in zijn broek. Laat Hem Leven wint met drie tegen één.

Voordat ze uit de vrachtwagen springen, grijpt Freddie de chauffeur bij zijn kraag. Ga rechtstreeks naar huis, draagt Freddie hem op. Leg de hoorn naast de telefoon. Vertel niemand iets of ik kom je opzoeken.

De chauffeur zweert dat hij het nooit aan een levende ziel zal vertellen.

Ik vind nog steeds dat we hem moeten omleggen, zegt Freddie terwijl de anderen hem meetrekken, de weg op en bij de chauffeur vandaan.

Ze gaan uit elkaar. Freddie en Willie gaan de ene kant op,

Akins en Kliney de andere. Willie vindt dat hij boft dat hij met Freddie is, die nog steeds het pistool heeft, die in Philly is opgegroeid en plekken kent waar ze zich kunnen schuilhouden. Ze lopen naast elkaar door de sneeuwstorm, met gebogen schouders tegen de wind. Ze lopen een kwartier, een half uur. Dan, achter hen, sirenes. Ze duiken weg achter een huis. Politieauto's komen slippend tot stilstand langs de stoep. Rode lichten pulseren door de sneeuw. Willie rent tegen de schutting van de achtertuin omhoog, als een mannetje in een tekenfilm. Freddie volgt pal achter hem. Er knallen geweerschoten – het hek explodeert. Freddie slaakt een schreeuw. Willie landt ongelukkig, maar komt meteen weer overeind en sprint een dik besneeuwde steeg in. Op de een of andere manier weet hij overeind te blijven en in zijn loopritme te komen en hij houdt zichzelf voor niet om te kijken, niet te denken aan de smerissen die rustig aanleggen en mikken op een plek precies tussen zijn schouderbladen. Aan de duisternis die hem zo meteen zal opslokken.

Met brandende longen, en benen die het bijna begeven, maakt hij een scherpe bocht naar rechts en schiet een zijtuin in. Een kelderdeur – hij grijpt de klink vast. Op slot. Hij trekt harder tot het slot kapotgaat en neemt een duik. De vloer is van cement, bevroren. Hij landt op zijn gezicht. Het bloed stroomt uit zijn neus. Hij krabbelt overeind en trekt zachtjes de kelderdeur dicht.

Gillende sirenes, die langsrijden. Dan. Langzaam. Wegsterven.

Hij wacht. Hij neuriet zachtjes om zichzelf bij zinnen te houden. *I don't wanna play in your yard, I don't like you anymore.* Hij loopt heen en weer. Na twee uur klimt hij de kelderdeur uit. *You'll be sorry when you see me, Sliding down our cellar door.* Door kniehoge sneeuw blijft hij maar doorrennen. Het sneeuwt nu nog harder en de wind wakkert aan. De vlokken waaien in zijn ogen, in zijn mond. Zijn schoenen zitten vol sneeuw, hij kan zijn tenen niet meer voelen. Waar is verdomme de snelweg?

Daar. Tussen de bomen door – vage koplampen. Nu hoort hij het sissen van autobanden op het macadam. Hij gaat in de berm staan en steekt zijn duim op. Er stopt een zwarte Nash met een man in een chic grijs pak achter het stuur. Je ziet eruit alsof je bevroren bent, makker.

Dat ben ik ook, zegt Willie. Mijn auto is ermee opgehouden. Verdomde Chevy's.

Daarom rij ik in een Nash.

Waar ga je naartoe?

Princeton. Heb je daar wat aan?

Nou en of. Een zus van me woont daar.

Stap maar in.

Het blijkt dat de man niet alleen uit menslievendheid is gestopt. Hij is gestopt omdat hij dringend iemand deelgenoot wilde maken van zijn seksleven. De verschillende meisjes met wie hij naar bed gaat, en hoe precies, buiten medeweten van zijn vrouw. En van zijn vriendin – ook buiten medeweten van haar. Dat vindt hij een mooie uitdrukking, *buiten medeweten van*, hij gebruikt haar te pas en te onpas, propt haar gewoon in een zin, of het nu ergens op slaat of niet. Hij vertelt Willie dat hij overal in Long Island, New Jersey en Queens huurpanden bezit en dat hij aan zijn trekken komt wanneer hij daarnaartoe gaat om de huur te innen.

Laatst nog, zegt hij, ging ik de huur innen bij een gezinnetje, een moeder alleen met drie kinderen, pa gesneuveld overzee, je weet hoe dat gaat, en tja, moeder vertelt me dat ze de huur niet kan betalen, dat ze haar werk is kwijtgeraakt, boehoe, en ze smeekt me om haar en haar kindertjes niet op straat te zetten, en ze is echt een lekker mokkeltje, dat kan ik je wel vertellen, dus ik zeg: natuurlijk kun je blijven, geen probleem, schoonheid, zolang je je maar over die stoel daar heen buigt en me je laat naaien, want voor niks gaat de zon op. Ze zegt: alsjeblieft, niet met mijn kinderen in de kamer hiernaast, dus ik zeg: oké, dan kun je het schudden, en op dat moment komt de dochter de slaapkamer uit, tjonge, wát een snoepje, vijftien, maar ze zag eruit als vijfentwintig, als je snapt wat ik bedoel, en pittiger dan haar moeder, en tja, ik denk niet dat ik je hoef te vertellen wat er toen gebeurde.

Nee, zegt Willie. Dat hoeft niet. Alsjeblieft niet.

Willie wil het liefst zijn hoofd tegen de rugleuning leggen en zijn ogen dichtdoen, maar Seksmaniak houdt maar niet op. Erger nog, hij wordt chagrijnig, boos omdat Willie niet bijdraagt aan het gesprek, wat kennelijk de onafgesproken kostprijs is van een ritje naar Princeton. Als hij met Seksmaniak wil meerijden, kan hij zich maar beter een beetje uitsloven, realiseert Willie zich. Dus onthaalt hij Seksmaniak op een reeks seksuele wapenfeiten waarvoor hij al zijn talent als verhalenverteller uit de kast moet halen, want hij heeft maar twee vrouwen gehad en de laatste persoon die hij heeft gekust was een man. Het zweet breekt hem uit van de inspanning die het hem kost om veroveringen uit zijn duim te zuigen, perversiteiten te verzinnen. Bewakers overmeesteren en aan de geweren ontsnappen was makkelijker.

Maar het lijkt te werken. Seksmaniak buldert van het lachen en slaat met zijn hand op het stuur van de Nash. Je hebt haar wel laten zien dat je van wanten weet, zegt Seksmaniak. Hè, makker? Dat kun je wel zeggen! En toen?

Willie wijst. Princeton – volgende afslag.

Seksmaniak stopt. Willie stapt uit. Voor de derde keer vannacht op het nippertje ontkomen. Seksmaniak zegt dat hij even moet wachten. Hij schrijft zijn telefoonnummer op een luciferboekje en geeft dat aan Willie.

Hier, makker. Ik woon daar, aan de andere kant van die heuvel, bel me als je weer in Princeton bent. Ik en mijn vrouwtje, jij en het jouwe, dan eten we een hapje.

Tuurlijk, zegt Willie. Trouwens, nu we het daar toch over hebben, ik heb sinds gisteravond niks meer gegeten en ik bedenk verdomme ineens dat ik mijn portemonnee in de Chevy heb laten liggen. Het is een heel eind lopen naar mijn zus.

Seksmaniak steekt zijn hand uit. Hij leent Willie met alle plezier twee dollar.

Willie loopt tot hij bij een eettentje komt dat de hele nacht open is.

Kop koffie, alsjeblieft. En een broodje met boter.

Op de toonbank ligt een *Star-Ledger*. Hij bladert erdoorheen. Niets over de uitbraak. Misschien nog te vroeg. En toch neemt de serveerster hem op met een rare blik. Misschien heeft ze het in de keuken op de radio gehoord. New York, denkt hij. Hij moet zorgen dat hij in New York komt. Waar hij niet opvalt. Waar mensen niks opmerken, omdat iedereen wel ergens voor op de vlucht is.

De serveerster blijft maar naar hem kijken.

Willie likt aan zijn vinger en vangt er de laatste kruimeltjes mee van zijn bord. Hij is uitgehongerd, maar hij wil nog wat overhouden van het geld van Seksmaniak. Hij staat op, glimlacht naar de serveerster. Zo. Ik moest maar weer eens gaan.

Hij voelt dat ze hem blijft nakijken tot hij de deur uit is.

Hij denkt in de richting van de snelweg te lopen, maar komt algauw uit op de campus van Princeton. Hij blijft staan en neemt het allemaal in zich op. O, om daar student te kunnen zijn. Om in die prachtige bibliotheek te kunnen zitten en gewoon alleen maar boeken te lezen. Om er volkomen zeker van te zijn dat je een toekomst hebt en dat die veelbelovend is. Hoe komt het toch dat sommige mensen zo veel geluk hebben? Hij loopt een keer om de bibliotheek heen, zijn ziel vertroebeld door afgunst, en sjokt dan weer verder, op zoek naar de snelweg. Hij loopt over binnenweggetjes en zandweggetjes en raakt volledig van de weg af. Op sommige plekken reikt de sneeuw tot zijn knieën. Zijn middel. Beter dan stront, zegt hij hardop.

Een zwerfhond komt grommend op hem af. Tanden wit als sneeuw. Willie trekt zich er niets van aan. Zijn absolute onverschilligheid schrikt de hond af.

Hij zou huilen als zijn traanbuisjes niet bevroren waren. Zijn oren zijn ook bevroren. Hij drukt zijn handen ertegenaan. Ze voelen alsof ze zo van zijn hoofd kunnen breken. Hij klimt een heuvel op en glijdt uit, valt achterover en klapt met zijn onderrug tegen een boom. Hij klimt verder omhoog, over de heuvel heen en sjokt dan door een bos dat zo dicht is dat hij nauwelijks tussen de bomen door kan komen.

Zijn kleren beginnen te bevriezen. Ze voelen als een harnas. Hij hoort een stem. Hij kijkt in het rond. Wie is daar? Waarom heeft hij Freddie de .38 laten houden? Kom tevoorschijn, gromt hij.

Boven hem. Hij houdt een hand boven zijn ogen en kijkt omhoog. Er zit een knoert van een kerkuil op een lage tak en hij staart Willie aan met zijn mosterdgele ogen. Dan fronst hij en spreidt langzaam zijn vleugels, een wraakengel. Willie vraagt zich af of Freddie al opgepakt is.

Hij loopt verder en verliest elk richtingsgevoel. Die snelweg moet hij maar uit zijn hoofd zetten, wat hij nodig heeft is onderdak, nu, of hij is er geweest. Hij wil zich laten vallen, zich opkrullen en het opgeven. Een klein stukje nog, houdt hij zichzelf voor. Stapje voor stapje. Volhouden. Eindelijk komt hij bij een open plek met een boerderij, een oude, rode, scheefgezakte schuur. Hij klopt op de halfverrotte deur, trapt ertegen.

Harken, zeisen, zadels, een tractor. Hij klimt de hooizolder op en nestelt zich in een hoekje. De wind blaast zingend en fluitend door de wanden, bevriest zijn wimpers, de haartjes in zijn neus. Hij herinnert zich een artikel dat hij heeft gelezen over onderkoeling. Voordat je doodgaat, val je in slaap. Of ging je nou dood voordat je in slaap viel? Hoe dan ook. Hij gaat staan, springt op en neer en zwaait met zijn armen. Hij praat met God, stelt een pact voor, een overeenkomst. Ik weet dat u het goed met me voorhebt, God. Mij houdt u niet voor de gek. De tunnel. De melkwagen. Natuurlijk bent u gevangenen goedgezind. U was zelf een gevangene. U hebt uw laatste nacht op aarde in de bajes doorgebracht. Ik weet dat u aan mijn kant staat, God, dus alstublieft, red me nog één keer, laat me dit overleven, God, en ik zal veranderen.

En als u toch bezig bent, God? Een rokertje?

Hij herinnert zich de lucifers van Seksmaniak. Hij slaagt erin er eentje af te strijken. In de hoek van de verlaten schuur weet hij, met wat hooi en houtafval, een klein vuurtje te maken, wat zijn redding is.

Bij zonsopgang gaat hij weer op pad en vindt de snelweg. Binnen een paar minuten stopt er een vrachtwagen voor hem.

M'n auto heeft het laten afweten, zegt Willie, doornat en met klapperende tanden. Verdomde Ch-ch-chevy's.

De vrachtwagenchauffeur merkt niets vreemds op aan Willies uiterlijk of gedrag. Hij heeft geen oog voor wat dan ook. Hij vervoert eiken tafels naar de Bronx en is hard toe aan gezelschap. Tafels zijn echt beroerd gezelschap, zegt hij.

Maar waar hij werkelijk hard aan toe is, is aan slaap. Ze hebben nog maar een paar kilometer gereden als Willie het hoofd van de vrachtwagenchauffeur lager, lager en lager ziet zakken, richting stuur. Willie tikt de vrachtwagenchauffeur op zijn knie. Vrachtwagenchauffeur schrikt wakker, kijkt naar zijn knie en dan met samengeknepen ogen naar Willie, alsof Willie iets pervers heeft gedaan. Dan dringt het tot Vrachtwagenchauffeur door dat hij hen bijna de dood in heeft gejaagd. Sorry, gromt Vrachtwagenchauffeur, ik heb niet veel geslapen de laatste tijd, problemen thuis.

Hij tast in het borstzakje van zijn werkhemd naar een sigaret. Hij haalt een verfrommeld pakje tevoorschijn en biedt Willie er eentje aan. Nog voor hij heeft gekeken weet Willie het al. Chesterfield. Hij pakt een sigaret en stopt hem tussen zijn lippen. Vrachtwagenchauffeur geeft hem een vuurtje met een zilverkleurige Zippo. Willie vond al dat de koude melk verrukkelijk was, maar dat was nog niets vergeleken met deze Chesterfield. De eerste trek smaakt zoet, als de eerste hap van een suikerspin op Coney Island. De tweede trek smaakt kruidig, gepeperd, voedzaam, als de steaks waar Eddie en Happy hem op hadden getrakteerd toen hij aan de grond zat. Zijn longen vullen zich met rook en zijn vitaliteit en zijn wil tot leven keren onmiddellijk terug. Hij neemt nog een trekje en nog een en nog een, en vertelt Vrachtwagenchauffeur verhalen, meeslepende verhalen, fantastische verhalen, wilde, onware verhalen, die hen allebei wakker houden. Als het leven niet meer is geweest dan een voorspel tot dit moment, dit etherische hoogtepunt, deze band met een vreemdeling, dan is het niet voor niets geweest.

Hij kijkt naar de besneeuwde bossen die voorbijvliegen, houdt de plaatsnaamborden in de gaten en spreekt wederom tot God, die dichterbij lijkt te zijn dan de versnellingspook. Beste God, ik weet niet wat ik mijn hele leven van u gewild heb. Contact? Gratie? Een teken? Maar door deze Chesterfield weet ik eindelijk wat ú van mij wilt. U gaat akkoord met de overeenkomst die ik voorstelde. Ik begrijp het. En ik zal u laten zien dat ik het begrijp. Ik zal veranderen.

Hij rookt de Chesterfield op tot er haast niets meer van over is, tot hij zijn vingertoppen brandt. Zelfs het verbranden voelt goed.

Vrachtwagenchauffeur stopt precies bij de afslag waar de smerissen Eddie hebben neergeschoten. Willie staat zichzelf niet toe daaraan te denken, denkt aan helemaal niets terwijl hij naar de George Washington Bridge zwaait en maar doorloopt, de hele weg tot in de stad. Hij concentreert zich op zijn voetstappen in de sneeuw en op het feit dat het een prachtige winterochtend is en hij zich niet in Blok C bevindt. Hij is in New York, New York.

Hij staat godverdomme op Times Square.

Hij blijft staan en kijkt omhoog. Hallo, Wrigleyreclame.

Er zwemmen neonvissen, roze en groen en blauw, door de sneeuwstorm. Boven de vissen in flikkerend groen neon: WRIGLEY KALMEERT DE ZENUWEN. En boven de letters de Wrigleymeermin, die Willie verwelkomt.

Hij duikt de Automat in en geeft zijn laatste dollar aan de geldwisselaarster. Ze geeft hem twintig munten van vijf cent. Hij koopt een viskoekje en een kop gloeiend hete koffie en gaat ermee aan een tafeltje bij het raam zitten. Hij eet langzaam terwijl hij naar de mensen kijkt, maar er zijn niet veel mensen op de been, het is nog vroeg. Als hij het koekje opheeft, drinkt hij de hete koffie, tot op de laatste druppel. Hij haalt zijn vinger langs de binnenkant van het kopje en steekt hem in zijn mond. Hij kijkt naar de tafel met warmhoudbakken en stelt zich voor dat hij een bord vollaadt met steaks, romige aardappelpuree, gesauteerde spinazie, maanzaadbroodjes, appeltaart, geleikoekjes, pompoentaart. Hij houdt zijn laatste twintig cent in zijn vuist, sluit de ogen en doet zich te goed aan de geuren. Niet alleen aan de voedselgeuren, maar ook aan de geuren van New York. Sigaren, pepermunt, aftershave, plastic, leer, gabardine, urine, haarlak, zweet, zijde, wol, talk, sperma, metrostank en vloerwas. Ach, New York. Je stinkt. Laat me alsjeblieft blijven.

Om klokslag negen uur stapt Willie een telefooncel in en draait het nummer van de eerste de beste arbeidsbeurs die in de gele gids staat. De vrouw vraagt naar zijn naam.

Joseph Lynch, mevrouw.

Hij hoort haar een formulier intypen.

Ik ben voor het eerst hier in de stad, mevrouw, en ik heb werk nodig, maakt niet uit wát, tot ik er weer bovenop ben.

Ze heeft niet veel.

Maakt niet uit wát, zegt hij weer.

Het enige wat ik kan bedenken … Nee, wacht, die heeft Sandy gisteren al vergeven. Hè verdorie, eens zien. Waar heb ik nou dat dekselse kaartje gelaten?

Willie knijpt in de hoorn. Wát dan ook.

Hebbes, zegt ze. Zaalhulp.

Ja?

Bij Farm Colony in Richmond. Dat is op Staten Island. Tien dollar per week, plus kost en inwoning, Joseph.

Ik neem het.

Het is in Brielle Road.

Ze noemt de naam van de hoofdzuster, maar die ontgaat hem. Ze zegt dat ze de hoofdzuster zal bellen om te vertellen dat Joseph onderweg is.

Zaalhulp, zegt hij tegen zichzelf terwijl hij naar de veerpont loopt. Zaalhulp? De machtigen zijn wel diep gevallen. Behalve dan dat de machtigen nooit machtig zijn geweest. En de gevallenen nooit gevallen. Met een van zijn laatste drie stuivers koopt hij een kaartje voor de pont. Bij de loopplank zit een krantenkiosk en op elke voorpagina staat zijn gezicht. Hij probeert de artikelen van een afstandje te lezen, maar dat lukt hem niet. Zijn ogen zijn niet best meer. Over vier maanden wordt hij zesenveertig.

De stoomfluit snerpt. Iedereen aan boord.

Hij loopt met de stroom reizigers mee de pont op, laat zich op een houten bankje zakken en doet alsof hij slaapt, met zijn gezicht naar het raam gekeerd. De helft van de passagiers is de krant aan het lezen en naar zijn foto aan het staren. Als de pont eindelijk wegvaart, springt Willie overeind en holt het dek op. Er is niemand anders buiten; het is te koud. Hij leunt tegen de houten reling, leunt tegen de wind in en kijkt naar de stad, die waziger wordt. Hij kijkt naar het dikke witte schuim in het kielzog van de pont. Hij legt een hand tegen zijn lege maag. Hij wou dat hij het benul had gehad om een fles melk mee te nemen.

Er duikt een zeemeeuw op. Hij zweeft naast de boot en hoeft maar eens in de vijf seconden met zijn lange grijze vleugels te slaan om de boot bij te houden. Willie zou er alles voor overhebben om die zeemeeuw te zijn. Hij denkt aan reïncarnatie. Hij hoopt dat dat bestaat. Hij hoopt dat die verdwaalde gedachte de katholieke God niet zal vertoornen, die hem zo ver heeft gebracht. Bij wie hij nu in het krijt staat.

Terwijl Manhattan verdwijnt achter een mistbank, wordt

Willie overspoeld door nevelen van twijfel. Hij grijpt de houten reling vast en stelt zich voor dat hij eroverheen valt. Misschien is dat het enige zinnige wat hij kan doen – een eind maken aan dat vluchten. Hij voelt de eerste schok van het witte schuim, dan het bitterkoude water. Hij proeft het zout, ziet de onheilspellende groene duisternis, gevolgd door die andere duisternis. Wachten op die andere duisternis – één minuut? vijf minuten? – zou het moeilijkste zijn.

De pont komt nu in diepere wateren. Het is hier dertig meter diep, heeft hij ooit gelezen. Hij weet hoe dertig meter duisternis zal voelen. De tunnel onder Eastern State en Meadowport Arch. Hij voelt zich naar beneden zweven, steeds dieper. Misschien zal zijn lichaam nooit gevonden worden. Dat zou wel een soort overwinning zijn.

Hij klimt de reling op. Dan kijkt hij omhoog. Het Vrijheidsbeeld. Zo prachtig. Hij kijkt naar haar voeten. Hij heeft nooit eerder opgemerkt dat ze uit ketenen stapt. Hoe kan hem dat altijd zijn ontgaan? Hij blijft maar naar haar kijken en opeens steekt hij zijn hand op naar het beeld. Ik snap het, roept hij lachend. Ik snap het, liefje.

Hij klautert omlaag en duwt zich weg van de houten reling.

Ik snap het.

Fotograaf rijdt de pont op. Zodra de Polara tot stilstand komt, stapt Sutton uit, hinkt naar de reling en kijkt gretig naar het water. Hij wijst. Kijk, zegt hij. Daar is ze. Jezus, is ze niet prachtig?

Fotograaf veegt de condens van zijn lens en maakt een foto van Sutton die naar het beeld wijst.

Wisten jullie, jongens, dat het eiland waar ze op staat vroeger een gevangenis was?

Echt waar? vraagt Fotograaf. Dat kan niet waar zijn.

De ochtend nadat ik was ontsnapt, was ik hier aangekomen en verkeerde op de rand van wanhoop. Nee, niet op de rand. Ik wanhoopte. Precies hier. Ik zweer het je, ik stond op het punt om te springen. Maar zij zei dat ik het niet moest doen.

Zij daar? Zei zij dat?

Sutton draait zich om naar Verslaggever. Ze praat, knul. Ze is de patroonheilige van de gevangenen en ze zei dat ik door moest. Ik weet dat het tegenwoordig oubollig is om van het Vrijheidsbeeld te houden. Dat is zoiets als dat je van de Amerikaanse staalindustrie houdt of van Bing Crosby. Maar we kiezen niet van wie we houden. Of waarvan we houden. En die ochtend ben ik voor haar gevallen. Ik kan het niet anders zeggen. Ik kende haar en zij kende mij. Van haver tot gort.

Na een kwartier mindert de pont vaart en drijft naar de pier van Staten Island. Een veerman met een kerstmuts komt uit het stuurhuis tevoorschijn. Iedereen van boord, iedereen van boord.

Verslaggever en Fotograaf stappen weer in de Polara. Ze wachten op Sutton, die schoorvoetend volgt.

Fotograaf rijdt langzaam de pont af. Een zeemeeuw met één poot staat in de weg. Fotograaf toetert. De vogel kijkt kwaad, maar hipt weg.

We zijn op zoek naar Victory Boulevard, zegt Verslaggever. Meneer Sutton, weet u nog hoe je daar moet komen?

Stilte.

Meneer Sutton?

Verslaggever draait zich om. Sutton zit in de doos met donuts te graaien, zijn mond zit onder de bavarois en de gelei. Jezus, zegt Sutton, deze donuts zijn het lekkerste wat ik ooit heb geproefd. Ik heb nog nooit van mijn leven zo'n zin gehad in zoetigheid.

Ze passeren straat na straat vol kleine huisjes, allemaal identiek, allemaal met getraliede ramen, een Amerikaanse vlag, een kerstman of een rendier in de voortuin. Fotograaf kijkt naar Sutton in de achteruitkijkspiegel. Willie, man, heb je dat hele eind gelopen? Zonder slaap en zonder eten? Met een gevangenisuniform aan? Dat lijkt me onmogelijk.

Zoals ik al zei, jongens, dat was het ook.

Ze nemen een bocht en draaien een heuvel op. Ze zien een dicht bos, dan de vage omtrek van tientallen indrukwekkende bakstenen gebouwen. Als ze dichterbij komen, zien ze dat de meeste van de gebouwen onder de graffiti zitten. Er groeien bomen door de daken en de glasloze ramen.

Wauw, zegt Fotograaf. Een spookstad.

Het geheel is omgeven door een gazen hekwerk. Fotograaf stopt bij het hek.

Dit was de beroemde Farm Colony, zegt Sutton. Voordat mensen zich tegen ziekte konden verzekeren, was dit de plek waar New York zijn zieke en oude mensen stopte. Duizenden.

Een menselijke vuilnisbelt, zegt Fotograaf.

En niet zo'n kleintje ook, knul. Vijftig gebouwen. Veertig hectare. Niet echt een aangename plek, maar voor mij de perfecte schuilplaats. En het had een vreemd soort schoonheid. Vierentwintig uur nadat ik uit Holmesburg was ontsnapt, had ik hier een baantje. Op de vrouwenafdeling. Als zaalhulp. Jezus, een tijdlang was ik zowaar gelukkig omdat ik niet mezelf was.

Twintig

De hoofdzuster wijst naar de vloer. Ze loopt tegen de zestig – liefdeloos, bloedeloos en in een wit, elastisch verpleegstersuniform geperst dat niet alleen haar menselijkheid maar ook haar bloedcirculatie lijkt in te snoeren. Ik wil mezelf dáár kunnen zien, zegt ze.

Willie, in een grijze overall met in rood stiksel JOSEPH op zijn borst, knijpt zijn ogen tot spleetjes en kijkt haar vragend aan.

De vloer, Joseph. Het is jouw taak om elke avond de vloer te boenen tot hij glimt als een spiegel, zodat ik mezelf er elke ochtend in kan zien. De vrouwen op deze afdeling hebben niets. Minder dan niets. Het minste wat we voor ze kunnen doen, is zorgen voor een schone vloer.

Willie knikt en beweegt zijn mop iets sneller. Ja, mevrouw. Ik begrijp het.

Willie vermoedt dat de hoofdzuster niet goed bij haar hoofd is. Ze houdt niet op. Ze praat maar door over de optimale glans en luister van de vloer totdat Willie erover begint te fantaseren de vloer met háár te dweilen.

Maar na verloop van tijd begrijpt hij wat ze bedoelt. Er is echt een merkbare verbetering van de algehele stemming op de vrouwenafdeling als de vloer schoon is. Hij heeft altijd hard gewerkt, heeft eer gesteld in alles wat hij ooit heeft ondernomen. Waarom zou hij niet de allerbeste vloerendweiler worden? Net als hij bij het bankroven deed, maakt hij een studie van het dweilen. Hij heeft nooit geweten dat er zo veel verkeerde manieren van dweilen bestaan, of dat er maar één juiste manier is. Een ruime hoeveelheid warm sop, twee kopjes ammoniak, een soepele, halfronde beweging bij het aanbrengen van de naar vanille geurende was. Alsof je een taart glazuurt. Hij kijkt van een afstandje. Voilà. Hij herinnert zich dat het merendeel van de banken die hij beroofde doffe vloeren had. Zo zie je maar.

Gemiddeld één keer per week lopen de mensen iets behoedzamer over Willies vloeren – dan is er een vrouw op de afdeling overleden. Naast het dweilen behoort het tot Willies taken om de overledene op een paard-en-wagen te laden en haar naar het lijkenhuis te brengen. Hij ziet vreselijk tegen die taak op, maar probeert hem manhaftig en respectvol uit te voeren. De lijkenhuiswagen wordt door andere zaalhulpen wel de vleeswagen genoemd. Daar doet Willie niet aan mee.

Dit is de prijs die je voor vrijheid moet betalen, houdt hij zichzelf voor wanneer hij de levenloze vrouw op de wagen tilt.

Beter dit dan de Burg, bedenkt hij wanneer hij de vrouw eraf tilt.

God zij met u, zegt hij tegen de vrouw terwijl hij haar op een van de marmeren tafels neerlegt.

Op zijn vrije dag gaat Willie de omgeving verkennen. Farm Colony bevindt zich midden op Staten Island, een wildernis van dicht, ongerept bos. Hij blijft zich verbazen over de verscheidenheid van bomen: esdoorns, platanen, iepen, eiken, peperbomen, appelbomen. Sommige stonden hier al toen George Washington nog leefde, en hun lange levensduur geeft Willie een vreemd, troostrijk gevoel. Hij gaat aan de voet van een oude iep liggen, zweeft op zijn rug in de poel van schaduw en voelt zich vredig. Hij probeert te bedenken wanneer hij zich voor het laatst vredig heeft gevoeld. Hij heeft geen idee.

Een van de vrouwen op zaal vertelt Willie dat Thoreau vroeger naar deze bossen kwam. Om er even uit te zijn.

Volgens de kranten zijn twee van zijn medeontsnapten – Kliney en Akins – weer opgepakt. Alleen Willie en Freddie zijn nog op vrije voeten. Dan was Freddie toch niet doodgeschoten. Mazzel voor Freddie. Zet 'm op, Freddie, zet 'm op. Willie hoopt dat hij schoenen draagt die hem tien centimeter langer maken en dat hij in Havana stukjes papaja voert aan een bloedstollend mooi revuemeisje.

Dan laten de kranten het onderwerp geleidelijk rusten. Het is 1948. Een nieuw tijdperk. Met Trumans benige vinger op de rode knop heeft niemand tijd om zich druk te maken over een bankrover uit de tijd van de depressie. Willie de Acteur is dood, lang leve Joseph de Zaalhulp. In de bibliotheek van Farm Colony leest Joseph een aantal boeken over reïncarnatie.

De vrouwen van Farm Colony dwepen met Joseph, en hij beziet hen zoals hij de bomen beziet. Ze bieden een soort troost, een psychologische schaduw. Willie heeft een groot deel van zijn leven in een mannenwereld doorgebracht; Joseph verblijft met plezier in een vrouwenwereld. Natuurlijk zeggen veel vrouwen net zo weinig als de bomen. Maar sommigen zijn kletskousen. Terwijl Joseph wacht tot zijn vloeren droog zijn, mag hij graag bij hen gaan zitten en naar hun verhalen luisteren. Ze zijn alleen, net als hij. Ze proberen niet aan morgen te denken, net als hij. Ze zitten hier tegen wil en dank, net als hij. Ze haten banken. Velen van hen zijn in Farm Colony terechtgekomen omdat ze hun spaargeld zijn kwijtgeraakt aan een failliete bank of een frauduleuze effectenhandelaar.

Sutton doet twee stappen over de drempel van de hoofdingang. Verslaggever en Fotograaf staan vlak achter hem. De deur is weg, het meubilair is weg. Alles is weg, op een paar ijzeren archiefkasten na. In een kast zonder deur hangt een uniform.

Hij wijst. Daar was het kantoortje van de hoofdzuster.

Ze horen gescharrel en gefladder. Er vliegt een duif langs hun hoofden. Fotograaf schiet een paar plaatjes door een groot spinneweb.

Sutton loopt achteruit naar buiten. Hij draait zich om en kijkt naar de omliggende bossen. Het was niet alleen Farm Colony, zegt hij. Indertijd leek Staten Island wel een kolonie voor menselijk wrakhout. Geen wonder dat ik er zo goed tussen paste. Daarginds had je het grootste ziekenhuis aan de oostkust voor tuberculoselijders. En daar zat het tehuis voor oude zeelieden. Snug Harbor.

Daar woonde een hele zwik bijzondere oude zeebonken. Ik ging vaak een kaartje met ze leggen. Ze waren altijd, maar dan ook altijd, dronken. Konden nog geen klaveren van harten onderscheiden. Niemand drinkt zo veel als een gepensioneerde Ierse zeeman. Maar wel aardige kerels. Door hen ging ik Melville lezen. Toch was ik op mijn vrije avond liever bij mijn dames in Farm Colony.

Zijn favoriete is Claire Adams. Met haar lange, gerimpelde hand klopt ze vaak op de stoel naast haar bed. Kom, Joseph. Even babbelen.

Ja, mevrouw Adams.

Ze dringt erop aan dat hij haar Claire noemt. Hij kijkt bedenkelijk en schudt het hoofd. Hij vindt haar te majesteitelijk, te wijs om zo familiair tegen te doen. Ze is minstens twee keer zo oud als Joseph, maar hij vertelt haar dat hij verliefd op haar is.

Maak het nou, zegt ze.

Hij legt zijn hand tegen de gestikte naam op zijn overhemd. Ik zweer het, zegt hij. Echt helemaal smoorverliefd.

Ze schiet in de lach. Als ik dacht dat je het meende, Joseph, zou ik uit bed komen en de hele kamer met je rond dansen.

Mevrouw Adams heeft de hele wereld afgereisd. Ze heeft gedineerd met burggraven en generalissimo's en Nobelprijswinnaars. Ze spreekt vier talen, heeft een absoluut gehoor en haar blik is zo indringend, zo wijs en vrij van waardeoordelen dat Joseph haar al zijn geheimen wil vertellen. De aanvechting om alles op te biechten is zo hevig dat hij zichzelf niet vertrouwt. Hij gaat dikwijls bij haar zitten, met zijn kaken op elkaar, en laat het praten aan mevrouw Adams over.

Ze vertelt hem dikwijls over haar grote liefde.

O, Joseph, hij had zo'n mooi gezicht. Ik hoefde maar naar zijn gezicht te kijken of het werd me week om het hart. Zijn schoonheid greep me aan, kun je dat begrijpen?

Ja, mevrouw.

Maar mijn ouders keurden het niet goed. Hij was namelijk katholiek.

Wat is er gebeurd?

Ze stuurden me naar Europa. De Grand Tour, noemden ze dat toen, maar voor mij was het *l'exil à queue*. Ik had me nog nooit zo ellendig gevoeld. Ik huilde op de Seine. Ik huilde in de Sixtijnse Kapel. Ik huilde tranen met tuiten op het Canal Grande. Alle schoonheid stemde me droevig, want het deed me aan mijn Harrison denken. Zo heette hij, Harrison. Uiteindelijk, na tien maanden, heb ik mijn ouders getrotseerd en de boot naar New York genomen. Ik wist niet hoe snel ik bij Harrison moest komen.

En?

Hij was getrouwd.

Nee.

Ze knikt en kijkt weg. Het is al zo lang geleden, zegt ze. Hoe kan het dan nog steeds ... zo'n ...?

Macht hebben, zegt Joseph.

Ja. Dat is het juiste woord, Joseph.

In juli 1949, terwijl de vloerwas aan het drogen is, zit Joseph bij mevrouw Adams en kijkt de zondagskranten door die verspreid over haar bed liggen. In een van de krantenartikelen komt Picasso voor, wat mevrouw Adams doet terugdenken aan een beroemde portretschilder die haar ooit smeekte om voor hem te poseren.

Meteen al aan het begin vroeg deze jonge kunstenaar of ik mijn hoed wilde afzetten. Dat deed ik. Hij vroeg of ik mijn bovenkleding wilde uittrekken. Dat weigerde ik. De kunstenaar beval het me. Ik zette mijn hoed weer op en stond op om te vertrekken. Knarsetandend en aan zijn haren trekkend smeekte hij me het toch te doen. Hij zei dat hij nooit meer zou kunnen schilderen, tenzij hij mijn lichaam mocht zien. Ik zei dat ik mezelf nooit meer recht in de ogen zou kunnen kijken als ik hem mijn lichaam liet zien.

Joseph moet erom lachen. Mevrouw Adams ook. Maar, Joseph, ik moet erbij zeggen dat deze kunstenaar erg ...

Ze zwijgt. Ze kijkt opzij en zoekt naar het juiste woord. Joseph wacht glimlachend af. Temperamentvol? Getalenteerd? Minuten gaan voorbij. Zijn glimlach verdwijnt. Hij kijkt of er een verpleegster is. Hij voelt dat hij klamme handen krijgt.

Dan kijkt mevrouw Adams Joseph weer aan, ze knippert een keer met haar ogen en glimlacht. Waar was ik ook alweer gebleven?

Joseph heeft geen idee of ze weet dat ze even is weggeraakt. Hij vraagt het haar niet.

Een paar dagen later gebeurt het weer. Mevrouw Adams wendt halverwege een zin haar blik af en raakt weg, deze keer tien minuten. Deze keer gaan haar oogleden dicht. Joseph ziet haar ogen bewegen onder de oogleden, als vissen in een bevroren vijver. Hij zegt dat hij maar weer eens verder moet gaan met dweilen. Hij staat op en loopt weg van het bed.

In de weken die volgen, gebeurt het steeds vaker, en elke keer raakt ze iets langer weg. Hij staat altijd wat beschroomd bij haar bed, buigt zich over haar heen en geeft haar een kus op het voorhoofd. Ze is zich niet bewust van zijn kus. Van zijn aanwezigheid. Ze is heel ver weg. De Grand Tour.

In de late herfst van 1949 zit Joseph bij het bed van mevrouw Adams en wacht. Het is al bijna twee dagen geleden dat ze is weggeraakt. Nu, alsof iemand een schakelaar heeft omgezet, gaan haar oogleden trillend open. Ze draait haar hoofd naar hem toe. Joseph glimlacht. Zij glimlacht. Ik ben zo snel als ik kon gekomen, Harrison.

Josephs mond valt open.

Ik heb elke dag aan je gedacht in Italië. Ik was doodongelukkig.

Joseph kijkt om zich heen.

Harrison ... heb je op me gewacht?

Joseph wrijft over zijn nek.

Harrison, lieveling, mijn vader is niet voor rede vatbaar. Het is zo'n koppige man.

Joseph vouwt zijn handen in zijn schoot.

Wat moeten we nu toch, Harrison?

Joseph trekt aan zijn oorlel.

Hárrison?

We gaan er samen vandoor.

Haar gezicht klaart op. Wanneer?

Joseph schraapt zijn keel. Gauw, zegt hij.

Waar zullen we afspreken, Harrison?

Dat weet je wel.

Ze kijkt hem onderzoekend aan. Waar?

Toe, kom nu de tuin in, Maud.

Op dat plekje, zegt Joseph. Ons speciale plekje.

Ik hou zo veel van je, Harrison.

Ik hou ook van u, mevrouw – van jou, Claire.

Wanneer haar tijd gekomen is, tilt Joseph haar van het bed, draagt haar naar de wagen. Wanneer hij haar op de marmeren tafel heeft neergevlijd houdt hij haar hand een poosje vast. Dan gaat hij op zoek naar de hoofdzuster.

Zuster?

Wat is er, Joseph? Ik heb het druk.

Ik vroeg me alleen af, zuster, wat er met mevrouw Adams gaat gebeuren.

Hoofdzuster trekt aan het elastiek van haar uniform. Wat er met hen allemaal gebeurt, Joseph.

Dus er is geen familie?

In elk geval geen familie die gevonden wil worden.

Waar gaan ze ... waar zullen ze haar begraven?

Hoofdzuster staart naar Josephs vloer. Potter's Field, denk ik. Daar gaan ze meestal naartoe.

Joseph wacht tot na middernacht. Er valt een druilerige regen. Hij loopt naar de veerboot, steekt over naar Manhattan en neemt de metro naar Brooklyn. Hij loopt naar Prospect Park, gaat op een bankje zitten en wacht om te zien of hij niet is gevolgd. Snel graaft hij een pot met overvalgeld op. Op honderd meter van Meadowport.

Hij maakt zich klein achter een rotsblok, zodat hij vanaf de straat niet te zien is, en wrikt de pot open. Die is luchtdicht afgesloten, maar niet goed genoeg. Er is vocht in gekomen. De biljetten zijn aangetast door schimmel. Al die voorbereidingen, al die risico's, al die jaren in de gevangenis – voor dit? Dít? Joseph kijkt naar het vlekkerige gezicht van Ulysses Grant. Er loopt een heftige huivering over zijn rug wanneer hij zich afvraagt hoe luchtdicht de kist van mevrouw Adams zal zijn.

Van de zestigduizend dollar weet hij er ongeveer negenduizend te redden. De rest gooit hij in een afvalbak. Met gebogen hoofd en opgezette kraag gaat hij op weg naar de veerboot, maar zijn voeten voeren hem in een andere richting. Na enkele minuten loopt hij door President Street. Hij voelt zijn hart bonzen als hij in de buurt komt van het huis waar de Endners woonden. Het ziet er nog hetzelfde uit. Het glas in lood, de rijkversierde balustrades, het ijzeren hek. Iemand heeft een klein bloemperk aangelegd langs het hek. Rudbeckia, bitterzoet, pioenen. Verscheidene soorten rozen. Er brandt geen licht in het huis. Hij sluipt naar de brievenbus. Geen naam. Geen idee wie er nu woont, zo er al iemand woont.

Uren later, terug in Farm Colony, glipt Joseph het lijkenhuis binnen en legt een witte envelop vol biljetten van vijftig op de borst van mevrouw Adams. Om het geld is een briefje gewikkeld. *Maak er wat moois van.*

Een paar vrouwen hier hebben echt indruk op me gemaakt. Een van hen was mevrouw Adams. Ze herinnerde me eraan dat we maar één keer leven.

Pluk de dag, zegt Verslaggever.

Pluk wat je plukken moet. Maak er gewoon het beste van.

Sutton steekt zijn hand in zijn binnenzak en haalt de witte envelop tevoorschijn.

Meneer Sutton, waarom kijkt u steeds naar uw ontslagpapieren?
Zomaar. Kom op. Ik wil jullie iets laten zien.

Mevrouw Adams is de eerste van velen. Telkens wanneer er een vrouw overlijdt, vinden de verpleegsters van Farm Colony een envelop vol geld op haar borst. Sommigen zeggen dat het van de Heer afkomstig is. Anderen zeggen dat het afkomstig is van de Engel van Farm Colony.

Joseph kan het niet laten. Hij weet dat hij een groot risico neemt, maar het is de enige vreugde die hij heeft. De enige ondeugd.

Dan, 17 januari 1950. In het Bostonse North End wordt Brinks Building overvallen door een bende die ervandoor gaat met drie miljoen dollar, de grootste buit in de Amerikaanse geschiedenis. Volgens de politie is de misdaad zo gewaagd, zo stijlvol, dat die wel het werk moet zijn van Willie Sutton, wiens foto weer op de voorpagina's belandt.

Joseph houdt zich gedeisd en blijft dweilen, in de hoop dat het allemaal wel zal overwaaien. Op de gang hoort hij zijn naam.

Joseph. O, Joseph?

Hij draait zich om. Hoofdzuster komt met grote stappen aanlopen over zijn natte vloer. Dat Hoofdzuster zijn borden met NATTE VLOER negeert, belooft weinig goeds.

Ze komt voor hem staan en bekijkt zijn gezicht. Joseph, zegt ze.

Zuster.

Zo heet je niet, hè? Joseph.

Zuster?

Je bent Willie Sutton.

Ze geeft hem de krant. Hij kijkt naar de foto. Kijkt naar haar. Ja, zegt hij met een zucht. Ja. U hebt me door.

Ik ... wát?

Ik ben Willie Sutton, zegt hij. Wat een opluchting om het eindelijk hardop te zeggen.

De kleur trekt langzaam weg uit het gezicht van Hoofdzuster.

Ik wist dat deze dag zou komen, zegt hij. Maar ik heb geboft, denk ik, want ik heb een paar mooie jaren gehad.

Maar, wat?

Joseph wacht. En wacht. Dat is een goeie, zegt hij. Ik ... Willie Sutton. Met al dat geld? Een hoogvlieger als Willie de Acteur zou nog liever dood zijn dan vloeren dweilen in Farm Colony. Ik bedoel het niet vervelend, hoor, zuster.

Hoofdzuster kijkt naar Joseph, kijkt naar de voorpagina. Ze haalt diep adem. Nee, natuurlijk niet, zegt ze, plotseling lachend. Ik weet niet wat me bezielde. Maar ja, hij lijkt wel op je.

Misschien. Rond de ogen een beetje.

Hij gaat verder met dweilen.

Sutton neemt Verslaggever en Fotograaf mee naar de achterzijde van de vrouwenafdeling, een heuvel af die door modder en natte bladeren spekglad is. Verslaggever weet Sutton op te vangen als hij uitglijdt. Bedankt, knul. Ze wringen zich door een groep in elkaar verstrengelde bomen naar een open plek. Een lans van zonlicht doorboort de stam van een enorme appelboom. Sutton loopt er behoedzaam op af. Hij zet zijn bril op en bestudeert de bast. Hij glimlacht. In de bast is een onregelmatig hart uitgesneden. Daarin staan drie letters.

Wat is dat, meneer Sutton?

Fotograaf komt dichterbij. S-E-E?

Jongens, jullie bevinden je nu in Willies heilige bos.

Wacht eens even. S-E-E? Sarah Elizabeth ... Bess? Is zij hier geweest?

Na die klus bij Brinks zette de FBI *me op de lijst van meest gezochte misdadigers. Hun allereerste lijst. Een soort eerbetoon. Al mijn aliassen werden erbij vermeld, al mijn vrouwen, te beginnen met Sarah Elizabeth Endner. Ik wist dat ze behoorlijk van streek zou zijn. Ik zocht haar op in het telefoonboek – ik herinnerde me de naam van haar man. En waarom had ik die onthouden? De naam was Richmond. En ik woonde in Richmond. Als dat geen voorteken is? En ja, hoor, ze woonde in Brooklyn. En zoals ik al gedacht had, was ze in paniek. Ze was volkomen over haar toeren. Ze wist niet wat ze moest doen. Ze werd gebeld door verslaggevers, gebeld door de politie. Een paar uur later haalde ik haar op van de veerpont. We zijn in haar auto gestapt en naar dit bos gereden. We hadden maar een paar uur voordat ze terug moest. Maar dat is alles wat je krijgt in het leven. Een paar uur hier, een paar uur daar. Als je geluk hebt. Dat heeft mevrouw Adams me geleerd. Ze ligt begraven aan de andere kant van deze heuvel.*

Fotograaf maakt foto's van Sutton, van de boom. Was Bess nog steeds getrouwd, man?

Ja, knul. Nog steeds.

Verslaggever kijkt naar de lucht. De zon staat al laag, meneer Sutton. Ik vind het vervelend om u weg te halen uit uw heilige bos, maar we hebben echt nog maar weinig tijd. Over ruim twee uur moet ik mijn verhaal inleveren. Vandaar. We moeten naar Brooklyn.

We gaan terug over de Verrazano-Narrowsbrug, zegt Fotograaf. Dat is sneller.

Oké, zegt Sutton.

Nog één stop op uw plattegrond, meneer Sutton. Dean Street. Dan … Schuster?

Mm.

Meneer Sutton.

Ja, knul, ja. Wat je maar wilt.

Eenentwintig

De naam van de hospita ontgaat Willie. Mevrouw Influenza of zoiets. Ze spreekt geen Engels en hij spreekt alleen gevangenisspaans, dus de communicatie verloopt niet al te vlot. Hij vertelt haar dat hij een oorlogsveteraan is, dat hij rust nodig heeft en dat hij Julius Loring heet. Ze glimlacht zonder er veel van te begrijpen. Hij telt tweehonderd dollar af van een stapeltje bankbiljetten, zes maanden huur vooruit. De taalbarrière brokkelt af.

Het adres is Dean Street 340. Het is een smal houten huis van twee verdiepingen in de Spaanse wijk. Hospita geeft Willie haar beste kamer, op de tweede verdieping, met uitzicht op de straat. Hij is piepklein, maar gemeubileerd. Commode, slaapbank, clubfauteuil. Meer heeft hij niet nodig. De clubfauteuil staat bij een raam waar 's middags de zon op staat. De eerste paar dagen brengt hij in die stoel door terwijl hij naar de zonsondergang kijkt en nadenkt. Wat nu het eerst op de agenda staat, is zijn gezicht, besluit hij.

Hij dwaalt rond over de kades en werven, en gaat havenkroegen af op zoek naar jongens die hij kent uit de gevangenis. Hij vindt Dinky Smith, die hem naar Lefty MacGregor stuurt, die hem het adres geeft van Rabbit Lonergan, die hem naar een oud koffiepakhuis stuurt, waar hij in de achterkamer Mad Dog Kling aantreft, die bij een bureaulamp de krant zit te lezen. Krijg nou toch jeukbulten, zegt Mad Dog terwijl hij met samengeknepen ogen omhoogkijkt door de lichtkrans. Als we daar niet de meest gezochte boef van Amerika hebben.

De jaren na Sing Sing zijn niet al te vriendelijk geweest voor Mad Dog. Ze hebben er behoorlijk in gehakt. Een pruimenmond, uitpuilende ogen – hij heeft iets uitgeblusts en verslagens, alsof hij zo uit het boek Job is gestapt. Hij doet Willie denken aan die zwart-witfoto's van keuterboeren uit het Midwesten. Hij heeft een slobberig bruin pak aan, met een sleetse blauwe stropdas, maar ziet eruit alsof hij eigenlijk een denim overall aan moet hebben terwijl hij naar een wolk sprinkhanen kijkt die zijn oogst opvreet.

Willie zegt tegen Mad Dog dat hij hulp nodig heeft. Zieleknijper heeft hem ooit verteld over een circuit van in ongenade gevallen dokters, jongens die hun bevoegdheid zijn kwijtgeraakt, maar die clandestien nog steeds werkzaam zijn. Abortussen, kogels verwijderen, dat soort dingen. Willie vraagt Mad Dog of hij soms connecties heeft in dat circuit. Mad Dog steekt een stompje sigaar op.

Misschien, Willie. Maar die kwakzalvers zijn niet goedkoop.

Ik heb nog wat ... spaargeld.

Mad Dog grijnst vreugdeloos. Dat wil ik wel geloven, zegt hij. Ik lees de krant.

Niet zo veel als je denkt, zegt Willie. En dat brengt me op de volgende vraag. Hoe kom jij tegenwoordig aan je geld, Mad Dog?

Met losse karweitjes. Hier en daar eens een klusje. Voor de jongens in de haven.

Losse karweitjes?

Je weet wel. Er is een vent met schulden, die kan niet betalen, dan kom ik langs. Zeg maar dag tegen je elleboog.

Wat krijg je voor zoiets?

Vijftig dollar.

Willie kijkt weg. Hij heeft de pest aan Mad Dog, en hij is er tamelijk zeker van dat dat gevoel wederzijds is. Wat is dit voor een leven dat je zulke mensen opzoekt, dat je zulke mensen nodig hebt? Dat je zulke mensen om hulp vraagt?

Vijftig dollar, zegt Willie. Dat is niet veel.

O, maar ellebogen zijn een eitje, zegt Mad Dog, die hem verkeerd begrijpt. Dat is gewoon een scharnier. Je buigt het de verkeerde kant op en knak!

Willie stapt in het licht van de bureaulamp. Ik heb een voorstel, Mad Dog. Hoe zou je het vinden om mij te helpen bij het beroven van een paar banken?

Mad Dog wijst met zijn sigarenpeuk naar Willie. Dat is net zoiets als dat Marciano me zou vragen om met hem te sparren.

Sutton staat in Dean Street voor nummer 340 en wijst. Daar, voor dat raam, zat ik altijd. 's Middags, als de school verderop in de straat uitging, kwamen er kinderen langsrennen. Op een dag zagen ze me daar zitten met mijn gezicht in het verband en wisten ze niet hoe snel ze zich uit de voeten moesten maken.

Fotograaf doet een oefening tegen de motorkap van de Polara om zijn rug te rekken. In het verband, Willie?

Na de plastische chirurgie.

Verslaggever steekt zijn hand omhoog. Plastische ... wát zeg je nu?

Hij ontvangt zijn patiënten in het holst van de nacht, in de praktijk van een legale collega die provisie krijgt voor elke illegale ingreep. Mad Dog regelt de afspraak en biedt aan om Willie erheen te rijden, maar Willie wil dit alleen doen.

Een nerveuze receptioniste brengt Willie naar een onderzoekkamertje. Na een half uur komt de kwakzalver binnen door een tweede deur. De onderkant van zijn kin hangt erbij als een uier, en zijn uitgezakte wangen lijken wel van brooddeeg. Willie vraagt zich af waarom Kwakzalver niet door een van zijn collega's, in ongenade gevallen of niet, zijn eigen smoelwerk heeft laten opknappen.

Hallo, meneer Loring.

Willie overhandigt hem een envelop met contant geld. Kwakzalver stopt de envelop snel in de zak van zijn witte jas en zegt dat Willie op een met papier bedekte tafel moet gaan zitten. Dan houdt hij een schetsblok omhoog waarop hij een gigantische cirkel tekent die hij markeert met kruisjes en stippellijntjes. Kennelijk is de cirkel Willies gezicht.

Eerst, meneer Loring, ga ik een incisie maken in de columella. Dat is het huidbrugje van de neuspunt naar de lip. Dan klap ik de huid terug. Vervolgens zal ik het eventuele teveel aan kraakbeen en littekenweefsel wegsnijden en met een slijptol het uitstekende of asymmetrische bot verwijderen. In wezen ga ik de vorm veranderen van de neus die God u heeft gegeven. Ik zal sneller moeten werken dan normaal, vanwege de … eh … bijzondere omstandigheden. En ik heb geen assistent. Dus moet u wel beseffen dat het misschien niet perfect wordt en dat u een groter risico loopt dan normaal bij een dergelijke procedure. Infectie, enzovoort.

Wat bent u van plan tegen de pijn te doen?

U gaat onder volledige narcose.

Nee. Doe maar een plaatselijke verdoving.

Willie is niet van plan zich door iemand te laten wegmaken. Hij heeft te veel geheimen, te veel herinneringen aan Zieleknijper, die louche hypnotiseur. Kwakzalver kijkt verbaasd. Wat u wilt, meneer Loring.

Hij lijkt er lol in te hebben dat Willie wakker wil blijven. Hij lijkt er ook wat al te happig op om met snijden te beginnen. Hij vraagt aan Willie of hij ook meteen de ogen moet doen als hij toch bezig is. De oogleden iets liften? Van mijn ogen blijf je af, zegt Willie. Willie kijkt nog eens naar de tekening van zijn gezicht op het schetsblok. Het zit hem niet lekker dat Kwakzalver het woord 'nasaal' verkeerd heeft gespeld. Willie wou dat hij Mad Dog had gevraagd waardoor Kwakzalver zijn bevoegdheid is kwijtgeraakt. Als Willie ziet hoe liefdevol Kwakzalver zijn messen hanteert, denkt hij dat het best weleens iets ergs kan zijn geweest.

Willie gaat liggen. Hij krijgt een spuit. De pijn stelt niet zo veel voor. Het zijn de andere gevoelens die de operatie traumatisch maken. Willie voelt alles: het snijden, het bikken en het slijpen. Zulke gewelddadige handelingen aan zo'n gevoelig orgaan. Hij denkt aan het doorzagen van de tralies van zijn cellen, aan het wegbikken van het gesteente onder Eastern State. Hij denkt aan Vader die op het aambeeld slaat. Hij gaat van zijn stokje.

Als hij zijn ogen opendoet, zijn de lichten gedoofd. Kwakzalver is verdwenen, de nerveuze receptioniste ook. Willie ligt nog steeds op de met papier bedekte tafel, nog steeds op zijn rug. Hij heeft het gevoel alsof zijn neus is verwijderd en het gat is opgevuld met een tentharing. Hij laat zich van de tafel rollen en strompelt naar een spiegel aan de muur. Hij heeft twee blauwe ogen en dwars over zijn gezicht zitten twee bloederige verbandjes in de vorm van een X.

Met zijn gleufhoed diep over zijn ogen getrokken loopt hij naar huis. Toevallig komt Hospita net de trap af op het moment dat hij naar boven loopt. Ze slaakt een gil en begint te ratelen. Godzijdank heeft hij zijn Spaans bijgespijkerd met haar volwassen dochter. *Estoy bien*, zegt hij. *No es nada. Gracias. Me metí en una pelea con unos hombres en un bar.*

Wekenlang houdt Willie zich schuil op zijn kamer. Mad Dog brengt hem eten en boeken – een bizarre verzameling titels. Willie had Mad Dog opgedragen om de verkoper te vragen naar een paar goede boeken, en de verkoper heeft zich flink uitgeleefd. Dus terwijl Willie herstelt, maakt hij voor het eerst kennis met Dante, Woolf en Proust.

Proust overweldigt hem. De zinnen zijn zo lang dat zijn neus er pijn van gaat doen. Of die Proust is stapelgek of Willie reageert slecht op de pijnstillers van de zwarte markt die hij van Mad Dog krijgt. Hij kan geen touw vastknopen aan de plot. Er is helemaal geen plot. En toch eindigt zo'n ellenlange zin soms met een woord of een beeld waar Willie een brok van in zijn keel krijgt, of met een zinswending die opeens een stukje uit Willies vergeten verleden oprakelt. Iets heel diep binnen in hem is gevoelig voor Prousts obsessie met tijd, zijn tarten van de tijd. Alleen een man die strijd levert met de tijd zou een boek van een miljoen woorden schrijven. Willie zit te popelen om aan het zesde deel te beginnen, *De voortvluchtige.*

Op Willies verzoek brengt Mad Dog hem ook *Zielevrede* van bisschop Fulton J. Sheen. Willie heeft er een recensie van gelezen in de krant. Hij maakt zich zorgen om zijn ziel en hij verlangt naar innerlijke vrede; het klonk interessant. En hij raakt er zelfs door gefascineerd. Hij blijft de hele nacht op en leest het boek van het begin tot het einde, waarna hij de delen over wroeging opnieuw leest. Hele passages lijken speciaal voor hem geschreven. Volgens Sheen is wroeging een zonde. Wroeging komt voort uit trots en egoïsme. Judas voelde wroeging. In plaats daarvan, zegt Sheen, moeten we trachten Petrus na te volgen – *die geen wroeging voelde, maar spijt ten overstaan van God.*

Willie heeft geen wroeging en er zijn dagen dat hij niets dan spijt voelt, dus is hij gerustgesteld. Volgens Sheen is zijn rekening met God vereffend.

Maar dan zegt Sheen iets wat Willie niet meer uit zijn hoofd kan zetten, wat hem langer bijblijft dan de herinnering aan de messen van Kwakzalver. Naast alle spijt, zegt Sheen, dient een zondaar al zijn zonden op te biechten. Willie legt het boek neer en steekt een Chesterfield op. Spijt én een volledige biecht? Dat is een niet geringe prijs voor eeuwige verlossing. Hij kijkt naar het plafond. Voortvluchtig zijn heeft hem scherper bewust gemaakt van de Ogen die alles zien. Van Hem voor wie we ons nooit kunnen verstoppen. Hij vraagt het plafond van zijn gemeubileerde kamertje of Sheen gelijk heeft. Zijn zonden opbiechten? Echt? En als hij dat niet doet, wat dan?

Hij voelt een antwoord opkomen. Een oordeel. Hij heeft zo het idee dat het pijnlijk zal zijn. Doordat hij is afgeleid, blaast hij de rook uit door zijn gehechte neusgaten, wat een kleine atoomexplosie van pijn teweegbrengt.

Een week na de operatie wordt Willie terugverwacht bij Kwakzalver om de hechtingen te laten verwijderen. Maar hij kan niet nog een confrontatie met dat monster aan. Mad Dog brengt hem een fles Jameson en een buigtangetje. Willie slaat de whiskey achterover, klemt een lap tussen zijn kiezen en rukt de hechtingen er zelf uit. Mad Dog houdt de spiegel vast.

Na afloop verontschuldigt Willie zich bij Mad Dog voor zijn geschreeuw.

Mad Dog moet lachen. Alsjeblieft, zeg. Ik ben gewend aan kerels die schreeuwen.

Sutton werpt nog een laatste blik op dat raam van toen. Als je klein bent, zegt hij, en je afvraagt hoe je leven zal uitpakken, kun je je niet voorstellen dat je ooit nog eens zult eindigen in een gemeubileerde kamer, onder een valse naam, met je gezicht in het verband en dat je schoolkinderen de stuipen op het lijf jaagt.

Verslaggever pakt zijn aktetas uit de Polara. Hij zet hem op de motorkap en klikt hem open.

In de dossiers heb ik nergens iets over plastische chirurgie gevonden, zegt hij. Maar nu u het zegt, er is wel degelijk een verschil te zien met deze oude foto's. Daar lijkt u helemaal niet op.

Misschien zijn we écht met de verkeerde op pad, zegt Fotograaf.

Sutton betast zijn neus, knijpt er eens in en tuurt de straat in. Die kwakzalver was krankzinnig, maar hij heeft goed werk geleverd. Toen, op een dag, liep ik terug naar mijn kamer en precies hier ontmoette ik een meisje. Precies hier. Precies waar jullie nu staan, keek ze me uitnodigend aan. Ik dacht dat het aan mijn nieuwe neus lag. Maar ze was natuurlijk een hoertje. Die pikt een eenzame vent er op een kilometer afstand uit. Ze wist in één oogopslag wie ik was en wat ik nodig had. En ik bleek ook precies te zijn wat zij nodig had.

Ze heeft een bleke huid, gitzwart haar en grote zwarte ogen. Eén oog is ietsje groter dan het andere. Willie zegt dat hij dat schattig vindt. Ze tikt met haar wijsvinger onder het grootste oog.

De oog was altijd even groot als zijn broertje, zegt ze. Maar de laatste tijd hij alsmaar groter wordt en ik weet niet waarom.

Hij zegt dat ze ermee naar een dokter moet gaan. Ze vertelt

dat ze niets van dokters moet hebben. Hij houdt vol, maar ze is koppig. Ze vertelt Willie dat ze half Iers en half Egyptisch is.

Dat verklaart veel, zegt hij.

Ze is geboren en getogen in Caïro. Haar moeder kwam uit Dublin, haar vader was een Mizrachi-Jood. In de oorlog, vertelt ze, hadden ze het zwaar gehad. Maar de vrede was nog zwaarder. De vrede ontketende een chaos die meer op bepaalde plaatsen gericht was. Bendes met knuppels en fakkels trokken hun buurt binnen. Ze bliezen gebouwen op, staken huizen in brand en lichtten mensen van hun bed. Ze sleepten mannen door de straten en tuigden hen af in bijzijn van hun familie.

Waarom? vraagt Willie.

Israël, zegt ze. Land. Religie. Waarom doen mensen nu eenmaal iets?

De laatste keer dat ze haar vader zag, stond hij in de voordeur van hun huis met een vleesmes te zwaaien om de menigte op een afstand te houden. Hij riep naar haar moeder: Rennen, rennen, ik vind je wel!

Haar moeder en zij vlogen de achterdeur uit naar het huis van de buren. De volgende ochtend lag haar vader op straat. Stukken van hem, zegt ze. Haar moeder en zij sloegen met de buurman op de vlucht, te voet over land, toen met de boot naar Amerika. Op de boot moesten ze de mannen, de jongens zelfs, van zich af slaan. Op een nacht hadden ze zelfs de buurman van zich af moeten slaan.

Haar moeder stierf vier dagen voordat de boot in de haven van New York aankwam. Van verdriet of schaamte, of door ziekte, misschien wel alle drie. Toen de boot had aangelegd, keek ze toe hoe beambten van de immigratiedienst haar moeder wegdroegen als een postzak.

Ze vertelt Willie dat ze Margaret heet. Willie zegt dat hij Julius heet. Ze zijn in een koffiehuis vlak bij zijn kamer in Dean Street.

Waarom heb je die donkere bril op, Julius?

Er zijn mensen naar me op zoek, Margaret.

Waarvoor zijn ze naar jou op zoek, Julius?

Dat zeg ik liever niet, Margaret.

Je deed misdaden, zegt ze zachtjes.

Hij steekt een Chesterfield op en kijkt naar het tafelblad. Hij herschikt het bestek. Hij neemt een slok zwarte koffie. Hij knikt.

Jij iemand kwaad gedaan?

Hij geeft geen antwoord.

Ze maakt twee vuisten en houdt die voor zijn gezicht. Jij iemand pijn gedaan?

Ik doe mijn uiterste best om dat te voorkomen.

Jij belooft dat?

Ja.

Goed, zegt ze. Is alles wat telt voor mij.

Willie heeft geen telefoon en Margaret evenmin, dus maken ze hun afspraakjes altijd ruim van tevoren. Als ze uitgaan, is het steevast laat, heel laat, wanneer de kans kleiner is dat Willie gezien wordt, en dat vindt ze prima. Haar leven speelt zich toch al 's nachts af. Zij komt naar Willies kamer of hij haalt haar op bij haar kamer aan de andere kant van Brooklyn, en dan gaan ze naar een eettentje dat de hele nacht openblijft, of naar een jazzclub of een bioscoop.

Ze zijn allebei dol op films. Willie voelt zich het veiligst wanneer hij onderuitgezakt in een donkere bioscoop kan zitten met zijn gezicht over een zak popcorn gebogen, en Margaret voelt zich het veiligst wanneer ze zich kan verliezen in een meeslepend liefdesverhaal. Daar zijn er veel van in 1951. Samen zien ze *A Streetcar Named Desire*, *An American in Paris* en *The African Queen*. Als de muziek aanzwelt en de aftiteling over het scherm rolt, als de mannen en vrouwen in de bioscoop hun sigaret onder hun hak uittrappen en zich naar de uitgang haasten, raakt Margaret Willies arm aan.

Alsjeblieft, zegt ze.

Hij kijkt naar haar, glimlacht en laat zich terugzakken in zijn stoel. Ik vind het best, zegt hij. Nog zo'n tochtje over de rivier met Bogie en Kate kan ik wel hebben.

Na de tweede voorstelling gaan ze koffiedrinken. Margaret raakt niet uitgepraat over de film. We zijn net als hun, zegt ze.

Als wie?

Humphrey Bogie en Kathy Hepburns.

Willie kijkt het eettentje rond om te zien of er niemand zit mee te luisteren. Ze geeft hem een standje. Kan niemand schelen wat ik denk over Humphrey Bogie, zegt ze.

Sorry, zegt Willie. Macht der gewoonte. Wat zei je?

Hun op een lekke boot, wij op onze.

O. Zo bedoel je.

Is hun tegen de wereld. Is ons ook, Julius.

Wie van ons is Bogie?

Ze lacht, reikt over de tafel en pakt zijn hand vast. Jij lijk op Bogie.

Willie beweegt met zijn lippen de sigaret naar de andere kant van zijn mond. *Here's looking at you, kid.*

Ze zet grote ogen op. Julius, jij lijk precies op hem. Jij moet acteur worden.

Nou, nee.

Wat dat betekent, vraagt ze – *Here's looking at you*?

O, zegt hij, dat is gewoon een uitdrukking.

Maar wat betekent dit?

Het betekent ... op je gezondheid.

Ze knijpt haar ogen tot spleetjes.

Het betekent proost, zegt Willie. Een soort toost. Zoals *L'chaim!*

En wat betekent als Bogie zegt: *Let us go while the going is good*?

Dat is ook een uitdrukking. Een zegswijze.

Maar wat betekent dit?

Het betekent dat de slechteriken eraan komen, dat de slechteriken op het punt staan de deur in te trappen, kom op, wegwezen hier.

Maar die uitdrukking, ik begrijp niet.

Het betekent gewoon: nu.

Dan waarom zeg hij niet nu? Gaat sneller, nu zeggen. Waarom hij dan tijd verspilt met zo veel woorden? Terwijl hij dat allemaal zeg, de slechterik kunnen komen.

Willie begint te lachen. Er schiet een stukje taart in zijn verkeerde keelgat. Hij hoest, lacht nog harder. De tranen springen hem in de ogen. Nu moet Margaret ook lachen en algauw zitten ze naar elkaar te wijzen en hun ogen af te vegen met papieren servetjes.

O, Margaret, ik heb al in geen tijden zo gelachen.

De serveerster achter de bar staat hen aan te gapen.

De serveerster staat te kijken, fluistert Willie.

Here's looking at her, zegt Margaret.

Zo meteen vragen ze ons nog of we weg willen gaan, fluistert Willie.

While the going is good, zegt Margaret.

Als ze uit zijn geweest brengt Margaret meestal de nacht door in Dean Street. Ze wordt wakker voordat het licht wordt, kleedt zich snel aan in de ochtendschemering en kust Willie gedag. Op een ochtend zegt hij dat ze niet moet gaan. Ze heeft geen keus, zegt ze, ze moet gaan werken. Hij zegt: Nee, wacht. Hij heeft iets voor haar. Ze zit op het randje van zijn clubfauteuil terwijl hij uit bed stapt en in zijn pak graait, dat netjes op een knaapje aan de bovenste la van de commode hangt. Hij pakt er een bundeltje bankbiljetten uit met een elastiekje eromheen. De buit van zijn laatste bankklus met Mad Dog. Hij geeft het geld aan Margaret.

Wat is dit?

Een cadeautje.

Waarom cadeautje?

Hoezo waarom?

Cadeautje voor wie? Voor jou of mij?

Wat bedoel je dáár nou weer mee?

Geef je mij? Of koop je mij?

Allemachtig, ik wil gewoon dat je het wat rustiger aan gaat doen, ander werk gaat zoeken.

Is geen ander werk voor mij. Jij weet dit, Julius. Kan niet weg.

Er is altijd een manier om weg te komen, Margaret.

Waarom jij dit doen?

Ik wil je vaker om me heen hebben. Meer tijd met je doorbrengen. Is dat zo verkeerd?

Waarom?

Hoor eens, wat is dit voor idioot kruisverhoor?

Mensen helpen andere mensen niet om geen reden.

Oké. Wil je een reden? Ik mag je graag.

Ze houdt het bundeltje geld omhoog. Wat dit maakt van ons?

Ik geloof niet dat er een woord voor ons bestaat, Margaret.

Ze denkt na. Ze houdt het geld met beide handen vast.

Ik wil gewoon dat je gelukkig bent, Margaret.

Is heel lief. Dank je, Julius.

Op Willies verzoek gaat Mad Dog langs bij Margarets baas om haar ontslag aan te kondigen, met onmiddellijke ingang. En als Willie nu met Mad Dog de volgende bankklus zit voor te bereiden, schikt Margaret verse bloemen op zijn kamer, is ze op pad om boeken voor hem te kopen, kijkt ze in de krant of er misschien jazzconcerten en films zijn die ze leuk vinden.

Op sommige avonden, als Willie te moe is of als er een klus ophanden is, warmen Margaret en hij wat soep op en luisteren ze naar de radio. Ze vindt het leuk als hij haar voorleest. Hij laat haar kennismaken met Tennyson. *Toe, kom nu de tuin in, Maud.* Hij vervangt Maud door Margaret. Hij laat haar kennismaken met Pound. *Nu maak jij je los uit een kluwen mensen.* Ze is dol op die zin, herhaalt hem telkens weer, al weet ze niet zo goed wat hij betekent.

Poëzie hoeft niets te betekenen, zegt hij.

Dus poëzie lijk op Humphrey Bogie.

Nou, nee. Het is alleen ... soms is een dichtregel gewoon mooi, meer niet. En de schoonheid is de betekenis. Of het is alle betekenis die je nodig hebt.

Ik hou van dingen die betekenen.

Ik vind dat mensen veel te veel waarde hechten aan betekenis. Betekenis is een hersenschim. Zwendelarij. Ik hou van dingen die mooi zijn. Daarom hou ik van jóú.

Ze glimlacht en drukt haar wang tegen de zijne.

Wat Margaret het allerliefste doet is languit op Willies bed liggen met een arm over haar ogen, terwijl hij in zijn stoel zit en voorleest uit de krant. Ze hebben een vergelijkbare kijk op de wereld, een soortgelijk gevoel over wie de goeieriken zijn en wie de slechteriken. Ze sist afkeurend als hij voorleest over Joseph McCarthy en glimlacht als hij voorleest over Gandhi.

Voordat ze samen onder de dekens kruipen en het licht uitdoen, leest zij hun horoscopen voor. Haar moeder was gefascineerd door astrologie. Wat is je geboortedatum, Julius?

30 juni.

O, o. Kreeft.

Is dat zo erg?

Zelfde als ik. We zijn enigste sterrenbeeld dat door de maan geregeerd.

Wat betekent dat?

Wij humeurig, gevoelig, emotionelig.

Wat een flauwekul.

Is waar. Je kent jezelf niet.

Waarom zeg je dat?

Doet niemand.

Niemand kent mij, of niemand kent zichzelf?

Niemand weet niks over niemand.

Voor zijn vijftigste verjaardag koopt Margaret een nieuwe gleufhoed voor Willie. Voor haar zevenentwintigste verjaardag koopt Willie voor Margaret een bedelarmband, een zijden sjaal en een zwart-wit hoedje. Hoewel het hoedje het goedkoopste cadeau is – dertien dollar bij Saks – vindt ze dat het leukst.

Je doet alsof ik een nertsjas voor je heb gekocht, zegt hij.

Hier ik blijer mee. Niks is kwaad gedaan hiervoor.

Hij denkt aan het geld dat hij gebruikt heeft om dat hoedje te kopen, de bank die hij daarvoor beroofd heeft. Terwijl Mad Dog en hij de kluis aan het leeghalen waren, zat een van de bankbedienden al die tijd te huilen van angst. Hij probeert er niet meer aan te denken terwijl Margaret het hoedje op haar hoofd zet alsof het een diamanten tiara is. Ze zweeft door Willies kamer met niets anders aan. Hij zegt dat ze een prachtig lichaam heeft.

Weet ik.

Hij lacht. Hij noemt haar zijn Ierse Cleopatra. Snap je? zegt hij. Clee *O'Patra*?

Ze snapt het niet en hij kan het niet uitleggen.

Laat, heel laat, op de avond van 4 juli, onafhankelijkheidsdag, is het te warm om in de kamer in Dean Street te blijven zitten. Het is te warm om waar dan ook te zitten. Willie neemt Margaret mee voor een tochtje op de veerpont. Ze staan aan dek en genieten van het briesje, ruiken het water en luisteren naar het geknetter van het laatste vuurwerk op de wal. Margaret is gelukkig. Willie is tevreden. Tot het Vrijheidsbeeld in zicht komt. De zeven stralen van de kroon van het beeld, die staan voor de zeven continenten, lijken precies op de zeven cellenblokken van Eastern State en de Burg – dat valt hem nu pas op. Hoe komt het dat hij telkens wanneer hij naar dit beeld kijkt iets ziet wat hij niet eerder heeft gezien?

Margaret slaat een arm om zijn schouders. Jij hebt ongelukkige gedachten, Julius.

Klopt.

Ik zie in je gezicht. De maan regeert weer.

Ja. Misschien.

Ik verbied je ongelukkige gedachten hebben.

Hij draait zich naar haar toe en legt een hand onder haar kin.

Ik vind fijn als je me zo aanraak, Julius.

Ze doet haar zijden sjaaltje af en wikkelt het om zijn hals. Julius?

Ja, Margaret.

Ik denk dat je háár zo wil aanraken.

Wie?

Ze wijst naar het Vrijheidsbeeld. Haar. Ik vind niet fijn hoe je naar haar kijk.

Betrapt. Op heterdaad. Ze betekent heel veel voor me. Ze is al jarenlang in het geheim mijn liefje.

Margaret maakt een klokkend geluidje. Die beeld maakt mensen gek. Ik begrijp niet. Ze belooft iedereen is vrij. Dat is gelogen.

Misschien. Maar het is een prachtige leugen.

Ze is een léúgenaar. Als ik arm moet zijn, als ik brood moet verdienen op mijn rug, prima, maar dit is niet vrij. Plaag niet met dit woord – vrij. Waar ik vandaan kom, heb je woord voor vrouw die plaagt.

Iedereen kent daar wel een woord voor, Margaret.

Ze is een kreng.

Willie trekt Margaret naar zich toe. Ik snap wat je bedoelt, fluistert hij, maar misschien kun je het beter niet zo hard roepen op de vierde juli.

Ze kijkt om zich heen. Langs de reling staan toeristen haar aan te gapen. Ik wist niet dat ik roep, zegt ze.

Wanneer de zomer ten einde loopt, wou Willie dat hij Margaret mee kon nemen naar Ebbets Field. Net als de rest van New York is hij geobsedeerd door de strijd om het honkbalkampioenschap. Zijn verafgode Dodgers gaan de strijd aan met de onsterfelijke Giants. Wat zou hij er niet voor overhebben om een paar uur achter het eerste honk door te brengen en Jackie Robinson aan te moedigen. Maar een openluchtstadion, op klaarlichte dag, omgeven door vierendertigduizend mensen? Onmogelijk.

Dan komt het seizoen tot een historische climax, een laatste wedstrijd, en Willie heeft geen keus. Hij móét hem zien. Hij loopt met Margaret naar Frank's Bar & Grill, een van de weinige kroegen in Brooklyn met een tv. Het is ook een stamkroeg voor smerissen, en daarom draagt Willie een bril met extra donkere glazen, nepbakkebaarden en een hele laag make-up van Margaret.

Onderweg bestookt ze hem met vragen. De hele zomer je Dodgers konden niet verliezen?

Nee.

En die Giantmannen eruit?

Ja.

En toen komen die Giantmannen terug?

Klopt.

Hoe deden ze dat?

Ze hebben het nooit opgegeven.

Ik hou van die Giantmannen.

Nee, nee. Margaret, wij zijn fans van de Dodgers. Ja, de Giants hebben het nooit opgegeven. Maar de Dodgers ook niet. Toen de Giants terugkwamen, hadden de Dodgers het hoofd kunnen laten hangen, maar ze wonnen de laatste wedstrijd van het seizoen, daarom staan ze nu weer gelijk. Daarom moesten er drie beslissingswedstrijden worden gespeeld. De Giants wonnen de eerste wedstrijd, en nog steeds hebben de Dodgers het niet opgegeven. Zij hebben de tweede wedstrijd gewonnen. Nu, vandaag, is het erop of eronder.

Waarom is zo belangrijk voor jou?

Jij identificeert je met Hepburn. Ik identificeer me met de Dodgers. Het zijn schooiers, het zijn mislukkelingen, maar als ze ook maar één keer konden winnen, zou dat een teken zijn.

Margaret geeft Willie een arm. Ik ben grote fan van je Dodgers.

Ze gaat aan een hoekje van de bar zitten met haar verjaardagshoedje op, terwijl Willie langs de bar heen en weer loopt en smekend tegen de televisie praat die boven de flessen hangt. Zijn smeken helpt. Brooklyn staat met 4-2 aan de leiding als ze de negende inning in gaan.

Nog drie uitballen, Margaret. Drie uitballetjes maar.

Ze geeft hem een kushand alsof hij op de werpheuvel staat. Zet 'm op, Julius.

De Giants krijgen snel twee man op honk. Dan loopt er eentje binnen: 4-3. Thomson stapt op de thuisplaat af. Nee, zegt Willie, alsjeblieft, niet Thomson. Alles aan Bobby Thomson jaagt Willie angst aan, zelfs zijn naam. Hij denkt aan al de bewakers in de gevangenis die een Thompson op hem gericht hebben. Thomson ziet er zelfs uit als een bewaker. Dat grote ronde gezicht. Die aapachtige grijs.

Willie smeekt de Dodgers om niet Branca tegen Thomson te laten pitchen. Hij smeekt de barman om ze niet Branca te laten inzetten. Thomson heeft laatst nog een homerun geslagen tegen Branca, zegt hij tegen de barman, in de eerste wedstrijd van de play-off. Weet je nog? Herinnert niemand zich dat meer?

Als de Dodgers Branca inzetten, als Thomson een harde snelle bal van Branca hoog over de linkermuur slaat, wordt het stil in de bar. Willie heeft zo'n soort stilte slechts eenmaal eerder gehoord. Een Donkere Cel. De eenzame opsluiting van de fan.

Terwijl Thomson de honken passeert – *de Giants winnen het kampioenschap* – zit Willie op zijn knieën midden in het café. Margaret springt van haar kruk en snelt naar hem toe. Ze helpt hem overeind, betaalt hun rekening en neemt hem mee naar buiten.

Is maar een spel, Julius. Is maar een spel.

Nee, zegt Willie. Het is een teken. Het is een oordeel.

Ik was niet helemaal goed bij mijn hoofd, zegt Sutton terwijl hij door Dean Street heen en weer loopt. Dat krijg je als je vijf jaar op de vlucht bent. Ik had verkering met een meisje, Margaret. Ik was verdomme helemaal bezeten van die verrekte kampioenswedstrijd. Die lul van een Thomson.

De klap die over de hele wereld werd gehoord, zegt Fotograaf terwijl hij een Newport opsteekt.

Arme Branca, zegt Verslaggever.

De klootzak, de verrader, zegt Sutton. Een sportjournalist schreef indertijd dat Ralph Branca zo gehaat was dat hij Willie Sutton moest zien te vinden om van hem te leren hoe je een goede voortvluchtige werd. Dat was wel een kleine troost, dat moet ik toegeven.

Oké, meneer Sutton. Het is tijd.

Verslaggever doet het portier van de Polara open en wacht tot Sutton instapt.

Sutton verroert geen vin. Tijd waarvoor, knul?

Dat weet u wel.

Valentijnsdag 1952. Willie koopt bloemen en chocolade voor Margaret. Hij zingt voor haar. *I don't wanna play in your yard, I don't like you anymore.*

Ze klapt in haar handen, staat te springen van blijdschap en geeft hem een knuffel. *I want to play in your yard,* meneer Loring.

Dat is goed, Margaret.

Wat gaan we doen als Valentijnsdag?

We gaan iets doen wat we bijna nooit doen, zegt hij. We gaan een uitstapje maken. Op klaarlichte dag.

Ze kijkt verrast. Waarnaartoe?

Dat zul je wel zien.

Ze nemen de metro. Margaret is zo opgewonden dat ze niet stil kan zitten. Ze gaat staan en houdt zich vast aan een lus. Willie is ook opgewonden. Maar als ze uitstappen in de Bronx en zij nog opgewondener raakt omdat ze doorheeft dat ze naar de dierentuin gaan, begint zijn stemming om te slaan. Als ze naar binnen gaan en hij de dieren in hun kooien ziet, realiseert hij zich dat dit geen goed idee was. Hij herinnert zich al zijn verschillende cellen, zelfs zijn kamer in Dean Street is eigenlijk gewoon weer een cel. Hij kan zijn verdriet niet verbergen. Hij wil dat ook niet. Hij neemt Margaret mee naar een bankje bij de leeuwen en begint haar te vertellen wie hij werkelijk is, wat hij allemaal heeft gedaan.

Ze houdt haar oren dicht.

Margaret?

Ik wil niet horen. Jij zegt tegen mij dat je niemand kwaad doet, dat genoeg. De rest is niet voor mij. Ik wil niet weten, ik wil niet die last.

Maar ...

La la la la la.

Hij trekt haar handen weg van haar oren. Ben je bang dat je slechter over me zult denken als ik je vertel wie ik ben?

Ik ben bang dat ik slechter denk, ik ben bang dat ik beter denk. Ik denk precies goed van jou. Jij wilt niet alles weten wat ik gedaan om te overleven, ik wil niet alles weten wat jij gedaan.

Willie kijkt naar de leeuwen. Ze kijken snel weg, alsof ze zich ervoor schamen dat ze erop betrapt zijn dat ze meeluisterden. Hoewel hij veel om Margaret geeft en niet zou aarzelen om in de leeuwenkooi te springen om haar te redden, realiseert hij zich dat ze een vreemde voor hem is. Hij kent alleen het verhaal dat ze hem heeft verteld en dat hij besloten heeft te geloven. Misschien komt ze helemaal niet uit Egypte. Misschien heet ze niet eens Margaret.

Je hebt gelijk, zegt hij. Ja. Natuurlijk. We weten genoeg.

Maar later, als ze in bed liggen, wil Willie toch één ding weten. Hij vraagt Margaret of ze ooit verliefd is geweest.

Ja, natuurlijk.

Op een jongen van thuis?

Ja.

Heb je hem kwaad gedaan?

Ik doe nooit iemand kwaad.

Ze draait zich op haar rug en schopt de dekens van zich af.

In de gloed van de straatlantaarn voor het raam is haar lichaam adembenemend. Ze ziet eruit als een van de nimfen in de tempel van meneer Untermyer. Met een zucht gaat ze rechtop zitten.

Iedereen houdt van iemand anders, Julius. Niemand houdt van iemand waar hij mee is. Zo is de wereld. Ik weet niet wat God aan het doen. Hij geeft ons liefde, wij zijn zo blij dat we leven, en dan pakt Hij het af. Waarom doet Hij dat? Wat Hij aan het dóén? Ik geloof nog steeds in Hem. Maar Hij maakt moeilijk.

Willie gaat rechtop zitten, steekt een Chesterfield op en geeft hem aan Margaret. Dan steekt hij er zelf eentje op. Bij het vlammetje van zijn Zippo ziet hij dat Margarets oog veel groter is dan de vorige dag. En het is troebel geworden.

Margaret, liefje. Je moet naar een dokter.

Ik hou niet van dokter.

Niemand houdt van dokters. Maar ik ga er toch met je naartoe. Morgen. Einde van de discussie.

Hij legt een hand tegen haar wang. Ze glimlacht. Ja, Julius. Je zegt het maar. *Here is looking at you, kid.*

Tweeëntwintig

Voor de volgende ochtend hebben ze een bankklus op het programma staan. Ze nemen wat bijzonderheden en details door en beslissen wie er zal rijden. Opnieuw wordt het Johnny Dee, een oude vriend van Mad Dog. Willie mag Dee niet, die lijkt op een van de Marx Brothers, de niet-grappige, maar Willie kan er weinig tegen inbrengen. Hoewel Mad Dog en hij een goede werkrelatie hebben, kan Willie niet uitsluiten dat Mad Dog tijdens een verhitte ruzie zijn elleboog zou breken.

Kort na één uur neemt Willie de metro van Mad Dogs woning in West Side Manhattan terug naar Brooklyn. Hij kijkt op zijn horloge. Margaret heeft om half drie een doktersafspraak. Hij is aan de late kant. Hij gaat zitten waar hij altijd zit in de metro, bij de deur, met zijn rug naar de wand. Hij slaat het boek van Sheen open. Een citaat van Sint Augustinus. *De boetvaardige dient altijd te treuren en zich te verheugen over zijn treurnis.* Hij leest dezelfde zin drie keer. Zich verheugen over zijn treurnis?

Hij voelt dat iemand hem observeert. Hij kijkt op uit Sheen en slaat zijn blik snel weer neer.

Het is maar een jongen. Begin twintig, babyface. Het gezicht van een padvinder.

Weer kijkt Willie even op. Donker golvend haar, haakneus – die arme jongen zal vast niet blij zijn met die neus. Maar hij is wel goedgekleed, alsof hij op weg is naar een spannend afspraakje of een feestje. Parelgrijs pak, gesteven wit overhemd, gebloemde stropdas – en blauwe suède schoenen. Waarom heeft een padvinder blauwe suède schoenen aan?

Omdat hij geen padvinder wil zijn. En hij is niet op weg naar een afspraakje of een feestje. Hij is nérgens naar op weg, letterlijk en figuurlijk. Hij heeft een saai baantje en hij wil niet saai zijn. Hij wil hip en vlot zijn. Dat wil iedereen tegenwoordig. Misschien zit hij Willie wel aan te gapen omdat hij vindt dat die er vlot uitziet.

Willie strijkt met een vinger langs het dunne snorretje dat hij sinds kort heeft laten staan en probeert zijn aandacht weer op Sheen te richten. Dat lukt niet. Hij kijkt een derde keer op. Deze keer maakt hij oogcontact met de jongen, eenentwintig, tweeëntwintig, voordat hij weer naar zijn boek kijkt. *Gods vergiffenis door het sacrament geeft ons Zijn vriendschap terug, maar de schuld aan de Goddelijke Gerechtigheid blijft bestaan.*

Schuld? Aan de Goddelijke Gerechtigheid? Hij denk aan Mad Dog, die schulden int. Hij vraagt zich af of God zijn eigen Mad Dog heeft.

De ogen van de jongen zijn ongewoon donker, vol gevoel, en er is geen twijfel aan dat ze op Willie gericht blijven. Wanneer hij zijn eigen ogen laat afdwalen van het boek naar de blauwe suède schoenen, weet Willie, voelt hij, dat de knul hem heeft herkend. De knul heeft door Willies plastische chirurgie, zijn make-up en zijn snor heen gekeken. Maar hoe? 's Ochtends herkent Willie zichzelf meestal amper in de spiegel. Hoe kan een willekeurige knul in een overvolle metro halverwege een maandagmiddag hem dan herkennen?

Nu maak jij je los uit een kluwen mensen.

Willie slaat de bladzij om en doet alsof hij helemaal in zijn boek opgaat. Hij kijkt een vierde keer op en weer weg. Hoe is het mogelijk? Het ene oog van de knul is groter dan het andere. Heerst er soms iets, een epidemie van ongelijke oogbollen?

De conducteur roept Willies halte om. Pacific Avenue. Willie staat op, schuift Sheen onder zijn arm en sluit aan in de rij voor de uitgang. Hij voelt dat de asymmetrische blik van de knul hem volgt. Hij wringt zich de metro uit, zigzagt door de menigte, holt haastig de trap van het metrostation op en dwingt zich ertoe niet om te kijken.

Op straat, een heel eind verder, kijkt hij om.

Godzijdank. Geen knul te bekennen.

Na een paar minuten komt hij bij zijn auto. Weer kijkt hij om.

Nog steeds geen knul te bekennen.

Hij gaat achter het stuur zitten en kijkt in de achteruitkijkspiegel. Geen knul. Hij slaakt een zucht, strijkt zijn snor glad en voelt even aan zijn make-up. Hij wou maar dat hij Margaret kon bellen om te zeggen dat hij aan de late kant is. Ze heeft geen telefoon. Hij draait het contactsleuteltje om.

Niets.

Nee nee nee, zegt hij. Hij draait het contactsleuteltje nog eens om. De motor klikt, maar wil niet starten. Godver … Hij stapt uit en doet de motorkap omhoog. Het moet de accu zijn. Maar hoe kan dat nou? De auto is nieuw. Hij heeft hem pas gekocht. Hij vraagt zich af hoelang het zal duren voordat Sonny's Service Center, op Third Avenue, zijn auto aan de praat krijgt. Hij kijkt op zijn horloge. Margarets doktersafspraak is over veertig minuten.

Achter zich hoort hij voetstappen. Hij draait zich om. Twee agenten. Hij voelt een spiertrekking in zijn benen – hij zet het bijna op een hollen. Maar dan ziet hij de ontspannen houding van de agenten, hun verveelde ogen. Ze zijn niet op hem uit.

De agent links schuift zijn pet wat naar achteren. Bent u de eigenaar van deze auto?

Ja, agent.

Rijbewijs en autopapieren.

Willie vist die uit zijn binnenzak en geeft ze aan de agent links. De agent rechts neemt Willie van top tot teen op.

Alles in orde, zegt Agent Links tegen Agent Rechts.

Agent Links vouwt het kentekenbewijs op, stopt het onder het rijbewijs en geeft de papieren terug. Sorry dat we u lastigvielen, zegt hij. Een prettige dag nog, meneer Loring.

Geen probleem, jongens.

Hun zwart-witte auto staat achter die van Willie geparkeerd.

Ze stappen in en rijden weg.

Willie buigt zich weer onder de motorkap. Als hij zijn kapotte accu kon aansluiten op zijn op hol geslagen hart, zou hij zo weer onderweg zijn.

Ze verlaten Dean Street en toeren langzaam naar Fourth Avenue. Bij een rood verkeerslicht zet Fotograaf de camera op zijn schoot en geeft hem klopjes, als een hond. Hij maakt zijn cameratas open, kiest een lens, kijkt of hij schoon is en bevestigt hem als een bajonet aan zijn camera.

Startklaar, zegt hij tegen Sutton in de achteruitkijkspiegel. Laat het spektakel maar beginnen, man.

Het is groen, zegt Verslaggever.

Fotograaf geeft een flinke dot gas.

Verslaggever haalt de wikkel van een chocoladereep, steekt de helft van de reep in zijn mond en slaat een dossiermap open. Dus, meneer Sutton. 18 februari 1952. Volgens dit artikel woont u dan in Dean Street, hebt u verkering met Margaret en berooft u om de paar weken een bank met twee anderen. Tommy Kling en Johnny DeVenuta?

Sutton trekt zijn stropdas wat losser. Mad Dog en Dee, zegt hij. Klopt.

Neem die dag eens met ons door.

Ik zou met Margaret naar de dokter gaan om naar haar oog te laten kijken.

Wat was er met haar oog?

Het werd steeds groter.

Groter?

We hadden geen idee waardoor. En ze was bang voor dokters. Daarom moest ik erop aandringen en beloven om met haar mee te gaan. Ik had die ochtend koffiegedronken met Mad Dog. Daarna ben ik teruggegaan naar Brooklyn. Ik was laat. Toen ik de trap van het metrostation af liep, hoorde ik de trein al aankomen. Ik ging rennen. Zo hard ik kon. Als Jackie Robinson die een honk steelt.

Kun je het je voorstellen, knul?

Kan ik me wát voorstellen?

Wat er allemaal anders zou zijn gelopen. Als ik niet had gerend. Als ik niet door die deuren naar binnen was gesprongen vlak voordat ze dichtgingen. Als ik geen tiencentmuntje op zak had gehad. Als een ritje nog een stuiver had gekost. Weten jullie wie de prijs van een metroritje al die jaren op een stuiver had weten te houden? Meneer Untermyer. Hij runde min of meer het vervoerssysteem in New York. Maar hij ging dood.

Wat zou er anders zijn geweest?

Om te beginnen zouden we nu niet in deze pokkeauto zitten.

Een paar minuten later komen de agenten terug.

Meneer Loring, zegt Agent Rechts, u moet met ons meekomen.

Wat is het probleem, agent?

Agent Links hijst zijn broek op. Er is een golf van autodiefstallen geweest in deze buurt. Onze brigadier wil dat we alles controleren.

Ik heb u mijn rijbewijs en autopapieren laten zien.

Klopt, meneer, zegt Agent Rechts. Het is gewoon een routineonderzoek.

Willie haalt zijn schouders op en doet de motorkap omlaag. Hij loopt achter de agenten aan naar hun patrouillewagen en gaat op de achterbank zitten.

Waar gaan we naartoe?

78th Street. Dat is maar vijfhonderd meter.

Willie vertelt dat hij met zijn vriendin naar de dokter moet.

We brengen u zo weer terug bij uw auto, zegt Agent Rechts.

Hebt u motorpech? vraagt Agent Links.

Een lege accu, zegt Willie.

We kunnen hem wel weer voor u aan de praat krijgen als dit is opgehelderd, zegt Agent Links.

Op het bureau laten ze hem binnen in een kamer met een

matglazen deur. Een verhoorkamer. Al zijn oude littekens beginnen te tintelen.

Koffie, meneer Loring?

Ja, graag.

Hij gaat aan de tafel zitten. Ze nemen zijn vingerafdrukken. Standaardprocedure, meneer Loring.

Ik begrijp het, jongens. Jullie doen ook maar je werk. Mag ik roken?

Ga uw gang. Waar komt u vandaan, meneer Loring?

Uit Brooklyn. Geboren en getogen.

Bent u een fan van de Dodgers, meneer Loring?

Ach, praat me er niet van.

Ze praten over Branca. Sutton heeft een .22 in de binnenzak van zijn jasje.

Wat voor werk doet u, meneer Loring?

Ik ben schrijver.

Echt waar? Lijkt me nog niet eenvoudig om daar de kost mee te verdienen.

Nee, dat is het ook niet.

Wat voor dingen schrijft u?

Romans. Verhalen. Ik verkoop niet veel, maar mijn ouders hebben me wat geld nagelaten, dus ik kan rondkomen.

Nog wat koffie, meneer Loring?

Graag. Jullie zetten een lekkere sterke bak. Dat doe ik thuis ook.

Agent Links gaat weg en komt weer terug. Agent Rechts gaat weg en komt terug met een rechercheur. Ze stellen vragen over de auto en de accu, dan gaan ze allemaal weg. Dan komen Agent Rechts en Agent Links terug en kletsen nog wat over de Dodgers. Buiten het vertrek, ver weg in de gang, een juichkreet. Alsof Thomson net een homerun heeft geslagen. Luide stemmen, haastige voetstappen, de matglazen deur rammelt en vliegt open. Er komen drie, vijf, tien agenten binnenlopen en een handjevol rechercheurs, allemaal met een grote grijns op het gezicht. Niemand zegt iets. Niemand weet wie er moet beginnen. Ten slotte stapt een van de rechercheurs naar voren. Hallo, zegt hij.

Hallo, zegt Willie.

Het is me een waar genoegen je te ontmoeten, Willie de Acteur.

Er wordt gelachen.

Iemand zegt dat Willie moet gaan staan. Iemand anders fouilleert hem. Wanneer ze de .22 vinden, houdt het lachen abrupt op. Agent Rechts en Agent Links kijken elkaar aan, dan slaan ze hun blik neer.

En zo eindigt het.

En begint het ook weer.

Er wordt proces-verbaal tegen Willie opgemaakt, hij wordt gefotografeerd en ondervraagd. Ze willen weten met wie hij heeft samengewerkt, bij wie hij zich heeft schuilgehouden, waar hij al zijn geld heeft verstopt. Ze vragen naar zijn vrienden, vriendinnetjes, handlangers.

Hij staart voor zich uit.

Ze herhalen de vragen.

Hij staart voor zich uit en rookt.

Dan doen ze iets schokkends. Ze leunen glimlachend achterover. Willies weigering om te praten maakt deel uit van de legende, en de agenten hebben er lol in dat hij zich gedraagt zoals ze hadden kunnen verwachten. Schoorvoetend betonen ze hem enig respect. Ze vragen of hij nog een kop koffie wil. Ze bieden hem een donut aan.

Wanneer de schemering invalt, vragen ze hem beleefd om op te staan, want hij wordt overgeplaatst naar Queens.

Waarom Queens? vraagt hij.

We hebben getuigen die u in verband kunnen brengen met de klus bij Manufacturers Trust in Queens.

Ik begrijp niet hoe, zegt hij. Ik heb het niet gedaan.

Hij is al een strategie voor zijn verdediging aan het bedenken.

Hij rekent uit of hij zich een goede advocaat kan veroorloven. Als de politie niet de pest aan hem heeft, dan een rechter misschien ook niet. Misschien zal het systeem hem niet zo hard aanpakken. Misschien kan hij ze in elk geval zover krijgen dat ze hem niet terugsturen naar Holmesburg.

De hal staat vol met verslaggevers, fotografen, mensen die zich aan hem komen vergapen. Twee agenten houden Willie tegen bij de hoofdingang, waar de politiecommissaris hem bij de elleboog pakt en een toespraak houdt. Waarschijnlijk heeft de commissaris zich verkiesbaar gesteld voor het een of ander. Hij roemt Agent Links en Agent Rechts, roemt het hele politiekorps. Dan volgt een uitroep die zowel politiek als persoonlijk klinkt: We hebben hem! We hebben de Babe Ruth van de Bankrovers te pakken!

Er ploffen flitslichten – een geluid als van flesjes priklimonade die worden opengemaakt. Willie trekt een geërgerd gezicht, niet vanwege het flitslicht, maar om de bijnaam, die morgen in chocoladeletters op de voorpagina's zal staan, en op de lichtkrant op Times Square. Hij vindt Babe Ruth een prima vent, maar had de commissaris hem niet met een Dodger kunnen vergelijken? Was het nou zo veel moeite voor de commissaris om Willie de Jackie Robinson van de Bankrovers te noemen?

In Queens geven ze Willie een eenpersoonscel waar de klok rond een agent voor de deur staat. Hij gaat op zijn brits liggen en denkt aan Margaret. Zal ze het nieuws lezen? Zal ze dapper genoeg, dwaas genoeg zijn om op bezoek te komen? Hij denkt aan Bess, dezelfde vraag. Om middernacht maakt de directeur van het huis van bewaring zijn opwachting. Openmaken, zegt hij tegen de agent voor de deur.

Willie staat op. De directeur kijkt hem aan op een manier die moeilijk te duiden is. Hallo, Willie.

Hallo, meneer.

Willie Sutton.

Ja, meneer.

Hier in de cel. Willie de Acteur.

Zo word ik door sommigen genoemd.

Geboren op 30 juni 1901.

Ik geloof mensen op hun woord. Ik kan het me niet herinneren.

Is er iets wat je nodig hebt, Willie?

Wat ik nódig heb?

Ja, Willie.

Nu ziet Willie het: het grijze haar, de blauwe ogen, het gezicht even rood dooraderd als een busplattegrond van Belfast. Directeur is een Ier.

Nou, meneer, ik zou wel graag een boek willen.

Hij kan zien dat Directeur wil glimlachen of knipogen, maar zijn positie, zijn rol, staat dat in de weg.

Een boek, Willie?

Ik mag graag lezen.

Je meent het, Willie. Ik ook. Welk boek zou je willen?

Directeur vertelt de tientallen verslaggevers buiten de gevangenis dat Willie de Acteur heeft gevraagd om de spannende historische roman van John Dos Passos – *1919*. De verslaggevers nemen dit detail gretig op in hun stukken, maar niemand van hen weet wat het betekent. Ondanks zijn eenpersoonscel, ondanks de agent voor de deur, is Willie Sutton weer ontsnapt. Hij bevindt zich in 1919, met Bess. Hij is eigenlijk nooit ergens anders geweest.

New York is helemaal in de ban van het verhaal over Willies gevangenneming. Agent Links en Agent Rechts valt een heldenbehandeling te beurt, ook al wisten ze aanvankelijk niet wie ze hadden opgepakt. Op alle voorpagina's verschijnt een foto van hen, waarop ze de burgemeester de hand schudden en een promotie aanvaarden van de commissaris. Een gedenkwaardige dag voor twee gewetensvolle agenten, die de slimste vos aller tijden te slim af zijn geweest, zo wordt het verhaal gebracht, totdat alles in het honderd loopt. De knul uit de metro meldt zich en vertelt de kranten dat hij degene is geweest die de Acteur heeft herkend, dat hij degene was die de Acteur vanaf de metro is gevolgd, dat hij degene was die de agenten heeft gealarmeerd. De knul was naar de eerste de beste patrouillewagen gegaan en had gezegd: Je moet niet denken dat ik gek ben, maar daar loopt Willie Sutton. Agent Links en Agent Rechts hadden Willies legitimatiebewijs gecontroleerd en geconcludeerd dat de knul inderdaad gek was. Daarna gingen ze terug naar het bureau. Gelukkig vertelden ze het verhaal aan de dienstdoende brigadier, die zei dat ze terug moesten gaan en die Julius Loring moesten opbrengen, om het zekere voor het onzekere te nemen.

Uiteraard vindt de knul dat hém de beloning toekomt. Jarenlang hebben de banken rondgebazuind dat er een grote beloning is uitgeloofd voor eenieder die informatie verstrekt die tot Suttons arrestatie zal leiden. Het bedrag is naar verluidt ruim zeventigduizend dollar. De knul is net weg bij de kustwacht; met zo'n bedrag kan hij een mooie nieuwe start maken in zijn leven. Hij zou kunnen gaan trouwen, een gezin stichten. Ook zou hij zijn ouders graag helpen om hun huis in Brooklyn op te knappen, zegt hij tegen de verslaggevers en de camera's die zich op het politiebureau om hem heen verdringen. Misschien zelfs een beter huis voor hen kopen.

De verlegen, ernstige knul zegt al die dingen met een vet Brooklyns accent, hetzelfde accent als Willie heeft.

Verslaggevers vragen hem hoe oud hij is.

Vierentwintig, zegt hij, alsof het een prestatie is.

Net geworden trouwens, enkele dagen voordat hij Willie in de metro zag zitten. Hij is uiteraard geboren in februari, de maand van alle gedenkwaardige gebeurtenissen in Willies leven. Vierentwintig jaar geleden, kort nadat Willie vertrok uit Dannemora en zijn rentree maakte in de wereld, maakte deze knul zijn entree in de wereld. Zijn ouders, Max en Ethel Schuster, noemden hem Arnold.

Arnie voor zijn vrienden.

Bij de politie blijven ze een paar dagen doen alsof hun neus bloedt, maar ze leggen het af tegen Arnies padvindersgezicht. Ze zien zich genoodzaakt toe te geven dat de eerste officiële versie van de gebeurtenissen – oplettende wijkagenten, uitmuntend politiewerk – niet helemaal accuraat was. Knarsetandend worden Agent Links en Agent Rechts afgevoerd van het toneel, en sluiten ze Arnie Schuster, de barmhartige samaritaan, in de armen. Althans voor de camera's.

Arnie mag bij de politie voor irritatie hebben gezorgd, in sommige delen van Brooklyn lusten ze hem rauw. In de ogen van velen is hij de verrader die een held heeft verlinkt. Hij is de politieverklikker die Willie de Acteur heeft aangegeven. Bovendien is hij een Jood. Veel van de doodsbedreigingen die hij ontvangt, hebben als aanhef: Beste Judas. Mensen kennen zijn adres omdat dat in elke krant vermeld staat: 45th Street 941.

Intussen zet de politie de klopjacht op Willies medeplichtigen voort. Ze doorzoeken de inhoud van zijn portefeuille, vinden zijn adres en stormen het logement in Dean Street binnen. Hospita gaat hun voor naar boven, waar Willies kamer is, en daar treffen ze tienduizenden dollars en een klein wapenarsenaal aan, en een boekenkast die uitpuilt van de boeken. De boeken vinden ze nog het schokkendst. De kranten publiceren de lijst met titels. De syllabus van een bankrover.

Binnen een dag is Proust uitverkocht in de boekhandels.

Er ligt ook een massa papierwerk van Willie. Schetsboeken, aantekenboekjes, een opzet voor een roman – en weggestopt onder de matras een dun adresboekje. Na enig speurwerk worden Mad Dog en Dee gevonden en gearresteerd. En Margaret. Wanneer ze haar deur intrappen, ligt ze op bed met een hand over haar oog, dat nu twee keer zo groot is als normaal. Ze heeft vreselijke pijn en smeekt om een dokter. De politie wil er pas een laten komen als ze informatie heeft verstrekt. Ze zweert dat ze niets weet.

Agenten en verslaggevers zwermen uit over de stad en gaan

naar alle banken die in Willies aantekeningen voorkomen. Ze krijgen een telefoontje van Hoofdzuster en haasten zich naar Staten Island, waar ze horen over Willie de Zaalhulp, de Engel van Farm Colony. Hospita stookt het vuurtje van Willies uitdijende mythe op door aan een journalist te vertellen dat Willie een keurig nette vent was, dat hij haar geld voor een dokter heeft gegeven toen haar zoon ziek was, dat hij rozen kocht voor haar verjaardag. De agenten willen haar dochter ondervragen, die Willie Spaanse les gaf. De dochter laat de politie weten dat ze de pot op kunnen, wat haar tot een heldin maakt in de Spaanse wijk.

Een week na zijn arrestatie ligt Willie op zijn brits. Hij tilt het hoofd op. Hij hoort iets. In het begin klinkt het als de brandingsgolven op Coney Island.

Bewaker?

Ja.

Wat is dat?

Een mensenmenigte.

Waar?

Buiten.

Wat hoor ik toch?

Een spreekkoor.

Waarvoor?

Voor jou.

Voor mij?

Willie houdt een hand achter zijn oor om het beter te kunnen horen.

WILL-*IE*, WILL-*IE*, WILL-*IE*.

De bewaker draait zich om en kijkt hem door de tralies aan. Met zwaar aangezet sarcasme zegt hij: Je bent een held.

Willie hoort alleen het woord, niet het sarcasme.

Fotograaf slaat links af op Ninth Avenue. Verslaggever bladert door de dossiers en constateert: Die arme postbode van Arnie Schuster.

Die vent had het druk in februari en maart van '52. De doodsbedreigingen begonnen binnen te stromen bij Schuster thuis. Onbehouwen taal, geen leestekens, veel spelfouten. Hier is een aardige: Makker, je dagen zijn geteld. Je hebt Sutton verlinkt. Je weet wat er met verraders gebeurt. Je bent er geweest. Ondertekend met: Een van de jongens.

De kranten drukten die doodsbedreigingen af, zegt Sutton. Wat meer mensen aanmoedigde om een dreigbrief te sturen.

Hier is er nog een, zegt Verslaggever. Een toonbeeld van eenvoud: Judas, judas, judas.

Fotograaf kijkt in de achteruitkijkspiegel. Zeg, wat is er eigenlijk met Margaret gebeurd? Je vriendin?

Sutton steekt een Chesterfield op en kijkt uit het raampje.

Willie?

Haar oog, zegt Sutton.

Wat is daarmee?

Dat … ik weet niet hoe ik het moet zeggen. Explodeerde.

Wát?

Margaret bleef smeken om een dokter, maar de politie bleef dat weigeren, en de tumor in haar oog – dat bleek het te zijn – explodeerde gewoon. Er trad infectie bij op. Ze werd blind. Ze daagde de stad New York voor de rechter wegens verwaarlozing. Ik weet niet hoe de rechtszaak is afgelopen. Ik heb haar dikwijls geschreven, maar ik heb nooit iets teruggehoord. Ze was gewoon verdwenen.

Omstreeks middernacht, als de menigte die spreekkoren had aangeheven naar huis is, komt Directeur bij Willie langs. Hij biecht Willie op dat hij is opgegroeid in Irish Town. Niet ver van de kruising van Nassau Street en Gold Street. Hij heeft zelfs op de St. Ann's School gezeten. Ze praten over hun oude buurt. Ze praten over zwemmen in East River.

Het meest praten ze over boeken. Ze houden van precies dezelfde schrijvers. De directeur heeft het over Joyce.

Zet twee Ieren in een cel, zegt Willie, en vroeg of laat beginnen ze over Joyce.

Directeur moet lachen. Ik herlees *Ulysses* één keer per jaar, zegt hij. *De geschiedenis is een nachtmerrie waaruit ik …* je weet wel.

Ik hou vooral van de verhalen. Tijdens mijn laatste straf heb ik *Ulysses* proberen te lezen, maar ik ben niet verder gekomen dan episode twaalf.

De Cycloop!

O, ja. De scène in het café met de antisemiet.

Taaie kost. Deze keer zal ik vermoedelijk tijd genoeg hebben om het van voor tot achter te lezen.

Directeur, een imposante, goedgevulde man, biedt Willie een sigaret aan.

Chesterfield, zegt Willie. Mijn merk.

Dat weet ik toch, Willie, dat weet ik toch.

Op 8 maart 1952, omstreeks middernacht, ligt Willie op zijn brits *1919* te lezen. Directeur staat bij de deur. Willie gaat zitten en schuift een boekenlegger in zijn boek. Zijn gedachten zijn nog bij Eugene Debs en Henry Ford en William Hearst – hij had nooit geweten dat Hearst door zijn vrienden Willie werd genoemd.

Hoe staat het leven, Directeur?

Hij ziet aan het gezicht van Directeur, aan zijn strakke mond, dat zijn hoofd totaal niet naar boeken staat. *O jemie laat me opstaan.*

Fotograaf gaat op de rem staan. De Polara knalt bijna tegen de bumper aan van een Buick die zonder enige reden midden op straat is gestopt. Fotograaf leunt op de claxon.

Rij er toch omheen, zegt Verslaggever tegen Fotograaf.

Die klootzak wil niet doorrijden, zegt Fotograaf. Doorrijden, klootzak!

Met luide stemverheffing om zich boven het claxonlawaai ver-

staanbaar te maken zegt Verslaggever tegen Sutton: Ik stuit hier op een interessant verhaal in het dossier. Nadat hij u in de metro had gezien, ging Arnie naar huis en trof zijn moeder aan bij het aanrecht. Hij zei tegen haar: U raadt het nooit – ik heb net een dief gezien. Arnies moeder zei: Dat meen je niet, wie dan? En Arnie zei: Ik heb Willie Sutton gezien. Zijn moeder vroeg: Wie is dat? En Arnie zei: Een man die door de politie wordt gezocht, ik heb hem aangewezen, ik heb vandaag voor detective gespeeld. Arnies moeder vertelde dit verhaal woordelijk aan de politie. Nadat … u weet wel.

Arme Arnie, zegt Fotograaf.

Onder al die druk heeft hij zich uitstekend staande gehouden, zegt Verslaggever. Hij schreef een vrij nuchtere brief aan een van zijn beste vrienden, die net onder dienst was gegaan. Wilt u hem horen, meneer Sutton?

Nee.

Hij is gedateerd op 4 maart 1952. Beste Herb, Hoe gaat het ermee, jongen? Bevalt het weer in Texas je een beetje? Het spijt me dat ik je niet eerder heb geschreven, maar zoals je weet heb ik de afgelopen twee, drie weken erg spannende tijden beleefd en ik heb het nogal druk gehad. Nu gaat alles weer zijn gangetje en ik heb het saaie alledaagse leven hervat. Maar ik kan je verzekeren: het was moordend.

O, god, zegt Sutton.

Het is grappig hoe je leven van de ene op de andere dag kan veranderen. De ene dag ben ik nog gewoon Arnie Schuster, de volgende dag ben ik DE *meneer Schuster en nu ben ik gewoon weer saaie Arnie. Maar goed, misschien kan ik er nog mijn voordeel mee doen. Maar ook als dat niet lukt, vind ik het niet erg. Op dit moment zou ik gewoon blij zijn als het hele gedoe overwaait. Arnie.*

De banken hebben hem een oor aangenaaid, zegt Sutton.

De banken?

De banken hebben hem de beloning niet toegekend. De banken zeiden dat ze nooit een beloning hadden uitgeloofd. Ze zeiden dat de kranten alles over die beloning maar verzonnen hadden. Arnie kreeg noppes.

Die klótebanken, zegt Fotograaf.

Interessant hoeveel u gemeen had, meneer Sutton.

Met wie?

U met Arnie Schuster.

Hoe kom je daar nou bij?

Allebei opgegroeid in Brooklyn. Allebei fans van de Dodgers. Allebei volkshelden – en ook volksvijanden. Allebei niet geliefd bij de politie.

Sutton sluit zijn ogen. Uit een tumult van stemmen om je heen.

Wat?

Ik zei niets.

Hoe dan ook, zegt Verslaggever, Arnie was grieperig. Hij had de hele week in bed gelegen en 8 maart was de eerste dag dat hij weer aan het werk ging. Hij had de hele dag in de kledingzaak van zijn vader gewerkt. Om half negen die avond belde hij Eileen Reiter, de zus van zijn beste vriend, Jay. Arnie en Jay waren allebei lid van een jeugdsoos – de Schelmen.

Schelmen? zegt Sutton.

Ja. Ze kwamen eens per week bij elkaar, maakten plannen voor gezellige bijeenkomsten en praatten over meisjes. Ze gaven elkaar een kwartje boete voor lelijke woorden.

Padvinder, zegt Sutton.

Arnie en Eileen maakten een afspraak voor later op de avond. Een feestje. Eerst zou Arnie naar huis gaan om te douchen en zich om te kleden. Hij sloot de winkeldeur af, liep naar Fifth Avenue, nam daar de bus, stapte uit op de hoek van Ninth Avenue en 50th Street en liep toen naar 45th Street. Misschien waren zijn gedachten bij het feestje. Of bij de beloning. Misschien waren zijn gedachten zelfs wel bij u, meneer Sutton. Hij had nog zestig seconden te leven.

Fotograaf slaat 45th Street in. Aan beide kanten van de straat staan de auto's bumper aan bumper geparkeerd, maar aan de rechterkant is nog één plekje vrij. Daar zet Fotograaf de auto neer.

Sutton laat zijn blik door de straat gaan. Smalle bakstenen etagewoningen, bakstenen stoepjes, getraliede ramen. De tralies zijn witgeschilderd om de huizen minder het aanzien van een gevangenis te geven.

Arnies straat, zegt Verslaggever. Hij sloeg rechts af waar wij net zijn afgeslagen en stak meteen de straat over. Hij nam dezelfde route die hij al duizenden, tienduizenden keren had gelopen, en zo kwam hij bij dat trottoir daar.

Verslaggever wijst naar de overkant van de straat. Sutton veegt met zijn hand het beslagen raampje schoon.

Arnie had daar net zo'n vijfentwintig meter gelopen, toen er iemand tevoorschijn kwam uit dat steegje. U kunt wel zien hoe donker het is. Er staan nog steeds geen straatlantaarns. Wie het ook was, Arnie kan hem pas gezien hebben toen ze vlak bij elkaar stonden. Áls Arnie hem al heeft gezien.

De perfecte plek voor een hinderlaag, zegt Fotograaf. Hij steekt een Newport op en maakt door de rook en zijn raampje een foto van het steegje.

De baan van de kogels was scherp omlaag, zegt Verslaggever. Wat betekent dat de schutter een schot op Arnie heeft gelost en daarna heeft doorgevuurd terwijl Arnie viel of op de grond lag te kronkelen. Volgens de geruchten was Arnie door beide ogen geschoten en een keer in zijn je weet wel, zijn kruis.

Jezus, zegt Fotograaf.

Maar dat klopt niet helemaal, zegt Verslaggever. In dit dossier zit een verslag van de sectie – wacht even. Hier heb ik het. Arnie werd één keer in zijn buik geschoten, onder de navel – die kogel had geen uitgangswond. Toen een keer in het gezicht, net links naast zijn neus – die kogel had een uitgangswond onder zijn rechteroog. Toen een keer boven in zijn schedel, die kogel liet een brandplek achter op zijn achterhoofd. Toen een keer boven zijn linkeroor, die kogel ging door zijn hersens, met een uitgangswond op zijn achterhoofd onder zijn linkeroor. Op de foto's lijkt het, meneer Sutton, alsof Arnie in de ogen was geschoten, en misschien mikte de schutter ook wel op de ogen, want dat was een maffiagewoonte – bij wijze van boodschap. Maar dat is niet met zekerheid te zeggen.

Niemand heeft de schoten gehoord, fluistert Sutton.

Precies. Het ging zo snel, pang, pang, pang, pang, dat mensen dachten dat het de terugslag was van een bus, als ze al iets hoorden. Ze waren Poerim aan het vieren.

Sutton draait zich om en kijkt in de richting van de synagoge op de hoek.

Verslaggever slaat een nieuw dossier open en leest voor: Poerim, dikwijls het joodse Halloween genoemd, is de joodse viering van Esther, wier heldhaftige gedrag haar volk behoedde voor een bloedbad. Joodse kinderen dragen een masker, gaan van deur tot deur en geven zich uit voor personen uit het bijbelverhaal.

Fotograaf opent zijn portier en gooit zijn Newport naar buiten. Oudtestamentisch Halloween? Niet bij mij in de buurt.

Dan woon je niet in een joodse buurt. Het is de kinderen ook niet per se om snoep te doen. Ze vragen om geld. En ze roken sigaretten.

Waarom?

Omdat het verboden is. Poerim is een feestdag waarop het verbodene geboden is.

Fotograaf schiet in de lach. Klein gajes? Dat zou ik wel willen fotograferen.

Omstreeks negen uur vijftien, zegt Verslaggever, loopt er een vrouw door deze straat, mevrouw Muriel Galler, die over Arnie struikelt. Hij lag half op het trottoir. Het was zo donker dat ze niet wist waar ze over gestruikeld was. Een kleed. Een stuk hout. Ze stond op, zag dat het een lijk was en holde naar – eens even kijken – dat huis daar.

Verslaggever wijst op het bakstenen pand naast het steegje. Dokter Solomon Fialka haast zich naar buiten, controleert of Arnie nog een polsslag heeft en constateert de dood, maar zonder Arnie te herkennen. Dokter Fialka herkent zijn eigen buurjongen niet, zo erg was Arnies gezicht toegetakeld. Wist u, meneer Sutton, dat Arnies ene oog groter was dan het andere? Volgens de sectie.

Dat herinner ik me nog, ja.

Fotograaf kijkt in de achteruitkijkspiegel naar Sutton. Iedereen die iets met je te maken had, man.

Wat?

Eddie. Margaret. Arnie.

Sutton kijkt in de achteruitkijkspiegel. Alsjeblieft, zo is het genoeg, zegt hij.

Dokter Fialka doorzocht Arnies portemonnee, zegt Verslaggever. Arnie had nog zevenenvijftig dollar op zak. Het was dus duidelijk geen beroving. Toen vond dokter Fialka Arnies identiteitsbewijs en iemand riep uit: O, god, het is Arnold Schuster.

Genoeg, zegt Sutton. Laten we hier weggaan, jongens.

Enkele ogenblikken later hoorde Arnies familie het nieuws op de tv. Een extra nieuwsbulletin. Barmhartige samaritaan Arnie Schuster is neergeschoten voor zijn huis in Brooklyn. Alle Schusters holden naar buiten en vonden Arnie dertig meter van hun huis – op zijn rug, terwijl het bloed de goot in stroomde. Arnies moeder ontroostbaar. Arnies jongere broer jammerend. Arnies vader heen en weer rennend over het trottoir, dit trottoir, terwijl hij uitriep: Ze hebben me mijn zoon afgenomen, ik wil niet meer leven. Hier is een foto van hem. Moet je het verdriet op die gezichten zien. En alsof het hele tafereel al niet merkwaardig genoeg was: de vrolijke muziek van Poerim was overal te horen, volgens dit krantenknipsel.

Willie, Arnold Schuster is dood.

Willie knippert met zijn ogen. Schuster?

Hij staart Directeur aan, die vol ongeloof terugstaart. Schúster!

Schuster, Schuster? Dan herinnert Willie het zich weer. Die knul uit de metro. De Padvinder.

Dood? Hoe?

Neergeschoten.

Willies hersens draaien op volle toeren. Waarom zou iemand Schúster doodschieten?

Mijn god, omdat Willie een held is, en iemand uit de menigte die voor de gevangenis spreekkoren had aangeheven, of iemand met sympathie voor die menigte, had gedacht namens Willie wraak te nemen. Maar het is een wraak die tégen Willie werkt, en niet zo'n beetje ook, omdat die ongetwijfeld een omslag in de publieke opinie teweeg zal brengen. Al die gedachten komen razendsnel bij hem op en leiden tot een angstaanjagende, onontkoombare conclusie, die hij eruit flapt als een kreet om hulp, die Directeur doet verschieten van afgrijzen, van afkeuring, van schaamte over zijn soortgenoten.

Nou ben ik er geweest.

Fotograaf en Verslaggever stappen uit de auto. Sutton blijft zitten.

Alsjeblieft niet, zegt Sutton.

Meneer Sutton, we hebben alle plekken bezocht waar u naartoe wilde. We zijn ons deel van de afspraak nagekomen. Nu is het uw beurt.

Sutton knikt. Hij stapt uit. Tussen hen in loopt hij door de straat. Bij het steegje blijven ze staan. Fotograaf probeert een plaatje van Sutton te schieten, maar kan geen goede hoek vinden. Ook weigert Sutton naar het steegje te kijken. Hij kijkt naar de lucht en probeert de maan te vinden.

Verslaggever maakt zijn aktetas open en haalt een stapel foto's van de plaats delict tevoorschijn. Hij geeft ze aan Sutton, die zijn bril opzet en ze snel doorneemt. Arnie op het trottoir. Agenten die zich over Arnie heen buigen. Arnies bloeddoordrenkte pak. Arnies blauwe suède schoenen.

Ik kan me ze herinneren, zegt Sutton. Uit de kranten.

Verslaggever geeft hem een stapeltje voorpagina's. De koppen zijn reusachtig. Een ervan trekt Suttons aandacht. Hij zet zijn bril recht. DEATH OF A SALESMAN. *Deze kan ik me herinneren, zegt hij. Degene die deze kop bedacht, was zijn geld dubbel en dwars waard die dag.*

Hoe dat zo?

Omdat Death of a Salesman *nog in de theaters liep. Margaret en ik waren er net naartoe geweest. En omdat Willie Sutton lijkt op Willie Loman. En omdat Schuster ook in de verkoop zat.*

Dat klopt, zegt Verslaggever. Maar wist u, meneer Sutton, dat Arnie, wanneer hij geen kleren verkocht, achter in de zaak bij zijn vader kleding perste? En boven de kledingpers had hij de FBI*-lijst met meest gezochte personen opgehangen. Daardoor herkende hij u. De* FBI *had ervoor gezorgd dat alle kledingzaken in Brooklyn die lijst hadden, meneer Sutton, omdat u bekendstond als iemand die zich graag goed kleedde. Net als Arnie. Nog iets wat jullie beiden gemeen hadden. Wist u dat Arnie verloofd was?*

Nee?

Dat hij zijn verloofde, Leatrice, had ontmoet op de Boardwalk op Coney Island?

Mermaid Avenue.

Wat zegt u?

Niets.

Veel mensen vermoedden natuurlijk dat u betrokken was bij de moord op Arnie.

Verslaggever en Fotograaf wachten gespannen af. Sutton zegt niets.

De speurtocht naar Arnies moordenaar is het grootste onderzoek in de geschiedenis van de New Yorkse politie, vervolgt Verslaggever.

Het grootste?

Er is nooit een grotere klopjacht geweest.

Ik voel me niet zo goed, jongens.

De commissaris noemde deze zaak de topprioriteit van het bureau. We hebben negentienduizend agenten hier in de stad, en alle negentienduizend weten ze wat vandaag hun Eerste Taak is: het gajes oppakken dat betrokken is bij deze misdaad. Maar ze hebben de zaak nooit weten op te lossen.

Is dat niet idioot, zegt Fotograaf terwijl hij een foto maakt van Sutton die een snelle blik op het steegje werpt. Dat de commissaris dat woord gebruikte, gajes? Oké, Willie, laten we verder lopen, een foto maken voor het huis van Schuster, en dan zijn we klaar.

Sutton loopt, met Verslaggever en Fotograaf ieder aan een kant van hem.

Meneer Sutton, zegt Verslaggever, de publieke opinie keerde zich helemaal tegen u na de dood van Arnie.

Ja.

New York maakte een draai van honderdtachtig graden. Iedereen had ineens een heel andere mening over helden, gajes en misdaad. Over u.

Ik weet het nog, knul, ik weet het nog.

Er kwam een enorme menigte op de been voor Arnolds begrafenis. Kijk maar op deze foto.

Ik heb een brief naar zijn ouders gestuurd. Misschien was dat een vergissing.

Hier is 't, zegt Fotograaf. 941. Arnies huis.

Ze blijven staan. Een smal bakstenen rijtjeshuis, net als de rest van de huizen in de straat. Een smal stoepje, een witte deur. Er is niets wat erop wijst dat dit ooit het meest besproken adres in de stad, in het land, was.

Er brandt geen licht. Of er woont niemand of er is niemand thuis, zegt Fotograaf.

Toen de lijkwagen waar Arnie in had gelegen wegreed van de begraafplaats, zegt Verslaggever, vroeg de voorzanger: Waarom? En de mensen die de begrafenis hadden bijgewoond, hieven een oorverdovend spreekkoor aan: Waarom? Waarom? Waarom?

Dat zou ik ook weleens willen weten, mompelt Sutton.

Door verscheidene anonieme tips en een paar aanwijzingen uit het milieu komt de politie tot de conclusie dat de moordenaar van Arnie Schuster waarschijnlijk de Engel des Doods was, Freddie Tenuto, waardoor Freddie de meest gezochte man in Amerika wordt. Zijn politiefoto verschijnt in alle kranten en tijdschriften, wordt opgehangen op alle luchthavens en trein- en busstations. Binnen de kortste keren wordt Freddie overal in New York gesignaleerd. Iemand ziet hem met een prachtige roodharige vrouw bij een bokswedstrijd in Madison Square Garden. De politie legt de wedstrijd stil en doorzoekt de menigte. Iemand ziet hem in de Long Island Rail Road. De politie laat de trein stoppen en controleert alle passagiers. Iemand ziet hem in een steakhouse in Williamsburg. De politie valt de zaak binnen en controleert iedereen. De stad voelt zich belegerd. De roep om de Engel des Doods op te pakken wordt steeds luider.

Ongeacht wie Arnie heeft doodgeschoten, het publiek heeft al uitgemaakt dat Willie de ware schuldige is. Willies vergooide leven heeft tot Arnies dood geleid. Willie mag dan de trekker niet hebben overgehaald of de schutter erop af hebben gestuurd, kent de schutter misschien niet eens, maar in de ogen van het publiek is hij verantwoordelijk. New York, die wispelturige stad, heeft Willie wekenlang geroemd, Arnie verguisd, maar nu wordt Willie verguisd en Arnie tot martelaar verheven.

Tegen deze achtergrond wordt Willie inderhaast berecht voor de klus bij Manufacturers Trust. Dee gooit het op een akkoordje, legt een getuigenverklaring af waarbij hij niets achterhoudt, en de jury komt snel tot een oordeel. Willie, gekleed in een krijtstreeppak en met zijn haar glad achterovergekamd, staart naar de enorme Amerikaanse vlag boven het hoofd van de rechter en luistert nauwelijks wanneer de rechter hem ertoe veroordeelt de rest van zijn leven in Attica door te brengen: *Ik betreur het alleen dat de wet het me niet toestaat u ter dood te veroordelen.*

De agenten trekken Willie ruw van zijn stoel, doen hem de handboeien om en slepen hem weg. Van het beginnende respect is niets meer over.

In de jaren daarna in Attica hoort Willie allerlei verhalen over Arnie. Iedereen geeft zijn eigen draai aan het verhaal, maar de belangrijkste feiten zijn altijd dezelfde. Het was Freddie die de knul omlegde, en het was Albert Anastasia, die gestoorde onderwereldbaas uit Brooklyn, die opdracht gaf tot de moord. Anastasia, dikwijls de Mad Hatter genoemd, betaalde Freddie ervoor om Arnie te vermoorden, betaalde vervolgens iemand anders om Freddie te vermoorden, zijn lichaam door de vleesmolen te gooien om als veevoer te dienen op een boerderij ergens in het noorden. Het spoor uitwissen, onvolkomenheden wegwerken – de standaardprocedure binnen de maffia.

Maar waarom? Waarom zou Anastasia zich bemoeid hebben met iets wat hem niet aanging? Omdat hij was geboren en getogen in Brooklyn en niets verachtelijker vond dan een verrader. Toen hij op tv zag dat Arnie als een held werd bejubeld, explodeerde hij. *Die padvinder krijgt straks een beloning? Omdat hij een man als Willie Sutton, een man die absoluut deugt, heeft verraden?* Willie was voor veel verschillende New Yorken een held: voor Iers New York, voor het New York van de immigranten, voor het arme New York, maar in de ogen van de New Yorkse onderwereld was hij een god. Daarom stuurde Anastasia de Engel des Doods op Arnie af om het pleit te beslechten. Dat is het verhaal dat Willie in Attica te horen krijgt.

De man die Willie de boeiendste versie van dit verhaal vertelt, is Crazy Joey Gallo, die een straf van zeven jaar uitzit wegens afpersing. En Crazy Joe voegt er nog een Griekse-tragedieachtige slotscène aan toe. Vijf jaar na de moord op Arnie werd Anastasia door Crazy Joe omgelegd in een kapperszaak midden in het centrum. Terwijl Anastasia in een stoel onder een gloeiend hete handdoek lag, kwamen Crazy Joe en zijn broer binnenlopen en doorzeefden de zaak met kogels. Crazy Joe beweert dat de moord hem was opgedragen door een onderwereldbaas die niets van Anastasia moest hebben en zijn manier van zakendoen verafschuwde, waaronder ook de afrekening met Arnie, een onschuldige burger. Zo veel bloedvergieten, zo veel verwarring, allemaal omdat Willie en Arnie op een februarimiddag dezelfde metro namen.

Willie en Crazy Joe brengen samen een groot deel van de jaren zestig op de luchtplaats door, waar ze verhalen, sigaretten en boeken met elkaar delen. Ze worden goede vrienden omdat ze uit dezelfde stad komen en een vergelijkbare weg hebben bewandeld. Ze zijn allebei opgegroeid in Brooklyn, hadden allebei twee broers, zijn allebei begonnen als kleine criminelen en geëindigd als volkshelden. Maar Crazy Joe heeft zijn bijnaam niet voor niets gekregen: hij draagt een strohoed als Van Gogh, zet op de luchtplaats een schildersezel op en maakt portretten van de bewakers, dus wanneer hij Willie het verhaal over Arnie en Anastasia vertelt, weet Willie niet welke delen waar zijn en welke delen hersenspinsels van Crazy Joe zijn. Uiteindelijk komt Willie tot de conclusie dat het niet uitmaakt. Het klinkt allemaal wel aannemelijk en het maakt een eind aan het gemaal in zijn hoofd. Dat is naar Willies oordeel wat elk verhaal hoort te doen.

Toe, Willie, zegt Fotograaf, ik heb alleen nog deze ene foto nodig, jij met het huis van Schuster op de achtergrond, daarna kunnen we allemaal gaan eten. Sta in vredesnaam eens even stil.

Sutton klopt op zijn zakken en kijkt om naar de Polara. Ik moet eerst een sigaret. Dit hele gedoe – deze hele dag – ik sta te trillen als een riet.

Nee, zegt Fotograaf. Eerst de foto. Dan roken.

Als ik nu geen sigaret rook, ga ik van mijn stokkie. Als ik van mijn stokkie ga, heb jij geen foto.

Fotograaf laat zuchtend zijn camera zakken. Goed dan.

Ik heb mijn sigaretten in de auto laten liggen.

Neem er eentje van mij.

Ik rook alleen Chesterfield.

Sutton loopt hinkend terug in de richting van de Polara. Aan zijn rechterhand is het steegje. Hij neemt zich voor om niet te kijken, maar kijkt toch. De blauwe suède schoenen, de ogen waar bloed uit stroomt. Hij herinnert zich niet de foto's of de voorpagina's, hij ziet Arnie voor zich. De knul ligt daar. Aan Suttons voeten. Sutton ziet hem.

Hij steekt de straat over en zakt half in elkaar tegen de Polara.

Hij ziet zijn Chesterfields op de achterbank. Hij ziet het sleuteltje in het contact. Hij constateert dat Fotograaf de motor weer heeft laten lopen.

Hij aarzelt niet. Hij gaat achter het stuur zitten en scheurt weg.

Drieëntwintig

Zijn zenuwen. Jezus, zijn zenuwen. Hij heeft afleiding nodig. Hij zet de radio aan. Nieuwsberichten. Hij draait aan de knop. Jagger. *Rape! Murder!* Hij draait aan de knop. Sinatra. *Have yourself a Merry Little Christmas.* Eddie zei altijd dat Sinatra onmogelijk een volbloed spaghettivreter kon zijn. Daar is hij te geraffineerd voor, Sutty. Hij móét iets Iers in zich hebben. Arme Eddie. Sutton krijgt tranen in zijn ogen. Hij kan de straatlantaarns niet meer zien.

Hij droogt zijn ogen, pakt de witte envelop uit zijn borstzak en scheurt hem open met zijn tanden. Haalt er het losse velletje uit. Probeert het dronken, kinderlijke handschrift van Donald te ontcijferen.

Linksaf bij 39th Street? Nee. Er zal wel 37th Street staan.

Rechtsaf in … Furth? Nee. Daar zal wel Fifth staan.

En dan te bedenken dat Verslaggever mopperde over Súttons handschrift. Hij geeft een klap op het stuur. Donald, jij stomme idioot: je kunt als heler elke buit verpatsen, je krijgt elk slot open, je vindt iedereen, levend of dood, binnen een uur – hoe is het mogelijk dat je niet kunt lezen en schrijven?

Recht voor zich uit ziet hij Prospect Avenue. Hij slaat links af. Oké, zegt hij hardop, en nu op zoek naar Hamilton.

Daar. Hamilton.

Hij kijkt opnieuw met samengeknepen ogen naar Donalds handschrift. Nog tweekm. Nee. Dat is vast: nog twee kilometer. Dan: Hicks Street. Dan: kijk uit naar Middagh.

Klinkt als een straat in Ierland. Misschien een goed teken.

De voorruit is beslagen. Willie veegt hem schoon met de mouw van Verslaggevers trenchcoat, leunt naar voren en probeert de huisnummers te lezen. Hij ziet een oud huis met de kleur van drukinkt, dan een lichtgeel huis dat eruitziet alsof het misschien wel het eerste huis is dat ooit in Brooklyn is gebouwd. Funck heeft eens verteld dat Brooklyn in het Nederlands Gebroken Land betekent. Dat klopt aardig. Funck – allang dood. Voedsel voor de planten. Voorgoed ondergehovenierderd. Nu. Daar. Sutton ziet Middagh Street. Hij neemt de bocht en ziet een schilderachtig, oud huis in koloniale stijl en op de deur staat het nummer dat ook op Donalds blaadje staat.

Door de ramen schijnt zachtgeel licht.

Hij parkeert de auto bij de volgende zijstraat onder een bord met: VERBODEN TE STOPPEN. Hij laat de motor draaien en loopt langzaam terug naar het huis. Blijft ervoor staan op het met bevroren sneeuw aangekoekte trottoir. Hij hinkt de treden op. Maakt een vuist om aan te kloppen. Kan het niet. Hinkt weer naar beneden, terug naar de Polara. Blijft staan. Loopt kordaat terug. Sluipt naar de ramen, zoals hij dat vroeger bij banken deed. Twintig goedgeklede mensen in een groepje rond een vleugel. Iemand speelt erg mooi piano.

Hij hinkt weg, langzaam, weer terug naar de Polara.

Achter zich hoort hij dat er wordt opengedaan, hij hoort een deurklopper klepperen. Kan ik u van dienst zijn?

Hij draait zich razendsnel om. Een jonge vrouw. Achttien, negentien misschien. Ze staat op de bovenste traptrede en heeft een herenoverjas om haar schouders getrokken. Bij het zwakke licht van een muurlamp kan Sutton haar gelaatstrekken niet onderscheiden, maar hij ziet dat ze asblond haar heeft, en blauwe ogen?

O, zegt hij. Ik was op zoek naar een oude vriendin. Dit is zeker niet het huis van de familie Endner?

Endner?

Of misschien ... Richmond?

Richmond, zegt ze. Zei u Richmond?

Ach, nee. Dan heb ik me vergist. Sorry dat ik u heb gestoord.

Bent u op zoek naar Sarah Richmond?

Sarah? Eh. Ja. Sarah. Ik denk het wel.

Het spijt me. Ze is overleden. Drie jaar geleden.

O.

Ze was mijn grootmoeder.

Uw groot… natuurlijk.

Bent u toevallig Willie Sutton?

Maar hoe weet u …

U bent voortdurend op de televisie.

O, ja. Natuurlijk.

En ik heb de verhalen gehoord. Van mijn grootmoeder. En van mijn moeder. De familielegende.

Legende?

Sutton wordt overvallen door somberheid, door zo'n verpletterend gevoel van teleurstelling dat hij het liefst op het bevroren trottoir zou gaan liggen.

Het spijt me dat ik u gestoord heb, juffrouw. Het was maar een gokje. Ik wilde het gewoon proberen.

Hoe hebt u in vredesnaam dit adres gevonden?

Ik heb een vriend. Die ook weer vrienden heeft. Motorrijtuigenregistratie. Kiezersregistratie. De administratie van dagbladabonnees. Tegenwoordig is iedereen te vinden. Was dit het huis van uw grootmoeder?

Ze heeft het jaren geleden gekocht. Met haar tweede echtgenoot.

Tweede.

We zitten net aan het kerstdiner.

Ik vind het heel vervelend dat ik u heb lastiggevallen. Ik had eerst willen bellen, maar ik kon geen telefooncel vinden.

U stoort helemaal niet. Wilt u misschien binnenkomen? Een glaasje wijn drinken?

Nee. Dank u. Ik wil me niet opdringen.

U dringt zich niet op. Ik heet trouwens Kate.

Kate. Ik ben … nou ja, je weet al wie ik ben.

Ja. Aangenaam kennis te maken. Waanzinnig eigenlijk.

Waanzinnig. Ja. Dat lijkt me het goede woord voor deze dag.

Sutton doet een aarzelende stap in haar richting. Struikelt bijna. Ik ben van zo ver gekomen, zei hij.

Hij kan zich wel voor zijn kop slaan – wat een stomme opmerking. Wat moet ze wel niet denken? Hij zakt bijna door zijn been. Hij grijpt ernaar. De pijn beneemt hem de adem. Die marihuana van Fotograaf had de pijn een tijdlang verdreven, maar nu is hij in alle hevigheid terug. Erger nog is de vermoeidheid. Hij heeft al die jaren op een brits in een cel liggen niksen; hij zou uitgerust moeten zijn. In plaats daarvan voelt hij de uitputting van een arbeider, een atleet, een soldaat. Hij herinnert zich: vandaag gaat hij sterven. Misschien is het moment nu gekomen.

Neem me niet kwalijk, kind, zegt hij. Ik wil niet dramatisch doen. Het is alleen dat ik zo veel had willen zeggen. Zo veel dingen die ik nooit heb kunnen zeggen, dingen waarover ik gedroomd heb ze te kunnen zeggen, en nu is het te laat. Had iemand me toen ik zo oud was als jij maar verteld dat je moet zéggen wat er in je hart omgaat, meteen, want als het moment eenmaal voorbij is ... tja, kind, dan is het voorbij.

Ze glimlacht onzeker. Haar ogen zijn blauw, ja, dat zeker, maar het is in deze rotstraat zo donker dat hij onmogelijk kan zien of ... Hij wou dat hij dichterbij kon komen, beter naar haar kon kijken, maar hij wil haar geen angst aanjagen. Ze is een toonbeeld van jeugd, van onschuld, en hij is een oude bankrover die met Kerst door de stad dwaalt. Hij jaagt zichzelf bijna angst aan.

Weet je, kind? Ik klets maar wat. Ik ben een oude dwaas. Bedankt voor je vriendelijkheid.

Hij zet de bontkraag van Verslaggevers trenchcoat op, zwaait even en wil weglopen.

Ze roep hem na. Maar ... wacht!

Hij blijft staan, draait zich om en ziet haar snel de trap af komen.

Als er iets is wat u wilde zeggen, meneer Sutton. Misschien kan dat nog steeds.

Wat? O. Ik denk het niet.

Maar waarom niet?

Nee. Dat kan ik gewoon niet. Nee.

Ze loopt naar hem toe, maar blijft tien meter bij hem vandaan staan. Het lijkt me zo jammer dat u van zo ver gekomen bent en dan weggaat zonder te zeggen wat u wilde zeggen. Zoals u net zei. Wanneer er iets in je hart omgaat. En natuurlijk ben ik nieuwsgierig.

Tja. Maar het lijkt me geen goed idee.

Ik hield erg veel van mijn grootmoeder, meneer Sutton. En zij vertelde me alles. Echt alles. We hadden geen geheimen voor elkaar. Ze zei altijd dat ik het beste kon luisteren van iedereen in de familie. En ik ben dol op die oude verhalen. Ik ben min of meer de hoedster van de familiegeschiedenis.

De hoedster.

Ze komt dichterbij. Zes meter bij hem vandaan. Ze blijft staan. Het trottoir tussen hen in glinstert als geplaveid met vermalen diamanten. Bovendien, voegt ze eraan toe, is het Kerstmis en ik heb het rare gevoel dat mijn grootmoeder zou willen dat ik … ik weet het niet. Naar u zou luisteren? Haar plaats zou innemen?

Je stemt lijkt op die van haar, kind.

Echt?

Doet me aan vroeger denken.

O ja?

Toe, kom nu de tuin in, Maud.

Sorry?

Je grootmoeder had de mooiste stem die ik ooit heb gehoord. Vooral als ze een van haar lievelingsgedichten voorlas.

Dat klopt, meneer Sutton, daar hebt u gelijk in. Ik hoor haar stem voortdurend in mijn hoofd. Als ik bang ben, als ik in de problemen zit: Waag het erop, Kate. Probeer het, Kate, wat heb je te verliezen? Ze was zo … onbevreesd.

Onbevreesd. Dat was ze zeker. Ik zie haar nog zo voor me; het sneeuwde die dag in 1919, half New York was naar ons op zoek, en zij was absoluut niet bang. Ze had meer lef dan Happy en ik bij elkaar.

O, ze vertelde dat verhaal zo graag.

Echt?

Ik heb begrepen dat Happy een heel knappe vent was.

Sutton recht zijn rug. Hij slaakt een zucht. Waar het om gaat, zegt hij, ik wilde alleen …

Ja?

Zeggen.

Ja?

Hij krijgt tranen in zijn ogen. Het is gewoon dat ik nooit. Wat ik bedoel is, ik kan niet. Ach, Bess. Bess. Bess. Ik mís je gewoon zo vreselijk.

Stilte. Hij wacht. In de verte gilt een sirene. Dan sterft die weg en daalt de stilte weer neer. Hij kan door zijn tranen niets zien, maar hij weet dat hij de situatie fout heeft ingeschat, verkeerd heeft beoordeeld. Beschaamd buigt hij het hoofd en laat zijn schouders hangen.

Dan: Ik mis jou ook, Willie.

Hij stopt met ademen. Hij doet een klein stapje, zijwaarts, alsof hij wankelt.

Bess, zegt hij. Ach, jezus. Ik weet dat ik een betreurenswaardig leven heb geleid. Maar om andere redenen dan de mensen denken. De misdaden, de tijd in de gevangenis, dat is allemaal niet waar ik spijt van heb. Wat me het meest spijt, is dat jij en ik … dat we nooit.

Ik heb heel vaak tegen mijn kleindochter gezegd dat ik hoopte dat je … het achter je zou laten.

Jíj hebt dat in ieder geval wel gedaan. Jij bent getróúwd.

Ja.

Die dag is er iets in mij doodgegaan.

Dat weet ik.

Toen ik jou naar het altaar zag lopen.

Ik was zo … verbijsterd jou daar te zien. Dat is ook een verhaal dat ik vaak aan mijn kleindochter heb verteld.

Waren we maar meteen getrouwd, Bess. Zoals we van plan waren.

Zoals wij van plan waren? Waren wíj maar getrouwd? Ik geloof dat ik het niet begrijp.

Die paar dagen met jou samen toen we op de vlucht waren, dat was het hoogtepunt van mijn leven, Bess.

Maar, het spijt me, ik kan het niet volgen. Ik ging … mijn grootmoeder tenminste, ze ging met Happy trouwen. Ze was wéggelopen met Happy.

Alles zou anders zijn geweest als die sheriff niet was komen binnenvallen.

Oké, dat klopt, dat van die sheriff heb ik gehoord, maar ik weet dat mijn grootmoeder zei dat hij kwam binnenvallen toen zij met Happy …

Dan zou het met niemand zo slecht zijn afgelopen.

Met wie is het slecht afgelopen?

Met die bewaker in Eastern State. Al dat bloed dat langs zijn gezicht stroomde.

O jee.

En met Eddie. En met Margaret.

Met wie?

En met Arnie Schuster.

Schuster. Ja. Ze hadden het net over hem op de …

Ik geef toe dat ik hem een judas vond. Maar weet je wie de echte judas is? De geliefde die je afwijst. Judas was uiteindelijk ook een geliefde. Voordat hij Jezus verried, wat deed hij toen? Hij gaf Jezus een kus. Daarom ben jij de echte judas, Bess, en daarom is het allemaal jouw schuld.

Misschien was dit geen goed idee.

IK VIND DAT HET JOUW SCHULD WAS, BESS!

Suttons stem stokt. Hij zet zijn handen op zijn knieën en leunt snikkend voorover.

Geen goed idee, zegt ze. Beslist niet.

Het spijt me, Bess. Dat meende ik niet. Het is alleen ... het is zo'n verschrikkelijk lange dag geweest. Ik hou van je, Bess. En dat zal ik altijd blijven doen. Het heeft alles van me gevergd, maar dan ook echt álles, maar misschien is het wel geen liefde als het niet alles van ons vergt. Ik hou van je en dat zal ik altijd blijven doen en ik ben hier gekomen om je dat te zeggen.

Hij recht zijn rug en legt een trillende hand over zijn ogen.

Eh. Oké. Jeetje, meneer Sut...

Sutton laat zijn hand zakken en kijkt smekend naar haar op.

Goed, zegt ze, Willie. Ik heb mijn kleindochter vaak verteld dat jij heel speciaal voor me was. Dat je me heel dierbaar was. Dat waren mijn exacte woorden. Heel. Díérbaar. Ik zal je altijd dankbaar zijn dat je me kwam opzoeken op Coney Island toen ik in de problemen zat met mijn eerste man, weet je nog?

Sutton knikt.

Ik heb tegen mijn kleindochter gezegd: Je was altijd zo lief, Willie. Zo toegewijd. Zo trouw. Zoals jij naar me keek, met van die verliefde ogen, dat was ontroerend. Maar ik was met Happy. Ik was verliefd op Happy, wanhopig verliefd. Ik wilde met hem trouwen. Mijn vader stond het natuurlijk niet toe omdat Happy zo arm was en we allebei nog heel jong waren, en toen op een avond bij Finn McCool's vatte Happy het plan op dat we samen moesten weglopen. Happy vroeg jou ons te helpen inbreken bij het kantoor van mijn vader, omdat Eddie en jij al een tijdlang met zulke dingen bezig waren. Weet je nog? Natuurlijk wist ik dat het moeilijk voor je was om het vijfde wiel aan de wagen te zijn. Ik wist dat je er alles voor over zou hebben om met Happy te ruilen. Dat heb je me diverse keren verteld. Maar ik heb tegen je gezegd dat we gewoon niet voor elkaar bestemd waren. Dat weet je toch nog wel? Om allerlei redenen, Willie, waren we gewoon niet voor elkaar bestemd. Je weet vast nog wel dat ik dat tegen je gezegd heb, Willie.

Sutton kijkt de straat in. Hij antwoordt niet.

Willie?

Mensen zeggen van alles tegen je in dit leven.

Hij steekt zijn hand in zijn binnenzak. Hij weet niet waarvoor. De envelop? Een sigaret? Een pistool? De macht der gewoonte? Er zit niets in.

Als ik het je nog één keer kon horen zeggen, zou ik het achter me kunnen laten.

Het?

Wat zou ik er niet voor overhebben.

Ik weet niet …

O, Willie.

Sorry?

Dat zei je altijd. *O, Willie.* Niemand heeft dat ooit zo gezegd als jij. Als ik het nog één keer kon horen, zou ik ophouden met vluchten. Misschien zou ik … ik weet het niet. Zélf wat geluk vinden. Voordat het afgelopen is. Maar. Zoals je al zei. Het lot heeft anders beschikt.

Hij zwaait, draait zich om en loopt een paar stappen. Zijn hoofd duizelt; hij voelt zich slap. Hij zou zo op het trottoir kunnen vallen, plat op zijn gezicht. Hij redt het vast niet tot aan de Polara. Maar dan hoort hij iets. Hij blijft staan en kijkt om. O, zegt ze, alsof ze het Amerikaanse volkslied begint te zingen. O … Willie. *O, Willie. O.*

Hij trekt even aan zijn oorlel. Schudt het hoofd. Moet een beetje lachen.

Het klinkt niet precies hetzelfde als toen je grootmoeder het zei, zegt hij. Maar het kan ermee door. Het móét ermee door, Kate. Het ga je goed, kind.

Vrolijk kerstfeest, meneer Sutton.

Vierentwintig

De receptionist van het hotel kijkt hem met een dommig lachje aan. Wat brengt u helemaal naar Florida?

Ik ben verslaggever en ben bezig met een artikel over Willie Sutton.

O, ja. Ik hoorde het, ja. Jammer.

De receptionist geeft Verslaggever de kamersleutel en legt uit hoe het zit met het gratis ontbijt.

Verslaggever gaat naar zijn kamer, vlak bij het zwembad, en zet zijn koffer en aktetas op het bed. Hij draait de airconditioning hoger, trekt de gordijnen dicht en klikt de aktetas open. De oude dossiers glijden eruit. Er is niets wat hem die Eerste Kerstdag van elf jaar geleden zo helder voor de geest brengt als die oude dossiers. Op de een of andere manier ruiken ze zelfs naar Chesterfields.

Ook Suttons autobiografieën glijden eruit, allebei. Gemarkeerd met een highlighter, onderstreept en door Verslaggever volgeplakt met Post-its. De eerste, *Smooth and Deadly*, is verschenen in 1953. Verslaggever wist niet eens van het bestaan ervan, tot 1976, toen de tweede verscheen. *Where the Money Was*. Die besloot Sutton te schrijven nadat de uitgevers de roman hadden afgewezen die hij in de gevangenis had geschreven.

Verslaggever plaagde Sutton vaak met de titel. Meneer Sutton, zei hij, dat druist toch volkomen tegen uw principes in?

Sutton grinnikte. Knul, ik ga nu iets zeggen wat ik nog nooit van mijn leven heb gezegd. Schuldig.

Verslaggever gaat op het hotelbed zitten. Hij denkt aan de receptionist. *O, ja. Ik hoorde het, ja. Jammer*. Ja, jammer, maar Sutton heeft elf jaar langer geleefd dan iedereen verwacht had, elf jaar langer dan hij dokters en verslaggevers en de paroolcommissie – en zichzelf – had doen geloven. Dat was Suttons uiteindelijke ongrijpbaarheid, zijn ultieme bedrog: dat hij maar was blijven leven. Eigenlijk was die levenswil een van de belangrijkste redenen waarom Sutton hem, ondanks alles, ondanks zijn beroepsinstinct en zijn behoedzame aard, door de jaren heen dierbaar was geworden.

Voordat ze bevriend konden raken, moest Verslaggever Sutton eerst vergeven dat hij op die Eerste Kerstdag de Polara van de krant had gestolen. Nadat hij zijn verhaal had doorgebeld vanuit een koffiebar in de buurt van Schusters huis, wist Verslaggever Sutton en de Polara te traceren tot het Plaza Hotel. Sutton, die met een Jameson in de hotelbar zat, putte zich uit in verontschuldigingen en vertelde Verslaggever dat zijn schuldgevoel jegens Schuster hem te veel was geworden. Verslaggever aanvaardde die verklaring en ze schudden elkaar de hand.

Hoe gaat het met Watt? vroeg Sutton.

Ik zal er niet om liegen, meneer Sutton. Een kerstkaart hoeft u volgend jaar niet van hem te verwachten.

Daar moesten ze allebei om lachen.

Gedurende de elf jaar die volgden, telefoneerden Verslaggever en Sutton van tijd tot tijd, en wanneer Sutton in Manhattan was, gingen ze altijd samen wat eten. Daarna gingen ze steevast naar P.J. Clarke's voor een afzakkertje. Verslaggever had er lol in om met Sutton, de succesvolste bankrover van Amerika, aan de bar te gaan zitten te midden van de bankiers en de Wall Streetjongens. Het was daar, op een avond in de herfst van 1970, dat Sutton hardop mijmerde, met de nodige Jamesons achter de kiezen: Volgens mij is Amerika geworden wat het is, knul, omdat het als enige land werd gesticht naar aanleiding van een ruzie over geld. Terwijl Verslaggever nu de airco nog wat hoger draait, bedenkt hij dat Sutton op het laatst de wandelende belichaming van Amerika was. Onder al dat bedrog, al die grootspraak, alle misdaden die hij, toegegeven of ontkend, had gepleegd, zat een halsstarrig soort goedheid. Iets waardoor hij altijd nog te redden leek.

En hij was een aartsoptimist. Hoewel hij vervuld was van spijt, benadrukte Sutton altijd het positieve, getuigde hij steeds van een roerende dankbaarheid vanwege het feit dat hij zijn laatste jaren in rust en vrijheid mocht slijten. Toch herinnert Verslaggever zich nu ook een somber telefoongesprek. September 1971, de avond van de bloedige rellen in Attica. Sutton kende een groot aantal van de drieënveertig mensen die waren omgekomen en hij beweerde te hebben geweten dat de rellen zouden uitbreken. Ik zag het aankomen, knul, zei hij steeds weer, ik wist dat het zou gebeuren. En als die klootzak van een Rockefeller me toen niet had vrijgelaten, zou ik samen met die mannen gestorven zijn, plat op mijn buik op Luchtplaats D. Dat weet ik gewoon.

Hoe weet u dat dan?

Zoals ik altijd dingen weet. Instinctief.

Toen ze hadden opgehangen kon Verslaggever niet slapen. Er had iets raars doorgeklonken in Suttons stem. Hij was niet alleen geschrokken van zijn nipte ontsnapping aan de dood of verdrietig om de mannen die waren omgekomen op Luchtplaats D. Het zat hem ook enorm dwars dat hij dankbaarheid verschuldigd was aan Rockefeller.

* * *

Twee jaar voordat Sutton stierf, ontmoette Verslaggever hem in een televisiestudio in de stad, waar een deel van *The Dick Cavett Show* werd opgenomen. Sutton droeg een prachtig grijs pak en een rode stropdas met een dubbele windsorknoop. Terwijl Verslaggever achter hem stond in de kleedkamer en toekeek hoe het meisje van de make-up Suttons neus poederde, viel het hem op hoe ontspannen Sutton leek, alsof hij zijn leven niets anders had gedaan. Vervolgens keek Verslaggever van achter de schermen naar het interview. Sutton was gevat, welbespraakt en opvallend beheerst. Meer dan eens dacht Verslaggever: hij is gekleed als een bankier, maar hij is in alle opzichten een acteur.

Na het interview stapten Verslaggever en Sutton in de lift met Zsa Zsa Gabor, die ook te gast was geweest. Gabor had een collier om met diamanten ter grootte van kastanjes. Ze vond het nodig om het collier nerveus met haar handen te bedekken en voortdurend schichtige blikken op Sutton te werpen. Toen de lift aankwam in de lobby hield Sutton de deur open voor Gabor. Altijd een heer. Maar toen ze langs hem liep, zei hij: Liefje, je kunt je juwelen wel loslaten, hoor. Ik ben gepensioneerd.

Naarmate Suttons roem toenam, werd hij ook steeds vermeteler. Verslaggever denkt aan de eerste keer dat hij Suttons gezicht op de televisie zag, tijdens een wedstrijd van de Yankees. Uitgerekend als boegbeeld van de New Britain Bank and Trust Company of New Britain in Connecticut. Het was natuurlijk wel grappig, maar ook eigenaardig ontgoochelend om Sutton zijn medewerking te zien verlenen aan een nieuw soort betaalpas op de voorkant waarvan de foto van de kaarthouder was afgebeeld. Een nieuw wapen tegen identiteitsdiefstal.

Scherpe overgang naar Sutton, die glimlacht naar de camera.

Nu geloven ze me tenminste als ik zeg dat ik Willie Sutton ben!

Een voice-over moedigt mensen aan om hun geld naar de bank te brengen.

Zeg maar dat Willie Sutton u heeft gestuurd.

Verslaggever werd er bijna kwaad om. Niet dat hij wilde dat Sutton weer banken zou gaan beroven, maar om hem er reclame voor te zien maken was wel het andere uiterste.

Sutton hield tegenover Verslaggever vol dat hij zonder enige scrupule had meegewerkt aan dat reclamespotje. Willie heeft uitgaven, knul, weet je wat een pakje Chesterfield vandaag de dag kost? Hij beweerde zelfs absoluut geen gewetenswroeging te hebben gehad toen in 1979 de huizenmarkt in elkaar zakte, de aandelenmarkt instortte en de Amerikaanse bank waarschuwde voor bankfaillissementen. Duizenden mensen te gronde gericht door ongebreidelde hebzucht. Alweer. *Daar zat het geld* – het apocriefe suttonisme wordt tegenwoordig bijna dagelijks door een journalist of econoom, professor of politicus aangehaald, niet ter verklaring van het motief van een bankrover uit de crisisjaren, maar ter verklaring van de hebzucht die mensen eigen is. Mensen doen dingen, alle mogelijke dingen, omdat daar het geld zit.

De financiële crisis is de enige reden waarom de redacteur van Verslaggever erin heeft toegestemd hem nu naar Florida te sturen, eind december 1980, zeven weken nadat Sutton is overleden aan longemfyseem. De redacteur is een aantal jaren jonger dan Verslaggever en herinnert zich Willie Sutton niet. Maar de economie houdt iedereen bezig, en het verhaal waarmee Verslaggever hem probeerde te overtuigen beviel hem wel. Een oude bankrover die een Kerstdag heeft doorgebracht met onze krant?

Lekker sentimenteel, zei de redacteur. Doe maar tweeduizend woorden.

Verslaggever gaat eten in een steakhouse in Spring Hill, het rustieke plaatsje waar Sutton zijn laatste dagen heeft gesleten, gelegen aan een inham aan de westkust van Florida. De serveerster is blond, zongebruind en gestoken in een strakke broek met wijde pijpen. Verslaggever is weg bij de vrouw met wie hij verkering had toen hij Sutton ontmoette. En ook bij de vrouw die na haar kwam en de vrouw die na háár kwam. Als de serveerster hem zijn zalm brengt, vraag Verslaggever of Willie Sutton hier weleens kwam.

Willie? Jazeker. Hij was hier stamgast. Aardige ouwe man. Bestelde altijd een porterhousesteak. Met een glas melk, vaste prik.

Verslaggever wil vragen of Sutton veel fooi gaf en of er soms weleens fooien verdwenen waren. Hij krijgt er de kans niet voor want de serveerster wordt weggeroepen.

Hij belt Suttons zus in de hoop een kopie van Suttons brieven of dagboeken te krijgen. Of van de roman. Die heette *The Sta-*

tue in the Park, had Sutton hem ooit verteld. De hoofdpersoon was een bankier wiens leven een leugen was. Verslaggever had diverse keren gevraagd of hij het manuscript mocht zien, maar Sutton had dat altijd afgehouden. Nu reageert de zus niet op Verslaggevers telefoontjes. En Suttons dochter kan hij nergens vinden. Ongrijpbaarheid – het zit in de familie.

Na twee dagen in Florida, twee dagen waarin hij de plaatselijke bibliotheken en de plaatselijke banken en de plaatselijke kroegen heeft bezocht, moet Verslaggever morgen alweer vertrekken. Hij is nog niet klaar. Hij kan het gevoel maar niet van zich afzetten dat hem iets is ontgaan, dat hij er niet in is geslaagd datgene te vinden waarvoor hij hier is gekomen, al kan hij niet precies aangeven wat dat dan is. Een aanwijzing of een teken. Een man die uit drie zwaarbeveiligde gevangenissen was ontsnapt zou toch vast niet de uitdaging kunnen weerstaan om iets te laten horen van gene zijde. Een soort groet. Een postume knipoog.

Terwijl hij van het steakhouse terugrijdt naar het hotel, moet Verslaggever toegeven dat die hoop belachelijk is. Maar niet belachelijker dan zijn zwak voor een doorgewinterde crimineel die geen berouw toonde. Dan corrigeert hij zichzelf. Hij had geen zwak voor hem in de gewone betekenis van het woord. Hij zou niet in een wereld vol Willie Suttons willen leven. Hij weet alleen niet of hij in een wereld zónder Willie Suttons zou willen leven.

Verslaggever gaat op het hotelbed liggen en herleest een paar bladzijden van Suttons tweede autobiografie. Hij lacht. Sutton moet de enige in de literatuurgeschiedenis zijn die twee autobiografieën heeft geschreven die elkaar volkomen tegenspreken, zelfs als het gaat om elementaire biografische feiten. In de ene autobiografie zegt Sutton bijvoorbeeld dat hij ervoor had gezorgd dat er bij de gevangenis een lege vluchtauto gereedstond voordat hij met Egan uit Sing Sing ontsnapte. In de andere zegt Sutton dat de moeder van zijn dochter de vluchtauto bestuurde. En toch weet Verslaggever nog dat Sutton meer dan eens heeft verteld hoe Bess eruitzag achter het stuur toen Egan en hij het talud op kwamen rennen.

In de ene autobiografie beschrijft Sutton nauwgezet de beroving van de Manufacturer Trust in Queens. In de andere autobiografie zweert hij dat hij het niet heeft gedaan. En ga zo maar door.

Hoeveel van de tegenstrijdigheden in Suttons autobiografie, of in zijn hoofd, moedwillig waren en hoeveel er te wijten waren aan geheugenzwakte, weet Verslaggever niet. Zijn huidige theorie is dat Sutton drie opzichzelfstaande levens leidde. Het leven dat hij zich herinnerde, het leven waarover hij mensen vertelde en het leven dat werkelijk had plaatsgevonden. Waar die levens elkaar overlapten, kan geen mens zeggen. Het zat er dik in dat Sutton dat zelf niet eens wist.

Verslaggever heeft overal gezocht naar Bess Endner, maar ze is spoorloos. Hij heeft stad en land afgezocht naar Margaret – wederom geen spoor. Hij heeft honderden documenten van de FBI bemachtigd, heeft dikke stapels oude kranten, tijdschriften en rechtbankverslagen doorgeploegd, zitten graven in lang verloren gewaande politiedossiers over Arnold Schuster, dossiers die hij had gevonden op de zolder van een gepensioneerde politiebrigadier, waar ze lagen te verstoffen. Het leidt allemaal tot niets. FBI-dossiers weerspreken krantenknipsels, krantenknipsels weerspreken politiedossiers en de twee zelfontkrachtende autobiografieën van Sutton weerleggen alles. Hoe meer Verslaggever graaft, des te minder hij weet, totdat het lijkt of hij elf jaar geleden Kerstmis heeft doorgebracht met de schaduw van een fantoom.

Tussen de honderden FBI-documenten zit er een met de kop: INTERESSANTE BESCHRIJVING. Een beknopte weergave van Suttons psyche, geschreven door een agent in 1950, toen Sutton de meest gezochte voortvluchtige van het land was.

RELIGIE: *Sutton was rooms-katholiek, maar door lezen is hij zijn geloof kwijtgeraakt.*

VRIJETIJDSBESTEDING: *Bracht de meeste tijd lezend door, ging eens in de twee weken naar de film, eens in het half jaar naar een toneelstuk, woonde footballwedstrijden bij, maakte voor zijn plezier lange autoritten en hij rookte. Las klassieken.*

PERSOONLIJKHEID EN TEMPERAMENT: *Zeer introverte persoonlijkheid maar goedmoedig; depressief met zo nu en dan suïcidale buien; emotionele instabiliteit die zou kunnen duiden op sensorisch petit mal; geneigd tot zorgelijkheid en angst; algemeen neurotisch onvermogen om gelukkig te zijn.*

Afgezien van de opmerkingen over lezen en roken herkent Verslaggever in deze Interessante beschrijving niet de Sutton die hij gekend heeft. Wat niet wil zeggen dat het onjuist is wat er staat. Het enige wat we van Sutton, van elkaar, kunnen krijgen zijn Interessante beschrijvingen.

Vorig week heeft Verslaggever Farm Colony bezocht, en Attica en Sing Sing en Eastern State, waar hij een aanval van claustrofobie had gekregen in een cel die precies hetzelfde was als die van Sutton. Eastern State is nu een nationaal historisch monument, en al wist de curator niet precies in welke cel Willie had gezeten, ze waren allemaal hetzelfde, allemaal even naargeestig en onmenselijk. Verslaggever was weggegaan met een nieuwe waardering voor Suttons manmoedigheid, en met meer vragen dan ooit over waarom Sutton niet in staat was geweest zijn kwaliteiten ten goede aan te wenden.

Verslaggever had nooit de intentie gehad om zo'n fervent Suttonkenner te worden. Hij weet niet waarom hij zich gedreven voelt om al die informatie te verzamelen, genoeg voor wel vijftig artikelen. Gisteravond had zijn redacteur zijn geduld verloren en gezegd dat het neigde naar egotripperij. Verslaggever had op koele toon, waar Sutton vast trots op zou zijn geweest, geantwoord dat hij hem maar lekker moest laten trippen, zolang er maar een mooi artikel uit kwam.

Verslaggever houdt zich voor dat hij zo veel mogelijk aan de weet wil komen over Sutton omdat hij verslaggever is, gedreven wordt door nieuwsgierigheid, en omdat hij een Amerikaan is en geprikkeld wordt door misdaad. Maar hij wil het vooral weten vanwege Bess. Zij is slechts een deel van Suttons verhaal, maar voor Verslaggever is zij het centrale deel. Het maakt niet uit dat oude krantenknipsels lijken te suggereren dat Suttons liefde voor haar maar een waanidee was. Alle liefde is een waanidee. Wat van belang is, is dat de liefde standhield. Tegen het eind van zijn leven praatte Sutton nog steeds over Bess, beschreef hij haar nog steeds aan zijn ghostwriter. Er zijn andere vrouwen in Suttons verleden geweest – hij was minstens twee keer getrouwd – maar over hen schreef hij afstandelijk, in tegenstelling tot de fijngevoeligheid en de melancholie waarmee hij zich Bess herinnerde. Of Bess Suttons liefde nu beantwoordde of niet, en in hoeverre, zij is de sleutel tot Suttons identiteit. En misschien ook tot die van Verslaggever. Als schrijver, als man, heeft Verslaggever een groot deel van zijn leven gespendeerd aan twee vagelijk verwante queesten: het vertellen van verhalen en de liefde. Sutton heeft geen van beide ooit opgegeven. Ondanks al zijn gevangenisstraffen en omzwervingen bleef hij tot het eind toe een verhalenverteller en een minnaar. Dat vindt Verslaggever inspirerend. Hij vindt het verdrietig. Misschien projecteert Verslaggever slechts zijn eigen psyche op een dode bankrover, maar wat dan nog? Verhalen vertellen vereist, net als liefde, een zekere mate van projectie. En als iemand ooit zijn psyche op Verslaggever wil projecteren, dan zij dat zo.

Verslaggever slaat Suttons autobiografie dicht en zet de televisie aan. Een reportage over de moord op John Lennon, twee weken geleden in New York. Een reportage over de pasgekozen president Ronald Reagan, die belooft de banken te dereguleren. Een reportage over de stijgende werkloosheid en nog een over de omvang van de wereldbevolking, die de vijf miljard nadert. Een kluwen mensen. Tot slot een speciaal item over de kerstviering in een klein, plaatselijk attractiepark, het oudste van Florida, Weeki Wachee, een bizar bouwsel met een glazen koepel over een onderwaterbron, en met als speciale attractie mooie meisjes in meerminkostuum die onderwateracrobatiek doen.

Het ligt op krap tien kilometer afstand van de plek waar Sutton is overleden.

Verslaggever springt van het bed af.

De volgende ochtend rijdt hij in zuidelijke richting over Fort Dade Avenue, slaat rechts af bij Cortez Boulevard, links af naar U.S. 19, en volgt de borden tot hij langs een muur plastic vlaggen ziet. Dan een groot turkooizen standbeeld van een meermin. Het lijkt op het Vrijheidsbeeld. Verslaggever heeft zich nooit gerealiseerd hoeveel het Vrijheidsbeeld op een meermin lijkt.

Verslaggever koopt een kaartje en een informatiefolder waarin staat dat er per dag driehonderdachtenzeventig miljoen liter water omhoogborrelt uit enorme onderaardse grotten in het park. Op slechts vijftien meter diepte is de opwaartse kracht van het water zo hevig dat het gezichtsmasker van een duiker erdoor afgerukt zou worden. Dat is dan ook de reden waarom niemand weet hoe diep de grotten precies zijn. Niemand is ooit tot op de bodem gekomen, staat er in de folder.

Verslaggever gaat een theaterzaaltje binnen. In plaats van een toneel is er een enorme glazen wand. Er klinkt ineens muziek, een transparant gordijn gaat omhoog en er wordt een reusachtige grot met paarsblauw water onthuld. Opeens zijn er aan de andere kant van het glas twee meerminnen. Ze zwaaien naar Verslaggever en hij vergeet dat ze maar doen alsof ze meerminnen zijn. Daar zijn ze te mooi voor. Ze zwemmen achteruit, zijwaarts en ondersteboven, en hun lange blonde haar golft mee in hun kielzog. Ze draaien, tuimelen en kronkelen met hun vinnen, genieten van de afwezigheid van zwaartekracht. Om de paar minuten zwemmen ze naar de zijkant van het bassin en nemen een diepe teug adem via een luchtslang. De enige verstoring van de levendige droom.

Na de voorstelling holt Verslaggever naar achteren en gaat op zoek naar hun kleedkamer. Op de deur hangt een bordje met de tekst: UITSLUITEND TOEGANG VOOR MEERMINNEN. Hij benadert de eerste meermin die naar buiten komt. Hij stelt zich voor, zegt dat hij verslaggever is en over Willie Sutton schrijft. De meermin, die nu haar loopstaartvin aanheeft, gemaakt van een glinsterende, zeegroene, nauwsluitende stof, als een kokerrok die tot dertig centimeter voorbij haar voeten doorloopt, kijkt hem wezenloos aan.

Je weet wel, zegt Verslaggever, Willie Sutton? De bankrover? Die onlangs overleden is?

Een wezenloze blik.

Hoe dan ook, zegt Verslaggever, ik heb zo'n vermoeden dat Sutton hier misschien heel wat tijd heeft doorgebracht aan het eind van zijn leven. Dat hij misschien naar de kleedkamer is gekomen. Misschien met jou of een van de andere meerminnen heeft gesproken.

Ze haalt haar vingers door haar lange natte haar in een poging het te ontwarren. Er komen hier voortdurend mannen langs, zegt ze.

Oké, zegt Verslaggever, maar deze man zou over zichzelf hebben gesproken in de derde persoon. Willie vindt je beeldschoon. Willie vindt dat je op een meisje lijkt dat hij vroeger gekend heeft in Poughkeepsie. Iets in die trant.

De meermin schikt de gordel van haar vin. Ik heb echt geen idee, meneer. Die naam zegt me helemaal niets.

Misschien zou je het aan de andere meerminnen kunnen vragen.

Ze ademt diep in, alsof ze lucht hapt aan de luchtslang. Een ogenblikje.

Ze draait zich om – wat nog niet meevalt met haar stoffen vin – en waggelt de kleedkamer weer in.

Verslaggever leunt tegen de muur. Er gaat een minuut voorbij. Twee. Hij heeft nog nooit in zijn leven gerookt, maar hij heeft ineens een vreemd verlangen naar een Chesterfield.

De deur van de kleedkamer gaat open. Er komt een andere meermin naar buiten. Ze is niet zo knap als de eerste meermin. Maar – blond haar, blauwe ogen – haar schoonheid heeft iets gezonds. Iets ouderwets. Willies type, denkt Verslaggever.

Ook zij draagt een stoffen staartvin. Strak om haar lichaam. Met gouden spikkeltjes. Ze schuifelt glimlachend op Verslaggever af.

Verslaggever weet, ziet het in haar blauwe ogen, dat ze een envelop heeft met een brief van Willie. Of anders het manuscript van *The Statue in the Park*. Ze zal Verslaggevers naam noemen en Verslaggever zal haar vragen hoe ze zijn naam kent en zij zal zeggen: Van Willie – hij had al zo'n vermoeden dat je langs zou komen. Vervolgens zullen zij en Verslaggever een kop koffie gaan drinken en ontdekken dat ze duizenden dingen gemeen hebben en ten slotte verliefd worden op elkaar en gaan trouwen en kinderen krijgen, en hun gezamenlijke leven zal Willies eeuwigdurende geschenk aan Verslaggever zijn. Hij steekt zijn hand uit en wil iets zeggen, maar de meermin doet een stapje opzij, schuifelt langs hem heen en laat zich omhelzen door een jongeman die vlak achter hem staat.

Je ziet er prachtig uit, zegt de jongeman tegen haar.

Gatsie, fluistert ze, ik wil niets liever dan naar huis en dit stomme kostuum uittrekken.

Verslaggever loopt langzaam naar zijn auto. Hij rijdt naar het vliegveld. Onderweg zet hij de radio aan. Een verslag over de allereerste spaceshuttle, die over een half jaar pal ten oosten van Spring Hill gelanceerd zal worden. Verslaggever kijkt uit over het zwarte moerasland en het dichte bos en maakt zich een voorstelling van de lancering. Hij weet dat Sutton erbij had willen zijn. Hij herinnert zich ineens iets wat Sutton zei. Hoewel het bijna op de dag af elf jaar geleden is, kan hij toch de hese stem met dat doorrookte Brooklyn-accent nog horen die door de auto klinkt, duidelijker dan de radio, en Verslaggever moet erom glimlachen.

Hé, knul, weet je dat Collins er beroerd aan toe was toen de astronauten waren teruggekeerd op aarde? Hij kon niet eten, hij kon niet slapen. Zomaar midden in een zin hield hij ineens op met praten. De man functioneerde niet meer. Uiteindelijk vertelde hij de doktoren bij NASA *dat hij, na al die tijd naar de maan te hebben gekeken, na er steeds opnieuw omheen te zijn gecirkeld zonder haar ooit aan te raken, ten slotte hopeloos verliefd op haar was geworden. Zijn woorden, niet de mijne. Verliefd op de maan, kun je het je voorstellen, knul? Kun je je voorstellen hoe verrekte eenzaam je moet zijn om verliefd te worden op de maan?*

Dankwoord

Mijn grote dankbaarheid gaat uit naar Andre Agassi,
Hildy Linn Angius, Ellen Archer, Spencer Barnett,
Violet Barnett, Lyle Barnett, Aimee Bell, Elisabeth Dyssegaard,
Fred Favero, Gary Fisketjon, Rich Gold, Paul Hurley,
Bill Husted, Mort Janklow, Ginger Martin, Eric Mercado,
McGraw Milhaven, Dorothy Moehringer, Sam O'Brien,
J.P. Parenti, Joni Parenti, Kit Rachlis, Derk Richardson,
Jaimee Rose, Jack La Torre en Peternelle van Arsdale.

Bronvermelding

DEEL EEN

Hoofdstuk 1

Drie is finaal: wat ik driemaal gezegd heb, is waar. (I have said it thrice: What I tell you three times is true.) Uit: *The Hunting of the Snark: an Agony in Eight Fits* van Lewis Carroll, uit het Engels vertaald door Jan Kuijper als: *De jacht op de slaai: een agonie in acht schokken.* Athenaeum-Polak & Van Gennep, Amsterdam, 2007.

Zo was in den beginne de gehele wereld een Amerika ... want zoiets als geld was nergens bekend. (Thus in the beginning all the World was America ... for no such thing as money was anywhere known.) Uit: *Over het Staatsbestuur* van John Locke, vertaald door F. van Zetten. Boom Klassiek, Amsterdam, 1988.

De gevangenis is de plek waar je jezelf het recht toekent om te leven. (Prison is where you promise yourself permission to live.) Uit: *On the Road* van Jack Kerouac, uit het Engels vertaald door Guido Golücke. De ongecensureerde jubileumeditie, De Bezige Bij, Amsterdam, 2007.

Toe, kom nu de tuin in, Maud, ik sta hier alleen bij het hek. (Come into the garden, Maud, I am here at the gate alone.) Uit: *Maud* van Alfred Tennyson, 1855, eigen vertaling.

Hoofdstuk 2

Daar zat het geld. (That's where the money was.) [Sutton]
– eigen vertaling.

Hoofdstuk 4

En zij zagen hem van verre. Maar voordat hij bij hen gekomen was, smeedden zij een aanslag tegen hem om hem te doden. Zij zeiden tot elkander: Zie, daar komt die aartsdromer aan. Nu dan, komt, laten wij hem doden en in een van de putten werpen, en laten wij dan zeggen: Een wild dier heeft hem verslonden. Dan zullen wij zien, wat er van zijn dromen terechtkomt.
Genesis 37:18, vertaling Nederlands Bijbelgenootschap.

Zodra Jozef bij zijn broeders gekomen was, trokken zij Jozef zijn kleed uit, het pronkgewaad, dat hij droeg. En zij namen hem en wierpen hem in de put; de put nu was leeg, er stond geen water in.
Genesis 37:23, vertaling Nederlands Bijbelgenootschap.

En de Here was met Jozef; Hij bewees hem genade en deed hem de genegenheid van de overste der gevangenis winnen.
Genesis 39:21, vertaling Nederlands Bijbelgenootschap.

Ik zoek mijn broeders; vertel mij toch, waar zij weiden.
Genesis 37:16, vertaling Nederlands Bijbelgenootschap.

Tijd – die je slinks van je jeugd berooft.
John Milton Sonnet VII: 'On his being arrived at the age of 23'. Variatie op de vertaling van Paul Claes *(Hoe snel is Tijd, de slinkse levensrover)*, uit 1987.

Hoofdstuk 9

Eenieder die beweert diep mee te voelen met andere mensen zou heel, heel lang moeten nadenken voordat hij ermee instemt om andere mensen achter de tralies te zetten – op te sluiten. Uit: *Armies of the Night.* Malcolm X, eigen vertaling.

DEEL TWEE

Hoofdstuk 10

Het treurigste van de liefde, Joe, is dat niet alleen de liefde geen eeuwig leven heeft, maar dat zelfs het liefdesverdriet snel vergeten is. (The saddest thing about love, Joe, is that not only the love cannot last forever, but even the heartbreak is soon forgotten.) Uit: *Soldier's Pay* van William Faulkner, eigen vertaling.

We zijn bijna wakker wanneer we dromen dat we dromen. (We are near waking when we dream we are dreaming.) Novalis, eigen vertaling.

Arbeid is zichtbaar gemaakte liefde. (Work is love made visible.) Uit: *De profeet* van Khalil Gibran. Vertaling: Carolus Verhulst. Miranana, Wassenaar, 1979.

Wanneer je een misdaad pleegt, is het alsof de grond bedekt is met een laag sneeuw, een laag die in de bossen het spoor verraadt van elke patrijs, vos, eekhoorn of mol. (*Commit a crime, and it seems as if a coat of snow fell on the ground, such as reveals in the woods the track of every partridge and fox and squirrel and mole.)* Uit: *Zeven essays* van Emerson, variatie op vertaling door Just Havelaar en N. Havelaar-Mees, Maatschappij voor Goede en Goedkoope Lectuur, 1936.

Hoofdstuk 12

Maar geen mens kan gelukkig zijn wanneer hij zich zorgen maakt over het belangrijkste in zijn leven. (But no one can be happy if worried about the most important thing in one's life.) Cicero, eigen vertaling.

Wie is een groter crimineel, hij die een bank berooft of hij die een bank bezit? (*Who is the greater criminal – he who robs a bank or he who owns one?*) Uit: Bertolt Brecht, *Driestuiversopera*, eigen vertaling.

Ook spot is vaak profetisch. (Jesters do oft prove prophets.) Uit: Shakespeare, *King Lear*, vertaling dr. L.A.J. Burgersdijk, *De werken van William Shakespeare*, derde druk, Uitgeverij Sijthoff, Amsterdam, z.j. 3e herziene druk.

Hoofdstuk 13

En ach, dat een man in mij op mag staan, Opdat de man die ik ben ophoudt te bestaan. (And ah for a man to arise in me, That the man I am may cease to be.) Uit: *Maud* van Alfred Tennyson, eigen vertaling.

Je kwam binnen uit de nacht, En had bloemen in je hand, Nu maak jij je los uit een kluwen mensen, Uit een tumult van stemmen om je heen. (You came in out of the night, And there were flowers in your hand, Now you will come out of a confusion of people, Out of a turmoil of speech about you.) Uit: *Francesca* van Ezra Pound, eigen vertaling.

Hoofdstuk 15

De oude leeuw komt om bij gebrek aan prooi.
Job 4:11, vertaling Nederlands Bijbelgenootschap.

DEEL DRIE

Hoofdstuk 17

Waarom ben je alleen? Waarom brak niet de hele hel uit? (But wherefore thou alone? Wherefore with thee Came not all hell broke loose?) Uit: *Paradise Lost* van John Milton. Vertaling Peter Verstegen, *Het Paradijs Verloren*, Athenaeum-Polak & Van Gennep, Amsterdam, 2003.

En de Here kreeg berouw over het kwaad, dat Hij gezegd had zijn volk te zullen aandoen.
Exodus 32:11-14, vertaling Nederlands Bijbelgenootschap.

Dan zal de Here berouw hebben over het kwaad dat Hij tegen u gesproken heeft.
Jeremiah 26:13, vertaling Nederlands Bijbelgenootschap.

Ik ben het berouwen moe.
Jeremiah 15:6, vertaling Nederlands Bijbelgenootschap.

Hoofdstuk 21

[Petrus] die geen wroeging voelde, maar spijt ten overstaan van God. (Instead we must emulate Peter – who felt not remorse but God-centered sorrow and regret.) Uit: *Peace of Soul* van Bishop Fulton J. Sheen, eigen vertaling.

Hoofdstuk 22

De boetvaardige dient altijd te treuren en zich te verheugen over zijn treurnis. (The penitent should ever grieve, and rejoice at his grief.) Uit: *Peace of Soul* van Bishop Fulton J. Sheen, eigen vertaling.

Gods vergiffenis door het sacrament geeft ons Zijn vriendschap terug, maar de schuld aan de Goddelijke Gerechtigheid blijft bestaan. (God's pardon in the Sacrament restores us to His friendship, but the debt to Divine Justice remains.) Uit: *Peace of Soul* van Bishop Fulton J. Sheen, eigen vertaling.

De geschiedenis [, zei Stephen,] is een nachtmerrie waaruit ik wil ontwaken. (History is a nightmare from which I'm trying to wake up.) Uit: *Ulysses* van James Joyce, Episode 2, blz. 39, vertaling Paul Claes en Mon Nys. De Bezige Bij, Amsterdam, 2004.

O jemie laat me opstaan. (*O Jamesy let me up [out of this]).* Uit: *Ulysses* van James Joyce, Episode 18, p. 814, vertaling Paul Claes en Mon Nys. De Bezige Bij, Amsterdam, 2004.

J.R. Moehringer bij De Geus

Tender bar

Een kroeg is misschien niet direct de beste plek voor een kind, maar ook niet de allerslechtste. Vooral niet wanneer er zich warmhartige en zonderlinge stamgasten bevinden zoals oom Charlie, de kok, de politieagent met zijn geheimzinnige verleden, en de oorlogsveteraan.

Voor de kleine J.R. zijn het allemaal surrogaatvaders, in ieder geval beter dan zijn eigen vader, die uitblinkt in afwezigheid. Van hen leert hij lef te hebben en optimistisch te zijn, en dat er meer bestaat dan goed en kwaad. Ook leert hij dat boeken bergen kunnen verzetten en dat je niet doodgaat aan een gebroken hart.